Fürst und Bolf

Aufsätze zur Sprach- und Literaturgeschichte

Fürst und Bolf

Aufsätze zur Sprach- und Literaturgeschichte

Inktank publishing, 2018

www.inktank-publishing.com

ISBN/EAN: 9783747763056

All rights reserved

AUFSÄTZE

ZUR

SPRACH- UND LITERATUR-
GESCHICHTE

WILHELM BRAUNE

ZUM

20. FEBRUAR 1920

DARGEBRACHT

VON

FREUNDEN UND SCHÜLERN.

DORTMUND

DRUCK UND VERLAG VON FR. WILH. RUHFUS

1920

4

Mit der Begründung der „Beiträge zur Geschichte der deutschen Sprache und Literatur" durch Hermann Paul und Wilhelm Braune im Jahre 1874 begann eine neue Epoche für die germanische Sprachwissenschaft. Die neue Zeitschrift entwickelte sich bald zum Mittelpunkt für eine Reihe jüngerer Gelehrter aus der Schule Friedrich Zarnckes. In zahlreichen Einzeluntersuchungen wendeten sie die eben gewonnene strengere Methode in der Behandlung lautlicher Gesetze auf die germanischen Dialekte an. Die verfeinerte exakte Beobachtungsweise verlangte aber auch eine neue zusammenfassende Durcharbeitung des sprachlichen Materials, und Wilhelm Braune verdanken wir die grundlegenden grammatischen Werke für das Gotische und für das Altbochdeutsche. Den entsprechenden literarischen Stoff bot sein „Althochdeutsches Lesebuch". Damit hat er der Forschung den Unterbau für die Studien auf diesen Gebieten gelegt und zugleich dem Lernenden zuverlässige Hilfsmittel geschaffen. Dem Althochdeutschen zumal wendete er seine besondere Liebe und seine nie ermüdende Arbeitskraft zu, und eine Reihe von Abhandlungen in den ersten Bänden der Beiträge sind Früchte dieser Tätigkeit auf sprachlichem wie auf literarischem Gebiete: Festsetzung der sprachlichen Formen im grammatischen Lehrgebäude und der überlieferungsgemäßen Lesung in literarischen Texten, das sind die Aufgaben, die seine Leipziger und Gießener Dozentenjahre ausfüllten (1874—1880 und 1880—1888).

Der Grund des Lebenswerkes war gelegt, die Grammatik im Sinne der neuen Erkenntnisse ausgebaut, der Gelehrte konnte zu andern Arbeiten übergehen. Der aufs feinste ausgebildeten Forschungsweise blieb er treu und wendete sie wie auf die althochdeutschen Denkmäler, so auch auf hervorragende Werke der andern germanischen Dialekte an. Er lehrte das einzelne in seinem tiefsten Grunde fassen, nicht bloß als isolierten Lautkörper und losgelöst vom kausalen Zusammenhange, sondern als folgerichtige Erscheinung eines sinnreichen Organismus. Er suchte die einzelne Stelle im literarischen Denkmal aus der Seele des schaffenden Dichters, die Bedeutungsgeschichte eines Wortes aus der Kultur des Volkes zu verstehen. Dadurch haben seine wort- und textkritischen Abhandlungen, wie die über Irmindeot (Beiträge 21,1—7), Brunhildenbett (23,246—253), Braut in den germanischen Sprachen (32,30—59), Muspilli (40,425—445, 41,192), zu Wolframs Parzival und Willehalm (24,188—205, 27,565—570), zu Walther (40,216. 345—347, 41,189—191), über Helmbrechts Haube (32,555—559), zugleich den Wert von literatur- und kulturhistorischen Beiträgen erhalten. Auch auf das Neuhochdeutsche dehnte er seine Forschungen aus in der Heidelberger Rektoratsrede von 1905 über die Einigung der deutschen Aussprache. Für die Geschichte der Verbalstellung im Satze gab der bahnbrechende Aufsatz „Zur Lehre von der deutschen Wortstellung" (als Beitrag zur Festgabe für Rudolf Hildebrand 1894) Richtlinien. Mit der Herausgabe der Neudrucke deutscher Literaturwerke des 16. und 17. Jahrhunderts (seit 1876), die bis jetzt 239 Nummern umfassen, und zu denen er selbst mehrere Hefte beisteuerte, hat er die sorgsame textkritische Pflege auch der frühneuhochdeutschen Literatur zugutekommen lassen.

Die Höhepunkte von Wilhelm Braunes wissenschaftlicher Arbeit fallen in seine Wirksamkeit zu Heidelberg seit 1888. Hier erfolgte die kritische Herstellung der neugefundenen Bruchstücke der altsächsischen Bibeldichtung (1894), hier wurden die vielumstrittenen Fragen über die Handschriftenverhältnisse des Nibelungenliedes ihrer Lösung wesentlich nähergebracht (Beiträge 25,1—222, dazu 27,542—564, 36,540—551), hier entstand die wortgeschichtliche Untersuchung über Reim und Vers (Sitzungsberichte der Heidelberger Akademie 1916) und endlich als reifste Frucht umfassender Gelehrsamkeit und philologischen Scharfsinns die sprachkulturellen Studien über die Beziehungen zwischen Althochdeutsch und Angelsächsisch (Beiträge 43,361—445).

Alle diese Arbeiten sind Auswirkungen einer in sich geschlossenen Persönlichkeit. Sie zeigen eine Auffassung, nach der die Philologie eine empirische Wissenschaft, mit streng exakter Methode ist. Gesetzmäßig wie „Naturereignisse" (Beiträge 1,37) und doch nicht als bloße Naturvorgänge, sondern als geistig-sinnliche Erscheinungen verlaufen die Lautprozesse des sprachlichen Lebens. Vollends die Bedeutung des Wortes in der Literatur oder in der weiteren Geistesgeschichte kann richtig nur erfaßt werden, wenn es als notwendiges Glied in seine Umgebung hineingestellt wird.

Nicht durch Spekulation wird die Erkenntnis gewonnen, und ein kräftiger Tatsachensinn macht halt vor den jenseits der Erfahrung liegenden Regionen. Wir fühlen uns hier auf dem festen Boden der immanenten Wirklichkeit und empfangen in uns den Segen, der stets von der Wahrhaftigkeit ausgeht. Und hierauf beruht letzten Endes die ethische Wirkung dieser fast fünfzigjährigen Lebensarbeit. Voll Dankbarkeit für die Anregungen, die von dieser Gelehrtenpersönlichkeit ausgegangen sind, bringen am heutigen Festtage eine Anzahl Freunde und Schüler dem Jubilar diese Gabe dar, die Zeugnis ablegt von der Weite seines wissenschaftlichen Interessenkreises, von dem Umfang seiner Tätigkeit als Gelehrter und Lehrer. Denn beinahe jede der in diesem Festbande vereinigten Abhandlungen knüpft an Gedanken, die Wilhelm Braune ausgestreut, stützt sich auf ein Gebiet, in dem er gearbeitet hat.

Miscellanea Celtica.

Von Kuno Meyer †.

1. Altirische Flußnamen.

Die Spielerei mit den Namen der Buchstaben im Ogamalphabet, die irgendeinen *ogmóir* oder 'Ogamisten' veranlaßt hat, u. a. auch ein *linn-ogam* 'Gewässerogam' aufzustellen, liefert uns, neben zwölf bekannten, nicht weniger als acht sonst nicht überlieferte Namen von Flüssen Irlands. Nach den vier Gruppen des Alphabets geordnet lautet die Liste (BB 310b 14 ff.):

> *berba · luimnech · febal · sinand · nid*
> *hon . derg · tearc · teit · catt · cusrat*
> *muinten · gabal · ngrian · stur · rigi*
> *aru · eobal · uisiu · erbos · indiurnn*

Statt *derg · tcarc* ist *Derg-derc* 'Rotloch' zu lesen, der alte Name für Lough Derg, die bekannte Ausbuchtung des Shannon. Das *ng* in *ngrian* und das *st* in *stur* haben natürlich keine lautliche Bedeutung[1]. *Grīan* (ā) f. 'Sonne' ist der heute nach der aus *Loch Grēne*[2] bezogenen Genitivform Graney genannte Fluß in der Grafschaft Clare. *Stur* steht für *Siūr* (ā) f., wie der Nom. des englisch Suir geschriebenen Namens LU 98a 15 lautet.

Aru ist die sonst nicht belegte altir. Namensform für den heute Ara genannten rechten Nebenfluß des Suir, der durch die Stadt Tipperary fließt. Der Name ist vielleicht mit dem des Aran am Cader Idris in Wales zu vergleichen.

Catt 'Katze' kann ich sonst nicht belegen oder identifizieren. Hogan setzt einen Ortsnamen *Cattēne* an, den er aus dem Beinamen eines der vielen Mochūa genannten Kleriker erschließt (LL 115c 43 = Rl 502,93c 12). Das ist aber offenbar ein Schmeichelname, 'Kätzchen'.

Cusrat ist mir in jeder Beziehung dunkel.

Eobal ist wohl in *eo* und *bal* 'Gedeihen, Fülle, Glück' zu zerlegen. In Lism. Lives Z. 2533 ist *Bal* der Name einer Quelle

---

[1] Ebenso steht in dem *ēn-ogam* 'Vogelogam' *ngeig* für *gēid* 'Gans'.
[2] Oder nach *sruth Grēne*.

1

(topur dian ainm Bal). *Eo* mag entweder das Wort für 'Lachs' oder das in den Personennamen *Eo-bran*, *Eo-gal*, *Eo-gen*, *Eo-lug*, *Eo-thigern* vorliegende Wort sein, welches auf *evo-* zurückgeht, wie inschriftlich *Evolengi* = altir. *Eol(a)ing* zeigt.

Ein Fluß *Erbos* wird sonst nur noch einmal erwähnt, und zwar in der Dativform *Erbus* in einem Zitat bei Hogan S. 400[2]: *cath Cūile Tobair ar Erbus*.

Indiurnn ist mir auch ganz unbekannt. Bloße Verschreibung für *Indiuind*, wie der bekannte Fluß *Indeöin* LU 56a 27 geschrieben wird, ist es wohl nicht.

Muinten scheint 'Joch' zu bedeuten, wenn ich dies Wort Alex. Z. 932 so richtig übersetzt habe *(cathcharpait co feirtsib ocus muinntendaib öir ocus argait)*. So ist einer der dichterischen Namen für den Boynefluß *Mörchuing argait* 'das große Joch von Silber' CZ X 106 § 5.

On ist weder sonst belegt noch kann ich es identifizieren. Es mag das bekannte Wort *on* 'Schande' sein, für welches O'Brien auch die Bedeutung 'sloth, laziness' gibt. Gall. *onno* 'flumen' (Endlichers Glossar) ist schwerlich verwandt.

Teit, wohl *Tēit*, zur V *tep-* 'brennen, heiß sein'.

Uisiu ist der von Hogan in der Genitivform *Uissen* angesetzte Flußname. Der Akk. *Uissin* steht AU 1056 *(corrici Uissin · i · co hobhuinn Muighi hUatha)* und Rl. 502, 120a 2 *(co tēt i nhUissin)*. Aus den an letzterer Stelle angegebenen Einzelheiten läßt sich der Fluß genau lokalisieren. Es ist der heute Fushogue genannte Nebenfluß des Barrow, der den alten Namen in der Deminutivform[1] mit prothetischem *f* *(Fuiseōg)* bewahrt hat. An ihm liegt das *Glenn Uissen* genannte Tal, CZ III 20,13, von dem dort geborenen Dichter Dublitir poetisch *Uisenglenn* genannt. Der Fluß hat seinen Namen nach der Lerche *(uisiu* f.), gleichsam der wie eine Lerche zwitschernde. Vgl. *Afon Llafar* in Wales. Nach der Lerche ist bekanntlich auch *Usnech* 'Lerchenhügel' benannt.

2. Nordisches im Irischen.

Während Marstrander in seinem 'Bidrag til det norske sprogs historie i Irland' eine ganze Reihe gut irischer Wörter fälschlich aus dem Nordischen zu deuten versucht hat, wie das Pokorny im

---

[1] Vgl. *uiseōc mōna* 'Sumpflerche', CZ VIII 219 § 11.

13. Bande der Zeitschr. f. celt. Phil. im einzelnen nachweist, hat er anderseits manches unzweifelhaft Nordische im Irischen unbeachtet gelassen, so u. a. das Zitat eines altnordischen Wortes bei Cormac § 739. Wir lesen dort *īarnn · i · iarth* (*iart* M) *in nortmanica lingua*, womit besagt werden soll, daß das irische Wort *īarnn* 'Eisen' aus dem nord. *iörd* 'Erde' stammt, wie das Eisen selbst aus der Erde. Das nordische Wort ist dabei in seiner obliquen und Kompositionsform (*iard·*) angesetzt.

3. König Find von Leinster.

In meiner Ausgabe von Dalláns Schwertlied in Rev. celt. XX 9 wußte ich über den dort als Nachfolger des 909 gestorbenen König Cerballs von Leinster erwähnten Find nichts auszusagen. Wie ich seither aus dem Stammbaum der Ui Fáeláin in Rawl. 502, 117c und d ersehen habe, war dieser Find der Sohn Máel Mórdas, des Bruders von Cerball.

4. Der Name der schottischen Insel Arran.

Es liegt nahe, den Namen dieser im Firth of Clyde gelegenen Insel mit dem in englischer Aussprache gleichlautenden der westlich von Galway liegenden Inseln in Zusammenhang zu bringen, und das ist auch wohl bisher die gewöhnliche Annahme[1]. Aber die Laute und Formen sprechen dagegen. Während die irischen Inseln heute im NSg. *Árainn* (*Árń*), altir. *Áru* f., Gen. *Áirne*, Dat. *Árainn*, NPl. *Áirne* heißen und gewiß nach dem ebenso deklinierten Worte *áru* 'Niere' genannt sind, ist der schottische Name mit kurzem Anlaut anzusetzen, wie zweimaliger Reim der Nominativ- und Genitivform *Arann* beweist. Es heißt in einem Silva Gad. I 102 und Stokes, Acall. Z. 340 ff. abgedruckten Gedicht auf die Insel:

> *áibinn gach ionam Arann*

'entzückend ist A. zu jeder Zeit', im Reim auf *abann*. Ferner, Ir. T. III S. 34 § 9 in einer Leborchamm in den Mund gelegten Strophe auf eine schöne Maid namens Muirgel:

> *Mad cu ablaig   ablach Arann,*
> *mad cu Muirgil   Muirgel Manann*

was sich frei übersetzen läßt: 'Wie die Apfelbäume Arans die schönsten aller Apfelbäume sind, so ist Muirgel von der Insel Man die

---

[1] So setzen sowohl Stokes im Index zu seiner Ausgabe der Acallam als Hogan für beide den Nom. als *Áru* an.

schönste Muirgel'. Andere Belegstellen für den NSg. *Arann* sind
SG 102,1, für den gleichlautenden Gen. ib. 101,31 = Acall. Z. 330
(*selg Arann*), Chron. Pict. 99 (*loingsech Ile ocus Arann*), FM II
1112, 1. Dagegen lautet der Nom. *Ara* (s. Nenn. S. 48 (*Ara ocus
Ili ocus Rechra*) und Betha Āeda Rūaid 96,1, wo kurz vorher ein
Gen. *na hAra* steht. Was die ursprüngliche Form war und was
Analogiebildung ist, läßt sich nicht feststellen. Vielleicht haben wir
es mit demselben Worte zu tun, das auch in dem bekannten Berg-
namen in Wales, *Aran* und seinem Deminutiv *Arenig* vorliegt;
und vielleicht überhaupt nicht mit einem keltischen, sondern einem
aus der Sprache der Urbewohner herübergenommenen Namen, der
deswegen ursprünglich indeklinabel war.

5. Wie englische Historiker Geschichte fälschen.

Seit der Zeit der Königin Elisabeth ist die älteste Geschichte
Irlands unter den Händen englischer Historiker zu einem grotesken
Zerrbild geworden[1]. Es ist das eine Geschichtsfälschung, die ihr
Entstehen nicht nur einem greulichen Mangel an Kenntnissen und
ehrlicher Forschung verdankt, sondern dem pharisäerhaften
Dünkel, mit dem die Engländer auf fremde, selbst hochstehende
Kulturen herabsehen; besonders aber dem bewußten und plan-
mäßigen Versuch, ein Volk, das englische Politik zu Knechtschaft
und Unbildung verdammt hat, als von Natur so tiefstehend zu
schildern, daß es keiner anderen Behandlung würdig gewesen ist.
Ferner soll dadurch zugleich eine Art Entschuldigung geliefert
werden für die grausame Unterdrückung und Versklavung, die
Politik der Vernichtung und Ausrottung, welche England jahrhundertelang an den Iren verübt hat. In dem gesamten Bereich
der Geschichtschreibung findet sich kein widerlicheres Schauspiel
als dieses Gemisch von lächerlicher Unwissenheit und wissentlicher
Verlogenheit, und nur die aus derselben Quelle stammenden Lügen
und Verleumdungen dieses Krieges lassen sich ihm an die Seite
stellen, die ja einen ganz gleichen Zweck verfolgen. Der Gipfel
perfider Gemeinheit aber wird erreicht, wenn das durch englische
Barbarei hervorgerufene Leiden und Elend dem Volke als nur

---

[1] S. darüber besonders Alice Stopford Green, The Old Irish World,
Ch. V, Tradition in Irish History.

durch eigene angeborene Verderbtheit und Lasterhaftigkeit ver-
schuldet zur Last gelegt wird.

Doch selbst einem so niederträchtigen Verfahren fehlt die
lächerliche Seite nicht. So ist es z. B. belustigend, zu beobachten,
wie auch die absurdesten Aufstellungen, in deren Wiederholung
und Variierung sich die englischen Historiker von Generation zu
Generation gefallen, auf irgendeiner positiven Grundlage beruhen,
die entweder töricht entstellt oder absichtlich verdreht worden
ist. Das ist z. B. mit der aberwitzigen Behauptung der Fall, daß
die Iren des Mittelalters nur selten Häuser gebaut und das auch
nicht nötig gehabt hätten, weil sie in ihren langen Mänteln genügen-
den Schutz gegen alle Unbilden der Witterung und Ersatz für häus-
lichen Komfort fanden! Diese unglaublich kindische Bemerkung
findet sich allen Ernstes bei mehr als einem englischen Geschicht-
schreiber der Neuzeit und wird wohl noch oft wiederholt werden.
So heißt es in dem Beitrag über die Geschichte Irlands seit Heinrich
VIII. zu der „Cambridge Modern History", der aus der Feder des
„Professors der irischen Geschichte" an der Universität Manchester,
Robert Dunlop mit Namen, geflossen ist, von dem irischen Volke
des 15. Jhs.: "They subsisted almost entirely on the produce of
their herds and the spoils of the chase, and found in their large
frieze mantles a sufficient protection against the inclemency of the
weather, and one (sic) relieving them from the necessity of building
houses for themselves". Da Dunlop, wie alle Engländer, die über
irische Geschichte geschrieben haben, der irischen Sprache gänzlich
unkundig ist und also für die ältere Periode nicht aus den Quellen
schöpfen kann, so muß er diese wunderliche Nachricht bei irgendeinem englischen Vorgänger aufgerafft haben. Frau Green hat
denn auch in ihrem oben angeführten Buche S. 173 den Sünder,
von dem er abgeschrieben hat, entdeckt. Es war der Herausgeber
der *State Papers* von 1509—73, ein Herr Hamilton, der sich vor
mehr als fünfzig Jahren über die Iren im Zeitalter der Elisabeth
folgendermaßen vernehmen läßt: "Most of the wild Irish led a
nomade life[1], tending cattle, sowing little corn, and rarely building
houses, but sheltered alike from heat and cold, and moist and dry,

---

[1] Auch diesen Unsinn hat Dunlop in die 'Cambridge History' hinüber-
genommen.

by the Irish cloak." Wie mag nun Hamilton auf die tolle Idee von diesem märchenhaften Wundermantel gekommen sein, diesem wahren 'Häuslein, bau dich'? Zwar wie und warum ein Mantel gegen Trockenheit schützt, wird wohl ewig ein Rätsel bleiben, aber den Ursprung der Idee vom Ersatz der Hauseinrichtung glaube ich nachweisen zu können. Wir haben ein irisches Gedicht aus der Mitte des 10. Jhs., in welchem der Verfasser, Cormacān mit Namen, den Heereszug seines Herrn, Königs Murchertach von Ailech, durch einen großen Teil Irlands schildert. Der Dichter hat die Fahrt, die mitten im Winter 941/2 stattfand, selbst mitgemacht und berichtet folgendermaßen von einem auf dem Hügel von Alenn[1] verbrachten Biwak:

> Adaig dūinn i nAlinn ūair tānic in snechta anairthūaid:
> rob iat ar taige cen roinn ar cochaill chorra chrocoinn[2].

'Wir waren eine Nacht auf dem kalten Hügel von Alenn, aus Nordosten kam der Schnee. Da waren ohne Unterschied der Person unsere langen Mäntel aus Tierhäuten unsere Behausung'.

Als die Truppen später auf einer Ebene (Mag Femin) biwakieren, heißt es ähnlich:

> Rob ē ar chlithar, rob ē ar coill ar cochaill chorra chrocoinn[3].

'Da waren unsere langen Mäntel aus Tierhäuten unser Schutz, unser (schirmender) Wald'.

Da nun die Erstausgabe dieses Gedichtes mit englischer Übersetzung von John O'Donovan aus dem Jahre 1841 datiert, war es Hamilton gewiß bekannt geworden. Mit dem Gemisch von Voreingenommenheit, bösem Willen und Unaufrichtigkeit, das alle englischen und leider auch manchen anglo-irischen Historiker kennzeichnet, wenn sie über Irland schreiben, brachte er es dann fertig, die angeführten Stellen so ungeheuerlich und spaßhaft zugleich zu verdrehen. Hat doch die heutige Generation englischer Gelehrter, Schriftsteller und Staatsmänner mit Kadaver-Verwertungsanstalten, 'Deutschland über alles' usw. ganz ähnliche Dinge zustande gebracht!

---

[1] Eine etwa 190 Meter hohe Anhöhe in der Grafschaft Kildare, auf welcher sich noch die Ruinen einer der größten Festen Altirlands befinden, die im 10. Jh. schon längst zerstört war.

[2] S. Móirthimchell Éirenn uile, ed. E. Hogan, Dublin, 1901, § 17.

[3] Hogans Ausgabe § 30.

6. Altir. dor m. 'Tor'.

In den Sitzungsber. d. preuß. Akad. 1919 S. 377 habe ich ein bisher nicht beachtetes irisches Wort *dor*, das mit unserem *Tor*, *Tür*[1] θύρα, lat. *forēs* usw. verwandt und wohl auch gleichbedeutend ist, in Ortsnamen nachgewiesen. Wie ich jetzt sehe, liegt es auch in einem Personennamen vor, der *Dor-chū* lautet und also wohl 'Torhund' bedeutet. Von einem Eponymus dieses Namens hatte der *Dāl Dorchon* genannte Teilstamm, welcher zu der Stammgruppe der Dēsse gehörte, seine Benennung. S. Rawl. B. 502, 133a 40. Der NPl. *duir* scheint im Sinne von 'Vesten' in dem folgenden altirischen Verse (Älteste Dichtung I 17 § 5) vorzukommen:

duir conreraid[2] *rōmdae* *rigrad rūad rindgnai*

'Vesten, welche eine ruhmvolle starke speergewaltige Königsschar (mit Blut) rötete.'

7. Lachtnān ūa Gadra.

In den von Thurneysen herausgegebenen irischen Verslehren finden sich zwei aus verschiedenen Gedichten stammende Strophen, in denen ein gewisser Lachtnān ūa Gadra erwähnt wird (Ir. I. III 99 § 164, 101 § 180). Es sind leider schwerverständliche Schmähverse. Die erste Strophe, ein Beispiel von *tre-bricht*, scheint sich in drei lang ausgesponnene Zeilen zu zerlegen, die mit den Reimen *acrād*, *craplām*, *Lachtnān* enden. Der Geschmähte wird *gormfiaclach* 'mit blauschwarzen Zähnen' genannt, während die zweite Strophe ihn u. a. mit einem 'gelben Apfel auf einem Apfelbaum' (*ubull buide bīs ar abaill*) vergleicht[3]. Sein Name findet sich nun in einem dem 1024 gestorbenen Cūán ūa Lothcháin beigelegten Gedicht auf Druimm Criaich[4] wieder, und zwar in dem letzten Zusatz desselben, der nur in LL 151b 49, nicht in BB 195c steht. Es heißt dort:

---

[1] Die dort aufgeworfene Frage, ob die germanischen Wörter aus dem Keltischen entlehnt seien, wie *tūno-* aus *dūno*, ist doch wohl der vielen Nebenformen wegen (altengl. *duru* f., altn. *dyrr*, ahd. *turi*), die auf einen urgerm. u-Stamm hinweisen, zu verneinen.

[2] Die Hs. hat freilich *conserad*. Ich konjugiere *conreraid*, 3. Sg. Prät. zu *con-rondaim* 'färbe', 'röte'.

[3] Statt *ar cass geith* ist *ar cas-scēich* 'auf einem krausen Dornbusch' im Reim mit *mac don gabainn glas-lēith* 'Sohn der grünlichgrauen Schmiedin' zu lesen.

[4] Drum Cree in der Grafschaft Westmeath.

Rofās and öcdrūth amra, *Lachtnān mac Taidc hūi Gadra:*
is āibinniti fo deich *Druim cāin cathbūadach Criëich.*

'Dort erwuchs ein berühmter junger Narr, Lachtnāu Sohn Tadgs vom Stamm der Ui Gadra: des ist das schöne schlachtherrliche Druim Criaich zehnmal so ergötzlich.' Wenn nun in der zweiten oben erwähnten Strophe Lachtnān der Sohn Luchdonns genannt wird, so haben wir in Luch-donn wohl keinen Personennamen zu sehen, sondern eine spöttische Bezeichnung des Vaters, 'mäusegrau'.

8. Yscolan yscolheic.

Zu den vielen Rätseln, die uns die ältere kymrische Dichtung aufgibt, gehört auch das dunkle Gedicht auf S. 81 des Schwarzen Buchs von Caermarthen, in welchem ein sonst unbekannter *Yscolan yscolheic*, d. h. Yscolan 'scholasticus' oder 'clericus', auftritt. Skene, 'Ancient Books' II 318 ff. will es wahrscheinlich machen, daß wir es mit Versen des 12. Jhs. auf einen schwarzen Domherrn[1] der Priorei des heil. Augustin in Caermarthen zu tun haben, der von schottischem Ursprung[2], und zwar aus Galloway gewesen sei. Aber der fromme Herr redet, als wenn er ein Heide und Wikinger oder Gallgōidel gewesen sei und klagt sich aller Schandtaten an, welche diese an Klöstern und Kirchen zu verüben pflegten: *losci ecluis a llat buch iscol a llyvir rod y vodi* 'eine Kirche in Brand stecken und Rinder der Klosterschule erschlagen und ein Buch ins Wasser werfen'[3], so wie es Cog. 38,9 von den Wikingern heißt, die im J. 922 Inis Celtra plünderten: *robāidsiot a scrīne ocus a mionna ocus a liubra* 'sie warfen ihre Schreine und Reliquien und Bücher ins Wasser'.

Da trifft es sich nun seltsam, daß ein Mitglied von Finn mac Cumaills[4] Kriegerschar (*fian*) und ein besonderer Liebling von ihm den fast buchstäblich entsprechenden Namen *Scolān scolach* führt. Die Namen selbst wie die Beinamen, sowohl das Subst. *yscolheic* (eig. 'Schulmann') wie das Adj. *scolach* sind von dem entlehnten *schola* abgeleitet. Was das irische Wort freilich genau bedeutet, ist unsicher, indem es sonst meines Wissens nicht vorkommt. Da die Endung *-ach* den Besitz anzeigt, müßte es eigentlich 'eine Schule

---

[1] *du dy capan* 'schwarz ist deine Mönchskappe' heißt es von ihm.

[2] *yscawin y puill iscodic* 'leicht (unbeständig) ist sein schottischer Verstand', sagt er selbst von sich.

[3] Eigentlich 'ertränken', was auch der irische Ausdruck ist (*bādud*).

[4] Oder *Umaill*, wie der Name ursprünglich lautete.

16

besitzend' bedeuten[1], für einen Krieger eine seltsame Bezeichnung. Doch kommt *scol* auch in dem weiteren Sinne von 'Gefolge, Schar'[2] vor und mag also hier etwa einen Truppenführer bedeuten.

Es wäre ja nun möglich, daß der im Irischen wie im Kymrischen waltende Brauch der Alliteration bei der Namengebung unabhängig und zufällig zu demselben Ergebnis geführt hätte. Doch vermag ich an einen solchen Zufall nicht zu glauben. Die Finnsage war gewiß auch in Galloway zu Hause, und es ist immerhin möglich, daß Scolän scolach eine bedeutendere Rolle in ihr spielte, als die paar Strophen, die von ihm handeln, vermuten lassen. Diese finden sich in einem Finn selbst in den Mund gelegten Gedicht des 12. Jhs. auf die tausend Krieger seiner *fīan*, die von Goll mac Mornai erschlagen worden waren (LL. 204a 31 ff.). Dort heißt es Z. 46:

Inmain lim Scolán scolach,	*inmain in gilla amulchach,*
noco tuc biad ina bél	*láech risa fáicfed*[3] *a róen.*
Dá mbetis sund táeb re táeb	*Raigni ocus Uillen(n) ar óen,*
nothréicfind-se, dígrais dál,	*immáin co mared Scolán.*
A mmo Ruri, a mmo Rí,	*cinnas atú i mbethaid bi,*
úair ná toraig lem dom thaig	*Scolán mac fichtha Fothaid!*

'Lieb war mir Scolän scolach, lieb der bartlose Jüngling. Kein Krieger nahm Speise in den Mund, von dem er sich hätte niederwerfen lassen.

Wenn Raigne und Uillenn[4] hier Seite an Seite beisammen wären, so würde ich sie im Stiche lassen, wenn nur[5] Scolän am Leben bliebe.

O mein Großkönig, o mein König, wie stehe ich im lebendigen Leben da, da Scolän, der zornesmutige[6] Sohn Fothads, nicht mit mir nach Hause kommt !'

In der großen Rahmenerzählung der Finnsage, Acallam na Senórach, spielt Scolän keine Rolle. Auch ist mir der Name in der irischen Literatur sonst kaum bekannt, während *Scolaige* und *Scolōc*

---

[1] Dinneen gibt für das heutige *sgolach* nur die Bedeutung 'patronising schools'.

[2] So heißen die Heiligen *scola in Ríg* LB 262a 51.

[3] Zur Form von *fáicfem* vgl. *fáicfimmit* TBC Wi. 4159 = *fáicfem* St.

[4] Finns eigene Söhne. S. Acall. ed. Stokes, Index Nominum.

[5] Wörtlich 'nur dass'. Zu *immáin* vgl. die im Index zu meiner Ausgabe von Betha Colmáin angeführten Formen.

[6] Zu *fichtha* vgl. *láech fichda fordond* LL 266a; *is amnas fichda* Hib. Min. 65,10; *fichda re forrān* Fianaig. 72,12; *dofiusca ar feirg fichdai friu* Arch. III 297, 2.

öfter als Personennamen vorkommen[1]. Doch mag das Zufall sein. Nach der Vita beati David per Ricemarchum wurde der irische Heilige Scuithīn auch Scolān genannt[2] und Skene weist a. a. O. einen Gillescop mak Scolane aus einer schottischen Urkunde für das Jahr 1228 nach, der seltsamerweise wieder zu Galloway in Beziehung steht[3]. Mit all diesem ist nun freilich wenig Positives gewonnen. Aber wie in aller Wissenschaft, so wird es auch in der Keltologie immer wieder heißen:

> Da muß sich manches Rätsel lösen,
> Doch manches Rätsel knüpft sich auch.

9. Altir. *dorar* (ā) f.

Dieses in den Glossen nicht belegte und der späteren Sprache verlorengegangene Wort möchte ich zu *rīar* (ā) f. 'Wille' stellen und aus *do-rēr* 'Unwillfährigkeit' erklären. Gewöhnlich scheint es so viel wie 'Widersetzlichkeit, Widerstand, Streit, Kampf' zu bedeuten, wie z. B. *isin dorir (dorer)* Fianaig. 26,10; *art fri dūir ndorair ndeirgg* 'ein Bär gegen hartnäckigen roten Widerstand' Ält. Dicht. I 30,1. Aber in *dorar (dorair) do lobraib* 'Unwillfährigkeit gegen Kranke' CZ IX 168,8 scheint die ursprüngliche Bedeutung vorzuliegen. Ebenso in folgendem Satze ib. III 452,16: *intī dosloinde in mbith ō bēlaib ocus fasissethar[4] inna chridiu ... nī rodlom dorair do saint ocus cailti, alalām do nim[5], alaile do thalam* 'wer die Welt mit dem Munde verneint und in seinem Herzen bekennt, der hat der Begierde und Hartherzigkeit nicht aufgekündigt (wörtl. die Unwillfährigkeit nicht angesagt), mit der einen Hand zum Himmel, mit der anderen zur Erde'.

---

[1] Z. B. *Scolaige* AU 946. 1067; *Scolóc* Tig. 1036, AU 1394 (S. 28).

[2] 'Scutinus autem qui et Scolánus aliud nomen habet', Rees, Lives of the Cambro-British Gaints, S. 131,30. Die kymrische Buchedd Dewi Sant, ib. S. 109,1, nennt den Ort, an welchem sich David und Scuithín trafen, *Bed Yscolan* 'das Grab Y.'s'. (*y kyfaruot ac ef yn y lle a elwir Bed Yscolan*).

[3] 'iudicatum est de Gillescop mak Scolane per diuersos iudices tam Galwidie quam Scocie'.

[4] *foisethar, faisidar* codd.

[5] So nach einer schönen mündlichen Konjektur von Strachan statt des handschriftlichen *dorm*.

Zur Aussprache des Lateinischen im Mittelalter.

Von Max Hermann Jellinek, Wien.

Otto Funke hat das Verdienst, in seinem Buche „Die gelehrten lateinischen Lehn- und Fremdwörter in der altenglischen Literatur" die Aufmerksamkeit auf die Quaestiones grammaticales des Abbo von Fleury gelenkt zu haben[1]. Aber in einzelnen Punkten scheint mir seine Interpretation der Angaben Abbos über die Aussprache des Lateinischen nicht richtig zu sein.

Abbos Traktat ist herausgegeben von A. Mai, Classicorum auctorum e Vaticanis codicibus editorum tomus V, 329—349. Vorher hatte Mabillon den Anfang nach einer andern Handschrift abgedruckt in den Annales ordinis S. Benedicti IV, 687[2].

Der Text bei Mai ist oft fehlerhaft. Der Herausgeber hat mitunter den Sinn nicht richtig erfaßt, auch wohl falsch gelesen. Er hat ferner nicht erkannt, daß manche Sätze an unrichtiger Stelle stehen. Endlich ergibt eine nähere Untersuchung das Vorhandensein von Lücken.

Die Irrtümer des Herausgebers und die Lücken werden später zur Sprache kommen. Über die Textversetzungen sei schon hier folgendes bemerkt. Das evidenteste Beispiel liefert der Schluß des 12. und der Anfang des 13. Kapitels, S. 341:

Quod a cedo ita scribatur praeteritum, quomodo et a cado, videlicet cecidi, auctor est Priscianus, qui docet quod omnia verba quae crescunt in praeteritis semper repetunt non solum primam consonantem, sed etiam primam vocalem primae syllabae [. 13. Tandem dicendum est quod vitando cavenda est collisio quae solet fieri vel pronunciatione vel scripto ut ve[3] . . . t rex, pro eo quod est venit] praesentis temporis tam in prima quam in secunda syllaba praeteriti, nisi illa prima vocalis praesentis temporis sit . A .

---

[1] Sehr knapp ist die Bemerkung Gröbers im Grundriß der romanischen Philologie II. 1,134 über Abbos Quaestiones.

[2] Mais Text ist wiederholt in Mignes Patrologiae cursus completus, Latini, 139,521 ff.

[3] Dazu bemerkt Mai: Verba aliquot perierunt propter abscisam codicis membranam.

Die von mir in Klammern eingeschlossenen Worte zerreißen den Zusammenhang. Läßt man sie weg, so erhält man eine Umschreibung der Worte Priscians, Keil, Grammatici Latini II, 467,25 ff[1]. Ebenso stehen nun aber auch am Anfang des 12. Kapitels mehrere Sätze, die nicht hierher gehören. Am Schluß des 8. Kapitels hatte Abbo über den Laut des *r* gesprochen, am Schluß des 10. über *gu* und *qu*, im 11. über die Aspiraten. Der Anfang des 12. Kapitels lautet nun bei Mai:

De littera . G . scitote quia si non sequatur . U . propter diphthongum non impinguatur, ut lagoena, tragoedia. Sed aspirationes bene vos, Angli, pervidere potestis: habent sonum vestrae litterae, et qui pro Θ frequentius . B . scribitis, sicut pro digammate effertis . L . Ante consonantem quoque in eadem syllaba par sest, pro pars est, et feli xes pro felix es. Pupugit et tutudit in penultimis corripi non ignoretis.

Es folgen weitere Bemerkungen über die Bildung von Verbalformen.

Die Verwirrung ist klar. Die Bemerkung über *g* gehört an den Schluß von Kap. 10, die über die aspirationes an den Schluß von Kap. 11, die *pars est* betreffenden Worte an den Schluß von Kap. 8.

Abbo wirkte zwei Jahre als Lehrer in dem englischen Kloster Ramsey. In England ist auch im letzten Viertel des 10. Jhs. seine Schrift entstanden[2]. Sie ist den englischen Brüdern gewidmet und gibt sich als Antwort auf Fragen, die von ihnen gestellt worden waren.

Abbo beginnt mit einer Erörterung von Quantitäts- und Akzentfragen. Die Besprechung der Quantität der Partizipien auf -*sus* führt ihn auf den Unterschied des Lautwerts von *s* und *ss*, dem er den Unterschied von *r* und *rr* vergleicht, und auf die Aussprache von *s* und *r* überhaupt. (Kap. 8.) Dabei

---

[1] et attendendum, quod omnia ea, quae geminant principalem, servant non solum consonantem, verum etiam vocalem primae syllabae praesentis temporis tam in prima quam in secunda syllaba, nisi si *a* sit.

[2] Funke setzt S. 8 Abbos Schrift in das späte 10. oder beginnende 11. Jahrhundert, S. 100 dagegen an das Ende seines englischen Aufenthalts, den er hier und S. 99 mit W. Keller, Die literarischen Bestrebungen von Worcester S. 17 in die Jahre 980—982 fallen läßt. Mabillon, Annales ordinis S.Benedicti IV, 29 berichtet Abbos Entsendung nach England unterm Jahr 985. Ein fester Terminus ante quem ist 988, in welchem Jahr Abbo Abt von Fleury wurde, vgl. Migne, Patrologiae cursus 139,579 . 825, Anm. 30. Wann sein Vorgänger Oilboldus, der ihn nach England schickte, die Abtwürde erhielt, scheint unsicher zu sein. Dasselbe gilt von Oilbolds Vorgänger Amalbert. Im Jahre 974 war noch Richard Abt. Vgl. Migne 139,816.820, Anm. 24. 821, Anm. 25.

fällt die Bemerkung, daß *s* niemals im Silbenauslaut steht. Die Konstatierung, daß im Gegensatz dazu die Mutae am Ende jeder Silbe und jedes Wortes stehen können, vermittelt die Anfügung des Kap. 9, das die Aussprache der auslautenden Mutae erörtert. Abbo entscheidet sich dafür, für die auslautenden Medien die entsprechenden *leves*[1] zu sprechen. Das sei weiter nicht auffallend, da media und levis auch sonst Berührungen zeigen. Daß hierbei auch das Verhältnis von *c* und *g* zur Sprache kommt, vermittelt wieder den Übergang zu Kap. 10, das der Aussprache von *c* und *g* gewidmet ist. In diesem Kapitel hatte Abbo Anlaß, auch einiges über *q* zu sagen. Dies ermöglicht den Übergang zu den von einigen Grammatikern als überflüssig bezeichneten Buchstaben, deren einer *q* ist. Die andern sind *k* und *h*. Und nun folgt eine Belehrung über das *h*, insbesondere über die Verbindung *ch* (Kap. 11). Vorbereitet war sie auch dadurch, daß im 9. Kapitel der Einteilung der Mutae in *leves, asperae* und *mediae* gedacht worden war. Kap. 12 wendet sich wieder Quantitätsfragen zu. *pupugit* und *tutudit* haben kurze Paenultima. Daran anknüpfend andere Bemerkungen über reduplizierte Perfekta (Kap. 12 . 13).

Auf den Inhalt der folgenden Kapitel gehe ich nicht ein. Die gegebene Übersicht zeigt, daß Abbo auf eine gewisse Verknüpfung der einzelnen Lehrsätze bedacht war. Streng systematisch ist sie aber nicht. Die äußerliche Art der Anreihung nach dem Grundsatz „weil wir gerade davon sprechen" tritt auch in einzelnen Bemerkungen zutage. Für die Interpretation ist dies nicht unwichtig.

Die A u s w a h l der Aussprachregeln steht aber in einer schulmäßigen Tradition. Die Erörterungen Abbos betreffen *s*, *r*, die auslautenden Muten, insbesondere *t*, *c*, *g* (eingeschoben ist eine Bemerkung über *ti* vor Vokal), *q* und die Aspiraten. Und ein Traktat über Aussprache in einer glossierten Priscianhandschrift des 10. Jhs. beginnt: „Sunt litterae quarum pronunciacio posicione litteratoria variatur. Sunt autem hae *C G R S P T U X*". Die Bemerkungen über *p* beschränken sich auf das aspirierte *ph*, die über *u* auf seinen Laut nach *q*. Dieser Traktat, der von Thurot in den Notices et extraits des manuscrits de la bibliothèque impériale XXII, 2,77 ff. abgedruckt ist, trägt viel zum Verständnis der Schrift Abbos bei. Ebenso auch andere Stücke ähnlichen Inhalts.

Über *s* und *r* lehrt Abbo im 8. Kapitel (S. 336 f.) folgendes:

Et positione producuntur *mordeo morsus, findo fissus*: natura vero *caedo caesus, fido fisus* et alia plurima, quae idcirco proposui, ut non solum

---

[1] *leves* — das Wort ist, wie Funke gezeigt hat, der Terminologie Priscians entlehnt, — hat in der ersten Silbe langes *e*, es ist wie das uns geläufigere *tenues* eine Übersetzung von griech. ψιλά.

scripto, sed etiam sono distinguatis *fisum* et *fissum*, *caesum* et *cessum*, *ferum* et *ferrum*, *pyrum* et *Pyrrhum* et si qua sunt similia; quia fortius sonat omnis consonans in medio unius partis repetita quam cum est sola. *S* autem, quae in media parte simplici numquam finit syllabam consonante sequente (sicut nec *C* nec *P*, nisi cum ipsae se praecedunt) tam levi sono ubique sola exprimitur, ut apud Graecos, auctore Prisciano, pro ea aspiratio nonnumquam scribatur, ἥμιου pro *semis*, ἔξ pro *sex*, ἑπτὰ pro *septem*. Inter duas etiam partes cum *S* praecedit, ut *Deus summus*, ne nimius sibilus sit, prior *S* sonum perdit, quae et eo loci sequente vocali interdum synaloepham facit. Virgilius in XII. *inter se coiisse viros et decernere ferro.* E contra illa canina[1] littera *R* semper aspere sonat, nisi cum in media parte orationis post vocalem inchoat syllabam.

Dazu gehört aus Kap. 12:

Ante consonantem quoque in eadem syllaba: *par sest* pro *pars est*, ut[2] *feli xes* pro *felix es.*

Damit vergleiche man aus dem orthoepischen Traktat bei Thurot, S. 77:

R et *S*, cum vocalem utrimque admiserint, expressum sonum non habent, ut *esurit, deserit, visurus, adheserunt, scelerosus, disertus, exosus.* Si vero ab ipsis dictiones[3] ceperint aut in dictionum medio consonantem intrinsecus habuerint, expresse denuntiantur, ut *dispersit, subruit, res, sus.* Folgt eine Bemerkung über den Anlaut zweiter Kompositionsteile.

Ferner aus einem Traktat des 13. Jhs. (von Parisius de Altedo) bei Thurot S. 143 f.

S litera semivocalis, si ponatur in principio dictionis, expresse pronunciatur, ut *solus, semel*; similiter in medio, si alia consonans sit iuxta eam, ut *considero.* Si vero consonans desit, non expresse sonat, ut *vesanus.* Nam cum inter vocales est, non habet sonum expressum, ut *esurit, deserit, rosa.* In aliquibus tamen ob euphoniam sonum suum exprimit, ut *presensit.* Idem est in quibusdam propriis, ut *Matusalem, Melchisedech.*

In einer anonymen Schrift des 12. Jhs., bei Thurot S. 143, heißt es:

Dictiones que ab *s* incipiunt si componantur, ut vocalis ante *s* habeatur, aliquando, prout euphonia permiserit, molliter sonat, ut *desidero* .... Aliquando vero propter euphoniam expresse pronunciatur, ut *desolata* .... *resurgo.*

Es ist wohl keine Frage, daß mit dem *expressus sonus* des *s* stimmlose Aussprache gemeint ist, mit seinem Gegenteil stimmhafte. In demselben Sinn deutet Funke S. 20 auch Abbos Äußerungen, meint aber, daß dieser nur die intervokalische Stellung im Auge habe: hier werde das einfache, stimmhafte *s* dem geminierten stimmlosen

---

[1] Vgl. Persius 1,109.
[2] Mai: *et.*
[3] So Thurot für *dictione* der Handschrift.

22

entgegengesetzt. Funke wird recht haben; dann ist aber zu konstatieren, daß Abbo sich ungenau ausdrückt. Denn wenn man ihn beim Wort nimmt, ergibt sich der Sinn, daß jedes einfach geschriebene *s* stimmhaft zu sprechen ist, auch im Anlaut und vor Konsonant. Er muß es, wie es scheint, für besonders notwendig erachtet haben, seinen englischen Schülern, die stimmhafte Aussprache einzuschärfen[1]. Darum redet er so viel von dem *levis sonus* und verbrämt seine Erörterungen, die eigentlich nur das intervokalische *s* betreffen sollten, mit allerlei gelehrten Schnörkeln, die nichts zur Sache tun.

Wie steht es nun aber mit Abbos Bemerkungen über *r* und den entsprechenden des Traktats bei Thurot? Was ist der *sonus asper* oder *expressus* des *r* und sein Gegenteil? Man möchte an eine Verschiedenheit denken wie die zwischen *rr* und *r* im Spanischen und Portugiesischen, vgl. darüber Grundriß der romanischen Philologie I, 964, Anm. 1. Nach Meyer-Lübke, Romanische Grammatik I, 380, bestand dieselbe Zweiheit der *r*-Laute im Provenzalischen. Die von Meyer-Lübke zitierten Leys d'amors gebrauchen ähnliche Ausdrücke wie Abbo: *sona fort e aspramen.*

Über die V e r t e i l u n g der beiden *r*-Laute spricht der Traktat bei Thurot nicht erschöpfend; denn er sagt nichts über die Stellung im Auslaut. Abbo ist scheinbar genauer, da er lehrt, daß *r* i m m e r *aspere* klinge außer silbenanlautend im Innern eines Wortes nach Vokal. Aber was bedeutet die Bemerkung „Ante consonantem quoque in eadem syllaba: par sest pro pars est"? Wenn sie sich unmittelbar an den Satz „E contra illa canina littera *R* semper aspere sonat, nisi cum in media parte orationis post vocalem inchoat syllabam" anschloß, so könnte sie als Fortsetzung des *nisi*-Satzes gefaßt werden: auch in derselben Silbe, im Silbeninlaut, vor Konsonant klinge *r* nicht *aspere*. Abbo würde dann eine andere Aussprache lehren als der Thurotsche Traktat. Allein, was soll die Gleichung *par sest = pars est*? Von der Aussprache von *par* war nicht die Rede. Das führt auf den Gedanken, daß in unserm Text ein Satz ausgefallen ist, der die Aussprache des auslautenden *r* angab. Abbo will sagen: auch im Silbeninlaut vor Konsonant wird *r* so gesprochen wie im Wort- und Silbenauslaut.

---

[1] Die Ursache bleibt im dunklen. Denn im Ags. war ja auch intervokalisches *s* stimmhaft, *ss* stimmlos. Vielleicht hatte er gegen eine abweichende Tradition der Lateinaussprache anzukämpfen.

Wie nun aber Abbo das *r* in dieser Stellung gesprochen wissen wollte, entzieht sich natürlich unserer Kenntnis. Die Leys d'amors lehren: „Esta letra *r* fay petit so e suau cant es pauzada entre doas vocals et aquo meteysh en fi de dictio coma *amareza, amators, amar, ver* et *honor"*. Hier steht also intervokalisches *r* auf einer Stufe mit auslautendem, das auf lateinisches einfaches *r* vor Vokal zurückgeht. Natürlich läßt sich daraus kein Schluß darauf ziehen, wie der Franzose Abbo im Lateinischen auslautendes *r* gesprochen hat. Gab er dem *r* nicht nur im Wort-, sondern auch im Silbenauslaut den schwächeren Laut, so ist auch bei dieser Annahme eine Abweichung von dem Thurotschen Traktat festzustellen.

Es bleibt noch die Gleichung *feli xes = felix es* zu erklären. Über die Aussprache des *x* heißt es in dem Traktat bei Thurot S. 79:

X in simplicibus sonat dictionibus duplex, ut *exorcizo, exodus, uxor.* In compositis vero duplex non profertur, ut *exaro, exortor, exoro, exanimis, exacerbat, exarsit, exordiri, exordium, exosus.* Excipiuntur ob differentiam *exeo* et *exalto.* Notandum vero, quoniam, si *ex* prepositio corrumpat[1] verba vel nomina, exprimitur *X* in illis, ut *eziguus, eximius, eximo, exigo, exhibeo, exerceo.* Et quia per corruptionem exprimatur in illis, ostendunt quedam ipsorum preterita vel supina, que prepositio non corrumpit et in quibus *X* duplex non sonat, ut *exemi, exegi, exactum, exemtum.*

Zur Erläuterung trägt bei eine Stelle in einem Traktat des 12. Jhs., die übrigens auf dieselbe Quelle zurückgeht, bei Thurot S. 145.

X in simplicibus duplex sonat et ex utraque parte exprimitur, ut *dixi, vexi, duxi* . . . In compositis autem ex parte *ex* prepositio sonat manente vocali, ut *exaro . . . exoro.* Quod si *ex* prepositio vocalem post se mutaverit, tunc expresse, hoc est ex utraque parte, sonat in corruptis, ut *eximius, exiguus* . . . In omnibus illis, in quibus alterum componentium ab *s* incipit, *x* expresse sonat, ut *exurgo, exupero, exulto, exolvo, exuo* et cetera. Sciendum quoque, quod, si *ex* prepositio et verbum simile ablativo componantur, propter differentiam duplex *x* sonat, ut *exalto, exeo, exacerbo, exanimo* . . . In hoc nomine *examen . . . x . . .* ex parte prepositionis sonat.

Der *duplex sonus* des *x* ist natürlich *ks*. Für *duplex sonat* sagt der spätere Traktat auch *ex utraque parte exprimitur.* Dieser Ausdruck findet seine Erläuterung durch das gegensätzliche „ex

---

[1] D. h. wenn der zweite Kompositionsteil anders lautet wie als selbständiges Wort. Vgl. für diese Bedeutung von *corrumpere* z. B. Donat, Keil, Grammatici Latini IV, 377,5 ff., 384,5 ff., Priscian, Gramm. Latini II, 178,16 ff., 437,9 ff.

parte *ex* prepositio sonat" „die Präposition wird nur seitens des *ex*
lautbar" und „*x* ex parte prepositionis sonat" „das *x* wird nur
seitens der Präposition lautbar". Das muß heißen: wo *x* nicht doppelt
lautet, wird *ex* als erster Kompositionsteil so gesprochen wie das
für sich stehende Wort *ex*. Darauf führt auch die Spezialregel,
daß in Zusammensetzungen wie *exalto, exeo x* der Unterscheidung
zuliebe doppelt laute. Diese Wörter sollten unterschieden werden
von den Wortgruppen *ex alto, ex eo*. In diesen, wo *ex* als selbständiges Wort steht, hat also *x* nicht den doppelten Laut.
Der nicht doppelte Laut kann aber kaum ein anderer gewesen sein als *s*.

Man wird wohl annehmen dürfen, daß nicht nur in *ex*, sondern
überhaupt im Auslaut *x* wie *s* gesprochen wurde, da dieser Lautübergang schon in der römischen Kaiserzeit stattgefunden hat,
vgl. Grundriß der romanischen Philologie I, 474. Aber eine allgemeine Regel geben die Thurotschen Traktate nicht. Abbo hat dagegen eine solche im Auge gehabt. Sein „*feli xes pro felix es*" heißt:
x im Auslaut wird so gesprochen wie *x* im Anlaut (von Fremdwörtern und fremden Namen).

Dagegen läßt sich nicht behaupten, daß er über die Aussprache
des *x* a u s d r ü c k l i c h gehandelt hat und uns seine Ausführungen
verloren gegangen sind. Sein Traktat geht ja oft am Leitfaden
äußerer Beziehungen weiter, und so hat er wohl das Beispiel nur
gebracht der Parallele mit *par sest = pars est* zuliebe. Die Aussprache des *x* hat er dann als bekannt vorausgesetzt.

Funke S. 39 f. hat die Stelle unrichtig aufgefaßt. Er meint,
Abbo wollte den Engländern auftragen, den festen Stimmeinsatz
anlautender Vokale zu vermeiden. Das läßt sich mit der Einleitung
des Passus *Ante consonantem quoque in eadem syllaba* nicht vereinigen. Diese Worte zeigen, daß es Abbo auf eine Regel über die
Aussprache des *r* ankam, nicht auf die Hinüberziehung auslautender
Konsonanten.

Über die Aussprache der auslautenden Muten bemerkt Abbo
im 9. Kapitel (S. 337 f.):

De mutis, quae quamlibet syllabam vel partem cuiusque linguae possunt
terminare, dicendum est in commune, quod satis iuste agunt, qui ipsis eundem
sonum in fine partium tribuunt, quem, dum semet ipsas praecedunt, primae
habere possunt, ut *Obbaob Iob, occidit haec illac, addo ad illud, agger Agag,*

2

merop[1], *attinet amat docet.* Sed *T* in eadem syllaba praecedente consonante sonat expresse, ut *fest*[2], *est*, et nonnumquam sine consonante causa differentiae, maxime dum sequitur vocalis in altera parte orationis. Nos, quia humanus spiritus tres earum sine aspiratione leves, cum aspiratione asperas facit, id est *C P T*, quarum medium optinent tres reliquae, ipsarum mediarum voces in dictionibus positarum exprimimus sono levium, dum in finibus partium sunt. Nec mirum, cum inter has et illas tanta sit vicinitas usw. Folgt eine Ausführung über die Verwandtschaft der leves und der mediae.

Das Kapitel enthält drei Mitteilungen. Die erste und die dritte sind von Funke S. 26 f. richtig gedeutet worden. 1. Es ist eben nichts Besonderes gegen diejenigen einzuwenden, die die Muten im Auslaut so sprechen wie als erste Teile einer Gemination (also auch den auslautenden Medien ihren eigentümlichen Laut lassen). 3. Wir haben es dagegen in der Übung, im Auslaut statt der Medien die entsprechenden leves, d. h. stimmlose Laute zu sprechen[3].

Aber die zweite Mitteilung, über -*t*, macht Schwierigkeiten. Vor allem: auch wenn kein Konsonant vorhergeht, soll -*t expresse* klingen *causa differentiae*, — der Unterscheidung zuliebe — wovon? Der Sinn bleibt ganz im dunklen. Dann ist auch der Übergang zur dritten Mitteilung ganz abrupt. Die Voranstellung des *Nos* weist auf einen Gegensatz hin. Aber der deutliche Klang des -*t* und die Aussprache der mediae als leves sind keine Gegensätze, sondern disparate Dinge. Und endlich: warum spricht Abbo denn überhaupt vom -*t*, nachdem er schon im allgemeinen gelehrt hat, daß nach der ersten Aussprachweise a l l e Muten, auch *t*, im Auslaut so klingen wie im Inlaut als erste Teile einer Gemination? Hätte er das gemeint, was Funke S. 30 aus der Stelle herausliest, nämlich daß nach *s* sich ein stärkerer Nachdruck einstellte, so hätte er nicht *expresse* geschrieben, sondern *expressius*.

Den Schlüssel zum Verständnis gibt wieder der orthoepische Traktat bei Thurot S. 78 f.

---

[1] Wie Funke richtig bemerkt, fehlt hier ein Beispiel mit *pp*.

[2] Offenbar fehlerhaft.

[3] Die Worte *quarum medium — partium sunt* hat Mai offenbar nicht verstanden, wie seine Interpunktion, Komma nach *positarum* statt nach *reliquae*, beweist. *b g d* halten die Mitte zwischen den leves und den asperae, und wir geben diesen Buchstaben, deren eigentümlicher mittlerer Laut im Innern der Wörter zur Geltung kommt, am Ende der Wörter den Laut der leves. Das ist der Sinn.

Non ergo *I* subsequente *T* pronuntiationis suae proprietatem servat, ut *fateor, fatuus, Leucotoe*. In fine quoque dictionum *D*[1] ipsius enuntiationem videtur habere, ut *et, it, aut, sonat, tenet* et similia. Excipiuntur *at* et *quot* ob differentiam, ne videlicet ab audiente *ad* et *quod* dici autumaretur, et *tot* et *attat* euphoniae tantum gratia: ita tamen ut non precedant *N* et *S*; nisi enim has duas ante se, cum finalis est, non recipit consonantes, ut *ast, est, post, constant, tacent, dicunt.*

Der Zusammenhang macht Thurots Verbesserung evident. Dabei heißt *D ipsius enuntiationem videtur habere* nicht „*d* wird wie *t* gesprochen", sondern das Gegenteil. Denn der Abschnitt handelt von der Aussprache des *t*, nicht des *d*. Und bestätigend treten hinzu Traktate des 12. Jhs. bei Thurot S. 144.

1. (anonym). Sonus *t* in fine dictionis debilitatur, ut *amat, docet*, et in omnibus preter *at, tot, quot, quotquot, aliquot* ad differentiam, et *sat* et *atat* propter euphoniam. Precedente *s* vel *x* sonus *t* non debilitatur, ut *modestia, questio, ustio, commixtio*.

2. (Petrus Helie, Kommentar zu Priscian). *D* et *t* confundunt sonos suos adinvicem, ut pro *d* ponatur *t* et e converso. Quod faciunt barbari et maxime Theutonici pro *deus* dicentes *teus* ... Sicut profertur *d* in hoc proqomine *id*, eodem modo pronunciatur *t*, cum dicimus *legit, capit*. Unde sunt nuidam qui maxime sic reprehendunt, ut Hiberni. Volunt enim sic pronunciare *t* in *legit* sicut in *tibi*, dicentes quod aliter nulla erit differentia inter *d* et *t*. Sed male reprehendunt, cum iste due littere invicem confundant sonos suos.

Wir sehen, es gab eine Schule, die *t* im Auslaut wie *d* sprach. Eine Ausnahme bildeten 1. postkonsonantisches *t*, 2. postvokalisches *t* in bestimmten Wörtern, namentlich solchen, die sonst mit anderen auf *-d* gleichlautend geworden wären. Abbo erwähnt nun die Ausnahmen; also muß er auch die Regel gegeben haben. Der Text ist lückenhaft. Diese Annahme beseitigt alle Anstöße.

Die Bemerkungen des Petrus Helie geben uns auch einen Fingerzeig, wen wir hinter denjenigen zu suchen haben, die nach Abbo mit ihrer Unterscheidung der auslautenden mediae und leves *satis iuste agunt*: es sind die Iren und diejenigen, die ihnen folgen. Und zugleich sehen wir, daß Abbos Begründung seiner Aussprache (allgemeine Verwandtschaft der mediae und leves) in einer Tradition steht; Petrus Helie bedient sich desselben Arguments zur Rechtfertigung seiner, von der Abbos abweichenden Aussprache.

Über die Aussprache von *c* und *g* handelt Kap. 10. Dazu kommt ein Satz, der sich in Kap. 12 verirrt hat. (S. 338 ff.)

---

[1] So Thurot statt des *C* der Handschrift.

2*

Constat igitur ex his quae dicta sunt *C* et *G* pene aequaliter pronunciari, sequente qualibet vocali. Sed tribus vocalibus, id est *A O U*, eas sequentibus, omnibus ferme notum est, quod sonant in faucibus. Cum vero *C* litteram sequuntur in eadem syllaba *E* vel *I*, trifariam solet pronuntiari, et nunc quidem ut fere videatur sonare *G*, maxime *S* praecedente, ut *suscipio*[1], *suscepi*, *suscepit:* nunc autem cum quodam sibilo, ac si *S* illi haereat, ut *civis*[2], *coepit:* quod magis solet fieri, ubi *T* profertur sono *Z* in principio syllabae, ut *laetitia*, *iustitia*. Denique, qui tertium modum addunt, sono *quae* vel *qui* easdem syllabas pronuntiari decernunt, ut *susquipio* pro *suscipio* et *susquepit* pro *suscepit* et *quivis* pro *civis*. Quod quam frivolum constet, omnibus vera sapientibus liquet. Cur enim scriptitant Latini *sequor, sequeris* vel *sequere, sequitur* et non *secor, seceris* vel *secere, secitur*, cum ab eo sit *secutus*? et *qui cuius* vel *quae cuius*, mutatis primis litteris nominativi et genitivi, si, ut isti garriunt, *ce* et *ci* sonum habent *que* et *qui*, maxime cum eidem litteras simillima *G* distinguatur vocalium mutatione? Siquidem *vinco, vinci, vince, vincam*, mutato cum vocalibus sono, dicimus, quemadmodum et *lego, legi, lege, legam*. Quod si post *G* idem quis fecerit, proponimus, unde sit imperitia notabilis[3]; et stultum est dicere *pingue* pro *pinge* et *lingue* pro *linge* et, ut Servio placet in IX. aeneidos, *ungue* pro *unge*, unde et *ungentum* sine *U* dicit esse cum *G*[4]; sicut et *Q* tunc tantum pinguem sonum habeat, si ei *V* ante alteram vocalem adhaereat, qua amissa *G* quidem permanet, sed *Q* manere non valet; quin in *C* transit, statim ut *U* ante alteram vocalem perdiderit, ut *sequor secutus*. (12.) De littera *G* scitote, quia, si non sequatur *U*, propter diphthongum non inpinguatur, ut *lagoena, tragoedia*.

Abbo unterscheidet also drei Arten der Aussprache von *c* vor *e* und *i*. Die erste hat ihr Gebiet hauptsächlich (maxime) in den Verbindungen *sce* und *sci*. Ob hier das *maxime* mehr ist als ein stilistischer Schnörkel, läßt sich nicht entscheiden[5]. Nach dieser Aussprache hat *c* ungefähr den Laut des *g*, d. h. den Laut, der im Buchstabennamen *ge* vorliegt. Dieser Laut war nach Funke S. 36 *dž*, und so nimmt er für *sce, sci* die Aussprache *stše, stši* an. Das ist

---

[1] Bei Mai *suspicio*.

[2] Bei Mai *cuius*.

[3] Hier fehlt offenbar etwas. Was ungefähr zu ergänzen ist, lehrt der orthoepische Traktat bei Thurot S. 79: *U* quoque sonum *Y* greci videtur habere, cum . . . inter *G* et easdem ponitur vocales, ut . . . *linguis, linguae, anguis* (so Thurot statt *anguae*), *angue, inguen, unguentum*, licet ipsorum verba *U* non habeant, ut *lingis lingebam, angis angebam, ungis ungebam, ingeris ingerebam*. Nonnulli tamen imperiti per *U* scribi debere putant, decepti in verbis propter nomina et in nominibus propter verba.

[4] Commentarii in Aen. IX, 773.

[5] Sonst könnte man denken, daß Abbo pikardische Aussprache im Auge hat.

gewiß möglich. Aber wenn Abbo *sc* wie *š* gesprochen haben sollte[1], so hätte er sich wohl auch so ausdrücken können, wie er es tut. Die zweite Lautung des *c* wird von Funke S. 33 als *ts* bestimmt. Mit Recht, nur hätte er sich nicht durch Mais albernen Fehler *cuius* statt *civis* zu dem wunderlichen Ansatz *cuius* = *tsuius* verleiten lassen sollen[2].

Die dritte, die beiden ersten ausschließende Aussprache gibt den Verbindungen *ce* und *ci* den Wert von *que* und *qui*. Abbo verwirft sie und sucht sie ad absurdum zu führen. Der Sinn seiner Schlußfolgerung ist: Da etymologisch zusammengehörige Formen, solange es angeht, gleich geschrieben werden, so würde man, wenn *que* und *ce*, *qui* und *ci* gleiche Aussprache hätten, doch *seceris*, *secitur* in Übereinstimmung mit *secutus*, *ci*, *cae* in Übereinstimmung mit *cuius* schreiben. Da man dies nicht tut, können *que*, *qui* und *ce*, *ci* nicht gleiche Lautgruppen bezeichnen; man muß auf die etymologische Schreibung verzichten, weil sie zu einer falschen Aussprache verführen würde.

Welcher Lautwert sollte nun aber mit *que*, *qui* bezeichnet werden? Aufschluß gibt die Bemerkung „maxime cum eidem litterae simillima *g* distinguatur vocalium mutatione" und die Parallelisierung: „Siquidem *vinco*, *vinci*, *vince*, *vincam*, mutato cum vocalibus sono, dicimus, quemadmodum et *lego*, *legi*, *lege*, *legam*". Das heißt: *g* wird je nach dem folgenden Vokal verschieden gesprochen, anders vor *e*, *i* als vor *a*, *o*; ebenso müssen wir auch *c* vor *e*, *i* anders sprechen als vor *a*, *o*. Die Lehre, gegen die Abbo sich wendet, forderte also, daß man *c* vor allen Vokalen gleich spreche, d.h. *que*, *qui* bedeutet *ke*, *ki*.

Wir erfahren also zweierlei. Erstens, daß es eine Schule gab, die aus den Angaben der römischen Grammatiker den richtigen Schluß auf die Aussprache des *c* gezogen hatte[3]. Zweitens, daß für Abbo das *u* nach *q* mindestens vor *e* und *i* stumm war[4]. Und

---

[1] Zu dieser Vermutung vgl. Grundriß der romanischen Philologie I, 735.

[2] Was heißt *magis* in *quod magis solet fieri ubi T profertur sono Z*? Im 11. Kap. setzt Abbo *ti* vor Vokal direkt gleich *ci*.

[3] Oder stand diese Schule unter irischem Einfluß? Vgl. oben S. 19.

[4] Daß er die von ihm bekämpfte Aussprache nicht einfach durch *ke*, *ki* bezeichnet, wie er später Χηϱας durch *Kereas* umschreibt, erklärt sich so, daß er dann seine Argumentation mit *sequeris* und *qui* nicht hätte anbringen können.

der Zusammenhang lehrt, daß das gleiche auch für *u* in den Verbindungen *gue, gui* gilt[1].

Funke S. 33 ff. glaubt dagegen, daß die Leute, gegen die sich Abbo wendet, *kuivis, suskuipio* gesagt hätten, und sucht die Entstehung dieser wunderlichen Aussprache zu erklären. Er meint ferner, daß für Abbo *qu* vor *e, i, o* = *kw*, dagegen vor *a, u* = *k* war. Er stützt sich für die zweite Annahme auf Abbos Äußerungen zu Beginn des 11. Kapitels S. 339.

Denique, quoniam omnes consonantes et praecipue mutae velut exanime corpus iacent, quousque illas singulae vocalium pro suo nutu animando movent[2], certum est, quod nonnumquam Romani superfluas litteras iudicent, quae hoc motu carent, ut *H K Q*. Sed *K* et *Q* figura et nomine a *C* discrepant, cum sono vocis per *A* et *U* conveniant.

Funke hat hier *per A et U* ganz falsch aufgefaßt; es kann unmöglich bedeuten „vor *a* und *u*". Der Sinn der Stelle ist vielmehr: *k* und *q* unterscheiden sich von *c* durch ihre Gestalt und ihren Namen; dabei stimmen sie aber mit *c* im Laute überein vermittelst, mit Hilfe der Vokale *a* und *u*, d. h. ihre Namen lauten, als ob sie *ca* und *cu* geschrieben wären. *per* bezeichnet das Mittel[3]; *k* und *q* können nur durch die beigefügten Vokale lautbar werden, sonst liegen sie wie ein *exanime corpus* da.

Die Stelle lehrt uns also gar nichts über die Aussprache der Verbindung *qu* + Vokal. Da wir aber früher für *que, qui* die Werte *ke, ki* erschlossen haben und Abbo nirgends sagt, daß *qu* je nach dem folgenden Vokal verschieden laute, werden wir annehmen dürfen, daß er es überall wie *k* sprach.

Auch vor *o*. Die Gegenüberstellung von *sequor*, und *secutus* beweist nichts dagegen. An der ersten Stelle hat es Abbo nur mit der von ihm verworfenen Aussprache *ce, ci* = *que, qui* zu tun, die er mit dem Beispiel *sequeris, sequitur* ad absurdum führen will. Daß er *sequor* hinzunimmt, ist vom Überfluß; es ist ihm in die Feder

---

[1] Die Bemerkung über *lagoena, tragoedia* besagt, daß solche Wörter trotz der Schreibung mit *oe* mit nicht gutturalem *g* zu sprechen sind.

[2] Vgl. Priscian, Grammatici Latini II, 13,22 ff.

[3] Vgl. Probus, Grammatici Latini IV, 49,10: Vocales litterae . . . hae per se proferuntur, hoc est ad vocabula sua nullius consonantium egent protestate. 50,5 ff. Mutae consonantium litterae . . . per se hae non proferuntur, siquidem vocalibus litteris subiectis sic nomina sua definiunt, ut puta *be . . . ha, ka, pe, qu, te.*

gekommen, weil es ja klar ist, daß, wenn man aus phonetischen Gründen *sequeris, sequitur* und nicht *seceris, secitur* schreiben muß, dann auch aus etymologischen Gründen *sequor* und nicht *secor*. Und an der zweiten Stelle handelt es sich klärlich nur um Orthographisches. Abbo nimmt als gegeben an, daß im Partizip nur ein *u* geschrieben wird[1]. Ein *sequtus* ist aber nach seiner Regel nicht möglich: also muß es *secutus* heißen.

Das Verstummen des *u* von *qu* und *gu* war zu Abbos Zeit und auch noch später nicht allgemein durchgedrungen. Der Traktat bei Thurot S. 77 sagt zwar: „*C* soni proprietatem *E* vel *I* subsequentibus exprimit, ut *cecitas* (d. h. es wird vor *e* und *i* gesprochen wie im Buchstabennamen *ce*). Aliis enim adiuncta quasi *Q* profertur, us *cadit, codex, culpa*." Aber an einer späteren Stelle (S. 79) heißt es: „*U* quoque sonum *Y* greci videtur habere, cum inter *Q* et *E*, ut *que* coniunctio, vel *I* vel *C* (!), necnon inter *G* et easdem ponitur vocales". Es folgen Beispiele; für *qu* nur *quisque*, für *gu* Wörter mit *gue, gui* und *guae*. Daher hat Thurot das *C* der Handschrift in *A* gebessert. Es ist aber *AE* zu schreiben; denn die Stelle geht zurück auf Priscian, Grammatici Latini II, 7,15 ff. „Praeterea tamen *i* et *u* vocales, quando mediae sunt, alternos inter se sonos videntur confundere, teste Donato, ut *vir, optumus, quis*, et *i* quidem, quando post *u* consonantem . . . ponitur brevis . . . sonum *y* Graecae videtur habere . . . *u* autem, quamvis contractum, eundem tamen [hoc est *y*] sonum habet, inter *q* et *e* vel *i* vel *ae* diphthongum positum, ut *que, quis, quae*, nec non inter *g* et easdem vocales, cum in una syllaba sic invenitur, ut *pingue, sanguis, linguae*". Man braucht deshalb dem Zeugnis des Traktats nicht jeden Wert abzusprechen, denn seine übrigen Angaben betreffen unzweifelhaft die gleichzeitige Aussprache. Nur darf man nicht glauben, daß der Verfasser aus eigener Erfahrung etwas über den Laut des griechischen *y* wußte. Immerhin mag er an einen Mittellaut zwischen *u* und *i* gedacht haben wie das Commentum Einsidlense, Anecdota Helvetica (Keil, Grammatici, Supplementum) 223,10 ff; aus Priscians Worten ließ sich dieser Wert von *y* herauslesen. Wie er *qu* und *gu* vor *a*, *o*, *u*

---

[1] Darum käme man auch nicht herum, wenn Funke recht hätte. Sprach Abbo *sekuor, sekutus* und war für ihn *quu* ein graphischer Ausdruck für *ku*, dann stand der Schreibung *sequutus* nichts im Wege. Warum diese der Etymologie gemäße Schreibung nicht zulässig ist, darüber sagt Abbo kein Wort.

gesprochen hat, läßt sich nicht mit Sicherheit ausmachen. Denn an der früher zitierten Stelle wird *c* vor *a*, *o*, *u* mit *q*, nicht mit *qu* verglichen. Es wäre denkbar, daß *u* in *qua*, *quo*, *quu* einen lautlichen Wert hatte, nur nicht den des *y grecum*. Wahrscheinlich ist dies freilich nicht. Im 12. Jh. schreibt Petrus Helie (bei Thurot S. 143):

Nos vero dicimus, quod *u* ibi (in *quis*) est littera et vocalis plane. Sed quod non retinet ibi vim littere, propter metrum dicitur, quoniam in metro nichil operatur nec sonum plenum habet sed collisum[1], ita tamen ut non omnino debeat taceri, sed cum quodam sibilo proferri.

Dagegen bezeugt vielleicht die von Thurot S. 143 angeführte Stelle aus dem Doctrinale des Alexander de Villa Dei (= V.1593 ff. der Ausgabe von D. Reichling) das Verstummen des *u* nach *q* und *g*. Es ist aber auch möglich, daß sie nur eine Paraphrase von Priscian II, 28,9 ff. ist.

Von dem dritten „überflüssigen" Buchstaben heißt es im Kap. 11:

H vero tantum metro utilis semper absque ullo sono vocalibus praeponimus, ubi ascribenda videtur; et consonantibus, quibus apponenda est, postponitur, ut ab interiore spiritu pinguior proficiscatur. Est autem una semivocalis *R*, mutae tres, quibus aspiratur, ut dictum est; de quarum omnium sono nemo dubitat, nisi fortassis tunc quando inter *C* et *E* vel *I* interponitur nota aspirationis, ut *Chereas* et *parrocchia*. *ch*, *ph*, *th*, die in Fremdwörtern für χ, φ, ϑ stehen, seien mit dem Laut dieser Buchstaben zu sprechen. Quapropter cum graece scribitur Χηϱας, ita profertur ac si scriberetur *Kereas*, et παϱϱοιχια quasi *parrocchia:* quem tamen sonum mutat sigma, si pro illa sit χ posita, ut οχημα; quam vim et apud Latinos servat *S*, apud quos *ti* semper enunciatur sono *ci*, si post illam in altera syllaba sequatur vocalis, nisi ipsa *S* praecesserit, ut *lectio*, *quaestio*, *testium*, *legentium*.

Der Text ist nicht ganz in Ordnung[2]. Aber das ist klar, daß Abbo *h* vor Vokal für stumm erklärt und *ch* vor *e*, *i* gleich *k* setzt. Einer Erläuterung bedarf nur die Bemerkung über die Wirkung des *s*.

Der Sinn ist: Wenn *s* vor *che*, *chi* tritt, so verändert es die normale *k*-Aussprache des *ch*. Ebenso verändert *s*, wenn es vor *ti* + Vokal

---

[1] So ist statt *collisim* zu lesen, — *collisum* bedeutet dasselbe wie Priscians *contractum*.

[2] Im Anfang fehlt nach *utilis* ein Verbum wie *est* oder *habetur* und vor *semper* ein Pronomen etwa *hanc* oder *quam*. — Der Sinn des Satzes *ut—proficiscatur* ist mir nicht klar; vielleicht ist *spiritus* statt *spiritu* zu lesen: „damit der Atem von innen heraus fetter hervorkomme", weil nämlich die Konsonanten im Innern des Mundes gebildet werden. — Für *parrocchia* ist *parroechia* zu lesen; an der zweiten Stelle, wo das Wort vorkommt, ist wohl zu schreiben quasi *parroekia*. — Wenn Abbo das *h* als für das Metrum nützlich bezeichnet, so hat er wohl an die positionsbildende Kraft gedacht, die ihm

tritt, die normale *ci*-Aussprache des *ti. quam vim et apud Latinos
servat S* heißt: diese Fähigkeit, die Aussprache zu ändern, hat *s* auch
bei den Lateinern; *vim = vim mutandi.* Funke S. 39 hat die Worte
mißverstanden. Er legt ihnen den Sinn unter, daß *s* in einem
andern Falle auch erhaltenden Einfluß habe. Aber das durch
das relative *quam* an das Vorhergehende angeschlossene *vim*
kann nicht auf das Folgende gehen, es kann unmöglich die *vis*
des *t* in der Silbe *ti* meinen.

Damit fällt die Grundlage für Funkes übrigens auch sonst an-
fechtbare Schlußfolgerung, daß für *schema* die Aussprache *stsema*
anzusetzen sei, und daß somit die früher von ihm erschlossene *stš*-
Lautung von *sc* vor *e* und *i* nicht ausschließlich galt. Worin die
ändernde Kraft eines vor *che, chi* tretenden *s* bestehe, sagt Abbo gar
nicht expressis verbis. Gemeint kann er freilich nur haben, daß
schema so zu sprechen sei, als ob dem *c* kein *h* folge. Wie nun aber
sce laute, brauchte er hier nicht mehr zu sagen, das hatte er ja im
10. Kapitel auseinandergesetzt. Von zweierlei Werten der Verbindungen *sce, sci* ist nicht die Rede.

Von *ph = φ* und *th = ϑ* sagt, wie angedeutet, Abbo nur, daß
sie mit dem Laut der griechischen Buchstaben zu sprechen seien.
Funke meint S. 28, für Abbo habe *ph* den Wert *f, th* den Wert *t* gehabt.
Die Gleichung *ph = f* wird richtig sein — vgl. *P, si aspiretur, sonum
F obtinet,* Thurot S. 78 — dagegen nicht die Gleichung *th = t.*

In dem orthoepischen Traktat bei Thurot S. 78 heißt es: „*T*
quoque, si aspiretur, ut *c* enuntiatur, ut *aether, nothus, Parthi,
cathedra, catholicus, ethicus*[1], *Matheus*".

Man darf diese Worte natürlich nicht so auffassen, daß *th* ebenso
wie *c* je nach dem folgenden Vokal verschieden gesprochen werde,
also etwa in *nothus* wie *k,* vielmehr ist der „eigentliche" Laut des *c*
gemeint, der Laut, den es im Buchstabennamen *ce* hat — vgl. die
oben zitierte Stelle im selben Traktat S. 77: „*C* soni proprietatem,

von einigen zugeschrieben wurde, vgl. Keil, Grammatici Latini V, 117,14;
VI, 241,22, kaum an die Worte Priscians *h autem aspirationis est nota et
nihil aliud habet literae nisi figuram et quod in versu scribitur inter alias
literas* (Grammatici Latini II, 12,20 ff.). Man müßte nur annehmen, daß er
Priscian mißverstanden hat; denn dieser meint mit *in versu* „auf der Zeile"
im Gegensatz zu dem über der Zeile stehenden griechischen Spiritus asper,
vgl. II, 35,24 ff.

[1] So Thurot statt *etheus* der Handschrift.

E vel *I* subsequentibus, exprimit, ut *cecitas*. Aliis enim adiuncta quasi *Q* profertur". Dieselbe Aussprache ist noch fürs 13. Jh. bezeugt. Hugo a S. Caro (gest. 1263) bemerkt zu Jud. 12,6: „Dic ergo *seboleth*. Qui respondebat *theboleth*. Apud hebreos eadem est littera in principio dictionis, sed *seboleth* fortiter sonat *s* sicut [apud] nos in principio dictionis uel sicut duplex *s* inter vocales, *theboleth* uero pronuntiandum est tenuiter, sicut si scriberetur *ceboleth* propter aspirationem. Aliter enim sonat *theth*, aliter *tau*, et ideo quidam pronunciant *Matheus* sicut *Maceus*." Vgl. S. Berger, Quam notitiam linguae hebraicae habuerint christiani medii aevi temporibus in Gallia (Paris 1893) S. 29.

Es läßt sich wahrscheinlich machen, daß es diese Aussprache war, die Abbo im Auge hatte. Darauf deutet die Stelle, die sich, wie oben bemerkt, aus dem 11. in das 12. Kapitel des Maischen Textes verirrt hat: „Sed aspirationes bene vos, Angli, pervidere potestis: habent sonum vestrae litterae, et[1] qui pro Θ frequentius *B* scribitis, sicut pro digammate effertis *L*." Natürlich ist hier sowohl *B* wie *L* falsch. Funkes Vermutung S. 29, daß dafür *D* bzw. *B* zu setzen sei, ist ganz haltlos. Das Digamma ist niemals als Aspirata betrachtet worden. Wenn Abbo es hier mit dem Θ zusammenbringt, so läßt dies nur die Deutung zu, daß er auf die beiden nicht lateinischen, den Runen entnommenen Zeichen des ags. Alphabets anspielt.

Das ags. Þ schien ihm also mit seinem *th* identisch zu sein. An die Aussprache *t* ist da doch absolut nicht zu denken. Wohl aber konnte dem Fremden Þ mit dem ihm geläufigen *ts* zusammenrinnen. Auf diese Weise erklärt sich ja überhaupt die Wiedergabe des griechischen *θ* durch *ts* (*c*) in der mittelalterlichen Lateinaussprache. Und im 16. Jh. schreibt Erasmus von Rotterdam über die Aussprache des *θ*: „aegre assuescimus huic aspiratae sonandae, quam feliciter exprimunt Angli in initio, quum sua lingua dicunt furem: in fine, quum dicunt fabrum ferrarium. Nam his vocibus velut inimitabilibus solent hospitem provocare. Qui crasse docent, monstrant *θ* propemodum sonare, quod nobis sonat *ts*, quam syllabam nostra lingua facillime sonat in *tsa*, quum duabus syllabis dicimus simul"[2]. (Sylloge altera scriptorum, qui de linguae graecae vera et recta pronunciatione commentarios reliquerunt ed. Sigeb. Havercampus S. 130 f.)

---

[1] Wohl sicher fehlerhaft für *ut*.   [2] Erasmus meint nl. *tsamen*.

Die Heiden.

Von Johannes Hoops, Heidelberg.

Der Ursprung des Wortes „Heide", das in allen germanischen
Sprachen zur Bezeichnung der N i c h t c h r i s t e n dient, ist in
den letzten 25 Jahren viel umstritten worden. Wenn auch die einzelnen Untersuchungen oftmals weit auseinander und nicht selten
in die Irre gehn, so haben sie doch mehr oder weniger zur Klärung
der Frage beigetragen. Eine Einigung freilich ist bis jetzt nicht
erreicht. In den folgenden Ausführungen soll der Versuch gemacht
werden, einige Punkte in neue Beleuchtung zu rücken und damit
die Streitfrage womöglich dem Abschluß näherzubringen.

Das Neue Testament bezeichnet die Nichtchristen im Singular
durch *"Ελλην*, im Plural durch *"Ελληνες* oder *ἔθνη* 'Völker'. Ulfilas
bedient sich zur Wiedergabe dieser Ausdrücke einfacher Lehnübersetzungen: im Singular verwendet er *Krēks*, im Plural (von einmaligem
Krēkōs abgesehn) das farblose *þiudōs* 'Völker'. Nur an der einen Stelle
Mark. 7,26, wo eine Heidin ausdrücklich als Syrophönizierin bezeichnet wird und somit *Krēks*, das doch auch 'Grieche' bedeutete,
für das Gotische ausgeschlossen war, wird *'Ελληνίς* 'Heidin' durch
haiþnō übersetzt (vgl. hierzu W. Schulze 749). Dieses Wort scheint
nun auch in den übrigen germ. Sprachen wiederzukehren und ist
hier der gewöhnliche Ausdruck für 'Heide': ahd. *heidan* neben *heidin*
(dies besonders fränkisch), dazu die adjektivische Weiterbildung

Literatur. J. G r i m m, *D. Mythol.*[2] Nachträge 1198 (1844). R. v. R a u -
m e r, *Die Einwirkung des Christentums auf d. ahd. Sprache* S. 286 (1845).
C l e a s b y - V i g f u s s o n, *Iceland.-Engl. Dict.* 247 sv. *heiðinn* (1874).
J. E. K u n t z e, *Excurse über Römisches Recht*; 2. Aufl. (1880) S. 664 f. 693 f.
(über *paganus*). A. T o r p u. S. B u g g e, Idg. Forsch. 5,178 f. (1895). Z a h n,
Paganus; Neue Kirchl. Zeitschr. 10,18 ff. (1899). Th. v. G r i e n b e r g e r,
Sitzungsber. d. Wiener Akad., Phil.-hist. Kl. 142,106 (1900). A d. H a r n a c k,
Mission und Ausbreitung des Christentums (1902; 2. Aufl. 1906), I 350 f.;
Militia Christi (1905), 65,68 f. 122 (über *paganus*). W. S c h u l z e, Sitzungsber.
d. Preuß. Akad. 36,747 ff. (1905). F r. K a u f f m a n n, ZfdPh. 38,433 ff.
(1906). F. K l u g e, ZfdWortf. 11,21 ff. (1909). Ders. Beitr. 35,129—131
(1909). R. M u c h, ZfdWortf. 11,211 ff. (1909). E d w. S c h r ö d e r, GGA.
1917, 376 ff. W . B r a u n e, Beitr. 43,428—33 (1918).

heidanisc, heidinisc und *heitnisc(un)*; and. *hēdin,* afries. *hēthin, hēthen,* ags. *hǣþen,* anord. *hcidinn.* (S. die Zusammenstellungen bei Schulze 747 f. 755.)

Das Wort ist seit Jakob Grimm meist als Nachbildung von lat. *paganus* 'Heide' aufgefaßt worden, aber W. Schulze hat die Unmöglichkeit dieser Erklärung überzeugend dargetan. Braune (S. 430, A. 2) weist darauf hin, daß die frühsten Übersetzungen von *paganus* durch ahd. *heidan* erst in den Glossen zu Notkers Psalmen auftreten; in den ältesten ahd. Quellen übersetzt *heidan* nie *paganus,* sondern nur *gentilis* oder *ethnicus,* weil die Vulgata, die in der Regel die Vorlage war, *paganus* nicht gebraucht.

Eine Reihe von Forschern lesen got. *haiþnō* als *haiþnō* mit kurzem *e* und sehen darin eine Entlehnung aus griech. *ἔϑνος,* einer aspierierten Nebenform von *ἔϑνος.* Cleasby-Vigfusson und W. Schulze (S. 755) möchten es direkt aus dem Griechischen ableiten, Torp und Bugge nehmen Vermittlung durch armen. *hethanos* an. Das Wort soll sich dann im Gotischen volksetymologisch an *haiþi* angeschlossen haben und so weiter zu den übrigen germanischen Völkern gewandert sein. Die Unhaltbarkeit dieser Auffassung ist von Kauffmann, Kluge, Much und Braune mit schwerwiegenden Gründen nachgewiesen[1]. Schon der Umstand, daß *haiþnō* nicht etwa ein griech. *ἐϑνική,* sondern *Ἑλληνίς* übersetzt, spricht gegen eine direkte Entlehnung. Und die volksetymologische Angleichung von *hēþnō* an got. *haiþi* ist lautlich wie begrifflich unwahrscheinlich: Braune macht darauf aufmerksam, daß *haiþi* im Gotischen nicht 'Wildnis', wie in den andern germ. Sprachen, sondern 'Acker, Feld' bedeute.

Edw. Schröder faßt *haiþnō* ebenfalls als Fremdwort mit kurzem *e* und nimmt wie Torp und Bugge Vermittlung durch armen. *hethanos* an; aber er will dieses got.*haiþnō* von dem westgerm. Wort völlig trennen. Braune (S. 432) weist mit Recht darauf hin, daß got. *haiþnō* bei Annahme einer armenischen Zwischenstufe keine rein literarische Gelegenheitsbildung, sondern eine durch die mündliche Verkehrssprache übermittelte volkstümliche Entlehnung sein würde; wäre dies aber der Fall, so hätte Ulfilas das Wort gewiß regelmäßig zur Wiedergabe von *Ἑλλην(ες)* und zumal von *ἔϑνη* verwandt, statt

---

[1] Auch Michels (AfdA. 38,132, A. 2; 1919) lehnt diese Auffassung ab.

sich der Lehnübersetzungen *Krēks* und *þiudōs* zu bedienen. Vor
allem aber ist das Zusammentreffen des einmaligen got. *haiþnō*
mit dem westgerm. Wort ahd. *heidan* etc. in Laut und Sinn so
schlagend, daß eine Trennung derselben als unnatürlich erscheinen muß.
W. Schulze (S. 749) hatte die Ansicht ausgesprochen, daß
Ulfilas *haiþno* eigens für Mark. 7,26 geschaffen habe. Auch Kluge
hält die einmalige Verwendung des *haiþno* in der got. Bibel „für
einen neuen Sprachgebrauch, den Ulfilas nur erst schüchtern wagt"
(ZfdWortf. 11,23). Aber während Schulze in dem Wort eine Entlehnung
des gr. *ἔθνος* sieht, meint Kluge, Ulfilas habe hier einem einhei-
mischen Adjektiv *haiþns* „zum erstenmal und als erster einen christlichen Inhalt gegeben". Dann sei das Wort sekundär durch Entlehnung aus dem Gotischen auch bei den übrigen Germanen zu
einem neuen Inhalt gekommen. Der ursprüngliche Begriff des Worts
aber sei ein ethnographischer in der Richtung von griech.-röm.
barbarus gewesen. „Es mochte ein Wort sein, mit dem die Germanen
ungermanische Völker adjektivisch kennzeichneten, etwa als wilde
Völker. Ein derartiger Begriff konnte ohne weiteres auch einen
heidnisch religiösen Nebensinn enthalten, konnte Völker von niederer
religiöser Auffassung kennzeichnen, wie es östliche Nachbarn in der
Auffassung der Germanen sein mochten" (a. a. O. 24). Eine Spur
der älteren ethnographischen Bedeutung findet Kluge in dem verbreiteten ahd. Eigennamen *Heidanrîh*, der im 8. Jahrhundert reichlich
bezeugt ist. Edw. Schröder (GGA. 1917, 378) stimmt Kluge in der
Annahme einer ethnischen Grundbedeutung von *heidan* bei und
weist noch auf den vereinzelt belegten Personennamen *Haitenulfus*
hin. Auch Michels (AfdA. 38,132, A. 2; 1919) pflichtet Kluges Auffassung bei. Braune (Beitr. 43,432, A. 1) zieht zu *Heidanrîh*
den seit dem 5. Jahrhundert belegten Namen *Hūnirīx, Hūnrîh*
als Parallele heran. Kauffmann hatte bereits auf den skandinavischen
Stamm der *Heinir* (aus *Heidnir), der Bewohner der *Heidmǫrk* auf
der Grenze zwischen Schweden und Norwegen, hingewiesen, und
Kluge stellt damit den skandinavischen Stamm der *Χαιδεινοί*
bei Ptolemäus (= germ. *Haidinōz) und die ags. *Hǣdne* des Widsith-
liedes (V. 81 *mid Hǣdnum) zusammen, woran Much weitere Er-
läuterungen knüpft.

　　　Braune, der in seinem ergebnisreichen Aufsatz über *Althochdeutsch und Angelsächsisch* auch die Heidenfrage erörtert

(Beitr. 43,428 ff.), bekämpft die Ansicht Kluges, daß ahd. *heidan*, *heidin* von den Goten herstammen müsse. Es sei durchaus unwahrscheinlich, daß das Wort nicht nur nach Oberdeutschland, sondern schon um 600 sogar bis zu den Angelsachsen gelangt sein sollte. Er hält das einmalige got. *haiþnō* für eine okkasionelle Umprägung des Ulfilas, die mit dem westgerm. Wort in keinem direkten Zusammenhang stehe. Nach Braunes Auffassung gehört sowohl das got. wie das westgerm. Wort zu urgerm. *haiþa*- aus idg. *koito-m* 'Wald, Heide', das in den kelt. Sprachen in der Ablautsform *keito*- 'Wald' reich vertreten ist und im Germanischen substantivisch als *jō*-Bildung in got. *haiþi*, ahd. *heida*, ags. *hǣþ* vorliegt. Zu urgerm. *haiþa*- wäre ein Adjektiv germ. *haiþana*-, *haiþina*-, *haiþna*- mit Ablaut des Mittelsilbenvokals gebildet, dem ahd. *heidan*, as. *hēthin*, ags. *hǣden*, anord. *heidinn*, got. *haiþns* entsprechen. Dieses Adjektiv mit der Grundbedeutung 'wild' sei zum Namen eines östlichen Volks geworden, „das kulturell und religiös tiefer stehend von den Germanen sozusagen als Barbarenvolk betrachtet wurde." Von den Angelsachsen sei dann dieser Volksname nach 600 zur Wiedergabe von lat. *gentilis*, *ethnicus*, *paganus* umgeprägt und in dieser Geltung den Deutschen und Skandinaviern übermittelt worden.

Meine Auffassung kommt derjenigen Braunes am nächsten, namentlich in seiner Kritik der früheren Ansichten. Doch lassen sich seine Ausführungen vielleicht in einigen Punkten ergänzen.

Die etymologische Zusammengehörigkeit des gotischen, westgermanischen und nordischen Worts, sowie ihre Ableitung aus idg. *koitom* 'Wald, Heide' scheinen mir gesicherte Ergebnisse der vielseitigen Erörterungen der letzten Zeit. Von *koitom*, bzw. germ. *haiþa* wurde mit dem idg. Suffix *-nos* (*-o-nos*, *-i-nos*), das auch sonst zur Bildung von Bewohnernamen dient, ein Substantiv *haiþanaz*, *haiþinaz*, *haiþnaz* abgeleitet, das wohl auch adjektivisch verwendet werden konnte. Es dürfte zunächst 'Heide-, Wildnisbewohner', dann 'Wilder, barbarus' bedeutet haben und scheint mir eine ähnliche Bildung zu sein wie lat. *dominus* 'Hausbesitzer, Hausherr' zu *domus*, oder gall. *Morini* 'Meeranwohner' zu *mori*, kymr. korn. bret. *mor* 'Meer', oder got. *þiudans* 'König', eigtl. 'Volksherr', zu *þiuda* 'Volk'. Auch lat. Ableitungen wie *silvānus*, *insulānus*, *Rōmānus*, *Africānus* von *ā*-Stämmen gehören hierher, nach deren Muster dann mit dem gleichen Suffix Ableitungen von andern Stämmen, wie *publicānus, pāgānus, urbānus, montānus* usw., gebildet wurden. Ferner sei auf gleichbedeutende *n*-Ableitungen in den baltisch-slawischen Sprachen (mit slaw. -*ĕn*-, balt. -*ĕn-a*-) hingewiesen: slaw. *zemljane* 'Landsleute' zu *zemlja* 'Land', *graždane* 'Bürger' zu *gradŭ* 'Stadt', *seljane* 'Landleute' zu *selo* 'Acker'; lit. *girénai* 'Waldleute' aus *girĭēna*- zu *gĭre* aus *girĭē* 'Wald' (vgl. Brugmann, Grundr. [2]II 1, S. 280. 308. 318)[1].

In dem altnord. Volksnamen *Heinir* aus *Heidnir*[2] gegenüber *Heid-* in *Heidmǫrk* tritt die Grundbedeutung 'Heideleute, Wildnisbewohner' noch deutlich zutage. Eine ganz analoge Ableitung von *Heide*, nur mit anderm Suffix, liegt in nnd. *Heidjer* 'Heidebauer' vor (vgl. D. Speckmanns Erzählung „Heidjers Heimkehr"). Aus jener Grundbedeutung heraus ist das alte Wort vermutlich noch in urgermanischer Zeit zu einer generellen Benennung für alle kulturell tieferstehenden Völker und Menschen geworden in dem Sinne, wie die Griechen und Römer von 'Barbaren' und wie wir von 'Wilden' im allgemeinen sprechen. Angelsächsische Glossen wie 'barbarus i. gentilis': *hœþen* (Napier, Old Engl. Glosses 1,4037) oder 'allophilorum': *hœþenra* (ebd. 881 u. 5018) sind in dieser Hinsicht beachtenswert. Es ist wohl auch kein Zufall, daß in den mittelalterlichen Dichtungen die Heiden gern „wild" genannt werden. Übrigens leitet schon der englische Dichter Langland im 14. Jahrhundert *heathen* von *heath* ab und bestätigt die Deutung 'Wildland, unkultiviertes Land' für *heath*: *Hethene is to mene after heth and untilled erthe*, d. h. '*Hethene* hat seine Bedeutung von *heth* und unbebautem Land' (Piers Plowman B 15,451).

Braune (S. 433) meint, daß die Umprägung des Worts im christlichen Sinne ihren Ausgangspunkt von dem Namen eines bestimmten östlichen Barbarenvolks genommen habe. Er zieht dabei den altgerm. Völkernamen der *Hūni* 'Hunnen' zum Vergleich heran, der, wie ich

---

[1] Diese Bewohnernamen mit *n*-Ableitungen dürften das begriffliche Verhältnis von ahd. *heidan, heidin* etc. zu *heida* besser erläutern als die von Much (ZfdWortf. 11,215 f.) angezogenen Ableitungen von Baumnamen u. dgl. mit dem Suffix-*no* zur Bezeichnung von Holz und Früchten, wie ahd. *Ahorn* zu lat. *acer*, got. *akran* zu *akrs* u. a.

[2] Zu der Form des Suffixes zieht Kauffmann (ZfdPh. 38,435; 1906) mit Recht anord. *heidnir menn* und altgutn. *hainir*, Plur. zu *haiþin* 'heidnisch' (PGrundr. [2] I 576,9[d]) heran.

in der Festschrift für Paul (Germanist. Abhandlungen S. 178; 1902) dargelegt habe, ursprünglich adjektivisch 'dunkel' bedeutete, dann zum Namen der dunkelfarbigen Hunnen wurde und schließlich als mhd. *Hiune* wieder die appellative Bedeutung 'Hüne, Riese' annahm. Nun zeigt der Name der nordischen *Heinir* zweifellos, daß *haiþins*, *haiþns* sich gelegentlich zu einem Völkernamen verdichten konnte. Aber während die Hunnen durch ihre Eroberungszüge ganz Europa mit Schrecken erfüllten, waren die Heinir ein nur im Norden bekannter skandinavischer Stamm, der kaum den Anlaß zu der Umprägung des Wortes *haiþns* bei Ulfilas und bei den Angelsachsen geben konnte. Hätte es noch ein andres Volk dieses Namens gegeben, das sich an Bedeutung irgendwie mit den Hunnen messen konnte, so wäre davon sicher geschichtliche Kunde auf uns gekommen. Da das nicht der Fall ist, glaube ich, daß wir von der appellativen Bedeutung 'W i l d e , B a r b a r e n' auszugehn haben.

Daß das Wort in vorchristlicher Zeit, wie Kluge (S. 24) meint, „einen heidnisch religiösen Nebensinn enthalten" habe, daß es „Völker von niederer religiöser Auffassung kennzeichnen" konnte, ist möglich; aber dieser religiöse Nebensinn kann jedenfalls nicht sehr ausgeprägt gewesen sein. Wäre dies der Fall gewesen, so hätte Ulfilas zur Wiedergabe von "Ελληνες und ἔθνη sich sicher allgemein dieses Ausdrucks bedient. Das vorchristliche *haiþinaz, *haiþns wird in erster Linie, wie *barbarus*, einen ethnographischen und kulturellen Inhalt gehabt haben, der das religiöse Moment mit umfaßte, aber nicht stärker hervortreten ließ.

Es fragt sich nun, wo die c h r i s t l i c h e U m p r ä g u n g d e s W o r t s erfolgte, und von wo es in dieser Umprägung seine Wanderung über die Germanenwelt angetreten hat. Kluge und die meisten Älteren denken an die Goten, Braune an die Angelsachsen. Gegen den gotischen Ursprung wendet Braune ein, daß das Wort bei Ulfilas nur einmal und als augenscheinlicher Notbehelf verwandt sei, und daß wir keinerlei Grund haben, mit Kluge zu vermuten, es habe sich nach Ulfilas in der gotischen Kirchensprache allgemein eingebürgert. In Ermangelung andrer Zeugnisse müssen wir in der Tat wohl annehmen, daß die G o t e n zur Bezeichnung der Nichtchristen sich nach dem Vorgang des Ulfilas der dem griech. ἔθνη, lat. *gentes* entsprechenden Lehnübersetzung *þiudōs* bedient haben. (Freilich, ob sich im Singl. auch *Kreks* einbürgerte?)

Wie aber nannten die H o c h d e u t s c h e n nach ihrer Bekehrung im 4.—7. Jahrhundert die Nichtchristen, bevor die angelsächsischen Missionare nach Deutschland kamen? Im Keronischen Glossar 126,28 finden sich die lateinischen Ausdrücke 'ethnicus, gentilis'. Zu 'ethnicus' haben die beiden ältesten Handschriften, Pa und K, die Glosse *hinnici*, während 'gentilis' in Pa durch *heidanisc*, in K durch *heithinisc* übersetzt wird. In R bleiben die beiden lat. Wörter unübersetzt, in Ra sind sie ganz ausgelassen. B r a u n e (Beitr. 43,434, Anm.) wagt nun zögernd die Vermutung, daß *hinnici* ein ahd. *ja*-Adjektiv *hinnizzi* = *innizzi* darstelle und eine altobd. Umbildung von *ethnicus* sei. Ich glaube, daß er damit das Richtige getroffen hat, und möchte seine Vermutung durch den Hinweis auf einige lateinische Glossen stützen, die den lautlichen Übergang von *ethnici* zu *innizzi* veranschaulichen. Man vergleiche Corp. Gloss. Lat. IV 66,9 und V 195,5 *ethnici*: *idolorum cultores* mit IV 63,15 *ennici*: *idolorum cultores*, V 193,29 *enici*: *idolorum cultores*, V 453,32 *ennici*: *idolorum servitus*. Auch *ennica* oder *enica*: *adultera* ist mehrfach belegt (s. CGL. VI 401b). *Ennicus* ist offenbar die spätere kirchenlateinische Aussprache von *ethnicus* gewesen, und im Deutschen ist das *e* vor dem folgenden *i* lautgesetzlich zu *i* geworden. Die Singularform ahd. *innizzi* mit *zz* ist wohl auf den besonders häufig gebrauchten Plural lat. *ennici* mit *c* = *ts* zurückzuführen; der Singular *ennicus* hätte wohl ahd. *innih ergeben müssen, wie *monicus* (aus *monachus*) zu ahd. *munih* wurde. Über die Schreibung *c* für *zz*, die in Pa die herrschende ist, vgl. Braune Ahd. Gr.[3] § 159, A. 3; über die *h*-Prothese in *hinnici* ebd. 152.

Die christlichen Missionare der älteren oberdeutschen Bekehrungsepoche haben sich also zur Bezeichnung der Nichtchristen eines L e h n w o r t s bedient, was durchaus zu ihrer sonstigen Gepflogenheit stimmt: vgl. ahd. *krūzi* 'Kreuz' gegenüber ags. *rōd* oder *galga*, ahd. as. *altari* gegenüber ags. *wēofod*, ahd. *evangelio* gegenüber ags. *gōdspell*, as. (und wahrscheinlich auch altobd.) *pāscha* 'Ostern' gegenüber ags. *ēastron*, ahd. as. *paradīs* gegenüber ags. *neorxnawang*, sowie die Lehnübersetzungen *armherz*, *barmherz* aus lat. *misericors* gegenüber ags. *mildheort*, und ahd. *ātum* für lat. *spiritus* gegenüber ags. *gāst*. Bei den Angelsachsen sehen wir überall das ausgesprochene Prinzip, die kirchenlateinischen Ausdrücke durch heimisches Sprachmaterial wiederzugeben, wobei man zu zahl-

3

losen Neuschöpfungen oder Umprägungen alteinheimischen Sprachguts griff. Die Oberdeutschen wie auch Ulfilas haben mehr mit Lehnwörtern und Lehnübersetzungen gearbeitet.

So haben die Angelsachsen auch zur Wiedergabe von *ethnicus*, *gentilis* auf ihr heimisches *hæþen* zurückgegriffen, das einen Wilden, Barbaren bezeichnete, und B r a u n e hat jedenfalls recht mit seiner Vermutung, daß diese Bezeichnung d u r c h d i e A n g e l s a c h s e n auch in Deutschland und Skandinavien eingebürgert worden ist. In Oberdeutschland wurde das ältere *innizzi* von ihr ebenso verdrängt wie obd. *wīh* durch das aus dem Ags. stammende christianisierte *heilag*, altobd. *ātum* durch *geist*, altobd. *pāscha* durch *ōstarūn* Vielleicht ist es kein Zufall, daß ags. *hæþen*, afries. *hēthin*, as. *hēdin*, anord. *heidinn* sämtlich auf eine Grundform **haiþin* mit *-in*-Suffix zurückweisen. Hier dürfte die ags. Form maßgebend gewesen sein, obschon es natürlich möglich ist, daß jene Stämme das Wort ebenso wie die Angelsachsen schon in vorchristlicher Zeit in der *i*-Form kannten. Auch bei fränk. *heidin* und den seltneren obd. *-in*-Formen liegt vielleicht ags. Einfluß vor, während wir in den auf hochdeutschem Sprachgebiet sonst herrschenden *-an*-Formen (*heidan*, *heidanisc*), die auch bei Tatian vorkommen, vielleicht die vorchristliche hochdeutsche Form des Worts zu erblicken haben.

Wir kommen also zu folgenden E r g e b n i s s e n. Zu idg. **koitom*, germ. **haiþa* n. 'Wildland, Heide', das als *jō*-Stamm in got. *haiþi*, ahd. *heida*, ags. *hǣþ* vorliegt, bestand eine gemeingerm. Ableitung **haiþanaz*, **haiþinaz*, **haiþnaz*, die wir in ahd. *heidan*, ags. *hæþen*, got. *haiþns* usw. haben. Sie war mit dem idg. Suffix *-nos* aus dem Grundwort ähnlich gebildet wie lat. *dominus* aus *domus*, gall. *Morini* aus *mori*, lat. *silvānus* aus *silva*, *pāgānus* aus *pāgus* usw., und konnte wahrscheinlich wie letztere sowohl substantivisch als auch adjektivisch gebraucht werden. Die ursprüngliche Bedeutung dieses Worts war 'Heideleute, Wildnisbewohner', dann 'Wilde, Barbaren'. Bei der Christianisierung der Angelsachsen wurde es zum Ausdruck des Begriffs 'ethnicus, gentilis' verwandt. Ulfilas, der sich zur Wiedergabe von griech. Ἕλληνες, ἔθνη 'Heiden' gewöhnlich gelehrter Lehnübersetzungen bedient, gebraucht einmal das fem. *haiþno* als Notbehelf. In Oberdeutschland hatte sich in der älteren Bekehrungsepoche vom 4.—7. Jahrhundert zunächst *ethnicus*, kirchenlat. *ennicus* als Fremdwort in der Gestalt von ahd.

innizzi als Benennung der Nichtchristen eingebürgert. Im Zeitalter der angelsächsischen Missionstätigkeit wurde es durch das unter
ags. Einfluß christlich umgeprägte obd. *heidan* verdrängt, wobei
teilweise das alte obd. *-an-*Suffix dieses Worts dem ags. *-in-*
Suffix weichen mußte. Die christliche Umprägung dieses altgermanischen Worts bei den Niederdeutschen, Friesen und Skandinaviern steht gleichfalls unter dem Einfluß der angelsächsischen
Mission, was sich äußerlich durch das allen diesen Sprachen gemeinsame *-in-*Suffix kundgibt.

———————◻———————

Die tragische Grundstimmung des altgermanischen Heldenliedes.

Von Robert Petsch, Hamburg.

Wo immer eine Charakteristik der altgermanischen Heldendichtung versucht wird, da ist auch von ihrer tragischen Grundstimmung die Rede, vielleicht am eindrucksvollsten in Axel Olriks
klassischem Büchlein über nordisches Geistesleben[1]; im einzelnen
aber weichen die Ansichten der verschiedenen Darsteller über die
einzelnen Vorstellungs- und Gefühlsinhalte, aus denen sich diese
tragische Stimmung als Gesamtgefühlslage zusammenwebt, erheblich voneinander ab. Der Inhalt des tragischen Eindrucks unserer
alten Heldendichtung wird bisweilen (z. B. gerade auch bei A. Olrik)
zu weit gefaßt, sodaß er beinahe den ganzen ungeheuren und in sich
widerspruchsvollen Komplex von Erlebnissen begreift, den die
Menschheit in Jahrtausenden mit dem Ausdruck „tragisch" sehr
weitherzig hat zusammenfassen lernen[2]. Denn der Begriff des
Tragischen ist kein ästhetischer Elementarbegriff von der Einfachheit
und von den verhältnismäßig scharfen Umrissen des „Schönen",
des „Angenehmen" und selbst des „Erhabenen". Das tragische
Erlebnis wurzelt natürlich in der unmittelbaren, ästhetischen Auffassung eines wirklichen, und zwar leidvollen Vorgangs durch eine
bevorzugte Persönlichkeit: der Masse aber ist es sicherlich erst
durch die Kunst zugänglich geworden und die moderne Kultur-
menschheit verdankt ihre Fähigkeit, tragische Erregungen zu empfinden und zu genießen, geradezu der künstlerischen Verarbeitung
des griechischen Heldenzeitalters seit den Tagen des Aischylos.

Das hindert natürlich nicht, daß auch andere Völker tragische
Erlebnisse von ganz ähnlicher Art und ebenso starker Wirkung
wie die Griechen hatten, und daß auch bei ihnen die Gewalt der
Kunst weite Kreise, vor allem wieder die heroisch gestimmte Krieger-

---

[1] A. Olrik, Nordisk aandsliv i Vikingetid og tidlig middelalder, Kopen-
hagen u. Kristiania 1907, S. 33 ff. („Tragisk Stemning"); deutsche Übersetzung von Ranisch (Heidelberg 1908) S. 45 ff.

[2] Vgl. J. Volkelt, Aesthetik des Tragischen, 3. Aufl., München 1918.

kaste für die herbe Schönheit dieser Erlebnisse empfänglich gemacht hat. Nur ist bei den Germanen, die wohl auch hierin den Griechen besonders nahe verwandt waren, kein Aischylos aufgestanden, der das tragische Schicksal der Götter und Helden mit der fortreißenden Macht des Bühnenbildes zur a l l g e m e i n e n Angelegenheit des ganzen Volkes gemacht, seine Empfänglichkeit für tragische Werte aufs äußerste verstärkt und die tragische Kunst an späte Geschlechter weitergegeben hätte. Im germanischen Mittelalter nehmen wir allenthalben eine Erweichung der alten tragischen Wirkung wahr, wie uns ein Vergleich des alten und des jungen Hildebrandsliedes zeigt; und nur unter der Oberfläche floß ein Strom tragischer Erlebnismöglichkeiten fort, um dann in Shakespeare mächtig hervorzubrechen, auch da nicht ohne vorherige Berührung mit der antiken Tragödie oder doch mit ihrer Verarbeitung durch Seneca.

Jedenfalls aber dürfen wir auch die älteste germanische Heldendichtung nicht an dem vollentwickelten tragischen Leben der attischen Tragödie, etwa gar des euripideischen Skeptizismus messen; wir müssen uns dessen bewußt sein, daß die scheinbar einheitliche „tragische Wirkung" auch da nach Zeitaltern und Stämmen verschieden war; auf den schmelzend-elegischen Charakter der ae. Dichtung und der späteren nordischen Heldenlyrik z. B. ist man längst aufmerksam geworden. Wir müssen uns also vor Allgemeinerungen hüten; eine g e w i s s e Einheitlichkeit der Grundstimmung wird man immerhin noch für das älteste germanische Heldenlied annehmen dürfen, wie es uns die ältesten erzählenden Ereignislieder der Edda, das ae. Finnsburg- und das ahd. Hildebrandslied darbieten: nur von dieser Stufe soll im Folgenden die Rede sein.

Zu den geschichtlichen Voraussetzungen des Heldensanges gehört einerseits die Totenklage, andererseits das höfische Preislied. Was die T o t e n k l a g e anbelangt, so denken wir hier weniger an das babarischen Stämmen überhaupt gemeinsame Klagegeheul, das vorzugsweise der Abwehr der Geister gedient haben mag (vgl. z. B. Proc. 1. II. c. 2.), als an jene Klagegesänge, wie sie bei oder nach der Bestattung des gefallenen Helden im Chore vorgetragen wurden. Der Gesang der Hunnen vor dem Begräbnis König Etzels (Jordanes c. 49) und der der Gauten nach der Verbrennung ihres Führers (Beowulf V. 3171 ff.) sind die klassischen Zeugnisse. Die Elemente sind beide Male dieselben. Erlesene hunnische Reiter um-

ziehen (offenbar nach gotischer Weise) den Platz, wo die Leiche
Etzels aufgebahrt ist und stimmen den Hochgesang von seinen Taten
an (*facta eius cantu funereo tali ordine referebant*): sie preisen seine
beispiellosen kriegerischen Erfolge und zum Schluß seinen schmerz-
losen Tod '*inter gaudia*'. Daran schließt sich die Aufforderung zur
Rache für den Herrlichen, der dahingegangen ist. Kein Wort der
eigentlichen Klage, des Jammers der Zurückgebliebenen, der Anklage gegen den Weltenlauf; wir staunen fast, dahinter die Worte
zu lesen: '*talibus l a m e n t i s est d e f l e t u s*'; immerhin stimmt
das zu der Schilderung des „Beowulf", wo auch die Getreuen die
kühnen Taten und das ritterliche Wesen des Toten besingen (von
Rache kann in diesem Fall keine Rede sein) und wo dann das Ganze
zusammengefaßt wird:

"Swā begnornodon	Geata leode
hlāfordes hryre,	heord-geneatas
cwǣdon, ðaet hē wǣre	wyruld-cyninga
mōdes mildust	ond mon- ðwǣrust,
leodum līðost	ond lof-geornost. (Holthausen.)

Es wird nicht gesagt, daß die Gauten a u s d r ü c k l i c h
ihrem Jammer um den Heimgang des Brotherrn Worte verliehen
hätten; sie beklagten ihn, indem sie seine Taten und seine Herrscher-
würde priesen. Die schmelzenden Affekte bildeten den Unterton,
aber sie scheinen nicht zum Ausdruck gekommen zu sein, wie etwa
bei dem Klagegeheul, von dem oben die Rede war; im Gesange
überwogen die energischen Stimmungen der Freude, des Stolzes,
und, wo es angebracht war, des Rachedurstes: oft genug mag die
Totenfeier zum Rachezuge hinübergeführt haben. Damit sind
wir aber schon aus dem Gebiete der rein pathetischen, der bloß
rührenden Klage hinübergeschritten zur tragischen Erhebung. Daß
sich daneben frühzeitig bei den Angelsachsen eine rein pathetische
Form der Totenklage ausgebildet hat, d. h. „dasjenige Totenlied,
was ein Angehöriger (zunächst Frau, Schwester, Mutter) eines her-
vorragenden Helden bei seiner Leichenverbrennung singt" oder was
ein Herrscher nach einer Niederlage angesichts der gefallenen Getreuen und der verödeten Metbänke anstimmt, hat Schücking nachgewiesen[1]. Hier beklagt der Hinterbliebene die für ihn durch den

---

[1] Vgl. L. L. S c h ü c k i n g, Das angelsächsische Totenklagelied.
Englische Studien Bd. 39, S. 1 ff. Dazu G. N e c k e l, Beiträge zur Eddaforschung (Dortmund 1908, S. 495 f.).

Todesfall geschaffene Situation; da ist von tragischer Erhebung über das Schicksal denn auch keine Rede, es herrscht der elegische Ton vor.

Die eigentliche Totenklage aber scheint mir nach Inhalt und Stimmung dem P r e i s g e d i c h t e näherzustehen, das an Höfen angestimmt wurde. Unter den Zeugnissen (vgl. jetzt H e u s l e r in Hoopsens Reallexikon, Bd. I, S. 453 ff., und G. E h r i s m a n n , Literaturgeschichte Bd. I, S. 20 ff.) ragt dasjenige des Priscus über sein Erlebnis am Hofe des Attila (a. 446) hervor, weil es uns genauere Kunde von der Wirkung solches Liedes auf die Zuhörer gibt. Augenscheinlich handelt es sich da um keine bloße höfische Lobhudelei, sondern um einen Sang, an dem alle Kampfgenossen des Gefeierten innigen Anteil nehmen: bei dem abendlichen Gelage, dem Priscus beiwohnt, treten zwei Barbaren dem Attila gegenüber und tragen selbstverfaßte Lieder vor, worin sie seine Siege und seine kriegerischen Tugenden verherrlichen; alles blickt auf sie; die einen geben sich einfach der Freude an dem Gesange hin (ἥδοντο τοῖς φρονήμασιν), andere gedenken ihrer eigenen Kämpfe und geraten in Begeisterung, und wieder andere, denen das Alter Ruhe gebietet, brechen in Tränen aus. Hier, wie in der chorischen Heldenklage liegt also die Grundempfindung vor, daß ein Leben voller kriegerischer Taten des höchsten Preises wert und ein reckenmäßiger Kampfestod das rechte Ende eines solchen Lebens sei. Was aber hier mehr nebenher mitschwingt und die Wirkung des eigentlichen, volltönigen Fürstenpreises verstärken hilft, das wird in der eigentlichen Heldendichtung nachher zur Hauptsache.

Die Schilderung von Attilas Hofhalt ist mit Recht als Zeugnis für gotische Sitte herangezogen worden (vgl. Ehrismann, a. a. O. S. 20): bei den Goten hat sich ja denn auch wohl zuerst das eigentliche H e l d e n l i e d ausgebildet als künstlerischer Ausdruck des ethischen Empfindens einer kriegerischen Gruppe von Edelmenschen (nicht etwa bloß von Fürsten mit ihrem Gefolge), die das Leben mit seinen Gütern auszukosten wissen, denen aber das Leben doch nicht als der Güter höchstes erscheint; die Art, wie der Mensch mit dem Tode fertig wird, vollendet vielmehr erst sein Heldentum, das sich eben durch eine höhere Wertsetzung von dem alltäglichen Dasein unterscheidet. Die Zurückdrängung eines an sich lockenden, doch geringen Wertes aber zugunsten eines höheren ist das Werk eines

Augenblicks, des höchsten im Leben des Recken; hier bedarf es keiner biographischen Schilderung mehr, sondern nur der vollen Herausarbeitung einer Episode; hier braucht es keine geschichtliche Beglaubigung, das Herz des Sängers und des Zuhörers sagt innerlich ja zu dem, was von der frei erfundenen oder von der Sage ganz umwobenen Gestalt des Helden erzählt wird. Was er erlebt, das könnte und möchte jeder der Zuhörenden in seinem höchsten Augenblick selbst erleben. Der Bruch mit dem, was ihn bisher gefesselt hat, vollzieht sich nicht ohne Leid, aber der Durchbruch zum neuen, höheren Werte hebt den Helden wie den Sänger und den Hörer des Liedes weit über gewöhnliches Menschenmaß hinaus. Das ist jener t r a g i s c h e O p t i m i s m u s , von dem unsere Heldendichtung erfüllt ist. Keine Rede von einer Klage über das Los des Schönen und Großen auf der Erde, das eigentlich ganz anders sein müßte — es kostete den Recken nur den Verzicht auf die freiwillig übernommene Lebensführung, und er möchte ein Leben in Gemächlichkeit führen, aber eine solche Möglichkeit wird auch nicht von fern erwogen. Nur gelegentlich fällt, wie bei Beowulfs Todeskampf, ein Seitenblick auf die feigen Genossen, die ihren Herrn in der höchsten Gefahr verlassen und von denen sich dann die Gestalt Wiglafs um so leuchtender abhebt; oder die Atlakviða stellt Högni dem Kühnen den feigen Knecht Hjalli gegenüber, um das bewußte Heldentum noch stärker hervorzuheben.

Freude und Lebensgenuß, das Leben überhaupt, Pflichten gegen Freunde und Blutsverwandte, Blutrache vor allem und endlich die eigene Ehre, die gegen den Vorwurf der Treulosigkeit oder der Feigheit verteidigt werden muß, das ist ungefähr die Stufenleiter der Werte, unter denen sich der Held im Verlaufe der Handlung irgendwie zu entscheiden hat. Betrachten wir die älteste Schicht der E d d a l i e d e r , die uns von dem Heldenlied eine ungefähre Vorstellung geben können, so gehen im alten Hamdirliede Gudruns Söhne in das sichere Verderben, um ihre Schwester Schwanhild zu rächen, weil die Mutter ihnen Saumseligkeit und Feigheit vorgeworfen hat; ebenso gehen die Gjukunge im alten Atliliede allen Warnungen und Ahnungen zum Trotz an den Hof des Hunnenkönigs, wo ihrer der Tod wartet, um durch die Ablehnung der teuflischen Einladung nicht feig zu erscheinen; in dem Bruchstück des „alten Sigurdliedes", von dessen erster Hälfte wir so wenig wissen können, überwiegt die Gestalt der Brynhild, die den Geliebten und damit ihr eigenes Lebensglück opfert, um die Beschimpfung ihrer Ehre zu rächen; daß zur tragischen Wirkung nicht der wirkliche Untergang, sondern nur der Entschluß notwendig ist, alles an die Ehre zu setzen, zeigt das Beispiel des Agantyr im Lied von der „Hunnenschlacht"[1], der die kecke Herausforderung des Bastards annimmt, im Kampf die Schwester verliert, zeitweilig von allen verlassen erscheint, am Schlusse doch den Sieg davonträgt, aber dem erschlagenen Bruder die Totenklage anstimmt.

Alle tragische Wirkung ist bedingt durch den scharfen Gegensatz zwischen dem, was unser Wille zum Glück, auch wohl unser Gerechtigkeitsgefühl fordert und dem, was das Schicksal wirklich mit sich bringt. Das Heldenlied nimmt denn auch keinen Anstand, den Wert dessen, was geopfert werden muß, sowie die Schmerzlichkeit des Opfers selber zu betonen. Es klingen also pathetische Töne immer wieder an, sowohl bei dem Helden selbst, als bei den Nebenfiguren oder, besonders in der ältesten Dichtung, bei dem Dichter selbst, der wieder durch die ganze Anlage der Handlung unsre tragische Spannung aufs höchste steigert. Besonders stark gehäuft sind jene Elemente, die uns in eine gewisse Bangigkeit um das Schicksal der Helden versetzen können, im alten Atliliede. Zweimal greift Gudrun warnend ein; nicht bloß beim Einzug in den Königshof der Hunnen prophezeit sie Unheil, schon vorher hat sie durch eine Geheimbotschaft auf Atlis Tücke hingewiesen. Und ihre Warnung ist nicht ungehört verhallt. Die protzige Einladung des Hunnenboten verstimmt die Fürsten, Högni wittert Unrat. An andern Warnungen fehlt es nicht. Aber Gunnar ist dennoch zur Fahrt entschlossen, komme was will. Immer deutlicher lauten Gudruns Klagen um das Kommende, Gunnar hat es nun einmal „versäumt, die Nibelungen zu sammeln" und geht entschlossen in den Tod. Von irgendwelcher Schuld kann hier gar keine Rede sein; die Schuldtragik ist der ältesten Heldendichtung entschieden fremd, ebenso wie wohl auch der Begriff der „Hybris" im griechischen Sinne. Es verstand sich für den Helden von selbst, daß er die Einladung Atlis nicht mit einem Kriegszuge beantwortete, das hätte

---

[1] Heusler-Ranisch, Eddica minora (Dortmund 1903), S. 1 ff. Übertragen in F. Genzmers Eddaübersetzung (Bd. I, Jena 1914), die auch im folgenden zitiert wird.

wie Feigheit ausgesehen; nun, wo der Verrat offenkundig wird, ist es zu spät. Das ist Schicksal des Edlen in der Hand des Unedlen und muß erduldet werden, wenn sich jener nicht selbst untreu werden will. Zum mindesten handelt es sich um keinen sittlichen Mangel, sondern allenfalls um einen Mangel an Vorsicht; aber gerade dieser gehört mit zu dem Bilde des Recken, der die Folgen seiner Taten nicht ängstlich zuvor erwägt.

Äußerst lehrreich in dieser Beziehung ist das alte H a m d i r - l i e d. Die Spannung ist hier weit größer, wie im Atliliede, weil die Brüder zwar ihres Todes schon zu Anfang gewiß sind (Str. 9), aber die Art ihres Untergangs nicht von vornherein feststeht. Scheinen sie doch durch gefeite Rüstungen geschützt und will ihnen doch der „viel schlaue" Halbbruder beistehen. Aber sie verspotten und töten den „braunen Knirps" mit jenem Übermut, der dem Edelgeborenen gegenüber dem Bastard geziemt und der Agantyr in der „Hunnenschlacht" zum Heil ausschlägt. So kann er ihnen im Kampf gegen Jörmunrek nicht mehr beistehen mit seinem Rat und der todwunde Bösewicht kann noch den Befehl zur Steinigung der durch Waffen unverletzlichen Brüder geben. „Kühn bist du, Hamdir, doch Klugheit fehlt dir; viel fehlt dem Mann, der Vorsicht nicht kennt", ruft Sörli dem Bruder zu. Aber Vorsicht wird vom Recken als solchem nicht gefordert; wohl dem, der sie hat; wer sie nicht übt, den verblendet das Schicksal. Darin, daß sie den Halbbruder Erp erschlugen, darin sieht Hamdir und gewiß auch der Dichter keine sittliche Schuld, etwa den Ausbruch zu raschen Jähzorns, Hochmutes oder grausamer Gesinnung. Erp hat Hohn mit Hohn erwidert und ist im Kampfe gefallen. „Uns reizten Nornen, verführten uns zum Morde" (hvǫttomk at dísir gǫrđomz at vígi) und „niemand sieht den Abend, wenn die Norne sprach", so klagt auch Agantyr an der Leiche des tapferen Halbbruders:

> Ein Fluch traf uns, Bruder,
> dein Blut habe ich vergossen,
> nie wird das ausgelöscht —
> Unheil schuf die Norn."

Von einem Fatalismus im gewöhnlichen Sinne ist hier keine Rede: Der Mensch ist nicht der Spielball tückischer Mächte; nur den Zufall gibt die Norn, die Vorsehung, zum Zweck gestaltet er ihn selbst, indem er nach Reckenart darauf antwortet und allerorts seine Ehre hochhält; das hindert ihn nicht, über das zu klagen, was dabei in Stücke bricht, besonders wenn es sich nicht um das eigene Lebensglück oder um das Leben selbst handelt. Freilich prophezeit der ausziehende Hamdir seiner Mutter mit tiefer innerer Bewegung den Untergang ihrer Söhne, er beklagt auch die Verkettung der Umstände, die nachher das Ende herbeiführen, aber er nimmt nicht jammernd vom Leben Abschied, wenn auch er und Agantyr (als Sieger) nicht mit Hochmut und lachendem Trotz über dem Schicksal stehen, wie Gunnar und Högni. Aber auch die unheilschwere Situation, die die Norn herbeiführt — sie ist nur gefährlich unter Voraussetzung der reckenhaften Gesinnung, die der Held eben kräftig bejaht. Für jeden andern wäre gute Freundschaft mit einem Halbbruder wie Erp oder ein Ausgleich mit einem Bastard wie Hlöd möglich gewesen. Aber aus der eigenen Gesinnung und aus dem Laufe der Welt wird das Netz gewoben, in dem der Held sich verfängt.

So fängt sich Sigurd (im „Brot") in seinem Treueverhältnis mit Gunnar, das beide ins Verderben reißt. Und dabei erscheint Gunnar deutlich als der schlechtere Mann, der seine Mannesehre für die Gunst eines Weibes verkauft — ein Gegenbeispiel inmitten der Darstellung reckenhafter Persönlichkeiten. Immerhin erscheint er nicht lächerlich, sondern als Gegenstand des Mitleids, wenn ihm der Rabe vom Baume her Strafe des Meineids zukrächzt, wenn ihn Gudruns Flüche, schlaflose Nächte und Brynhilds Traumbilder verfolgen. Eine Stimmung des Grausens wird hier erweckt, aber sie ist nicht eigentlich tragischer Art, Gunnar steht nicht auf der Höhe, die uns über das furchtbare Treiben des Schicksals erhöbe. Wie anders Brynhild, die in der wunderbaren Darstellung des „Brot"-Dichters gleichsam innerlich erstarrt, bis der Tag da ist, wo sie alles an ihre Rache setzt, um dann Sigurd zu rechtfertigen und ihm in den Tod zu folgen. Damit haben wir aber schon auf die e r - h e b e n d e n Elemente hingedeutet, die dem vollen Eindruck des tragischen Leides im echten Heldenliede die Wage halten. Sie sind zweierlei Art, subjektiver und objektiver. Subjektiv läßt sich der Held von dem Leide, dessen Größe er vielleicht ohne weiteres anerkennt, nicht innerlich überwinden, es reizt ihn nur, die Zähne zusammenzubeißen, dem Schicksal bis zum letzten zu trotzen, und in diesem Endkampf entwickelt sich alles, was von Heldenkräften in ihm lebt. Mit gutem Gewissen darf Hamdir sich und seinem Bruder das Zeugnis ausstellen:

> „Wir stritten tapfer:
> wir stehen auf Leichen,
> Erzmüden Goten,
> wie Aare im Gezweig;
> Heldenruhm bleibt uns,
> ob auch heute wir sterben";

und Högni lacht, als sie „ihm zum Herzen schneiden". Gunnar aber schlägt im Schlangengehege hochgemut die Harfe.

> „So soll ein kühner
> Ringvergeuder
> den Reichtum hüten" —

so feiert der Dichter selbst den Helden, der sein Geheimnis nicht verraten hat. Dann aber rüstet Gudrun ihren Brüdern, wie Brynhild ihrem in Treulosigkeit verstrickten Geliebten die hohe Rache. Nicht jede Sage eignet sich für einen solchen Schluß, aber wo er möglich ist, da wird er mit besonderem Behagen ausgeführt, gerade wie das chorische Totenlied gern in Racherufen endigte. Die *'bella vendetta'*, wie vor allem Gudrun sie an Atli und seinem Geschlecht übt, ist ein Stück Reckenglück und entschädigt den Hörer für die Trauer um den grausamen Tod, der dem Helden zuteil geworden ist. Gerade das alte Atlilied zeigt bei aller Knappheit der Darstellung ein fast vollkommenes Gleichgewicht der Teile, aus denen sich eine Heldensage mit vollendeter tragischer Wirkung zusammensetzt.

Wir dürfen vielleicht annehmen, daß das alte Lied von den Kämpfen bei Finnsburg, von denen uns ein erzählendes ae. Bruchstück und ein summarischer Überblick im Beowulf V. 1068 ff. erhalten sind, ähnlich verliefen. Freilich können wir den Inhalt des ursprünglichen Gedichts nur in den allergröbsten Zügen herstellen. Aber noch zeigt uns der Anfang des „Finnsburgfragmentes" den Führer (in dem wir doch wohl mit Gering den „Heldenjüngling" Hnäf zu sehen haben) angesichts der großen Gefahr, des Überfalls durch die Friesen. Die Türen des Saales, worin die Dänen hausen, sind besetzt, es gilt den Kampf auf Leben und Tod. Hnäf ist sich des kommenden Untergangs voll bewußt (*nū ārīsad wea-dǣda*) und ruft die Mannen nur zum tapferen Widerstande bis zum Äußersten auf. Der Dichter schildert die Schwere des Kampfes mit den üblichen Zügen; der Ausgang kann nicht zweifelhaft sein, hier aber bricht

das Fragment ab. Die Schilderung des Beowulf verweilt vorzugsweise bei dem, was folgt; nach seiner Art vertieft sich der Dichter
in den Jammer der verwitweten und ihres Sohnes beraubten Hild-
burg, aber den Hauptinhalt der Darstellung bildet doch die Rache,
welche die Dänen nach Ablauf des Winters an König Finn und den
Seinen nehmen. In der bewegten Schilderung dieser Rache (Beowulf,
V. 1149 ff.) klingt sicherlich noch etwas von dem alten Liede nach;
der Held, der dem Untergange entgegengeht, aber auch der Dichter
ist hier gesprächiger geworden, als wir es von den älteren Liedern
her gewohnt sind.

Noch um einen Schritt weiter geht das a l t e H i l d e b r a n d s -
l i e d. In keinem andern der uns überlieferten Heldenlieder ist die
Tragik der Situation so fein zugespitzt, in keinem auch mit so über-
legener Kunst fühlbar gemacht, wie hier. Nicht bloß, daß der Vater
gezwungen wird, mit dem Sohne zu fechten, macht ja das Schwere
des inneren Kampfes für Hildebrand aus, sondern daß es unter diesen
Umständen geschieht: nach so langer Trennung von Heimat, Weib
und Kind, nach so viel Weh und Elend, im Augenblick der Heimkehr und angesichts der Erfüllung der höchsten Wünsche. Der
Dichter gibt uns auch das alles zu fühlen und läßt uns merken,
daß es die Seele des alten Recken aufwühlt; er öffnet auch dessen
Mund zu beredter Klage, aber er läßt ihn nicht a l l e s sagen; Hildebrands Weheruf wirkt um so gewaltiger, als er doch mit einer gewissen Zurückhaltung gepaart ist. Darum gibt uns der Dichter
vorher gleichsam eine objektive, pathetische und doch im Ausdruck
gemäßigte Schilderung von Hildebrands Leiden und Kämpfen durch
den Mund seines Sohnes; schon hier der Gegensatz zwischen der
Trefflichkeit des Kriegers und seinem bitteren Schicksal, jener die
Wirkung steigernde Gegensatz, auf den eben die Tragik des echten
Heldenliedes gegründet ist. Auf dieser Grundlage wirkt dann
das folgende Wortgefecht um so spannender; wir fühlen mit, was
in Hildebrand vorgeht, bis er in den großen Weheruf ausbricht —
innerlich längst entschieden, den verhängnisvollen Kampf auszu-
fechten. Zwar ruft er den Christengott an, aber die Anschauung
ist die gleiche, wie in dem Eddaliede: 'wēwurt skihit'. Hier ist keine
Rede von Schuld auf irgendeiner Seite, nur von einer verhängnisvollen Verkettung der Umstände; nur die Wahl bleibt zwischen
Schande und Kampf mit dem eigenen Kinde, und unbedenklich

wählt er das letztere. Es ist auch von unserm Standpunkt aus ganz besonders schmerzlich zu bedauern, daß unser Lied mitten in der Entwicklung abbricht. Wenn wir annehmen dürfen, daß die Erzählung damit endete, das Hildebrand den schon überwundenen Sohn, der einen hinterlistigen Streich nach ihm geführt hat, richten mußte, so wäre es uns ganz besonders wertvoll gewesen, zu hören, wie der Dichter die inneren Vorgänge in dieser Situation zur Darstellung brachte. Wir haben in den uns erhaltenen Heldenliedern ältester Prägung nichts Entsprechendes.

In den späteren Liedern der Edda, wie in den angelsächsischen Dichtungen überwiegt das lyrisch-pathetische bereits über das eigentlich tragische Element, das dann in der Balladendichtung vollends erweicht wird. Über diese Entwicklung näheres an anderer Stelle.

Die Quelle der Brünhildsage in Thidreks saga und Nibelungenlied.

Von Andreas Heusler.

§ 1. In vielem heben sich die zwei Teile des Nibelungenlieds voneinander ab. Am eindruckvollsten hat dies Roethe vor zehn Jahren dargelegt. Ihre dichterische Höhe ist merklich ungleich. In technischen Einzelheiten trennen sie sich, so im Reimgebrauch, im Wortschatz. Zwischen Teil I und II gibt es sachliche Widersprüche. Innerhalb von I sind die Unebenheiten viel zahlreicher und fühlbarer.

All dies hat man oft beobachtet, und über die Erklärung hat man sich z u m T e i l verständigt. An der Einheit des Epikers nach 1200 hält man fest. Man schreibt seinem zweiten Hauptstück eine breitere Grundlage zu, eine viel ausführlichere Quelle. Es war ein Buchepos, die 'ältere Nibelungenot', das 'ältere Burgundenepos'. Wir kennen es einigermaßen aus der Thidreks saga. Eine entsprechende Vorlage fehlte dem ersten Hauptteil.

Aber w i e nun die Quelle oder die Quellen von I beschaffen waren, darüber hat sich noch kein Consensus multorum gebildet. Erwähnen wir die eine Ansicht, für die unser Jubilar eingetreten ist. Jenes ältere Epos enthielt auch die Brünhildsage, aber nur als kurzgefaßten Eingang. Also das ganze NL hatte zunächst éine zusammenhängende Vorlage, in dieser aber waren die zwei Stoffteile sehr ungleich ausgeführt: zu dem breit erzählten zweiten bildete der erste nur „eine flüchtig abgetane Einleitung" (Golther). Man sehe Braune, Beitr. 25,182; Droege, Zs. f. d. Alt. 51,177; 52,193. 205 f.; Golther, Die deutsche Dichtung (1912) 306. Braune fügt aber, wohlgemerkt, hinzu, unser Epiker habe den ersten Teil ausgebaut „auf Grund einer anderen Quellendichtung". Damit begegnet er der Auffassung, die ich im folgenden zu begründen suche.

Jene Annahme der einen Buchquelle für das NL ließe die Widersprüche zwischen Teil I und II unerklärt. Aber noch andere Einwände kann man erheben.

Ein Epos von dem Bau, wie es hier vorausgesetzt wird, dürfte keine Gegenstücke haben. Auf die Kudrun wird man sich nicht berufen. Da haben wir die Erscheinung, die im welschen Ritterroman, wohl zuerst im Tristan des Thomas, im Cligès des Chrestien, aufkam und dann in andern Gattungen nachgeahmt wurde (G. Paris, Mélanges 1,271): der Epiker hat zu seiner Hauptgeschichte eine Eingangsfabel neu erfunden und diese im Verhältnis zu ihrer armen Handlung gar nicht sonderlich knapp erzählt. Die Geschichte von Sigfrid und Brünhild aber war von jeher eine gliederreiche Heldentragödie; sie konnte im Liedstil, wie die Sigurðarkviður der Edda erkennen lassen, gleichen Raum verbrauchen wie der Burgundenuntergang. Gewiß konnte man sie auch, wie jede andere Geschichte, in gedrängtem Rückblick abtun: man denke an die eddischen Gudrun-, Brynhild- und Oddrunelegien; der ausführlichste dieser Rückblicke, der in der Guðrúnarkviða II, bedenkt die Brünhildsage mit einem Dutzend Strophen. Allein in unserm Falle wäre ja nicht an einen halblyrischen Ichbericht zu denken, nur an eine unmittelbar-epische Vorführung. Und eine solche als flüchtige Einleitung — man versuche dies in Gedanken, mit den Mitteln des altdeutschen Epikers, zu verwirklichen! Es scheint unvorstellbar. So sagen wir, das ältere Burgundenepos kann n i c h t f r ü h e r als mit Etzels Werbung eingesetzt haben; ob erst an einem späteren Punkte, diese Frage berührt uns nicht.

Aber auch die Thidreks saga zeugt mittelbar gegen die Annahme der einen, zusammenhängenden Quelle. Ich glaube, man kann zeigen: 1. die deutsche Überlieferung hat dem Nordmann die beiden Stoffe, Brünhild- und Burgundensage, als zwei getrennte D i c h t u n g e n dargeboten; und 2. die deutsche Quelle der Brünhildsage war eine unliterarische, verhältnismäßig kurze Dichtung, e i n L i e d , kein buchmäßiges, umfängliches Werk, k e i n E p o s.

Den eindeutigen Namen 'Brünhildsage' darf man für den ersten unsrer Stoffe gebrauchen, obwohl er gewiß nach der Rollengestaltung im NL nicht mehr recht zutrifft. 'Werbungssage' ist zu blaß, und 'Sigfridsage' würde geradezu irre führen, da es ja noch andre Sagen von Sigfrid gibt, die außerhalb des Grundrisses von NL Teil I stehen (§ 17).

§ 2. Zwischen den Schluß der ersten Sage, Sigfrids Beisetzung, und den Anfang der zweiten, Attilas Werbung, schiebt der Sagaverfasser eine stofffremde Erzählung ein, die von Isung, Hertnid und Ostacia (Bertelsens Ausgabe 2,268—275). Dies beweist nichts für unsre These, daß zwei getrennte deutsche Dichtungen hinter den beiden Sagen stehen. Denn auch die Brünhildgeschichte, eine offenkundige Einheit, hat der Nordmann entzwei gestückt durch fremden Stoff von über 200 Druckseiten und durch eine stark einschneidende Überschrift (S. 258 Hær hæfr upp sagu Niflunga ...), so zwar, daß diese Überschrift den Schlußteil der Brünhildsage mit dem Burgundenuntergang zusammenfaßt. Der naheliegende und auch schon ausgesprochene Gedanke: mit dieser Überschrift setze eine bisher unbenützte Quelle ein (das Epos, das die zweite Hälfte der Brünhildsage nebst dem ganzen Burgundenfall enthielt), ist bei näherem Zusehen nicht zu halten und wird auch durch die folgenden Ausführungen widerlegt. Die genannte Überschrift sowie das ihr folgende, gänzlich unepische Kapitel ist eine selbstherrliche Zutat des Sagamanns, dazu bestimmt, den Hörer in die so gründlich im Stich gelassene Sigfrid-Brünhild-Erzählung neu einzuführen. Daß der Name Vernica, Worms, erst n a c h besagtem Einschnitt auftaucht (258,10, dann noch 4mal), kann eine neue Vorlage nicht beweisen. Es ist dies eine zufällige Unebenheit, zu vergleichen damit, daß das neu einführende Kapitel den Gernoz verschweigt, der doch schon in dem ersten Stück, nach Gunthers Heirat, genannt war (43,3) und im folgenden seine Rolle hat. Ähnliche Sorglosigkeiten des Sagaschreibers hat G. Storm, Aarbøger 1877, 318 f., besprochen.

Die entzweigeschnittene Sigfrid-Brünhild-Geschichte, c.226—30; 342—48, fließt unbedingt aus éiner deutschen Quelle, und die Frage ist nur, ob mit c. 356, der Burgundensage, eine neue Quelle eintritt. Ein erster Stützgrund dafür ist, daß die Burgundensage eine Gestalt aus dem Wormser Lager bringt, die uns in der Brünhildgeschichte noch nicht vorgestellt wird: es ist Folker, der von seinem ersten Auftreten ab eine nicht unbedeutende Rolle hat; 16mal nennt die Saga seinen Namen. Ein zweiter Fall dieser Art scheint die Königinmutter Oda zu sein, die gleichfalls erst in der späteren Geschichte, freilich nur einmal, auftaucht. Allein, ihr Fehlen in der ersten Sage beruht auf Auslassung durch den Nordmann, wofern wir mit Recht den Kriembildentraum zu Anfang und damit seine Deuterin Oda der deutschen Quelle zuschreiben (§ 13).

Mehr Gewicht haben die folgenden Tatsachen.

§ 3. Die Burgundengeschichte der Ths bringt den Ausspruch Giselhers, er sei bei Sigurds Ermordung ein fünfjähriges Kind gewesen (323,15). Das NL hat diesen Ausspruch auf Dankwart übertragen: ich was ein wenic kindel, do Sivrit vlos den lip (1924). Somit hat diese Vorstellung von Giselhers Alter dem älteren Epos angehört. Während NL Teil I dem widerspricht, steht die Brünhildgeschichte der Ths in Einklang damit: sie kennt kein Auftreten eines jüngsten, vierten Bruders und hat daher keinen Grund, Giselher überhaupt zu nennen. Zwei Stellen aber stechen aus dem Zusammenhang hervor. Die Rede des sterbenden Sigurd schließt mit den Worten: „und wäre eher zu gewärtigen, daß, bevor dies geschehen wäre, läget ihr alle vier tot" 266,21. Und Hagens Erwiderung enthält die Worte: „schwerer wär es uns vieren geworden, Jung Sigurd zu bezwingen …" 267,1. (Mehrdeutig ist die dritte Stelle, 266,24, wo das 'wir vier' auf Sigurd und die drei Könige gehen kann.)

Diese zwei vom Standpunkt der Saga unlogischen Stellen können nicht etwa Eindringlinge aus der nordischen Sage sein, denn in dieser kommt ja überall nur die Dreiheit Gunnarr-Högni-Guttormr in Betracht. Auch die mischende Angabe Ths 1,323,13, es seien vier vollbürtige Brüder gewesen, Gunnarr, Guðzormr, Gernoz, Gisler, hängt mit der Vierzahl bei Sigurds Tode sicher nicht zusammen. Unsre beiden Stellen darf man um so eher für Überlebsel aus der deutschen Quelle halten, als sie beide eingebettet sind in hervorragend wohlbewahrte, dichterisch gehobene Reden. Diese Gedichtstellen waren dem Sagamann beim Niederschreiben so lebendig, daß er sich ihnen gefangen gab und den Widerspruch vergaß.

Die 'Viere' können aber nur Hagen, Gunther, Gernot und Giselher gewesen sein. Die deutsche Brünhildquelle der Ths hatte also Giselher als Erwachsenen, Handelnden. Somit hat diese Quelle nicht éine Dichtung gebildet mit dem älteren Burgundenepos, das sich Giselher bei dem Morde als kleines Kind denkt. Es wäre denn, daß man schon diesem kürzeren Epos einen gleichen innern Widerspruch zuschriebe, wie ihn das NL bei Dankwart geduldet hat!

Der Sagaschreiber erstrebte Versöhnung der zwei Quellen, und zwar zugunsten des Epos. Er strich daher den Giselher in der Brünhildgeschichte; nur jene zwei verräterischen Stellen entgingen seiner Aufmerksamkeit.

§ 4. Giselhers Rolle in der deutschen Brünhildquelle kann sich mit der im NL nicht gedeckt haben. Die zwei genannten Repliken zeigen, daß er an der Jagd teilnahm; ja sie beleuchten ihn als Gegner Sigurds: mit ihm, wie mit den drei andern, hätte Sigurd zu kämpfen gehabt, wenn es offener Angriff gewesen wäre. Damit verträgt sich, daß Giselher an früherer Stelle, bei der Verhandlung der Brüder über Brünhildens Rachebegehren, die Rolle hatte, die ihm das NL 866 gibt: die des abratenden Bruders. Diese Rolle gehörte ja zum alten Bestande der Brünhildsage; das beweisen zwei Eddalieder, in denen Högni diese Rolle übernommen hat (Brot 3; Sig. skamma 17—19). Polak betont, daß diese Verhandlung der Brüder in NL und Edda fast bis auf den Wortlaut sich berührt (Untersuchungen über die Sigfridsagen 129 f.). Es fiel schon immer auf, daß die Ths diese Verhandlung und den abratenden Bruder nicht kennt, also in diesem Punkte keine Zwischenstufe zwischen Edda und NL bildet; sie begnügt sich mit der vorangehenden Szene, der Aufreizung durch Brünhild (261, 18—262,26). Dies dürfen wir jetzt erklären nicht als einfaches Vergessen, sondern als bewußtes Ausscheiden: die betreffenden Motive trug die Person Giselhers, und diesen hat der Sagamann aus Rücksicht auf die Burgundensage ferngehalten.

Man könnte daran denken, daß Giselhers Rolle abgefärbt habe auf Hagens beschwichtigende Worte an Brünhild (262,16): „tu, als sei dies (die Kränkung durch Grimhild) gar nicht gewesen!" Da nämlich Hagen gleich im folgenden der entschiedene Betreiber der Rache ist, erwartet man aus seinem Munde keine Beschwichtigung. Daß in dem deutschen Gedicht die beiden widersprechenden Hagencharaktere sich gemischt hätten (Boer, Nibelungensage 2,34), ist wenig wahrscheinlich. Vorzuziehen ist eine andre Erklärung der Unebenheit: der Sagaschreiber hat in unserm Gespräch die Urheber der beiden Repliken, Hagen und Gunther, vertauscht, vielleicht unter dunkler Erinnerung an die eddische Rollenverteilung. Darauf führt schon der Sagatext selber. Brünhildens Klage, 262, 3—14, wendet sich durchaus an Gunther; es ist das natürliche, daß zunächst der Angeredete erwidert — mit jenen beschwichtigenden Worten; dann erst, nach der erneuten Aufreizung, greift Hagen mit seinem Versprechen der Rache ein. Dann hatte das deutsche Gedicht in diesem Punkte eine einheitliche Sagen-

4*

form, d. h. Charakterzeichnung; Hagen als *râtbano* stand ebenso
klar da wie im NL.

Daß der abratende Bruder, eben Giselher, später doch gemeinsame Sache mit den Brüdern macht, an der Jagd, wenn auch nicht
am Morde, teilnimmt und als Gegner Sigfrids beleuchtet werden
kann: dies stimmt möglichst genau zu dem Verhalten Högnis in
der Alten Sigurðarkviða! Darin liegt altertümliche, herbe Seelen-
zeichnung: man geht mit der Sippe, auch wenn man ihr Tun bedenklich findet. Aus zahllosen Stellen der isländischen Familien- und
Königssaga kennt man diese Denkart.

Hierin hat also die deutsche Brünhildquelle der Ths Altes bewahrt. Es verwundert nicht, daß es unserm Nibelungendichter
gegen das Gefühl ging: er schickt nur die Zweie, die den Mord w o l -
l e n , zu der Tat hinaus und läßt Gernot und Giselher *da heime*
bestan. Eine der vielen Stellen, wo wir nachweisen können, daß
er aus jüngerem sittlichem Empfinden ändert. Soweit ging er doch
nicht, daß er die zwei Unwilligen zu Warnern Sigfrids gemacht
hätte: das wäre dem feststehenden Gang der Handlung in die Quere
gekommen. Aber der Bearbeiter C empfand die Halbheit darin und
dichtete gleichsam entschuldigende Worte zu (Str. 915a).

Einen Rest der älteren Darstellung kann man sehen in Sigfrids
Worten 989 f. und 995: ich was iu ie getriuwe ... ir habet an iuwern
magen leider übele getan ... daz sine (des Sohnes) mage iemen
mortliche han erslagen. Dies setzt doch wohl die Anwesenheit Ger-
nots und Giselhers voraus; denn Hagen war in der Quelle nicht
der Halbbruder (u. § 7). (Nebenbei: gaben diese Stellen dem Epiker
den Anstoß, Hagen ein paarmal als *mâc* der Könige zu erwähnen?
898. 1133. 1925). Die 'zwen aren' des Kriemhildentraums, Str. 13,
zielen auf die zwei wahrhaft Schuldigen, Hagen und Gunther: auch
wenn die Zahl aus der Quelle stammt, widerspricht sie dem Gesagten nicht.

§ 5. Wir hatten hier einen Fall, wo Brünhilddichtung und Burgundenepos eine ungleiche Sagenform enthielten, und wo dann Ths
und NL in entgegengesetzter Richtung ebneten: die Saga schloß sich
der zweiten, das Epos der ersten Quelle an. Die Saga führte, um
es so auszudrücken, 'Giselher daz kint' schon in der Brünhilderzäh-
lung durch, das NL ließ nur diesen Beinamen übrig. Es gebraucht
ihn in beiden Teilen gleich oft, je sechsmal. Im zweiten Teil ist er

nicht mehr logisch; denn da zwischen Sigfrids Tod und der Rache
25 Jahre liegen sollen, hätte Giselher nachgerade das Schwaben-
alter erreicht, und das wollte dazumal noch mehr sagen als heute.
Anders war dies im älteren Epos. Dieses dachte sich Giselher bei Sigfrids Tode fünfjährig, legte zwischen Etzels Hochzeit und die Rache
nur 7 Jahre (Ths 2,279,9) und bemaß Kriemhildens Witwenschaft
— wenn wir nach Ths 275,20 gehen dürfen — viel kürzer. Demnach
war Giselher am Bechlarer- und Hunnenhof ein blutjunges, eben
waffenfähig gewordenes Bürschlein. Es ist zwar nicht mehr die alt-
germanische Mündigkeitsgrenze von 12 Jahren, aber die spätere von
15 (J. Grimm, RA. 1,575); Giselher konnte mit Lamprechts Alexander sagen: nu bin ih funfzehen jar alt ... und bin so komen zo
minen tagen, daz ih wol wafen mac tragen. Auch an dem Hundings-
töter Helgi rühmt der jüngere Dichter des 11. Jahrhunderts, daß
er, 15 Winter alt, nicht mehr lange auf Kampf warten ließ (H. Hu. I
10), wie eine spätere Strophe den Ragnar loðbrók fünfzehnwintrig
den Wurm töten läßt (Vǫlsunga saga ed. Olsen 119). Dasselbe Alter
nennen im 11. Jh. skaldische Preislieder zu der ersten Waffentat
des Isländers Thorgeir Hávarsson, des Orkadenjarls Thorfinn (Skjalde-
digtning B 1,256.316). Seinem fünfzehnjährigen Halbbruder Harald rät
König Olaf der Dicke ab, in der Schlacht des Sommers 1030 mit-
zukämpfen, da er ihm noch nicht *vápnfœrr* dünkt, worauf der Junge
in einer feurigen Strophe erwidert, er werde seinen Platz schon ausfüllen (Fagrskinna S. 182). Mit diesem Lebensalter stand Giselhers Auftreten in gutem Einklang: ihn will die Mutter von der Fahrt
freibitten (Saga 284,7), ihn als Einzigen küßt Kriemhild (299,4, dies
auch im NL 1675 bewahrt), und er fragt die Schwester teilnahms-
voll nach ihrem Gram (299,6); zumal Hagens Fürbitte für ihn hatte
dann ihren guten Grund: „Laßt Giselher nicht für den Mord büßen!
er kann noch ein wackrer Geselle w e r d e n ...“ (323,11). Diese
Fürbitte und zwei der vorigen Stellen hat das NL, nach seinen Voraussetzungen, tilgen müssen.

Ich möchte glauben, diese Jugendlichkeit Giselhers ist eine
glückliche Erfindung des älteren Burgundenepikers, der ja auch den
schönen Zug der Verlobung mit Rüedegers Tochter schuf. Die
beiden Dinge hängen zusammen. Damals erst bekam der Königs-
bruder den persönlichen Umriß. Wurde Gislahari seinerzeit als
historischer Statist in das fränkische Burgundenlied aufgenommen,

dann hat man ihn schwerlich mit Zügen bedacht, die ihn als halbwüchsig abhoben. Wir sehen in der Formel 'Giselher daz kint' ein Überlebsel aus dem älteren Epos, zu vergleichen mit Folkers Beinamen 'der videlære', der ja auch zu dem edelen Ritter und Lehnsherrn von 30 Kriegern nicht mehr stimmen will.

§ 6. Noch einen Fall dieser Art — Spaltung zwischen Brünhild- und Burgundendichtung mit entgegengesetzter Ausgleichung — dürfen wir bei der A b s t a m m u n g H a g e n s ansetzen. Nach Ths 2,324 schilt Dietrich in seinem Kämpenzorn Hagen einen Albensohn. Vor dem Zweikampf hat Hagen verlangt, daß keiner dem andern seine Abstammung vorwerfe. Der Albensohn ist also ernst gemeint. Man hat keinen Grund, hier eine Zutat oder Verwirrung durch den Nordmann anzunehmen. Das ältere Burgundenepos dachte mithin seinen Hagen als Albensprößling. Wirksam machte es dieses Bild mindestens noch an einer zweiten Stelle, in dem Vorwurf Gunthers an Hagen Ths 282,9 (283,8): du gibst mir einen schlechten Rat, so wie dein Vater (der Albe) unsrer Mutter geraten hat, je länger je schlechter. Ganz klar wird uns ja diese Anspielung nicht; der Sagamann selbst hat sie mißverstanden und verdreht: „wie deine Mutter meinem Vater riet...": um so sicherer hat er die Sache nicht erfunden. Unebenbürtigkeit mütterlicherseits kann wohl bei einem Erbhandel in die Wage fallen (Hunnenschlacht 12), wäre aber unbrauchbar als Grund für Dietrichs Schelte und für Hagens Angst davor! Eine Halbschwester des Dänen Hrólf kraki ist mit einer Albin erzeugt worden, und dies gibt den Hintergrund zu ihrer verderblichen Feindschaft gegen den Halbbruder (Hrólfs saga 1904 S. 94,27); aber derartiges kommt ja bei Hagen nicht in Frage. Daß es mit Hagens M u t t e r nicht stimmte, ist der Irrtum jener einen Sagastelle.

Zu dem elbischen Vater gehörte die Halbbruderschaft mit den Burgundenkönigen. Hagen ist ein dämonischer Bastard im Königshaus, wie Merowech, Witege, Ortnid (Wolfdietrich?). Ausgeführt hat dies die — gewiß nicht aus Liedquelle fließende — Erzählung Ths 1,319 ff.

Die Frage, wie alt das Motiv sei und wie es ursprünglich gedacht war, lassen wir ruhen; über wenig Dinge in deutscher Heldensage gibt es so mannigfaltige Meinungen. Mögen wir auch den vielumdeuteten Vaternamen *Aldrian* aus *Albrian* leiten und als Zeugnis für die elbische Abkunft betrachten, dies führt uns über die Zeit des älteren Burgundenepos nicht hinauf; diese -iân-Namen sind Spielmannsstil des 12., 13. Jhs.

In der Brünhildgeschichte der Ths spielt Hagens Bastardschaft keine Rolle. Wenn Brünhild vor der Mordtat, 265,13, dem Hagen Gold, Silber und andre Kostbarkeiten verspricht, soviel er nur verlange, so paßt dieser quellenecht aussehende Zug offenbar besser zum Dienstmann als zum königlichen Schwager. Man vergleiche 303,23 und 319,14: dem Schwager Blœdel bietet Kriemhild eine 'große Herrschaft', dem Dienstmann Iring einen Schild voll Gold. Dem ersten entspricht im NL 1903 die 'wite marke', was der jüngere Dichter dann freilich noch durch 'silber unde golt' (1906) übersteigert.

Das NL zeigt Hagen in beiden Teilen als menschlichen Vasallen, wenn auch *eislich* von *gesihene*. Daß dieses mythenfreie Bild nicht erst Eingebung unsres höfischen Spielmanns ist, beweist der Waltharius, der nicht nur den rein menschlichen Vaternamen *Hagatheo kennt, sondern auch den unelbischen Charakterzug des Vaters (630 f., aufgenommen 1067 ff.):

> Hic quoque perpavidam gelido sub pectore mentem
> Gesserat et multis fastidit proelia verbis.

Diese letzten Worte zumal enthalten deutlich das Phantasiebild, daß schon der Vater als Gefolgsmann des alten Königs bei den Kämpfen der Gibichunge mitmachte. Wie der Vorwurf sich stellt zu dem eben erwähnten der Ths 282,9, ist eine Frage für sich (vgl. Althof, Waltharius 2,193).

§ 7. Aus dieser Sachlage folgere ich: in der deutschen Brünhilddichtung des 12., 13. Jhs. war Hagen der menschliche Gefolgsmann, im älteren Burgundenepos der elbische Halbbruder. Dem entsprach auch sein Verhalten zu den beiden Handlungen. Gunther, dem in seiner Ehre gekränkten Ehemann, kann leichter der übereifrige Dienstmann die Rache aus der Hand nehmen als der Halbbruder. Und in der zweiten Sage haben z. B. Kriemhildens Fragen nach dem Hort eine einfachere Logik, wenn sie sich an einen der Könige wenden. Der Sagaschreiber hat sich wieder, wie vorhin bei Giselher, für die zweite, größere Quelle entschieden; wenigstens hat er keine unmittelbar widersprechende Aussage stehen lassen. Das NL hat auch hier zugunsten der ersten Quelle ausgeglichen. Dafür hatte unser Dichter mehrere Gründe. Daß Mutter Uote einst diesen unfreiwilligen Fehltritt begangen, konnte ihm nicht zusagen, und seinem veredelten Dietrich mochte er jene Schelte so wenig wie den Feueratem anhängen. Aber auch die Haupthandlung selbst stand in einem andern ethischen Lichte, wenn Hagen der Waffenmeister, nicht der Bruder war. Der Mord an Sigfrid ging aus — dies schon in der Quelle — von einem Mann, der durch kein menschliches Treuverhältnis dem Schwager seines Herrn verbunden war. Der *rât*- und *hantbano* ist nicht só Verräter und Treubrüchiger, wie er einem späteren Gefühl, vom Standpunkt der menschlichen Gemeinbürgschaft, erscheinen muß; der durch Schwagerschaft (im Liede noch durch Brudereide) Verbundene, Gunther, läßt sich mitreißen: das ist milder als in der eddischen Parallelform. Auf der andern Seite hatte Hagens Hingabe an die Könige und deren Einstehen für ihn, die 'Nibelungentreue', einen tieferen sittlichen Hall, wenn es sich um Gefolgen und Herren, als wenn es sich um leibliche Brüder handelte. Auch in die rauhe Horterfragung kam ein erwärmender Puls, seit Hagen, als Gefolgsmann, die Worte sprechen konnte: .. die wile daz si leben, deheiner miner herren .. (2368). Die vorritterliche Dichtung hatte darin noch anders, sippenhafter empfunden.

Den Vaternamen Aldrian bringt das NL nur in Teil II (5mal). Das ist vielleicht mehr als Zufall. Der Name stand nur in der einen Quelle: in der, die die Albengeburt kannte. Dies spräche wieder für *Aldrian* aus *Albrian*. Aber unserm Dichter hat der Name nicht mehr jenseitig geklungen. (Auch die Stelle Ths 290,13: „bist du Högni, Aldrians Sohn, der meinen Herrn Jung Sigurd erschlug" stammt gewiß aus der Quelle, dem Burgundenepos. Für den Sagaschreiber ist Hagen im allg. nicht *Alldrians son*.)

Den Beinamen 'von Troia', der zu dem Halbbruder nicht stimmt, nennt die Ths das erstemal ganz gegen Ende der Burgundensage, 322,10 (später in der Membran noch 2mal): dies erlaubt die Annahme, daß er nicht aus dem Burgundenepos bezogen war. Im NL begegnen 'von Tronege' und 'Tronegære' zwar viel öfter im zweiten Teil, doch auch im ersten über zwei dutzendmal, so daß der Erklärung nichts im Wege steht, die Namen seien von der Quelle des ersten Teils ausgegangen.

§ 8. Die zwei besprochenen Erscheinungen zeugen dafür, daß sowohl die Ths wie das NL den Brünhild- und den Burgundenstoff aus zwei getrennten, im Sagenbild uneinheitlichen Dichtungen geschöpft haben; mit andern Worten, daß das ältere Burgundenepos nicht zugleich die Brünhildsage enthielt.

Sehen wir uns nun die F o r m der Sagaquelle an! Unsre zweite These war: die Brünhildgeschichte der Ths gibt ein Lied, kein Epos wieder.

Zunächst müssen wir uns erinnern, daß das erste Stück dieser Brünhildgeschichte ungewöhnliche Schicksale gehabt hat. Der nordische Verfasser hat Dietrich hereingezogen und daher die Werbungsfahrt dicht hinter Sigfrids Vermählung gesetzt. Er hat Gunthers Hochzeit nach Brünhildens Land verlegt und infolgedessen aus der altertümlichen Fahrt der (vier) Fürsten einen Zug mit großem Gefolge gemacht (auch im Rückblick noch, 260,16, 'viele ansehnliche Häuptlinge'!). Statt der Freierprobe bringt er eine größere Anleihe aus jüngerer isländischer Sagenform, wie Polak im einzelnen verfolgt hat (a. a. O. 108 ff.). So ist eine längere Strecke, bis 40,10, von der deutschen Quelle weit abgerückt.

Aber auch im folgenden gibt es noch genug Beschädigungen. Ich zähle über 20 Punkte, worin man nach 40,10 eine Abweichung der Saga von der Quelle erschließen kann. Mehrere Verluste erlaubt eine provenzalische Dichtung festzustellen (u. § 22 f.), auf andre deutet die færöische Brinhildballade (§ 12). Umgekehrt ist Zutat des Sagaverfassers das unepische Kapitel nach der neuen Überschrift (o. § 2). Die Lücken werden doch wohl die Zusätze überwiegen.

Der U m f a n g beträgt in Ungers Druck 263 Zeilen. (Ich wähle hier Unger, weil er auch das Stück aus den Papierhandschriften, in der Burgundensage, im gleichen Satze druckt.) An Stellen der Ths, die dem Gedichtwortlaut offenbar nahestehen, ergibt eine Ungersche Prosazeile 1½ poetische Langzeilen oder unbedeutend mehr. Z. B. Grimhildens Klage nebst Inquit, 302,8 ff., umschreibt in ihren 4 Zeilen deutlich 6 Langzeilen. Das ganze Stück 302,4 *þeir bera* .. bis Z. 12 *gialld* fügt sich mit seinen 8 Zeilen gut in 6 Langzeilenpaare. Oder Sigurds letzte Rede samt Inquit, 301,20 ff., gibt mit ihren 5 Druckzeilen doch wohl 8 Langzeilen wieder. (Über die Langzeilenform s. u. § 14.) Wo die Prosa weiter vom Gedicht abgeht, wird sie im allgemeinen knapper sein.

So kann man die 263 Zeilen der Brünhildgeschichte auf, sagen wir, 400—450 Langzeilen schätzen. Notieren wir ganz unverbindlich: das sieht vorderhand mehr nach einem schriftlosen Lied als einem Buchepos aus. Schon die éine Aventiure XX im NL ist viel länger.

Halten wir daneben die Burgundensage der Ths: die mißt 880 Prosazeilen. Also die erste Sage verhält sich zur zweiten wie $1:3\frac{1}{3}$. Doch diese äußere Abmessung nur nebenbei! Zwar werden die wenigsten glauben, erst der Sagaschreiber habe zwei ähnlich große Vorlagen so ungleich behandelt, weil sein Held, Dietrich, nur in der zweiten vorkam. Auf diesen Gedanken geriet Paul nur, weil er das NL als Quelle der Saga forderte (Ths und NL 323); das sonstige Verfahren des Nordländers spricht gegen jenen Grundsatz. Aber auch wir legen das Gewicht nicht auf die Zahl der Zeilen; es können da zu viel planlose Umstände mitspielen; stehen uns doch nur abgeleitete, beschädigte Texte zur Vergleichung. Festere Handhabe geben innere Eigenschaften, die von Zufall und Laune weniger abhängen.

§ 9. Epen unterscheiden sich von Liedern unter anderm durch vermehrte Zahl der G e s t a l t e n; noch deutlicher durch vermehrte Zahl der A u f t r i t t e — bzw. Bilder oder Erzählungsglieder (es gibt auch referierende Glieder ohne festgehaltenen Schauplatz, ohne das Gepräge des 'Auftritts'). Nehmen wir einmal die Burgundensage in der eddischen Atlakviða und in der Ths! Im Liede hat sie 7 abgezeichnete Personen, dazu 3 Benannte, die hinter der Bühne bleiben (die Söhnchen Gudruns, der Koch). In der Saga kommen 25 Individuen auf die Szene. Im NL Teil II sind es 60. Nun die Auftritte! Im Eddalied sind es 14. In der Saga zähle ich bis zur Peripetie, der Köpfung des Knaben, 67 Auftritte. Im NL auf dieselbe Strecke 202. Dem entsprechen im Liede Szene 1—6; das Verhältnis ist = 1:11; nach dem NL = 1:33. Die epische Breite des älteren Burgundenepos ist mit Händen zu greifen.

Demgegenüber die Brünhildsage! Für das Alte Sigurdlied der Edda sind zu erschließen 6 Personen, 15 Auftritte. In der Ths sind es 6 Personen; der deutschen Quelle ist noch Giselher zuzufügen, wohl auch Oda. Auftritte (bzw. Glieder) kann man 19 rechnen; dazu kommen 4 verlorene, für die Quelle anzusprechende (o. § 4, u. § 13 und 23). Also die Personenzahl ist wenig höher als im Sigurdlied: 8 gegen 6; die Szenenzahl hat sich etwas merklicher erhöht: 23 gegen 15. Im besondern beachte man: es erscheint nur éine n e u e r f u n d e n e Gestalt, Mutter Oda; die sieben andern sind schon der urfränkischen Stufe zuzuweisen; daß Folker noch unbekannt ist, haben wir gesehen. Auch von den Plus s z e n e n mögen mehrere bis aufs Urlied zurückgehen und in der Sigurðarkviða verschwunden sein. Abtrennbare Seitenepisoden gibt es nicht; auch bloß zuständliche, ruhende Auftritte kaum (wenn man will, 263,12—19; der Eingangstraum ist anders): beides kennt die Burgundensage der Ths sehr wohl.

Nehmen wir zur Beleuchtung noch NL Teil I. Benannte und auftretende Figuren 23, dazu aber noch ein halbes Dutzend Unbenannte, die sich persönlich abzeichnen. Auftritte zähle ich bis vor den Frauenzank 145. Dem entsprechen in den beiden älteren Fassungen 5 bzw. 8 Szenen. Verhältnis 1:29, bzw. 1:18.

Diese Zahlen sprechen eine deutliche Sprache. Man sieht zwei Dichtgattungen, die sich scharf voneinander abheben, keineswegs ineinander verfließen, mag es auch innerhalb beider Lager, besonders des buchepischen, Stufen geben. Die sparsamen Mittel des Liedes und die bereicherten des Epos, die liedhafte Kürze und die epische Breite, erscheinen hier rechnungsmäßig ausgedrückt.

Die Folgerung für unsre Zwecke ist: d i e Ths e r z ä h l t i h r e B r ü n h i l d g e s c h i c h t e e i n e m L i e d e n a c h. Ihrer Burgundengeschichte aber liegt, anerkanntermaßen, ein Epos zugrunde. Hatte sich vorhin gezeigt, daß die beiden Quellen der Saga stofflich keine Einheit bildeten, so tritt jetzt bestätigend hinzu, daß sie stilistisch zwei ungleiche Gattungen vertraten.

Für Liedstil der Brünhildquelle spricht noch eine Einzelheit, die auf den ersten Blick das Gegenteil von liedhafter Kürze bedeutet: daß nämlich Gunther d r e i schlimme Brautnächte aussteht, nicht éine wie im NL. (Die Dreizahl ist, da sie wohl die drei Beilagernächte Sigfrids fortsetzt, stoffgeschichtlich älter als die Einzahl; sieh Boer, Nib. 2,27.) Die erste Nacht erzählt der Sagamann in aller Form, für die beiden folgenden genügt ein: „und die nächste Nacht geht es ebenso und desgleichen die dritte". Ähnlich wird die Quelle verfahren sein. So kann aber nur ein L i e d Stücke wichtiger Handlung abfertigen und Zeiträume überfliegen. Im Tempo eines Buchepos wäre dies ebenso befremdlich wie das ausführliche Erzählen aller drei Nächte. In der Burgundengeschichte der Ths würde man nach solchen liedhaften Dreiheiten vergeblich suchen.

§ 10. Wieweit war der Sagaschreiber auf eine geistige Einheit der beiden Geschichten bedacht? Wir sahen, daß er die zwiespältigen Angaben über Giselher und Hagen verebnet hat. Da handelte es sich um greifbare Widersprüche, die den chronikenhaften Sinn des Nordmanns stießen. Im übrigen hat er sich um Zusammenstimmung nicht sonderlich bemüht. Er fand es nicht nötig, Folker und Oda schon in der ersten Erzählung anzubringen, wie dies unser Österreicher getan hat. Viel mehr hat zu sagen, daß Sigfrids H o r t zum allererstenmal auftaucht in Grimhildens und Attilas Verhandlung über die Einladung der Burgunden (2,279 f.). Dem Sagamann war es umgekehrt ergangen wie dem Epiker (§ 17): die Jung Sigfridsage von der Erbeutung des Erbes der nibelungischen Brüder war ihm unbekannt geblieben; nur die Drachensage hörte er, aber die war ja in der deutschen Gestalt hortlos (280,2 ist nordische Anleihe). So bleibt ihm Sigfrid lebenslang ohne Schatz; das bedeutsame Hereinspielen des lockenden Goldes in die Brünhildsage (nach der Sig. skamma wie dem NL) konnte verschwinden, und erst das Burgundenepos brachte den altberühmten Hort auf die Bildfläche unsres Sammlers, auch da ohne die eindrucksvolle Rheinversenkung. Es ist dies einer der empfindlichsten Verluste, die die Stoffmassen der Ths überhaupt betroffen haben.

Hier kommt also der mangelhafte Einklang zwischen Brünhild- und Burgundensage in das Schuldbuch des Nordmanns. In einem andern wichtigen Punkte wird eine vermittelnde Erklärung zutreffen. G r i m h i l d ist in der Brünhildgeschichte so sehr als Nebenfigur behandelt, daß ihre, man darf sagen, beherrschende Stellung im Burgundenuntergang auffällig damit kontrastiert. Nun können wir dem Sagamann nachweisen, daß er da wieder lückenhaft nacherzählt (§ 13 und 23): zwei Auftritte, welche Grimhild noch n a c h dem Frauenzank wirksam zur Geltung brachten, sind ihm entgangen; desgleichen der Kriemhildentraum, der als Programm das Hauptereignis der Sage von der neuen Heldin aus beleuchtet. Das hindert nicht, daß Brünhild auch in der deutschen Quelle noch öfter auf die Bühne kam und stärkere Wölbung hatte. Man sehe insbesondere ihr zweimaliges Hervortreten, vor und nach der Jagd (265,9 ff., 267,7 ff.), zumal der zweite Auftritt von hoher dramatischer Gewalt. In diesen Worten der Rächerin: „... umarme sie ihn nun als Toten, denn jetzt ist ihm geworden, was er verdient hat, ihm und Grimhild!" rundet sich diese Brünhildsage, nachdem einmal Brünhildens große Enthüllungs- und Abschiedsrede geschwunden war.

Ob und in welchem Grade d a s d e u t s c h e L i e d die Vorstellung weckte, daß seine Kriemhild dereinst den ermordeten Gatten rächen wird, können wir nicht wissen (und darum hab ich diesen Punkt nicht unter die Mißhelligkeiten zwischen den zwei deutschen Quellen aufgenommen): von d e r S a g a jedenfalls gilt das nicht, was aufs NL zutrifft: daß an Kriemhild der Anteil haften bleibt und Sigfrids Tod keineswegs als abschließendes Ereignis gezeichnet wird (Fr. Vogt, PGrundr. 2,238). Nach der Saga könnte mit dem preisenden Nachruf auf Sigfrid, 268,9 ff., alles zu Ende sein. Um so mehr, als auch bei Attilas Werbung von einer trostlosen und rachehoffenden Witwe nichts zu spüren ist.

§ 11. Kann dieses Brünhildlied die Vorstufe von NL Teil I gewesen sein, die unmittelbare oder mittelbare? Oder müssen wir es auf einem Seitenast des Stammbaums unterbringen?

Die letzte Nötigung träte nur dann ein, wenn das Sagenbild von NL I dem Brünhildliede der Ths widerspräche in Zügen, die sich als alt erwiesen. Solche Züge waren scheinbar die Stellung Giselhers und Hagens; aber da zeigte sich, daß die Abweichung erst dem Nordmann, nicht seinem deutschen Liede zufiel. Weitere Widersprüche dieser Art hab ich nicht aufgetrieben. Allerdings hat NL Teil I genug Züge, die zwar in der Edda irgendwie wiederkehren, nicht aber in der Ths; doch da kann es sich immer um Auslassungen in der Saga handeln oder dann um Seitenquellen, die der Nibelungendichter neben dem Brünhildenlied benützte. Darauf kommen wir in § 17 f. zurück.

Soviel ich sehe, steht nichts im Wege, daß Ths und NL ihre Brünhildgeschichte aus demselben Liede schöpften.

Der weite Abstand zwischen unsern zwei Texten erklärt sich zum kleineren Teil daraus, daß auf nordischer Seite, wie wir schon sahen und noch sehen werden, ziemlich viel geändert ist, bewußt und versehentlich. Bei vielen dieser Änderungen, zumal den nicht planvollen, bleibt ja die Möglichkeit, daß sie schon von den sächsischen Gewährsmännern herrühren. Beimischungen aus kenntlich niederdeutscher Sage, wie wir deren im Burgundenfall der Ths haben, gibt es hier nicht; die aus eddischer Dichtung beschränken sich auf den Anfangsteil (o. § 8). Alles in allem, die Saga gibt uns kein reines Abbild des deutschen Liedes; hier wie überall können wir nur mit stets wacher Kritik die ältere deutsche Sagenform aus ihr ablesen. D a ß es aber, gegenüber dem NL Teil I, eine ältere Sagenform i s t , das zeigen bei sachgemäßer Vergleichung Dutzende von Stellen (§ 15). Dies haben seit Grundtvigs und Gustav Storms Schriften viele Forscher, besonders Wilmanns, Boer und Droege, nachgewiesen.

In der größern Zahl der Fälle beruht der Abstand zwischen NL Teil I und Ths darauf, daß der Österreicher eine bewußte Um- und Neudichtung gibt. Er hat hier, wo ein bloßes Lied auf das Maß von 1130 Strophen auszuweiten war, viel stärker eingegriffen, viel mehr Zutaten — aus eigner Erfindung und aus Seitenquellen — angebracht als bei Teil II, wo er ein Epos von einigen 400 Strophen auf den etwa 2½fachen Umfang zu bringen hatte. Daher sind die nahen Anklänge zwischen den zwei Brünhilderzählungen so viel spärlicher als zwischen den zwei Burgundensagen.

§ 12. Hat das deutsche Lied, das wir suchen, noch anderwärts Spuren hinterlassen?

Zunächst kommen zwei Stellen der nordischen Sagendichtung in Frage: in der færöischen Brinhildballade und in der Völsunga saga. Bei der Ballade ist mir die Annahme wahrscheinlich. Ihr Schlußteil, Sigurds Waldtod, bringt deutsche Sagenzüge; man pflegt sie seit Golther 1889 aus der Ths zu leiten, aber mehreres stimmt näher zum NL. Dies hat de Boor erkannt, indem er ungedruckte Lesarten der Ballade heranzog (Die færöischen Lieder des Nibe- lungenzyklus, 1918, 60 ff.): in dem Hammershaimbschen Text tritt dieses Verhältnis weniger klar heraus, so daß noch de Vries darüber wegsah (Studiën over færösche Balladen, 1915, 79 ff.). Über den Zufall dürften hinausgehen die 4 oder 5 Berührungen mit NL 985 f., 986,3; 987,1/988,1; 999,2 und allenfalls 1069,3 (verpflanzt aus 1011,3). Schwerlich hat hier das NL selbst eingewirkt; sieht es nicht danach aus, daß dieses fürnehme Buch der Ritter und Prälaten fern blieb den norddeutschen Kaufmannskreisen, die der Ths und den Nibe- lungenballaden den Stoff vermittelten? Auch für die dänische 'Kremolds hævn' kommt man am Ende mit dem ä l t e r e n Burgun- denepos aus. Bei der færöischen Brinhild bietet sich unsre alte Be- kannte, das deutsche Brünhildlied, an; ihm kann alles Unnordische der Ballade angehört haben. Dann hat die Ths hier wieder Lücken.

Wie das deutsche Lied dem Færing zukam zur Ergänzung seiner isländischen Buchquelle, der Völs. s., steht dahin. Ganz andere Zusammenhänge erschließt hier de Boor: jene deutsche Dichtung hätte eingewirkt auf das Große Sigurdlied der Edda und nur durch dieses auf den Færing. Da kann ich nicht mitgehen. Fragwürdig ist die Spur in der Völs. s. Sigurds letzte Worte, c. 30,74—78, berühren sich mit zwei getrennten Stellen der Ths. Da es keine genaue Abschrift ist, dachten Boer und Neckel an einen mittelbaren Zusammenhang: die Quelle der Ths — also unser Brünhildlied auf einer früheren Stufe — wäre z. T. wortgetreu eingegangen in das isl. Große Sigurdlied, und daraus hätte die Völs. die genannte Stelle (Zs. f. d. Phil. 37,451; 39,328). De Boor hat diese Ansicht dahin ausgebaut, das Gr. Sigurdlied habe den Waldtod nebst Zubehör aufgenommen, ziemlich so wie wir ihn aus der Ths kennen, und habe dies der Brinhildballade vermittelt (a. a. O. 113 ff.). Dies scheinen mir Irrwege. In den klar erkennbaren Teilen der Gr. Sigurðarkviða ist jüngerer deutscher Einfluß geringfügig; Neckel und de Boor haben ihn überschätzt; die eigentlichen Motive liegen sämtlich in der nordischen, nicht der deutschen Linie: die Vorverlobung und alles daraus entspringende, die Rollen Buðlis und Grimhildens, der Flammenritt, das Verhalten der Brüder Gunnar-Högni-Guttorm. Sollte diese urisländische Dichtung gegen Ende hin ein deutsches Lied so treulich ausgezogen haben, daß sie nähere Anklänge böte als die Ths? Schwer zu glauben! Da nähme man noch eher vereinzeltes Entlehnen der Vs. aus dem deutschen Liede an, ein Fall, der auch bei c. 29,61 ff. zu erwägen ist: Sigurd kommt von der Jagd (af dýraveiði, die hier unvermittelt erwähnt wird) zu Gudrun und spricht bange Erwartungen aus; sie sagt weinend: das ist ein großer Schmerz, deinen Tod vorauszusehen! Panzer (Sigfrid 264) weist hin auf die Ähnlichkeit mit NL 920 ff. Dieser Abschied vor der Jagd, der Ths fehlend, hat schon dem Brünhildlied angehört, s. § 23. Ob man hier Einfluß dieses Liedes oder des deutschen Epos oder aber zufällige Berührung vorziehen soll, ist schwer zu entscheiden. Bei der vorigen Stelle, Sigurds letzter Rede, liegt es anders: da haben wir greifbare Wortanklänge an die Ths. Da dieses Denkmal in der Vs. c. 22 und 32 fraglos benützt ist, bleibt auch für c. 30 der einfachste Ausweg Anleihe aus der Ths, diesmal nicht von Blatt zu

Blatt, sondern aus der Erinnerung. Demnach können wir sichere Spuren des Brünhildlieds auf Island nicht finden.

Endlich noch die von Panzer eingehend behandelten russischen Märchen vom Brautwerber. Ich halte sie für abgeleitete Formen, plebejische Travestien deutscher Heldendichtung (sieh von der Leyen, Das Märchen, 1917, 155; Jiriczek, Die d. Heldensage[4] 109). Die Ths kommt als Quelle der östlichen Volksüberlieferung nicht in Frage; auch auf das NL kann das Märchen nicht wohl zurückgehen, nur auf dessen Vorstufe, unser Brünhildenlied; denn es finden sich — in einem Teil der Fassungen — die Dreizahl der Nächte, der Kleidertausch, der Bettkampf des Helden in Abwesenheit des Ehemanns und das einnächtige Beilager (vgl. Panzer, Sigfrid 275). Folglich dürfen wir nicht an den Zeitraum nach Christoph Heinrich Myller, 1782, denken: da unser Lied schwerlich je gebucht wurde und das Mittelalter kaum überdauert haben kann, kommt in Frage nur alte, unliterarische Vermittlung, wohl durch Hanseaten. Doch wage ich nicht, in das Bild des Liedes Züge einzutragen, die nur von den Märchen, nicht von NL oder Ths beglaubigt werden.

§ 13. Stellen wir zusammen, was sich über das verlorene Brünhildenlied vermuten läßt!

Seine H e i m a t , ob oberdeutsch, mitteldeutsch, niederdeutsch, wird kaum zu bestimmen sein. Solche schriftlosen Spielmannslieder mit sehr freier Reimkunst konnten wohl die Mundart — oder Halbmundart — jeder deutschen Landschaft überstreifen, ohne daß dies ihren Inhalt groß änderte. Bei Buchepen ging das nicht so bequem. An örtlichen Zügen wäre aus der Wiedergabe der Ths nur der Name Worms zu nennen; das gibt keinen Anhalt. Ob noch weiteres von der blassen rheinischen Ortskunde des NL dem Gedichte eignete? — Für rheinischen Ursprung des Liedes (besser: seiner letzten Fassung) spricht allenfalls das in § 24 zu Erwähnende; auch der Name Tronege, wenn wir ihn mit Recht aus der Brünhildquelle herleiten (§ 7). Vielleicht hat dieses Lied zuerst das rheinische Tronege eingesetzt für das überkommene Troye, Troja. Was den Falkentraum anlangt, so konnte das Kürenbergsche Modell wohl auch einem Rheinländer bekannt werden. [Auf fränkische Gegend deutet auch die Form *Burgonden*, s. E. Schröder, Zs. f. d. Alt. 56,240 ff. — Korr.-note.]

Gegen rheinische (fränkische) Herkunft der Quellen hat Zwier-
zina angeführt die fünf Reime *Sivrit* : *(ich)* *bit* (fränkisch *bidde*);
alle in Teil I (Zs. f. d. Alt. 44,98 ff.). Da diese *e*-Apokope zu dem
allgemeinen Brauch des Nibelungendichters nicht stimmt und die
fraglichen Reime in formelartigen Wendungen stehen, leitet Zwier-
zina sie aus der Vorlage (er dachte noch an eine Vielheit von Liedern).
Bedenklich macht, daß von den fünf Stellen vier der jüngsten Schicht
des Epos gehören und auch die fünfte, 332, in einer Strophe vorkommt,
deren Hakenstil nicht aus der Liedquelle stammen kann. Übrigens
wäre doch wohl einem spielmännischen Lied, wie wir es voraussetzen, der Reim *Sivride* : *bidde* unbedenklich zuzutrauen. Doch
leg ich auf rheinische Heimat kein Gewicht.

Über das A l t e r des Liedes wird sich so viel sagen lassen,
daß es einige späte, der Ritterzeit gehörige Züge enthielt. So die
Kampfspiele. Diese müssen wir, wie ich mit mehreren Forschern
glaube[1], für die Vorstufe des NL in Anspruch nehmen, mag nun
das Schweigen der Ths so oder so zu erklären sein. Außer zwingenden
Gründen des pragmatischen Aufbaus und dem Zeugnis der russischen
Märchen darf man den Umstand nennen, daß mehrere der Kampf-
spielstrophen im NL den rechtwinkligen Zeilenstil, zumal die starke
Grenze nach dem ersten Langzeilenpaar haben, verbunden mit einer
urwüchsigen Ebenheit des Satzbaues: das ist nicht die Handschrift
unsres Epikers, sondern seiner Quelle, der Brünhildliedes; gerade
in der Werbungsgeschichte bricht sie öfter durch, man denke an
326 Ez was ein küneginne, 379 Sivrit do balde! Von den Kampf-
spielstrophen stechen als altertümlich hervor 460 ff., ganz besonders
die in A fehlende Prachtstrophe 465, der man wohl zutraute, daß
sie fast mit Haut und Haar aus dem Lied geholt wurde. Das erste
Langzeilenpaar, vor der jambischen Glättung so lautend:

> Der sprunc was ergangen,   der stein was gelegen:
> Do sach man ander niemen   wan Gunther den degen

enthält die einprägsame Stilfigur: zwei kurze Glieder in Satzgleich-
lauf, dann das lange, syntaktisch ungeteilte Glied; gleichsam Stollen
und Abgesang. Es ist, was Neckel Strophenansatz genannt und im
Widsið wie in altertümlichen Eddaliedern nachgewiesen hat. Ist
es mehr als Zufall, daß eben diese Stilfigur in keinem Eddastück

---

[1] Golther, Germ. 34,286f.; Paul, Ths und NL 325; Droege, Zs. f. d.
Alt. 51,188; Panzer, Sigfrid 181 f.

5

beliebter ist als in dem Urahnen unsres deutschen Brünhildlieds, der Alten Sigurðarkviða? Sie findet sich dort viermal auf 20½ Strophen (Brot 4.12.13; Völs. c. 27,25). Die sehr ähnliche Stelle mit gleichen Reimwörtern, NL 1937: Der schal was geswiftet, der doz was gelegen; do blihte über ahsel Dancwart der degen steht in einem neugedichteten Auftritt und wird daher Nachbildung von 465 sein. Verwandte erste Langzeilen nennt Vf., Zur Gesch. d. ad. Verskunst 119 f., dazu Heliand 4059, Daniel 653.

Doch lenken wir zurück! Zu den Kampfspielen brauchte es, nachdem der uraltertümliche Gestaltentausch verloren war, als mangelhaften Ersatz die Tarnhaut (wogegen mit der Beilagerszene in der mittleren Gestalt nur ein Kleidertausch sich vertrug, wie in der Saga und dem russischen Märchen; wie hätte sich Brünhild einem unsichtbaren Manne ergeben sollen?). Möglich, daß die Tarnhaut erst in dieser letzten Liedfassung Aufnahme fand; sie kann — als Motiv der Werbungssage — jünger sein als die Kampfspiele, nicht wohl älter (vgl. Droege, Zs. f. d. Alt. 52,220; Vf., Berl. Sitzungsber. 1919, 167).

Nicht über die Ritterzeit hinauf geht Kriemhildens Falkentraum. Wir sprechen ihn für unser Lied an, weil er dem isländischen Traumlied, Völsunga saga c. 25, nicht aus dem NL zugekommen ist, sondern in einer älteren, dem Kürnberger näheren Gestalt: fjaðrar hans váru með gulligum lit ∽ unt was im sin gevidere alrot guldin (Kürnb., fehlt dem NL). Die Stellung des Falkentraums im isl. Liede haben Boer, Nib. 2,4, und klarer Neckel, Eddaforschung 322, erkannt und damit frühere Irrtümer berichtigt. Auch Braune, Beitr. 25,182, nennt es verlockend, die drei Traumstrophen aus der Quelle herzuleiten, im Blick auf den zweihebigen Reim *Uoten : guoten*. Nach den Belegen bei Vogt, Minnesangs Frühling [2] 276 f., darf man die Kürnbergstrophe als letzten Ursprung des Bildes ansehen; eine altvolkstümliche Prägung schließt der Inhalt aus. Die Ths hat diesen Eingangszierrat verloren, wie Golther schon 1888 angenommen hat (Germ. 34,281). Diesen Traum hat das Lied natürlich kurz erzählt: noch im NL füllt er ja samt der Deutung und Kriemhildens Antwort nur 12 Langzeilen. Auch in den Folkeviser sind Eingangsträume nicht selten, und ein paarmal nehmen sie mit den daran geknüpften Reden sogar noch etwas mehr Raum ein, sieh DgF. Nr. 145 B; 312.

§ 14. Immerhin muß die E r z ä h l w e i s e dieses Brünhildlieds verhältnismäßig breit gewesen sein, wie die Wiedergabe der Ths
lehrt; nicht entfernt so gedrungen wie die Alte Siguрðarkviða.
Panzer und Vogt haben Recht, wenn sie sagen, dieser springende
altnordische Stil sei für die deutschen reimenden Heldenlieder nicht
vorauszusetzen[1] — wenigstens nicht für alle; denn das Junge Hildebrandslied und Ermenrichs Tod sind ja wieder sehr knapp, und auch
das sächsische Burgundenlied von 1131 ist nach den Umständen als
kurz zu denken. Es wird im Hochmittelalter sehr ungleiche Grade
der Liedkürze gegeben haben; Bearbeitungen aus der Ritter- und
Epenzeit konnten dem Geschmack für vollere Zeichnung entgegen-
kommen. So deutet auch Hildebrands Vater-Sohnkampf in der
Gestalt der Ths auf ein Lied von größerer Verszahl, reicherem Falten-
wurf als einerseits der Vorgänger des 8., anderseits die Fassung des
14. Jhs. Unser erschließbares Brünhildenlied des ausgehenden 12.
Jhs. hatte einen ansehnlichen Umfang (gegen 500 Langzeilen?) und
eine ruhigere, motivreiche Ausführung, während doch sein Personen-
bestand, wie wir sahen, liedmäßig sparsam bleibt und seine Szenenzahl nicht sehr weit über den früheren Liedrahmen hinausdringt.
Man könnte sich fragen, ob eine Grenze zwischen Lied und Epos
hier überhaupt noch besteht; aber die kann schon deshalb nicht
verwischt gewesen sein, weil Epen mit der Feder, als Buch, geschaffen wurden: dies zieht eine scharfe Trennungslinie. Unser Lied
denken wir uns als unliterarisches Werk; auch die Sangbarkeit
werden wir ihm zutrauen dürfen. Den Namen Ballade muß man
fernhalten; die leichtschreitende, tanzbare Art der echten Balladen
ist etwas ganz andres! Unter den dänischen Folkeviser kommen
nur einige der späten 'Romanviser' dem hier vorausgesetzten Umfang nahe; Aksel und Valborg z. B. mißt in dem einen Text, DgF.
8,158, 200 Langzeilenpaare. Noch darüber hinaus geht die færöische
Balladendichtung, die doch auch schriftlos und als Tanzpoesie bis
ins 19. Jh. herabkam. Die dreiteilige Sigurdsage bringt es hier auf
insgesamt 623 Langzeilenpaare. Davon fallen auf den mittleren Teil,
die Brünhildgeschichte, 238 Paare: da hätten wir ungefähr das ver-
mutete Maß unsres Liedes, und bei den Færingern kommt zu jedem
Gesätze noch der fünfversige Kehreim hinzu! — Die englische Gest

---

[1] Panzer, Das altd. Volksepos 34; Vogt, Breslauer Festschrift 1911, 508.

5*

of Robin Hood (Child Nr. 117), aus drei Balladenstoffen zusammen-
gedichtet, zählt 456 Langzeilenpaare.

Auf die V e r s f o r m des Brünhildenlieds können wir einen
Schluß wagen. Es waren Langzeilen, nicht kurze Reimpaare. Das
ist zu folgern aus der Stelle Ths 267,25, verglichen mit NL 1012:

	þú mant vera myrðr;
vissi ek, hverr þat hefði gǫrt,	þá mætti þat vera hans giald.
	du list ermorderot;
unt wesse ich, wer iz het getan,	ich riete im immer sinen tot.

Die nordische Übertragung ist hier so gut wie wörtlich, offenbar
auch in dem letzten Kurzvers: *da müeste ez wesen sin tot* ist anzusetzen, wobei *müeste* (nd. *môste*) mehr mechanisch als sinngemäß durch *mætti* übertragen wurde, während das NL, auch um den
vollen Strophenschluß zu gewinnen, einen der geläufigsten Doppelgänger hergeholt hat (vgl. Braune, Beitr. 25, 206 f.). Dazu kommt
nun, daß ein Reim dieser Art im NL die Vermutung für sich hat,
aus der Quelle zu stammen. Der zweite Fall, 1747 si sint gewarnot;
und wesse ich, wer iz tæte, ich riete im immer sinen tot, ein Zwilling
des vorigen, hat inhaltlich zweifellos dem älteren Epos angehört, mag
auch die Ths hier ebenso versagen wie bei den zwei *vorderost*-Reimen.
Also *myrðr* steht für *ermorderot*. Dies zusammengenommen ergibt
für das deutsche Lied Langzeilenform. Man mag sich auch noch berufen auf jene altertümlichen, nach der Quelle klingenden Strophen
aus der Werbungsfahrt. (Der Fall, daß Reimworte des NL noch
durchblicken in dänischer Dichtung, die von dem NL wahrscheinlich durch zwei Zwischenstufen getrennt ist, begegnet in 'Kremolds
hævn', sieh S. Bugge, DgF. 4, 596. 600; Steenstrup, Vore Folkeviser 94 f.)

Weiter ist zu schließen, daß die Langzeilen zu e i n f a c h e n
P a a r e n verbunden waren: eine der beiden Hauptformen in der
skandinavischen und englischen Ballade. Die nordischen Forscher
nennen sie, etwas äußerlich, die 'firliniede'; es ist die Langzeilen-
strophe, das Langzeilenpaar. Die ungeraden Kurzverse haben beliebig klingenden oder vollen, die geraden beliebig stumpfen oder
klingenden Ausgang. Daß die auf deutscher Heldensage fußenden
Folkeviser, DgF. Nr. 5—17, so gut wie ausschließlich die Lang-
zeilenstrophe benützen, gibt einen Wink, daß diese Form im deutschen epischen Spielmannslied vorherrschte. Bezeugt wird sie auch
schon, wie Edward Schröder gesehen hat, durch das Zeilenpaar der
Tänzer von Kölbigk:

Equitabat Bovo   per silvam frondosam (gróni),
Ducebat sibi   Merswinden formosam (scóni).

Daß unser Brünhildlied diese altspielmännische Strophe hatte, nicht die vom Kürnberger aufs Doppelte gesteigerte (und in den Kadenzen verfeinerte), ist nicht anders zu erwarten; im besonderen ergibt es sich daraus, daß in der Sagaprosa zuweilen Gruppen von 6 Langzeilen erkennbar werden (die also nicht in das Maß des Kürnbergers aufgehen) und solche von 2 Langzeilen, die sich inhaltlich der Koppelung widersetzen. Man sehe 267,21—268,5: erst die Klage der Kriemhild, drei Langzeilenpaare (Do sprach ...; Nu stet dir zer siten | din schilt goltvar oder ähnlich, ein auch ags. und altn. bekannter Gruppenanfang; Wie wurde du so wunder ...), daran anschließend zwei Repliken, jede zu 2 Langzeilen.

§ 15. Wenden wir uns der Sagenform des Brünhildliedes zu!

Hier wie beim älteren Burgundenepos haben wir, im ganzen genommen, eine Zwischenstufe zwischen der Edda (Sigurðarkviða forna und skamma) und dem NL; mit der Einschränkung jedoch, daß Namen, Stellung und Rollen von Gunther, Giselher, Gernot und Hagen nicht auf die eddische Form, sondern eine alte Parallelgestalt zurückgehen (Vf., Art. 'Sigfrid' § 10 ff. in Hoopsens Reallexikon). Der Name der Fürsten war weder Nibelunge (wie im älteren Notepos) noch Gibichunge, sondern offenbar Burgonden; falls das Lied von Nibelungen wußte, verstand es darunter die früheren Hortbesitzer, doch kann dieser Name dem Epiker aus der Nebenquelle, dem Hortlied, zugekommen sein (§ 17).

Die Hauptneuerung gegenüber der Edda ist die bekannte, daß Brünhildens Gewinnung äußerlich und innerlich anders vor sich geht, worunter das ganze Gefüge, auch die Enthüllung des Betrugs, gelitten hat, so daß der Konflikt der einstigen Heldin verflachte und ihr stilvolles Selbstgericht unmöglich wurde (a. a. O. § 9). Als planvolle dichterische Neugestaltung — wie sie das Burgundenlied erfuhr beim Übergang von der Bruder- zur Gattenrache — sind diese Veränderungen kaum einzuschätzen; sie haben mehr etwas von mechanischer, notgedrungener Umbiegung. Doch liegt auch Bejahendes, Schöpferisches in der Kehrseite jener Verflachung: dem Steigern von Kriemhildens Rolle.

Daß der Waldtod nur soweit alt sei, als ihn die Sigurðarkviða forna bestätigt, glaube ich nicht mehr. Polaks Annahme, diese

Sagenform habe von jeher nichts weiter enthalten als die schweben-
den Angaben der forna (a. a. O. 136 f., 143), wird zutreffen auf die
norröne Überlieferung: aber diese hat hier eben von Anfang an
vieles verloren; warum, wissen wir nicht; jedenfalls nicht darum,
weil man im isländischen Birkengebüsch keine Jagden abhielt!
Es befremdet durchaus, daß eine Gipfelhandlung wie Sigfrids Mord
so motivlos berichtet wird, so ungeschaut hinter der Bühne bleibt
wie in dem genannten Liede. Und nirgends bietet das altnordische
Schrifttum eine Ergänzung dazu; auch das Zweite Gudrunlied,
das auf die forna, allenfalls in etwas runderem Texte, zurückgeht,
weiß von dem Waldauftritt selbst keinen Zug weiter. Sehen wir
darin Verkümmerung des nordischen Sagenstrangs, dann haben wir
keinen Grund, der alt-fränkischen Waldtoddichtung abzusprechen
Sigfrids bedingte Unverwundbarkeit, das Jagen auf den Eber, das
Dürsten und das Trinken am Bache, das Stechen mit dem Speere,
die rauhen Worte des Sterbenden an seine Mörder. Einige junge
Ausweitungen aber hat der Schlußteil unsres Liedes allerdings erlebt,
durch Entlehnung aus einem französischen Werke. Darüber u. § 21 ff.

In vielen und z. T. tiefgreifenden Dingen war das Sagenbild
des Liedes altertümlicher als das des Nibelungenepos. Nennen wir
das wichtigere. Sigfrid ist noch ohne eignes Reich, bleibt daher
der Hausgenosse der Burgunden, und auf die unfürstliche Jugend
des 'mutterlosen Knaben' wird wiederholt angespielt. In diesem
Punkte hat ja noch das mhd. Jung Sigfridepos, aus dem der Hürnen
Seyfrid erwachsen ist, der Neuerung des NL widerstanden (vgl.
Rosengarten A 331). Auch die Schwurbruderschaft zwischen den
Schwägern war bewahrt: Ths. 39,19; 41,6. (Nachklänge der alten
Auffassung im NL 127 und 335.) Sigfrids Heirat fällt noch an den
Anfang: die Doppelhochzeit ist eine wohlbedachte Neuerung des
NL; die Große Sigurðarkviða (laut Grípisspá 43) muß unabhängig
zu der gleichen Neuerung gelangt sein: hier ergab sie sich aus dem
Vergessenheitstrank, dessen Wirkung erlöschen muß mit Sigurds
Heirat, aber erst nach dem zweiten Betrug, der Werbung für Gunnar
(vgl. Neckel, Zs. f. d. Phil. 39,324). Gunther erlebt drei schlimme
Brautnächte (§ 9); Sigfrid entjungfert Brünhild und teilt eine ganze
Nacht ihr Lager. Zu dem Frauenzank bildet nicht die Kirchtür,
sondern die Fürstenhalle den Rahmen. Brünhild tritt handelnd für
die Rache ein: jene zwei dem NL fehlenden Szenen (§ 10), nament-

lich die zweite, hätte der Sagaschreiber nie erfinden können; die erste ist stilistisch ungewandt eingefügt (265,2 und 3—7 greifen vor), aber gewiß nicht 'überflüssig und störend' (Panzer, Sigfrid 247). Daß Hagen Sigfrids verwundbare Stelle kennt, ist stillschweigende (und berechtigte) Voraussetzung; es bedarf nicht des künstlichen Aufwands zur Entlockung des Geheimnisses. Gernot und Giselher nehmen an der Jagd teil (§ 4); gemeinsam hetzen die Fünfe den Eber. Sigfrids Durst wird durch die versalzene Speise begründet. Den Leichnam des Helden wirft man der Kriemhild ins Bett; auf diese rohere Form deutet noch im NL der Eingang von 1003: Von grozer übermüete muget ir hœren sagen (und von eislicher rache), Worte, die gewiß anderes erwarten lassen als das schonende Niederlegen des Toten vor der Schwelle! (Die Fortsetzung im Liede wird etwa gelautet haben: in Kriemhilde kamere | hiezen si den toten tragen.) Der Tag endet mit einem heiteren Gelage der Mörder, wie schon im Alten Sigurdlied.

§ 16. Im allgemeinen: Brünhild ist noch nicht herabgedrückt zur mißgünstig betrachteten Gegenspielerin. Erwägt man die Lücken des Sagaberichts (§ 10), so wird man annehmen dürfen: das Lied hat beide Frauen ungefähr gleichwichtig genommen und bildet hierin so recht die Mittelstufe zwischen Edda und NL. Es hatte zwei Heldinnen und zwei männliche Helden (Sigfrid und Hagen). Zu der reicheren Ausführung der Kriemhildgestalt hat die welsche Quelle beigetragen. — Es herrschte in dem Liede, trotz einem äußeren Anflug von Rittersitte, ein unhöfischer Spielmannsgeschmack. Die Anschauung von dem, was unter Sagenkönigen möglich sei, war niedriger als im älteren Burgundenepos. Züge wie die Entjungferung der Brünhild und die Aufknüpfung des geknebelten Ehemanns haben dort kein Gegenstück; sie zeigen ein tiefes Herabsinken unter den Idealismus des altgermanischen Hofdichters. Die Heldenstoffe können ja, wie man bemerkt hat, in der deutschen Spielmannspflege des 9.—12. Jahrhunderts nicht durch und durch verroht sein; sonst hätten die feineren Spielleute des 13. Jahrhunderts nicht das daraus machen können, was in unsern Heldenepen vorliegt, und auch das uns erkennbare Brünhildenlied war ja offenbar weder eine Posse noch eine Moritat: von dem Gefühl für hohe Leidenschaft und tragischen Friedensbruch lebte viel in ihm nach. Einzelnen Stellen jedoch hat allerdings der Geschmack des derberen

Mimus seine Spuren aufgedrückt; dafür gibt Brünhildens Bezwingung, überhaupt der Brünhildenkonflikt in unserm Liede ein lehrreiches Beispiel; ein anderes ist Sigfrids Drachenkampf nach Ths und Hürnen Seyfrid I in seiner gemütlich-volkshaften Ummodelung nach dem Starkehansmärchen (Sydow, Lund Universitets Festskrift 1918, 17). Zugleich aber konnten in dieser Luft a l t e Gefühlshärten leben bleiben; ich rechne dazu das ungedämpfte Frohlocken über dem Ermordeten; das Werfen der Leiche in das Bett der Frau; das frohe Zechen am Abend. Derartiges erscheint geistesverwandt mit den Wildheiten der Atli-, Jörmunrek-, Ingjaldlieder.

Während diese Dinge und viele andere dem höfischen Spielmann nach 1200 unerträglich waren, hat er den gepflöckten Gunther nicht zu entfernen gewagt: hätten wir die Strophen 637 ff. nicht schwarz auf weiß vor uns, so würde dieser und jener die Echtheit der entsprechenden Sagastelle beargwöhnen! Eine freilich viel harmlosere Roheit, die Kriemhildens Worte beiläufig verraten: ouch hat er so zerblouwen dar umbe minen lip (894) kommt dagegen ganz auf die Rechnung des letzten Epikers, da ja die Voraussetzungen, Gunthers Klage vor Sigfrid und Hagens Gespräch mit Kriemhild, sicherlich seine Neuschöpfung sind. Erwähnen wir noch die altfränkisch kleinen Verhältnisse des Liedes, wie sie am deutlichsten bei der Jagd und ihren Vorbereitungen zutagetreten. In dem éinen Falle blicken sie durch den eifrigen Aufwand des Wiener Epikers klarer durch als bei dem Nordmann: in der Botfahrt zu vieren ohne Dienerschaft; eine der Stellen, wo wir die Stimme des Lieddichters, auch ohne das bekräftigende Zeugnis der Saga, zu hören glauben:

> Sivrit do balde   eine schalten gewan:
> von stade er schieben   vaste began:

diese A-Lesart, die wir ja nicht mehr aus dem Urtext des Epos leiten können, sollte sie nur Schreiberflüchtigkeit sein und nicht am Ende eine Erinnerung an den L i e d vers, der dem denkenden Vorgänger α im Ohre lag? Die gleiche Frage drängt sich auf bei der A-Lesart von 326,2: ir geliche | was deheiniu me.

§ 17. Neben der Hauptquelle, dem Brünhildliede, das wir uns nach Form und Inhalt näherzubringen suchten, hatte der Nibelungenepiker noch S e i t e n q u e l l e n. Wir sehen ab von den stofffremden Werken, woraus er Motive, Gestalten oder Namen bezog: die Bahrprobe; Gere und Eckewart; Azagouc und Zazamanc.

Als stoffverwandte Nebenquellen kannte er Lieder mit Jung
Sigfridsagen. Oder nur éin Lied, das vom Nibelungenhort? Daß
dies ein Liedstoff für sich war, bestätigen die bekannten Überschriften
beim Marner und im Renner. Es fällt auf, wieviel eingehender der
Epiker auf d i e s e Jugendsage zurückblickt als auf die Schmied-
Drachenfabel. Schon in Hagens langem Berichte, 87—100, gönnt
er dem Erlebnis mit Schilbunc, Nibelunc und Alberich 13 Strophen,
während der *lintrache* mit éiner Strophe nachhinkt. Und dann baut
er den Nibelungenhort-Stoff in einer eignen Aventiure, VIII, weiter-
dichtend aus und kommt noch einmal gegen Ende, Av. XIX, auf
diese horthütenden Bergbewohner zurück: dem Drachen, vielmehr
der Hornhaut, werden nur noch zwei Strophen gewidmet (899. 902).

Dies führt auf den Schluß: die Hortsage kannte er aus einem
Liede, die Drachensage nur aus den kurzen Anspielungen seiner
Hauptquelle, des Brünhildgedichts. Daher stand ihm das erste
Abenteuer farbig und phantasieanregend vor Augen, das zweite
war ihm éine geschaute Szene: Sigfrid vor der Felswand, sich im
Blute badend — oder eigentlich sich mit der geschmolzenen Hornhaut beschmierend, soweit seine Hände reichen (Blut und Linden-
blatt sind seine eigne Verschönerung). Dann erklärt sich auch
ein weiterer Punkt. Das völlige Verschweigen der unhöfischen
Knabenzeit samt der Hindin und dem Schmied, d i e s brauchte
nicht auf Unkenntnis des Liedes zu beruhen, das diese Motive in
sich schloß, des Schmied-Drachenlieds: es könnte bewußtes Um-
gestalten in ritterlichem Sinne sein. Aber die Anspielungen des
Brünhildlieds auf den 'Landstreicher' Sigfrid, der die Wälder durch-
streifte auf den Spuren der Hindin (Ths 260,1; 262,18), und — wenn
wir die nordische Quelle ergänzend zuziehen — auf den 'Knecht',
eigentlich des Schmiedes (Völs. c. 28,6): diese Anspielungen hat
er ja nicht bloß beseitigt, sondern mißverstanden; er hat daraus
seine wirre Fiktion von Sigfrid als Eigenmann Gunthers heraus-
gesponnen (Polak, a. a. O. 74 ff.). Und d i e s wird wohl nur verständlich, wenn ihm die Schmied-Drachensage unbekannt war —
bis auf das eine Stückchen im Brünhildenlied.

So schreiben wir dem Epiker für Sigfrids Jugendsagen nur éine
Nebenquelle zu, ein Lied vom Nibelungenhort. Die Benützung dieses
Lieds ergab eine fühlbare Unebenheit. Sie betrifft die Vorstellungen
von den *Nibelungen* und dem *Nibelunge lant* innerhalb von Teil I.

Am hingebendsten hat sich um diese Frage Kettner bemüht, ohne
sie ins reine zu bringen; sein 'Bearbeiter' ist ihm hinderlich (Die
österreich. Nib.-Dichtung 100 ff.). Die Tatsachen sind in Kürze
diese. V o r Str. 739 ist Sigfrid durchaus Niederländer — gemäß
der eignen Erfindung des Epikers. Von da ab trübt sich das Bild.
Sigfrid selbst heißt noch 5mal 'von (uz) Niderlant', daneben aber
3mal Held von Nibelungeland; seine Mannen ganz im allgemeinen
heißen nur einmal 'von Niderlant', 5mal 'uz Nibelunge lant' oder
'die Nibelunge'; und das bemerkenswerteste: Sigfrids Reich schlecht-
hin ist nun das Nibelunge lant; ze Niblunges bürge, im fernen Norwegen, thront er; auch der Vater, Sigmund, wohnt dort (743) und
kehrt später aus Worms nach Nibelunge lant zurück (1083; wogegen
in 1098 wieder das Niderlant auftaucht).

Aus dem Brünhildlied kann diese ferne Herrschaft nicht stammen: sein Dichter kannte den Helden noch ohne eignes Land, als
Mitherrscher zu Worms. Es wird so liegen. Die Seitenquelle, das
Jung Sigfridlied, zeigte Sigfrid als Eroberer des Nibelungelandes,
das Volk der Nibelunge als seine unterworfenen Mannen; es nannte
ihn daher, da er eine angestammte Heimat noch nicht hatte, 'den
Helden aus Nibelungeland'. Dies übernahm der Epiker. Im An-
fangsstück seines Werks hat er die eigne Ortsbindung, Niderlant,
reinlich durchgeführt, also das ferne Nibelungelant als eroberte
Provinz behandelt. Später erschlaffte sein Vorstellungsbild, er
gab dem Bild der Quelle nach, und so erscheint nun Sigfrid als Herr
von und in Nibelungen. Nicht um zweierlei — örtlich oder menschlich
verschiedene — Nibelunge handelt es sich in Teil I; nur das Verhältnis zum Niderlant wechselt, indem die aus der Nebenquelle bezogene
nördliche Herrschaft das neu erfundene rheinische Erbland in
Schatten stellt.

§ 18. Mit den zwei erwähnten Quellen kommen wir noch nicht
aus. Wir müssen fragen: Hat der Epiker e i n z w e i t e s B r ü n -
h i l d l i e d benützt, eine Spielart der Hauptquelle, ein gleichlau-
fendes Exemplar, das z. T. andre Motive barg, vielleicht in andrer
Gegend umlief?

Man könnte ja von vornherein mit zwei oder mehr solcher
Quellenlieder rechnen, die zwar nicht, nach Lachmannschem Rezept,
aneinander gehängt, aber gleichsam übereinander gelegt worden
wären. Man könnte so die ererbten Züge der Brünhildsage grund-

sätzlich auf eine Mehrheit von Liedquellen verteilen. Als sparsame Haushalter werden wir ein zweites Brünhildlied nur da anstrengen, wo überlieferte Gedanken in NL Teil I dem Sagenbild der Hauptquelle widersprechen.

Hier sind zu erwägen die Strophen, die nach ziemlich allgemeiner Annahme eine eifersüchtige Neigung Brünhildens zu Sigfrid voraussetzen[1]: 618 ff. (auch 511,4?). Einfache Neuerung des Epikers kann dies nicht sein, weil es von ihm selbst mißverstanden, umgedeutet wird, und weil die Sigurðarkviða skamma und ihre isländischen Nachfolger ähnliche Gedanken hegen von der liebenden und eifersüchtigen Brünhild. So dürfte der Österreicher diese ihm eigentlich fremde Vorstellung aus einem zweiten Brünhildlied übernommen haben, während er im übrigen das andere, ältere Bild des selbstgenügsamen, nur auf Gunthers Vorrang eifersüchtigen Weibes bewahrte. (Daß eine frühere Bekanntschaft mit Sigfrid oder gar die Vorverlobung hereinspiele, halte ich mit Zarncke, Golther, Panzer u. Aa. für unglaubhaft.)

Ferner wäre zu denken an die Reden des sterbenden Sigfrid, Str. 989 f., 992.994—7. Sie mischen die rauhen Motive der Ths 266,16, die gut zu dem Waldtod, der Gegenwart der Mörder, passen, und die weicheren, die in der Sig. skamma, im Zusammenhang des Betttods, vor der Gattin zur Geltung kommen[2]. Diese letzten könnten wieder aus einem zweiten Brünhildliede geholt sein. Doch wird sich uns in § 23 zeigen, daß die der Ths fehlenden Züge schon in der Hauptquelle, in unserm Brünhildlied, gestanden haben müssen. Eine Mischung ist es tatsächlich, aber sie rührt nicht erst von dem Epiker her.

Endlich noch die Frage: gab es für den Schluß von Teil I, Kriemhildens Witwentrauer und ihre Aussöhnung mit den Brüdern, Av. XIX, eine besondere Liedquelle? Man dächte ja an freie Schöpfung unsres Epikers — wenn nicht die Ähnlichkeit mit dem zweiten Gudrunlied der Edda wäre! Deutsche Einwirkung auf dieses Gedicht muß man wohl annehmen[3], aber jünger als das NL kann es nicht gut sein. Auch dem älteren Burgundenepos wage ich diese

---

[1] Bartsch, Gesammelte Vorträge 101; Wilmanns, Anz. f. d. Alt. 18,71.78; Boer, Nibelungensage 2,25.

[2] Polak, a. a. O. 139 f., vgl. Neckel, Zs. f. d. Phil. 39,328[1].

[3] Neckel, Eddaforschung 221 ff. 323.

Schilderung nicht zuzuschreiben, weil die Ths so gar keine Spur davon hat. Ein L i e d, das diese Umstimmung der trauernden Witwe darstellte, könnte schwerlich ein Brünhildlied, wohl nur ein Burgundenlied gewesen sein (worin die Umstimmung auslief in Etzels Werbung, wie im Eddalied)[1]; die Guðr. II ist zwar keines von beidem, aber wer wird solche elegischen Monologe, Selbstbiographien, der deutschen Spielmannsdichtung zutrauen? Es bleibt hier für mich ein Fragezeichen, aber soviel scheint mir klar, daß der Keim dieser Aventiure weder unserm bekannten noch einem andern Brünhildliede angehört hat.

§ 19. Da und dort begegnet man der Ansicht, der Verfasser des NL habe für seinen ersten Teil nur dürftige Quellen gehabt; er sei in den Überlieferungen von Sigfrid nicht recht beschlagen gewesen. Dem stimmen wir in dem einen Punkte zu: die Schmied-Drachensage, also die Hauptsage von Sigfrids Jugend, war seinem Liederschatze fremd geblieben. Das ist allerdings ein bemerkenswerter Ausfall. War dieses Lied nie in die Ostmark gedrungen? Für das NL hat diese Unkenntnis so sehr viel nicht zu bedeuten; der Autor hätte sich schwerlich abhalten lassen, seinem Helden die feine Prinzenjugend anzudichten und das eigne Erbland und was damit zusammenhängt; nur den 'eigenholden' hätte er uns wohl erspart und für das Sträuben der Brünhild eine bessere Begründung gesucht! — Wie es mit Jung Sigfrids Erlösungssage stand, verrät uns das Epos nicht; nur so viel, daß unserm Spielmann Brünhild nicht als Erlöste galt. Auf seinem eignen Boden, dem der Werbungsgeschichte, zeigt seine Sagenkenntnis éine befremdliche Lücke: der Name Gibeche ist verloren. Da er auch der Ths unbekannt ist, muß er schon dem Brünhildlied und dem Burgundenepos gefehlt haben. Im übrigen beherrscht der Epiker den Stoff nach Wunsch. Es war ein Mißverständnis, wenn man sagte: er habe die Sigfrid-Brünhildgeschichte in „unvollkommener und verdunkelter Gestalt" gekannt[2]. Dieser Irrtum entstand daraus, daß man erstens die Sigfridgeschichten der Ths und der Isländer als zusammenhängende Vita ansah und diesen ganzen Lebenslauf in unserm Epos wieder-

---

[1] Vgl. Pestalozzi, Neue Jahrbücher 1917, 200o.
[2] Bartsch, a. a. O. 103; ähnlich Holz, Der Sagenkreis der Nib.[2] 94, vgl. 110. Auch Wilmanns, Anz. 18,89, macht zu viel aus der 'Unkenntnis' des Nibelungendichters.

finden wollte, während doch nur die eine geschlossene Fabel, die von Sigfrid und Brünhild, den Inhalt von NL Teil I ausmachen will. Zweitens nahm man die Brünhildsage in ihrer jüngsten isländischen Gestalt, wie sie durch das Gr. Sigurdlied und seine Bearbeiter (Grípisspá, Völsunga saga) auf die Nachwelt kam, und suchte diese Sagenform im NL. Dabei mußte man wohl viel vermissen!

Ein stattliches Heldenlied bot unserm Epiker eine reich ausgeführte Fabel dar; nicht nur das ganze Gerüste des dramatischen Aufbaus fand er hier vor: auch fertige Langzeilen und Halbstrophen konnte er herübernehmen (§ 14—16). Man überschätzt seine Selbständigkeit und unterschätzt seine Vorlage, wenn man das Werk bis gegen Str. 1526 im wesentlichen als Neuschöpfung betrachtet.

Aber auch nach der andern Seite hin muß man vorbauen. Wollte jemand behaupten, das erschlossene, durch die Ths vermittelte Brünhildenlied sei nicht die u n m i t t e l b a r e Quelle von NL Teil I gewesen, dazwischen habe ein B u c h e p o s gestanden, so möchte dies schwerer zu begründen als zu bekämpfen sein. Der Hergang wäre dann zusammengesetzter. Dieses mittlere Epos erschiene wie ein Doppelgänger des unsrigen: schon zeitlich stände es ihm sehr nahe; und inhaltlich, was hätte es als sein Sondereigen enthalten? Welches wären die Erfindungen, die weder dem vorangehenden Liede noch dem nachfolgenden Epos gehört hätten? Bedenken wir, die längsten Strecken von NL Teil I sind, sagengeschichtlich gesprochen, junges, ritterliches Schwemmland. Niemand wird diese sehr einheitlich stilisierten Teile über unsern Epiker hinaufdatieren oder auf mehrere Verfasser verteilen. Zieht man sie aber ab, so bleibt wenig übrig für ein Epos! Oder soll man glauben, diese jungen höfischen Schichten hätten sich über ähnlich geartete, etwas altertümlichere der Quelle hingelagert? Da hätten wir wieder den Doppelgänger!

Die Eigenart des ersten Teils, sein modernes Gepräge dem zweiten gegenüber, erklärt sich am besten bei der Annahme, daß hier keine umfänglichere Buchquelle zugrunde lag, sondern daß der letzte Epiker aus eigner Kraft die lange Strecke zurücklegte von den Liedmaßen zu dem Werk von 1130 Strophen.

Dann hat das große deutsche Heldenepos doch unmittelbare Fühlung mit Liedern gehabt. Es wäre Ironie, wenn d i e Dichtung, die über das germanische Gebiet hinaus zu der vornehmsten Stütze der Liedertheorie wurde, schließlich mit Liedern überhaupt nichts zu tun hätte, sondern rein aus buchhafter Erzählung erwachsen wäre! Aber so liegt es nicht. Nur zur Hälfte ist das NL aus einem Buch oder Büchern hervorgegangen: für Teil II braucht man wohl neben der ältern Nibelungenot und einem ersten Dietrichepos keine Liedquellen anzusetzen — es sei denn für die paar Anspielungen auf die Walthersage.

§ 20. Nach unsern Ausführungen ist es wahrscheinlich, daß der österreichische Spielmann nach 1200 der erste Mensch war, der die beiden Sagen, die von Sigfrid-Brünhild und die von der Not, zu einem Dichtwerk verband. Die innere Anlage der beiden Sagen hätte diese Zusammenfassung längst erlaubt: seitdem der Mord am Hunnenhof als Rache für Sigfrid besungen wurde. Aber die Lieder werden ihren Rahmen nicht leicht verdoppelt haben. Sollte der sächsische Sänger von 1131 die 'perfidia Grimildae' mit der Sigfridgeschichte begonnen haben? Jedenfalls, die uns zugänglichen Werke, die Ths wie das NL, zeigen, daß die beiden Stoffe noch um 1200 und 1250 getrennt behandelt wurden. Als weitere Zeugen kann man nennen die dänische Ballade 'Kremolds Rache' und die Marnerstelle, die 'Sigfrides tot' und 'wen Kriemhilt verriet' als zweierlei liet namhaft macht: was schon W. Grimm merkenswert fand (DHs. 180). Für die entgegengesetzte Annahme ist nicht éin alter Zeuge beizubringen. So wird man ungern mit Sijmons glauben, schon dem 8. Jahrhundert habe „de zanger in de Donaulanden" angehört, „die Siegfrieds dood en Kriemhilds wraak het eerst tot een lied verbond" (Onze Eeuw 1916, 79).

Unser Epiker erstrebte Einklang zwischen den beiden Teilen, innerlich und äußerlich. Vor allem hat er Kriemhild schon in I zur Heldin erhoben; ein Schritt, der in der Liedquelle erst angebahnt war. Hagens und Giselhers Stellung hat er nach I geregelt (§ 4.7). Die Helden von II hat er nach Möglichkeit schon in I beschäftigt und umgekehrt. Ohne Nachteile und Unstimmigkeiten ging all dies nicht ab. An Umfang sollte das erste Stück nicht weit nachstehen dem zweiten, so viel keimereicheren und von einem großen Epiker schon befruchteten. Dies wurde erkauft durch die seichten Breiten von Teil I. Aber nicht hoch genug zu schätzen ist es, daß der Dichter der Lockung widerstand, aus Teil I eine erschöpfende Sigfridbiographie zu machen, also die Jung Sigfridsage episch unmittelbar vorzuführen: er hat sie nur durch Hagens Rückblick und andre Anspielungen hereingezogen und ist so im Rahmen des Brünhildszenars geblieben. Nichts ist irriger, als ihm daraus einen Vorwurf zu machen. Er hat den Fehler vermieden, dem nach der Darmstädter Aventiurenliste ein stoffhuberischer Bearbeiter verfallen ist.

§ 21. Verspart hab ich eine schwierige Frage. Singer hat die folgenreiche Entdeckung gemacht, daß die provenzalische Chanson de geste Daurel et Beton auf eine lange Strecke hin zu Sigfrids Ermordung und Kriemhildens Klage stimmt (Neujahrsblatt der lit. Gesellschaft Bern 1917). In einem Teil der Punkte steht die Ths näher als das NL, so in dem besonders greifbaren Motiv: der Mörder sagt der Witwe, ein Eber habe ihren Mann getötet, worauf sie erwidert, nein, ér habe es getan. Das NL hat den Eber durch *schâchære* ersetzt.

Singer entscheidet sich für Entlehnung aus dem Französischen: nach der allgemeinen literargeschichtlichen Wahrscheinlichkeit um 1200, und weil die Berührung nur Züge treffe, die der Edda fehlten, also jünger seien. Auf den zweiten Grund leg ich kein Gewicht, weil ich nicht glaube, daß die nordische Überlieferung den alten Bestand der Waldtodsage bewahrt hat (s. o. § 15); zudem h a t der Daurel unleugbare Ähnlichkeit mit Siguids Tod schon in der Gestalt der eddischen Sigurðarkviður! Ähnlich ist der Aufbau im großen und folgende Einzelheiten.

Daß der Sterbende sein Weib dem Wohlwollen des Mörders empfiehlt und rühmend von seinem Söhnchen spricht (§ 23 Punkt 3), darin erinnert der Daurel doch nicht nur an das NL, sondern auch an die Sig. skamma 25—27. Diese steht sogar dem Daurel näher, sofern der drohende Tod des Kindes berührt wird: dort durch den Vater (26,3.4), hier durch den Mörder (422). Noch mehr gibt zu denken, daß das Zusammentreffen des vom Morde rückkehrenden Gui mit der Witwe nur éiner germanischen Nibelungenquelle gleicht, und zwar der ältesten von allen, der Sigurðarkviða en forna (+ Guðr. II). Man halte Brot 6.7 (und dazu, wenn man will, Guðr. II 4 ff.) neben Daurel 476—83:

> Lo trager Gui trastoz premiers s'en cor
> E venc premiers el destier aalhidor.
> La franca dona fo el palais ausor
> Que a ausida lai fora la rimor,

E cor lai foras et ac tantost pahor:
Troba Gui, garda lo per feror (Schrecken):
Digas, coms Gui, cum es de mon senhor?
Dona, dis Gui, mort es el bosc major.

Da Abhängigkeit dieser nordischen Quellen von französischer Dichtung kaum in Betracht kommt, wäre man versucht, hier einmal das Entlehnungsverhältnis umzudrehen. Doch gerieten wir sogleich in die Schwierigkeit: die letztgenannte Stelle, wo die Witwe vors Haus tritt und den Mörder befragt, müßte aus einer deutschen Sagenform geholt sein, die sich von der in Ths-NL früh abgespalten hat; anderseits sind mehrere Gleichheitspunkte zwischen Daurel und NL augenscheinlich junge Dichtung (sieh § 23): so müßten sich im Daurel wohl ganz ungleiche Schichten des deutschen Sagenstoffs ablagern!

Zugunsten der Singerschen Antwort scheinen mir folgende Erwägungen zu entscheiden. Das Ebermotiv wurde wohl nicht erfunden für dén Helden, der nur zwischen den Schulterblättern verwundbar ist! Ferner: im Daurel ist das Motiv sehr ernst genommen, durch die Handlung selbst plastisch, umständlich begründet; in der Ths ist es zu einer Art Metapher geworden, einer dichterischen Redewendung: hier versuchen die Mörder nicht den Schein zu wecken, als sei der Tote vom Eberzahn zerfleischt, und die Witwe beruft sich nicht darauf: Aquesta plaga no fo anc de singlar, ans fo d'espieut. Vielmehr bringen Saga wie NL das eindrucksvolle Wort: „deine Schutzwaffen sind nicht zerhauen — du mußt ermordet sein", was dem Ebermotiv zwar nicht grade widerspricht, aber einigermaßen im Wege steht: es nimmt die wahre Folgerung vorweg, so daß Hagens Ausrede verspätet kommt. Noch eines. Neckel hat bemerkt (Eddaforschung 231 f.), daß diese Ausflucht des Täters „ermordet wurde er nicht ..." wenig stimmen will zu dem herzlosen Vorsatz, durch den in Kriemhildens Bett geworfenen Leichnam an ihrem Schmerze sich zu weiden. Die Unebenheit erklärt sich nun einfacher, wenn zwei Züge aus verschiedenen Zusammenhängen aneinander gerieten, der erste aus französischer, der andre aus älterer deutscher Quelle.

Diese Umstände sprechen dafür, daß beim Ebermotiv die französische Dichtung die gebende war. Und was bei dem einen Hauptpunkt einleuchtet, muß für die anderen, mehr neutralen gelten.

§ 22. Wie so oft bei dichterischem Entlehnen, bestand zwischen den beiden Teilen von vornherein eine zufällige Ähnlichkeit. Der besondere Antrieb zur Borgung des Ebermotivs wird gewesen sein, daß das deutsche Gedicht auch schon seinen Eber hatte: das gemeinsame Jagen nach dem *villigǫltr*, bis Sigfrid ihn schießt (Ths 265,24 ff., hier versehentlich Hagen; NL 938 f.), dann das Ausweiden des Tiers und endlich Hagens Wort „diesen ganzen Morgen haben wir einen Eber gejagt . . ." (Ths 266,23): diese Züge sind dem welschen Gedichte, nach dem Gang seiner Handlung, fremd: sie waren das Erbgut des deutschen Liedes und haben die Anknüpfung an den Franzmann mit séinem Ebermotiv begünstigt.

Ein Zusammenstoßen zweier Motive aus ungleicher Anschauung haben wir auch in Str. 1009 des NL. Erst sinkt Kriemhild sprachlos zur Erde: dies hat die welsche Dichtung, und zwar an gleicher Stelle, vor dem Erblicken des Leichnams (§ 23 Nr. 5). Dann wird plötzlich, was beim Erwachen aus einer Ohnmacht befremdet, Kriemhilde jamer unmazen groz:

> do erschre si [nach unkrefte],   daz al diu kemenate erdoz.

Dieser letzte Zug ist altes deutsches Eigentum; er gehörte, wie die Edda zeigt, ursprünglich zum Betttode: hier bedingt das Miterleben des Mordes in der Kammer diesen wilden Ausbruch, wovon Haus und Hausgerät erhallt, und dem gellenden Schrei der Witwe antwortet als grausiges Echo das Auflachen der Feindin: Sig. skamma 29.30. Auch Brot 10,1–4 Hló þá Brynhildr, bœr allr dunði . . . stammt letztlich aus der Betttodform. Das Erdröhnen des ganzen Gehöfts ist genau das erdiezen al der kemenate im NL. Die Mischung der beiden Sagenbilder, Waldtod und Betttod, schon vor der Abspaltung des nordischen Zweiges ist hier an NL und Brot gut zu beobachten. Die Ths ihrerseits hat das alte wie das neue Motiv, Aufschreien und Ohnmacht, verloren.

§ 23. Da man das Entlehnen aus der französischen Quelle gewiß als einmaligen Vorgang fassen wird, muß die entlehnende deutsche Dichtung die dem Daurel und dem NL gemeinsamen Züge enthalten haben, a u c h d i e d e r T h s f e h l e n d e n. Es sind diese:

1. der Held nimmt vor der Jagd zärtlichen Abschied von seinem Weibe: Daurel 326 ff., 357 ff.; NL 918 ff.

6

2. die Fürstin ahnt den Tod ihres Gatten und warnt ihn vor der Feindschaft des Begleiters; ér sagt, er könne ihm trauen: Daurel 300 ff., 328 ff.; NL 920 ff.

3. der Sterbende bittet um Wohlwollen für sein Weib und gedenkt herzlich seines Knaben: Daurel 411. 414 ff.; NL 995 ff.

4. ein Begleiter tadelt den Mord: Daurel 463 ff.; NL 991. 1000. Vgl. auch Daurel 465 Que tuh nosaltre ne serem reptat mit NL 990 Die sint da von bescholden, swaz ir wirt gebom ...

5. die Witwe fällt in Ohnmacht (o. § 22): Daurel 490; NL 1009. 1066.

6. die Menge, auch die Bürger, bejammern den Toten: Daurel 492 ff., 516 ff.; NL 1013. 25. 45. 51. 62. 64 f.

7. nach ihrem ersten Schmerzanfall erhebt die Witwe vor der Menge Anklage gegen den Mörder, wobei sie den Leichnam enthüllt: Daurel 505 ff.; NL 1041 ff.

8. die Witwe sagt: Vieus es Betos (das Söhnchen) quel sabra be vengier Daurel 509; Nu laze ez got errechen noch siner vriunde hant NL 1046.

9. drei Tage dauert es bis zur Bestattung: Daurel 530; NL 1056.

Diese neun Züge beruhen gewiß nicht alle auf zufälliger Übereinstimmung. Daß Punkt 3 ein Gegenstück in einem Eddalied hat (freilich in einer Rede, die sich nicht an den Mörder wendet), haben wir erwähnt; hier wird also deutsche Überlieferung mit der welschen Quelle zusammengeflossen sein[1]. Der Ths sind alle diese Züge fremd. Somit hat die Saga mancherlei verloren.

Nötigt dies zu der Annahme, die deutsche Brünhildquelle sei ein Buchepos gewesen und nur in der nordischen Wiedergabe zu der knapperen Fassung eingeschrumpft, die uns vorhin auf eine Liedquelle hat schließen lassen? Ich glaube nicht. Überblickt man die neun Punkte, so sieht man, daß sie nur zwei der Saga verloren gegangene Auftritte bedingen: den Abschied der Gatten und die Anklage vor den herbeigeströmten Leuten. Alles übrige fügt sich als nicht sehr erhebliche Erweiterung in den erhaltenen Szenenbestand ein. Das Gefäß eines Liedes wird dadurch nicht gesprengt. Daß aber Entlehnung aus französischer Poesie nur einem schreibenden

---

[1] Dasselbe wäre anzunehmen für Punkt 1, den Abschied vor der Jagd, falls man ihn auf Grund von Völs. c. 29,61 ff. schon dem Gr. Sigurdlied zuwiese. Aber dafür gibt die Völs. unsichern Anhalt, s. o. § 12

Epiker, nicht einem Lieddichter zuzutrauen sei, wird man nicht behaupten. Auch lesekundige Spielleute werden Gedichte der alten Art, unliterarische Lieder, vorgetragen und verfaßt haben; man denke an den Marner. Oder man nehme die vielen Balladen, die Stoff aus französischen und sonstigen Buchquellen bringen und doch gewiß als schriftlose Tanzlieder entstanden sind.

Singer schloß freilich auf „ein ganzes Nibelungenlied", d. h. ein großes Epos, das schon Brünhild- und Burgundensage umspannt hätte. Dazu bewog ihn aber nur die Annahme, auch die deutsche Nibelungenot habe aus der französischen Quelle des Daurel entlehnt. Hier kann ich ihm nicht folgen. Ich finde im Daurel keine Motive, die nach Zusammenhang mit der Nibelungenot verlangten. Nach dem im § 19 Gesagten wird man sich auch nicht so leichthin entschließen, einen Doppelgänger zu unserm Nibelungenepos anzusetzen. Dichtwerke wollen nicht als abstrakte Motivbehälter genommen sein; man muß nach ihrer inneren Art, nach ihrer dichterischen Anlage fragen.

Noch eine kleine Berichtigung zu Singers Aufsatz! Er sieht es so an, als müßten die Gedichtquellen der Ths von den Anhängern der alten Liedertheorie als Lieder, von den Gegnern als Epen erklärt werden. In Wirklichkeit sind in die Saga beides, Lieder und Epen, eingemündet. Die Unterscheidung wird nicht selten aus der stilistischen Beschaffenheit der Prosawiedergabe zu gewinnen sein, wie wir dies bei unserm Falle in § 9 versuchten. Ein Zugeständnis an die Sammeltheorie ergäbe sich nur dann, wenn man eine einheitliche Fabel der Ths auf eine F o l g e e p i s o d i s c h e r G e d i c h t e , 'Einzellieder', zurückführte. Daran haben ja wohl Busch, Henning und andre beim Burgundenfall gedacht; aber den Beweis dafür blieb man aus guten Gründen schuldig.

§ 24. Die Ergebnisse, zu denen uns die inhaltliche und stilistische Betrachtung geführt hatte, werden durch die aus dem provenzalischen Gedicht zu ziehenden Schlüsse nicht verändert, nur dahin ergänzt. Das deutsche Brünhildenlied, das dem NL und der Ths als Quelle diente, hatte Sigfrids Tod und die Klage der Witwe um einige Züge bereichert, die aus einer innerlich verwandten Episode einer französischen Dichtung stammten. Es waren zumeist gefühlvolle Züge, die dem rauhen deutschen Spielmannsgedicht einige ethisch zartere Lichter aufsetzten und die Rolle der duldenden

6*

Heldin heraushoben. Diese Entlehnung wird man gern demselben Fahrenden zuschreiben, der auch in andern Dingen dem Brünhildlied seine uns erkennbare letzte Gestalt gegeben, z. B. den ritterlichen Falkentraum beigesteuert hat. Wieviel er im übrigen geändert, ob er erst die Kampfspiele eingesetzt hat, dies und andres können wir nicht sagen. Der französische Einfluß verträgt sich am besten mit einem Spielmann des deutschen Westens, der Rheinlande; doch hat es ja weit gewanderte Spielleute gegeben. Als Zeit werden die letzten Jahrzehnte des 12. Jhs. in Betracht kommen.

Dieses Lied gelangte ins Sachsenland und um 1250 nach Norwegen, wo unser Sagensammler es mit einigen Lücken und selbständigen Eingriffen, doch ohne die Absicht einer Neubearbeitung, wiedergab. Auch auf die Færöer wirkte das Lied hinüber, und nach Rußland fand es seinen Weg. Schon früher war es in den reichen Gedichtvorrat des passau-wienerischen Spielmanns gemündet: da wurde es die Hauptgrundlage für die künstlerisch ausbauende, zehnfach anschwellende und höfisch erneuernde Darstellung im ersten Teil der Nibelunge.

Die Nibelungenballaden.

Von Gustav Neckel, Heidelberg.

I.

Auf dem wenig begangenen Forschungsgebiete der Nibelungenballaden ist lange richtungweisend gewesen eine Arbeit von W. Golther, Zeitschr. f. vergl. Lit.-Gesch., N. F. 2 (1889), 269 ff. An diesen Aufsatz knüpfe ich an, um zunächst Allgemeines zu beleuchten und Grundsätzliches zur Geltung zu bringen. In scharfem Gegensatze zu der älteren Auffassung, wie ihr noch kurz vorher Hammershaimb in seiner färöischen Anthologie Ausdruck gegeben hatte, glaubte Golther feststellen zu können, daß aus den färöischen Nibelungenballaden, weil sie sich einzig auf bekannte Literaturdenkmäler stützen, 'gar nichts Weiteres in bezug auf die im Volke selber umgehende Überlieferung der Nibelungensage zu erfahren' sei, 'als jene Quellen selber schon enthalten'. Nun bieten aber die färöischen Lieder mancherlei, was von jenen Denkmälern — der Vǫlsunga und der Þiðreks saga — abweicht oder über sie hinausgeht. Dieser Eigenstoff der Lieder gehört also nach Golther nicht zu der 'im Volke selber umgehenden' Nibelungensage. Er scheint es mithin für letztere wesentlich zu finden, daß ihr keine geschriebenen Literaturwerke zugrundeliegen, offenbar, weil er unter dem 'Volk', das die 'Sage' pflegt, die Masse der Unliterarischen, der Analphabeten versteht und von diesen die literarischen oder buchgelehrten Kreise scharf unterscheidet. Diese Begriffsbestimmung des 'Volkes' ist modern. Sie ist entstanden angesichts der Verhältnisse in der Neuzeit, wo das Landvolk sich Sagen erzählt, die Gebildeten aber Bücher lesen, und es verbindet sich mit ihr das von der Romantik aufgebrachte Werturteil, wonach die Geistesschöpfungen des Volkes in diesem Sinne unsere Teilnahme in viel höherem Grade verdienen als die der literarisch Gebildeten. Finden diese Gesichtspunkte auch Anwendung auf die mittelalterliche Gesellschaft, speziell im germanischen Norden? Wir brauchen uns diese Frage nur zu stellen, um sie ohne Zögern zu verneinen.

Zwar sondert sich die altnordische Literatur sehr deutlich in die beiden großen Massen der geistlich-gelehrten und der profanen Schriftwerke. Aber diese Sonderung beruht nicht darauf, daß auch nur ein annähernd so großer Abstand wie heute bestanden hätte zwischen den Leuten, die überhaupt wirkliche Buchbildung besaßen, und denen ohne solche. Wäre dies anders, so dürften wir nicht, wie wir doch alle mit gutem Gewissen tun, einen großen Teil dessen, was in altnordischen Handschriften steht, für den unverfälschten Niederschlag der mündlichen Überlieferung halten. Wir räumen damit ein, daß der Eintritt einer mündlichen Dichtung in die Schreibstube und ihr Durchgang durch Hirn und Hand eines Buchstaben malenden Schreibers ihr Wesen nicht zu verändern brauchte; und zwar meinen wir dies, wenn wir uns recht besinnen, nicht so, daß der mündliche Vortrag wissenschaftlich genau nachgeschrieben worden sei (wie bei einer modernen Aufzeichnung aus dem Volksmunde, die ihrem Wesen nach ja erst möglich wird durch die Scheidung der Gesellschaft in Gebildete und Ungebildete), sondern so, daß der Aufzeichner einem mündlichen Erzähler gleichzuachten ist, seine etwaigen Änderungen und Zusätze also ebensowenig wie bei einem solchen eo ipso als Verfälschungen und Entartungen zu gelten haben (wie bei einem modernen Sagensammler, der seiner Phantasie freien Lauf läßt). Ist dies aber die Meinung, so folgt wohl daraus, daß das, was ein Dichter auf Grund einer schriftlichen Quelle schafft, an sich nichts anderes ist, als was auf Grund mündlicher Quellen gedichtet wird, und daß Änderungen und Zusätze, die ein solcher Dichter etwa an seinem Stoffe anbringt, auf gleicher Linie stehn mit Änderungen und Zusätzen, die sich im Laufe der mündlichen Überlieferung ergeben, daß es also an sich keinen Unterschied macht, ob Neuerungen von diesem Dichter selbst herrühren oder von einem seiner Vorgänger: daß m. a. W. die von Golther gemachte Unterscheidung keinen Sinn hat.

Man könnte nun doch einen Sinn in ihr finden wollen, indem man Gewicht legte auf das 'im Volke umgehn' und sagte: was einem mit dem Pergament vor Augen dichtenden Manne in den Kopf kommt, das geht nicht im Volke um, es hat keinen volkskundlichen Wert. Aber alles, was im Volke umgeht, ist einmal einem Einzelnen in den Kopf gekommen. Ob der Einfall eines Dichters volkskundlichen Wert erlangt, das hängt von dem Erfolg und der Verbreitung seines Werkes ab. Wir wissen aber, daß die färöischen Balladen jahrhundertelang eine außerordentliche Beliebtheit genossen haben, daß ihr Inhalt von immer neuen Ketten Tanzender und deren Zuschauern mit Vergnügen angehört und innerlich durchlebt worden ist[1]. Wie kann man angesichts dieser sicheren Tatsache den Satz aufrecht erhalten wollen, nur das, was die färöischen Lieder mit den Sagas gemein haben, sei im Volke lebendige Sage gewesen, alles übrige nicht?

Golther wurde aber auf diese Unterscheidung geführt durch die alte Anschauung vom g e s t a l t l o s e n Leben der 'Sage'. Man dachte sich die Inhalte der altnordischen Sagenhandschriften als Gemeingut so ziemlich der ganzen Bevölkerung, so daß jeder jedem bei jeder Gelegenheit davon hätte erzählen können. Dieses Durchtränktsein des ganzen Volkes mit Poesie und Weisheit erschien als ein auszeichnendes Merkmal der alten Zeit, und nur die Zugehörigkeit zu diesem ehrwürdigen Geistesschatz machte einen Stoff oder ein Motiv der vollen Beachtung und Schätzung würdig. Wenn nun die färöischen Balladen nicht wie z. B. die Eddalieder unmittelbar aus diesem unkontrollierbaren Schatz geschöpft hatten, sondern aus kontrollierbaren Sagas, deren Inhalt sie klärlich sehr ungenau wiedergaben, so lag es auf der Hand, daß sie hinter diese Sagas bescheiden zurückzutreten hatten. Was sie im späteren Verlauf ihres Daseins etwa für das Geistesleben des Volkes bedeutet haben, das interessierte wenig.

Diese romantischen Anschauungen sind heute grundsätzlich überwunden (wenn sie auch noch lange nicht tot sind, wofür Golthers Aufsatz keineswegs der jüngste Zeuge ist). Die Lehre von der allverbreiteten 'Sage' beruht auf unklarer Verallgemeinerung der Tatsache, daß die unterste Schicht des Stoffes der modernen Volkskunde, besonders die Sprichwörter, in der Tat eine Art Allgegenwart besitzen, indem sie vielfach die tägliche Rede des unliterarischen Landvolkes sozusagen ganz durchdringen, und daß auch die Volkssagen in ihrem Kreise oft allgemein bekannt sind, von vielen erzählt, aber keinem bestimmten Verfasser zugeschrieben werden. Besonders irreführend hat der Umstand gewirkt, daß auch die alten Sagentexte anonym sind. Ferner mißdeutete man es, wenn in gewissen Sagen und Märchen, die im Volke umgingen, die Dichtungen von Sigfrid und andern alten

---

[1] Vgl. Hammershaimb Anthologie I, XLII, wo übrigens wohl eine idealisierende Verallgemeinerung vorliegt.

Helden fortzuleben schienen. Indem man aus solchen Beobachtungen folgerte, die alten Götter- und Heldensagen (auch die Íslendinga sǫgur) hätten unter wesentlich denselben Bedingungen gelebt wie die in neuerer Zeit beobachteten Volkssagen, übersah man vor allem dies: Volkssagen einerseits und Götter- und Heldensagen andererseits sind Gebilde von sehr verschiedener Wesensart. Nicht bloß umschließen diese beide Gattungen der mündlichen Literatur grundverschiedene Stoffwelten und atmen eine höchst unterschiedliche Gesinnung und Lebensstimmung, sie unterscheiden sich auch aufs stärkste in der Form und in der Art der Pflege und Verbreitung. Die Volkssage ist ihrer Form nach anspruchsloseste Prosa; ihre Erzähler und ihr Publikum sind kleine Leute, d. h. Leute mit begrenztem Blick, die das große Weltgeschehen über sich oder fern von sich fühlen; ihre Verbreitung erfolgt sozusagen naturhaft, von Mund zu Munde. Unter Heldensage dagegen, und auch unter Göttersage, haben wir bei den Germanen in den meisten Fällen die Fabel eines stabreimenden Liedes zu verstehn, wie solche in den Häuptlingshallen und andern reichen Häusern, also in Herrenkreisen, zur Harfe vorgetragen worden sind. In jüngerer Zeit sind namentlich die Heldenlieder vielfach zu Balladen umgeschaffen, auf Island aber in Sagaform übergeführt worden, und die Balladen haben teilweise unter den gleichen Bedingungen weitergelebt, teilweise aber als Tanzlieder[1], und hierdurch hat sich die Kenntnis ihrer Inhalte jedenfalls weiter verbreitet, als dies zur stabreimenden Zeit je der Fall war. Prosaische Nacherzählungen sind zu allen Zeiten möglich gewesen und mehrfach bezeugt, aber alle eigent-

---

[1] Vortrag von Balladen vor vornehmen Herren ist bezeugt durch Saxos Notiz über den sächsischen Sänger des Knud Lavard und durch den Prolog der þiðreks saga. Dieser scheint mir mit der Wendung *er skemta skal ríkum mǫnnum* anzuspielen auf den Gebrauch von Balladen als Tanzlieder, der nicht das ist, was man tun '*soll*', da er die Dichtung herabwürdigt. Ein deutliches Zeugnis für das Tanzlied aus der Heldensage bietet das Chronicon Quedlinburgense: *Thideric de Berne de quo cantabant rustici olim*. Dieser Wortlaut ist schwerlich mit einer andern Auffassung vereinbar. Insbesondere wird das Praeteritum mit *olim* nur begreiflich als — wohl im Hinblick auf die geistlichen Oberen gewählter — Ausdruck der Fiktion, die Kirche habe nunmehr das Teufelswesen des Tanzes abgestellt. Vgl. das Exempel von den Tänzern von Kölbigk, das auf dieselbe Zeit weist (reiches Material hierüber bei Edw. Schröder, Zschr. f. Kirchengesch. 17,94 ff.). Auch die jüngern Nachrichten über Singen der Bauern von Dietrich von Bern werden auf Tanzlieder gehn.

liche Schöpfertätigkeit liegt nach dem Wesen der Sache und nach allem, was sich feststellen läßt, innerhalb der Liederdichtung. Immerhin ist verbreitete Sagenkenntnis, allgemeines Interesse an den Sagen, wie es bezeugt wird durch Namengebungen, durch hohe Zahl der Niederschriften, durch bildliche Darstellungen, stets eine beachtenswerte Erscheinung des Gesellschaftslebens; so auch im Falle der färöischen Lieder. Diese sind soziologisch ohne Zweifel merkwürdiger als die Vǫlsunga saga, und sie sind den ihnen entsprechenden Teilen dieser Saga auch dichterisch größtenteils überlegen.

Wir hätten somit allen Grund, die färöischen Balladen zu schätzen und ihnen unser Studium zuzuwenden, auch wenn sie ausschließlich von geschriebenen Sagatexten abstammten. Nun steht es aber so, daß die Tatsachen, bei Lichte betrachtet, dieser These widersprechen. Wir dürfen sagen: für den Unbefangenen liegt gar kein Grund vor, das Quellengebiet unserer Nibelungenballaden auf jene zwei bekannten Sagas einschränken zu wollen.

Wenn dem aber so ist, muß gefragt werden, ob G. denn nicht unbefangen war. In dem Vertrauen, man werde meiner Ausdrucksweise keinen moralischen Sinn unterlegen, behaupte ich: er war es nicht. Allerdings hat er für seine These Gründe angeführt. Aber diese Gründe beruhen nicht auf allseitiger Untersuchung des Stoffes, sondern bestehn in Folgerungen aus einigen wenigen Tatsachen, und diese Folgerungen sind nicht nur nicht zwingend (so daß sie weiterer Stützen bedürfen würden, wie Boer und de Vries deren beizubringen gesucht haben), sondern sie sind schon, für sich allein betrachtet, mit Wahrscheinlichkeit abzulehnen. — Es handelt sich da erstens um die Übereinstimmungen des Brinhildartáttur mit der þiðreks saga bei Sigurds Tode (a. a. O. 282). G. erkannte die ins Bett der Gattin geworfene Leiche als eine Kontamination der deutschen Sagenform mit der nordischen Bettodvariante und meinte, sie könne nur vom Verfasser der þiðreks saga herrühren, der ja ein Nordmann (Isländer) war und deutsche Sagen bearbeitete. Diese Folgerung überzeugt nicht, weil ex silentio geschlossen wird und gleichzeitig ein positives Datum dagegen spricht: die offenbare Verwandtschaft der Szene an Kriemhilds Kammertür im Nibelungenlied mit der Bettszene in þiðreks saga und Br. In beiden Darstellungen wird der draußen Erschlagene der Gattin ins Haus gebracht. Das ist, wie auch mir evident erscheint, eine Kombination von Waldtod und Bettod. Ihre älteste Gestalt haben wir da, wo sie am handgreiflichsten ist: in Þs. und Br. Die des Nibelungenepos ist eine veredelnde Abschwächung[1]. Wenn also die Fassung der Þs. und des Br. älter ist als die des Nibelungenepos, so ist sie in Deutschland zu Hause, und auch die Bettodvariante stammt aus Deutschland. Bezieht aber die Þs. das kombinierte Motiv fertig aus ihrer Quelle, so kann der Br. es ebensogut aus dieser Quelle beziehen wie aus der Saga. Erstere Möglichkeit ist jedoch von vornherein wahrscheinlicher, da jene Quelle als Ballade gedacht werden muß, mithin als ein Werk derselben Art wie der Br. (hierüber weiteres unten). — Ein zweites Argument liefert die Figur der Ásla = Áslaug. Sie findet sich außer im Färöischen nur in der Volsunga und Ragnars saga. Daraus folgert G. mit anderen, daß sie sich nie auch anderswo gefunden habe und daß also das färöische Lied auf der Volsunga saga beruhen müsse. Als Bestätigung dient ihm zweierlei: es gibt auch ein färöisches Ragnarslied, also einen Text, der sich zur Ragnars saga so verhält wie die färöischen Nibelungenlieder zu der mit der Ragnars saga verbundenen Volsunga saga; dazu eine stilistische Beobachtung: die färöischen Lieder sind ähnlich ausführlich und umfassend in der Anlage wie die isländischen Sagas und weisen auch dadurch auf diese als ihre Quelle.

Knüpfen wir gleich hier an, so ist ohne weiteres zuzugeben, daß der Sagastil auf den Stil der färöischen Tanzlieder eingewirkt hat, ganz ebenso wie auf den Stil der isländischen Rímur, die auch zum Tanze gesungen worden sind. In beiden Ländern hat man vielfach Sagas in Tanzlieder umgearbeitet. Aber daraus folgt nicht, daß a l l e fär. Balladen, die hier und da etwas nach Saga schmecken, nichts sind als umgearbeitete Sagas. Sie könnten ja die sagamäßige Haltung auch dem Vorbilde anderer fär. Lieder verdanken. Und auch wenn eine Saga als unmittelbares Vorbild auf sie eingewirkt hat, so braucht sie klärlich nicht das einzige Vorbild gewesen zu sein.

Dies ist, genau genommen, sogar undenkbar. Denn die färöischen Lieder sind ja eben Lieder und keine Sagas. Ihre metrisch-stilistische Form kann nicht bei der Beschäftigung mit Sagas einem Färing spontan aufgegangen sein. Zwar ist das Metrum der färöischen Lieder noch für uns Heutige etwas so Naheliegendes, daß auch wir, wenn wir einen Stoff — zumal einen aus der vaterländischen Sage oder Ge-

---

[1] Vgl. meine Beiträge zur Eddaforschung 231 f.

schichte — versifizieren sollten, leicht darauf, oder auf ein sehr ähnliches, etwa das von Uhlands Eberhardballaden, verfallen würden, ohne uns bewußt zu sein, wie wir dazu kommen. Es mag deshalb manchem natürlich sein, sich zu denken, daß auch jener Färing, der die erste Nibelungenballade in der Mundart der Inseln schuf, auf eine solche unbewußte Weise zu seinem Metrum gekommen wäre. Aber dies überhebt uns doch nicht der Verpflichtung, zu fragen: woher kam ihm dieses Metrum? Und da kann es denn nicht verborgen bleiben, daß es sich um die gemeingermanische vierteilige Balladenstrophe handelt. Diese in Deutschland, England und auf dem skandinavischen Festlande weit verbreitete Strophenform[1] kann unmöglich auf den Färöern entstanden sein, ebensowenig wie der Tanz, zu dem sie gesungen sind, dort erfunden ist. Beide sind vom Festlande eingewandert, und zwar zusammen, Tanz und Tanzmetrum. Es gehört aber notwendig noch ein Drittes dazu: der Inhalt der Tanzlieder. Denn das Metrum kann nicht überliefert worden sein ohne den metrisch geformten Sprachstoff, an dem es in die Erscheinung tritt. Der Inhalt der nach der Inselgruppe einwandernden Tanzlieder kann aber nicht als ein beliebiger gedacht werden. Wir finden nämlich unter den Balladen des skandinavischen Festlandes solche, die den färöischen auch inhaltlich nahe verwandt sind (die Nibelungenballaden). Es wäre sehr gesucht, diese inhaltliche Verwandtschaft so erklären zu wollen, daß unabhängig voneinander hier und dort die (sagengeschichtlich) gleichen Inhalte in die gleiche Form gegossen worden wären. Eine solche Annahme würde auch daran scheitern, daß sie die Frage offen ließe, in welcher Form denn jene Inhalte vorher vorhanden gewesen wären. Die Sagas können uns hier nicht helfen, denn selbst wenn die Ableitung der färöischen Lieder aus Sagas möglich wäre, so wäre doch bei den festländischen Balladen derartiges nicht möglich (auch nicht mit Hilfe der Goltherschen Annahme von sagahaft breit erzählenden Urballaden), schon weil in Dänemark mit Sagas nicht gerechnet werden darf und es vollends dort, wo die Nibelungenballaden zu Hause sind, niemals solche gegeben hat: in Deutschland.

---

[1] Die Balladenmetrik liegt noch sehr im argen. Vgl. Heusler, Über germ. Versbau 37 ff.; Steenstrup, Vore folkeviser 113 ff.; Ker, Danske Studier 1907. v. d. Recke, Nogle folkevise-redactioner 191 will die vierteilige Strophenform in der Nibelungenballade Sivard og Brynild als unursprünglich durch Umdichten beseitigen!

Daß die Nibelungenballaden wirklich aus Deutschland stammen, obgleich dort ihresgleichen nicht erhalten sind — sondern nur andere Heldensagen in Balladenform und ein Nibelungenepos in einer Abart der Balladenstrophe —, dies geht hervor aus der deutschen Sagenform der skandinavischen Lieder, sowie aus den wörtlichen Berührungen einiger von ihnen mit dem Nibelungenepos. Beides zusammen beweist das einstige Vorhandensein deutscher Vorstufen der dänischen und mittelbar der schwedischen, norwegischen und färöischen Nibelungenballaden. Es handelt sich also um eine zusammenhängende Balladentradition, deren Ausgangspunkt in Deutschland liegt. Über ihr Zustandekommen können wir bis jetzt nicht viel mehr sagen, als daß man irgendwann in christlicher Zeit, vor dem Ende des ersten Jahrtausends, dazu übergegangen ist, die stabreimenden Heldenlieder in die neue Form des endreimenden erzählenden (Tanz)liedes umzugießen. Jene Balladentradition bedeutete aber die Verbreitung nicht nur einer Form, sondern auch von Inhalten, nämlich der Nibelungensagen. Die Strophen, nach deren Vorbild der erste färöische Nibelungendichter seine Strophen baute, lieferten ihm gleichzeitig für diese den Stoff. Die Urquelle der färöischen Nibelungenballaden sind also deutsche Nibelungenballaden in dänischer oder norwegischer Fassung oder Gestaltung. Und nicht irgendwelche Sagas.

Es kann aber nicht Wunder nehmen, wenn in die färöischen Fassungen der Nibelungenballaden auch Sagastoff hineingearbeitet worden ist und die Sagaform auf sie eingewirkt hat. Denn die isländischen Sagas, die auch auf den Färöern gelesen wurden, handelten ja von denselben Helden und denselben Ereignissen. Die Assoziation zwischen beiden Quellengebieten war also für die Färinger ebenso gegeben, ebenso unausweichlich wie für den Verfasser der þiðreks saga und den der Eddaprosa hinter dem Brot. Es wäre nun denkbar, daß im Laufe der Zeit der Sagaeinfluß die deutsche Stoffgrundlage ganz überflutet hätte, so daß diese in unsern ja spät aufgezeichneten Texten gar nicht mehr zum Vorschein käme. Aber wie der Befund zeigt, ist dies bei weitem nicht der Fall gewesen. Die deutsche Dichtung ist streckenweise sogar recht gut erhalten.

Fassen wir von dem so gewonnenen Standpunkt aus das Faktum ins Auge, daß die Gestalt der Áslaug nur im Färöischen und in der Vǫlsunga und Ragnars saga auftritt, so werden wir ihm keine sonderliche Bedeutung zuerkennen können. Selbst wenn Áslaug eine Schöp-

fung des Verfassers der Vǫlsunga saga wäre, so würde aus der Entlehnung keineswegs folgen, daß der färöische Dichter durchweg und
ausschließlich nach Sagavorlage gearbeitet hätte.

Wenn andere färöische Balladen, z. B. der Ragnarstáttur (der
übrigens nach de Vries nicht auf der e r h a l t e n e n Ragnars saga
beruht), ausschließlich auf Sagas zurückzugehn scheinen, und desgleichen viele isländische Rímur, so begreift sich dies Verhältnis am
befriedigendsten so: Da die eingewanderten Nibelungenballaden
mit Vǫls. und Þs. stofflich nahe verwandt waren, so daß es für jeden
sagabelesenen Vorsänger nahe lag, sie mittelst der Sagas auszubessern
oder sonstwie zu bearbeiten, so konnte das Verlangen nach neuen
Tanzliedern leicht dazu führen, daß man auch andere Sagas in Strophen brachte. Ohne das Vorbild, das die Nibelungendichtung lieferte,
bliebe das Umsetzen von Sagas gerade in Balladenstrophen eine un-
erklärte Erscheinung.

Wie kam nun aber Golther dazu, aus den, wie wir sahen, gering-
fügigen Anhaltspunkten, die er hatte, seine radikalen Schlüsse zu
ziehen? Ich sagte oben, er sei befangen gewesen. Er war es insofern,
als er stark beeinflußt war von der antiromantischen Strömung, deren
Hauptträger einerseits Sophus Bugge und Golthers Lehrer Konrad
Maurer, andererseits wohl Friedrich Zarncke gewesen sind. Diese
Strömung trat auf als eine doppelte Tendenz, ein negative und eine
positive. Negativ wandte man sich gegen die übertriebenen Vorstellungen einmal von dem Alter der Eddalieder, der nordischen Sagen
überhaupt und gewisser neuerer Volksüberlieferungen, dann auch
von dem rein germanischen Ursprung dieser Schöpfungen. Positiv
drang man auf klarere, bestimmtere Beantwortung der Quellenfragen.
Der Mißbrauch, der mit dem Begriff der 'Sage', der ungreifbaren,
gestaltlosen, allgegenwärtigen Volkstradition, getrieben worden war,
hatte die mündliche Überlieferung überhaupt in Mißkredit gebracht
und den Wunsch erzeugt, das wirklich vorliegende Material zunächst
einmal ohne jene etwas mystischen Hilfskonstruktionen rein aus sich
selbst zu erklären, also die Handschriften nach Anleitung ihres Alters
in unmittelbare Beziehungen zueinander zu setzen und das Plus
der abgeleiteten als schöpferische Zutat zu würdigen, so daß man
also das Wachstum der Stoffe im Lichte der Geschichte vor sich hatte,
statt alles in ein unbekanntes goldenes Zeitalter hinaufzuverlegen.
Von verlorenen Quellen wollte man möglichst wenig wissen. So ging

auch Golther darauf aus, die vorhandenen Denkmäler in einen möglichst einfachen, schematisch klaren Zusammenhang miteinander zu bringen, der mit der Chronologie der Überlieferung in Einklang stand. Da die Sagahandschriften weit älter waren als die der Folkeviser, so schien das Ergebnis in den Hauptzügen bereits im Material vorgezeichnet. Die Durchführung dieser methodischen Grundsätze wurde dadurch nicht gestört, daß die 'Sage' als der Urquell der Eddalieder und der Sagas nach wie vor anerkannt blieb: sie hatte für die Untersuchung selbst nichts zu bedeuten, da diese ja darauf hinauslief, daß in die Balladen so gut wie keine 'Sage' direkt eingegangen sei. Aber man hätte eigentlich doch erwarten dürfen, daß der Verfasser den Begriff der Sage überhaupt ausgeschaltet hätte. Das wäre nämlich erst volle Konsequenz gewesen: wenn die Balladen aus keiner 'Sage' schöpften, sondern aus der Volsunga saga, so ist dies das gleiche Verhältnis, wie wenn die Vols. selbst aus den Eddaliedern schöpft und ebenfalls aus keiner 'Sage', und auch hinter den Eddaliedern liegt keine 'Sage', sondern teils wiederum ältere Gedichte, andernteils aber sind die Eddalieder poetische Urschöpfungen in dem Sinne, daß ihr Stoff (ihre Fabel, ihre Sage) mit ihnen zugleich entstanden ist. Mit andern Worten: die sogenannte Sagengeschichte ist in Wahrheit Literaturgeschichte. Wir h a b e n die Sage an den Literaturwerken. Die Literatur aber, um die es sich dabei handelt, ist größtenteils m ü n d l i c h e Literatur.

In diesen Sätzen ist die Richtung bezeichnet, in der wir heute über die Forschung der siebziger und achtziger Jahre hinausgelangt sind. Wir haben von beiden gelernt, von den Romantikern und von ihren Gegnern. Mit letzteren verwerfen wir die gestaltlose Sage und fordern die bestimmte, geformte Quelle. Aber wir erkennen auch geformte Quellen an, die in keiner Handschrift stehn. Wir klammern uns also nicht an die Handschriften als das einzige, was existiert. Wir brauchen das nicht, weil die neueren Einsichten über die Formen und den Betrieb der mündlichen Dichtung und die vergleichende Einzelforschung uns sichrere Wege als früher erschlossen haben durch die Zeiten, aus denen keine geschriebene Überlieferung da ist.

Die Notwendigkeit, in weit größerem Umfange als früher mit Denkmälern zu rechnen, die nur mündlich existiert haben, ergibt sich natürlich nur aus den bewahrten Texten selbst. Dies kann nun in verschiedener Weise der Fall sein. Streng genommen gehört es schon hierher, wenn wir von einem auf Pergament uns überkommenen Denkmal, z. B. einem Eddalied, sagen, es stamme aus mündlicher Überlieferung. Denn es sind uns ja nur Pergament und Schriftzeichen (oder Papier und Druckerschwärze) gegeben. Das mündliche Lied, das wir annehmen, ist von diesen Gegebenheiten verschieden, nicht bloß insofern, als es aus Lauten und Rhythmen besteht, sondern auch insofern, als wir eine durchgehende, genaue Entsprechung zwischen den Lauten und den geschriebenen Lautzeichen nicht behaupten dürfen, am wenigsten für die weiter zurückliegenden Stadien der mündlichen Überlieferung. Dies wird uns aber natürlich nicht abhalten, z. B. zu sagen, d i e Þrymskviða stamme aus der heidnischen Zeit, oder die Atlakviða sei weit älter als das Erste Gudrunlied, also die geschriebenen Texte g l e i c h z u s e t z e n mit den Gedichten, wie sie Jahrhunderte vor der Aufzeichnung geklungen haben. Wir sind uns dabei bewußt — oder sollten uns bewußt sein —, daß mit Schwankungen des Wortlauts, des Versbestandes und damit auch des Vorstellungsinhalts zu rechnen ist. Wir setzen aber voraus, daß diese Schwankungen relativ geringfügig sind, so geringfügig, daß die I d e n t i t ä t nicht aufgehoben wird. Jedenfalls schließen wir in Fällen wie den angeführten immer von der Aufzeichnung zurück auf etwas, was von ihr zweifellos verschieden ist.

Eben dies ist auch sonst der Fall. Denkmäler, die räumlich oder zeitlich oder in beiden Beziehungen so weit voneinander abliegen, daß unmittelbare Abhängigkeit nicht in Frage kommt, können bei mancher unvermeidlichen Ungleichheit einander so ähnlich sein, daß eine gemeinsame mündliche Quelle (bzw. mündliche Zwischenstufen) vorausgesetzt werden muß. Dieser Fall liegt bekanntlich einigemale dergestalt vor, daß wir einerseits ein stabreimendes Lied besitzen, andererseits eine Ballade, die von ihm abstammt. Auch hier ist der Begriff der Identität zuweilen noch anwendbar: die erzählte Geschichte ist in beiden Gestalten 'dieselbe', so wie der Greis 'derselbe' ist, der er als Jüngling war; denn es hat offenbar eine s t e t i g e Veränderung stattgefunden (auch das Umdichten des Stabreimliedes zur Ballade, die Entstehung dieser mit jenem vor Augen, fällt unter diesen Begriff[1]). Man mag sich dies veranschaulichen an der Torsvise im Vergleich mit der Þrymskviða oder am jüngeren Hildebrandslied im Vergleich mit dem alten. Auch das zweite Bei-

---

[1] Vgl. H. Driesch, Logische Studien über Entwicklung, Heidelberg 1918.

spiel wird keinen Zweifel an der Zulässigkeit des Identitätsbegriffes wachrufen. Eher könnte sich solcher regen bei der Gegenüberstellung der eddischen Hamðismál mit dem niederdeutschen Liede von Ermenrichs Tod. Aber auch hier würde er einer näheren Untersuchung nicht standhalten; denn gerade Einzelheiten — wörtliche Übereinstimmungen — veranschaulichen die Stetigkeit der Umbildung des verlorenen niederdeutschen Stabreimliedes aufs evidenteste[1]. Die drei genannten Fälle lehren besonders eindrucksvoll die wichtige Tatsache, daß die Götter- und Heldensagen als L i e d e r gelebt haben und gewandert sind. Auch zwischen Stabreimlied und Ballade liegt kein liedloses Stadium, etwa eine prosaische 'Sage' oder ein Buch, sondern die Ballade ist das umgedichtete Stabreimlied. Das Lied ist also Lied geblieben. Ballade und Stabreimlied zeigen bei aller Verschiedenheit doch auch eine deutliche Stilverwandtschaft (die besonders in die Augen springt, wenn man beide neben das Epos hält). Wenn aber der Schritt vom Stabreimliede zur Ballade ein direkter war, so werden wir hiervon um so eher überzeugt sein bei den Übergängen des gleichen Stoffes von einer Balladenform in die andere. Die Verschiedenheiten der erhaltenen Balladentexte können uns nicht darüber täuschen, daß diejenigen, die den gleichen Stoff behandeln, allemal durch verlorene Balladen als Zwischenglieder miteinander zusammenhängen. Die Übereinstimmungen im einzelnen, die zuweilen starke Umdichtungen überdauert haben, bestärken in diesem Schluß. Daß aber von einer Literaturgattung wie den Tanzliedern nur ein kleiner Teil des einst gesungenen zur Aufzeichnung gelangt ist, kann unmöglich befremden. Dies Verhältnis finden wir bei aller sogenannten Volksdichtung. Darin liegt die größte Schwierigkeit, aber auch ein Reiz ihrer Erforschung. Zugleich aber ergibt sich daraus die methodische Warnung: Vergessen wir doch nicht das Verlorene!

Bei der Untersuchung der Quellen der Nibelungenballaden handelt es sich nicht darum, zu versuchen, ob die einzelne Ballade aus der Vols. bzw. der Þs. ableitbar ist, und, wenn dies möglich scheint, daraus zu schließen, die Vols. bzw. Þs. seien ihre einzige oder eigentliche Grundlage. Sondern die Frage hat vielmehr so zu lauten: Wie sind bei Berücksichtigung der Lebensbedingungen der

---

[1] Vgl. Sijmons, Zt. f. dt. Phil. 38,145 ff., bes. 163 f.

Balladengattung die Verwandtschaftsverhältnisse der Nibelungenballaden und der Nibelungensagas am plausibelsten zu denken? Eine befriedigende Antwort können wir natürlich nur finden, wenn wir ständig das Ganze der Überlieferung im Auge behalten. Weder Golther noch seine Nachfolger, Boer und de Vries, haben sich der Pflicht entzogen, die färöischen Lieder auch in Beziehung zu setzen zu den festländischen Parallelballaden. Aber keiner ist diesen letzteren ernsthaft gerecht geworden. Golther freilich noch eher als die beiden niederländischen Gelehrten. Er verkannte nicht, daß der norwegische Sigur svein und der dänisch-schwedische Sivard snarensvend mit dem färöischen Regin smiður und ebenso das dänische Lied Sivard og Brynild mit dem färöischen Brinhildartáttur auf je eine Urballade zurückgehn, ein Ergebnis, das er mit seiner Sagathese dadurch in Einklang brachte, daß er den Verfasser der Urballade in Norwegen (oder in Island) arbeiten ließ. Grimilds hævn und Högnatáttur führte er sogar, unter dem Eindruck von Bugges Nachweisen Danmarks gamle folkeviser 4,595 ff., auf eine Originalballade zurück, ein niederdeutsches Werk, das um 1200 nach Dänemark kam. Diese Aufstellungen hatten das Verdienst, kräftig hinzuweisen auf die literargeschichtliche Einheit der Nibelungenballaden und gleichzeitig auf die Entbehrlichkeit der Annahme einer 'Sage' neben und zwischen den Werken. Leider aber machte sich gleichzeitig die Tendenz geltend, mit der Sage auch die mündlichen Lieder nach Möglichkeit aus der Betrachtung auszuscheiden. Eigentlich spielten sie nur eine Rolle bei der Grimildballade, die Golther übrigens nur anhangsweise besprach. Diese abweichende Beurteilung der Grimildballade hatte etwas Unbefriedigendes. Bei der sich aufdrängenden Gleichartigkeit namentlich der drei färöischen Texte mußte man fragen: sollten nicht alle drei gleichartig zu beurteilen sein?

Diese Frage hat sich auch Boer gestellt, der Golthers Arbeit weiterführte. Er entschied sich, ohne die entgegengesetzte Möglichkeit eines Wortes zu würdigen, für die restlose Durchführung der Sagathese. Offenbar hatte ihn G. völlig überzeugt. So sehen wir denn Boer seinen Standpunkt befestigen mittelst eines Goltherschen Arguments: weil der Högnatáttur ebenso wie die þs. Attilas Tod im Berge sinnwidrig an die deutsche Burgundensage anhängt, also eine Kombination nordischer und deutscher Sage bringt, die nur in der þs. verständlich ist und nur einmal spontan vorgenommen sein kann,

7

so muß er auf die þ. zurückgehn (Arkiv 20,143). Dieser Schluß überzeugt ebensowenig wie der entsprechende von Golther in bezug auf Sigfrids Tod im Br. Neuerdings hat de Boor gezeigt, daß er aus der Þs. selbst zu widerlegen ist (Die färöischen Lieder des Nibel.-Zyklus, 1918,209 ff.). Dadurch verschlechtern sich die Aussichten der von Boer vertretenen These von vornherein ganz bedeutend. Zwar ist ihm zuzugeben, daß die Þs. auf den Hö. eingewirkt hat. Das zeigt, wie er richtig hervorhebt, schon der Name Artala = Attila; die gelehrte Form ist der Þs. gemäß. Aber es ist von vornherein verfehlt, alle Abweichungen des Hö. von der Þs. als Änderungen oder Verderbnisse auf seiten jenes zu erklären.

Gewiß enthält der Hö. Verderbnisse, und zu ihrer Feststellung kann die Þs. helfen (was B. im einzelnen beobachtet hat). Aber was Boer als Änderungen, Einfälle, Kombination eines mit der Saga vor Augen arbeitenden Schreibers erscheint, das kann schon in abstracto ebensogut aus der älteren Form des Liedes stammen, die von der Þs. noch unbeeinflußt war[1]. Die Existenz dieser älteren Form und das Herstammen von Motiven des Hö. aus ihr wird bewiesen nicht nur durch die Rolle des Hagensohns (und des Attilasohns), sondern auch durch die Übereinstimmungen des Hö. mit der hinten verstümmelten Grimilds hævn an der Þs. vorbei. Diese will Boer, der sie selbst aufzählt (Arkiv 20,171 ff.), damit erklären, daß dem Hö. einige Strophen und Verse der Vorstufe unserer Grimhildtexte sekundär einverleibt worden seien. Das wäre nur glaubhaft, wenn die betreffenden Stellen im Hö. noch als Fremdkörper kenntlich wären, wovon aber keine Rede sein kann. Entscheidend dagegen sprechen das von de Boor Beigebrachte und die einfache Überlegung, daß Grimhilds h. und Hö. Balladen gleichen Stoffes sind, m. a. W. dieselbe (niederdeutsche) Ballade in verschiedenen Fassungen, und daß eben diese (wandelbare) Ballade auch in der Þs. nachwirkt. Die Kontamination, die stattgefunden hat, sieht also anders aus, als Boer annimmt: nicht eine in Balladenform versifizierte Saga ist interpoliert worden aus einer von der Saga unabhängigen Ballade, die aber den gleichen Stoff behandelte, sondern die Ballade ist einfach mit Hilfe der Saga bearbeitet worden. Nach Boer wäre die Ballade zur Saga geworden, diese wieder zur Ballade

---

[1] Dies hat schon Grundtvig mit Recht gegen Doering und Storm geltend gemacht.

(warum?), und die zweite Ballade hätte sich dann mit der ersten berührt. In Wirklichkeit liegt es einfacher. Die Saga steht geschichtlich nicht zwischen zwei Balladen — ihren gattungsmäßigen Zusammenhang aufhebend —, sondern sie ist ein Produkt der Balladenliteratur, das gelegentlich auf seinen Mutterboden zurückwirkt. Diese (oberflächliche) Einwirkung der þs. ist der einzige Punkt, in dem Golthers Beurteilung der Grimhildballade zu berichtigen war; die geschichtlich so interessante Auseinandersetzung zwischen von Süden kommender Ballade und von Norden kommender Saga hat eben auch bei 'Grimhilds Rache' stattgefunden. Im übrigen haben sich die Grundtvig - Bugge - Goltherschen Gesichtspunkte durchaus bestätigt. Boers Vergleichung der Texte im einzelnen ist verdienstlich, aber seine Folgerungen führen von der Wahrheit ab. Sein Schüler de Vries aber geht in der falschen Richtung noch weiter (Studien over færösche Balladen, Haarlem 1915.)

II.

De Vries begnügt sich nicht, die Verwandtschaft der Nibelungenballaden zu beschränken auf sekundäre Beeinflussungen unter den Schwestertexten; er möchte sie am liebsten ganz aufheben, wenigstens bei Regin smiður (RS) und Sigur svein (Ssv.). Der von de Vries geleugnete oorspronkelijk verband kann allerdings nicht so gedacht werden, wie Golther ihn skizziert hatte: daß die Urform eine Ballade etwa von der Inhaltsfülle des RS gewesen wäre. Diese Aufstellung wurde nur gemacht, um die Sagaquelle zu retten. Gibt man letztere Hypothese auf, so leuchtet von vornherein das Umgekehrte mehr ein: die Urballade von Jung-Sigurds erstem Austritt, auf welche das stark überwachsene norwegische Lied zusammen mit den dänischen und schwedischen Paralleltexten zurückgeht, oder ein naher Verwandter von ihr ist der oder ein Grundbestandteil des RS gewesen. Denn es liegt immer am nächsten, von zwei Gebilden, die miteinander genetisch verbunden zu sein scheinen, das einfachere für ursprünglich, oder dem ursprünglichen näherstehend, zu halten, das zusammengesetztere für abgeleitet. Sehen wir zu, ob dieser Gesichtspunkt auch in unserm Falle sich als richtig erweist! De Vries meint, das einzige, was RS. und Ssv. gemein hätten, sei die Szene auf dem Spielplatz, wo Sigurd von den gereizten Kameraden zum erstenmal seinen Vater nennen hört, diese Szene aber

7*

sei ein Gemeinplatz der Balladendichtung und könne sehr wohl zweimal unabhängig an Sigurd geknüpft worden sein. Letztere Annahme
ist schon bedenklich. Bugge, der 1858 in seinen Gamle norske folkeviser dem Vorkommen des Motivs zum erstenmal nachgegangen ist,
sagte etwas Ähnliches: es gehöre jedem Liede, in dem es auftrete,
'mit dem gleichen Recht'. Hierbei liegt deutlich wiederum die Vorstellung von der 'Sage' zugrunde als dem großen Strom, aus dem
jeder Volksgenosse nach Belieben schöpft. Diese Vorstellung ist falsch
(denn nicht bloß das Motiv kehrt wieder, sondern auch der vers-
gebundene Wortlaut), und sie ist unklar. Sie verdeckt die Tatsache,
daß 'Formeln' und 'stehende Motive' immer von einem Punkte ausgegangen sind, und damit die Möglichkeit, daß dieser Punkt in unserm
Material noch aufzuzeigen oder zu umschreiben sein könnte. Nun
weisen die beiden dänischen Balladen, die unser Motiv enthalten
(Akselvold, Ung Villum), durch ihre ganze Art auf westnordische
Herkunft. Die färöischen Lieder sind durchweg so stark von der
Sigurddichtung beeinflußt, daß es schon aus diesem Grunde geboten
ist, die Spielplatzszenen, die mehrfach in ihnen vorkommen, auf
den RS zurückzuführen, dessen Verse fast wörtlich in ihnen wiederkehren. Die Szene im RS selbst aber (Str. 41. 42), die ein Kampfspiel
darstellt, setzt nach einer von Olriks feinen Beobachtungen (Danske
studier 1906, S. 97) eine Vorlage voraus, die statt des Kampfspiels
das norwegische Ballspiel hatte, also eine norwegische Vorlage. Da
nun der RS ein Sigurdslied ist und von den vier norwegischen Spielplatzszenen eine ebenfalls in einem Sigurdsliede steht, so werden
wir schon darum nicht eine norwegische Ballade von Ivar Elison,
von Hugaball oder von Ivar Erlingen für die Szene im RS verant-
wortlich machen, sondern eine Sigurdballade, einen Vorläufer des
Ssv., und uns sie dann auch als das Vorbild der andern drei norwegischen Lieder denken, und ebenso weiterhin der beiden dänischen.
Hierfür spricht auch dies, daß der Sigurdstoff offenbar älter ist und
berühmter war als die andern Balladenstoffe; ferner die Analogie der
färöischen Verhältnisse. Die Ballspielszene der Balladenliteratur
kommt also (was schon Olrik ausgesprochen hat[1]) aus der Sigurddichtung. Der erste Balladensänger, der dieses (aus der altirischen)
Literatur stammende) Motiv aufnahm, dichtete von Jung-Sigurd.

---

[1] Danm. gl. folkeviser 5,58 (mir jetzt nicht zugänglich).

Dieses Ergebnis wird bestätigt durch eine gute Beobachtung von de Vries (S. 45). Er macht aufmerksam auf die Ähnlichkeit der Spielplatzszene mit der Schlägerei zwischen Jung-Sigurd und den Schmiedegesellen, wie sie die Þiðreksaga (1,306 f.) erzählt, und er vermutet, daß dieser Auftritt die Aufnahme jener veranlaßt habe, oder zu jener umgebildet worden sei. Diese Folgerung ist plausibel. Eine Bestätigung unseres Ergebnisses bildet sie insofern, als sie zeigt, wie die Aufnahme des irischen Motivs in die nordische Balladendichtung begreiflich wird unter der Voraussetzung, daß sie zuerst in die Sigurddichtung erfolgte, die es gewissermaßen attrahierte und selbst durch ihr Alter und ihren Einfluß geeignet war, es weit bekannt zu machen, so daß es sich verbreitete.

Der Zusammenhang darf so gedacht werden: Eine deutsche Ballade von Jung-Sigfrid, dieselbe, die dem betr. Abschnitt der Þs. zugrundeliegt, wurde in Norwegen übersetzt vorgetragen; sie erinnerte durch ihre Eckehardszene einen Vortragenden an den ihm bekannten Auftritt auf dem Spielplatze; dies veranlaßte ihn, die Eckehardszene durch diesen zu ersetzen, was leicht möglich war, wenn statt von Sigurds Drachenkampf, von Sigurds Vaterrache erzählt wurde, er also nicht mehr beim Schmiede, sondern der eddischen Überlieferung gemäß bei seiner Mutter aufwuchs.

Die Spielplatzszene ist aber keineswegs, wie de Vries sagt, die einzige Gemeinsamkeit zwischen dem RS und den festländischen Balladen. Vielmehr findet sich sozusagen der ganze Grundriß der Handlung, wie ihn letztere haben, im RS wieder: Jung-Sigurd erfährt beim Spiel mit den Knappen des Königs (*kongins dreingir* RS 36,4 = *kongins smaadrengir* Ssv. 1,1) den Tod seines Vaters, wird daraufhin von der Mutter Hjördis mit dem mutigen Roß Grani und mit einem Schwerte ausgerüstet, gelangt auf ihren Rat zum Hause eines Ratgebers oder Helfers und vollzieht die Rache (letzteres auf dem Festlande ausdrücklich nur im Schwed., muß aber mit de Vries für alt gehalten werden). Wenn de Vries von all diesem lediglich die Spielszene anführt, so wird dies wieder damit zusammenhängen, daß er von der Vorstellung beherrscht ist, die Grundzüge der Handlung seien durch die 'Sage' gegeben gewesen, und man dürfe für sie nach keiner geformten Quelle fragen. Also der bekannte unbrauchbare Gesichtspunkt. Aber auch davon kann keine Rede sein, daß der Dichter der festländischen Urform etwa dieselbe Handlung, die der

des RS aus der Vǫlsunga saga schöpfte, in seiner Quelle, der Grípisspá,
gefunden hätte. Ich glaube (abgesehen von gewissen Stücken des überlieferten norwegischen Strophenhaufens) so wenig an diese Quelle
wie daran, daß die Vǫls. die eigentliche Vorlage des RS ist. Es ließe
sich vielleicht die Rache an den sieben Brüdern zur Not aus der
Grípisspá ableiten, aber nicht das Gespräch mit der Mutter, die
Begabung mit Schwert und Heldenroß und der gewaltige Ritt durch
die Einöde. Dies alles aber kehrt, wenn auch in verschiedener Ausgestaltung und mit fremdem Stoff überwachsen, in der fär. Ballade
wieder: Hjördis klärt ihren Sohn über des Vaters Fall auf, übergibt
ihm die Trümmer des Vaterschwertes, heißt ihn sich den Grani verschaffen durch eine Mutprobe mit Steinwerfen, auf Grani reitet er
dann über den Fluß zu dem Zwerge in der Wildnis (oydumörk 129,1:
der Ritt durch die Wildnis erscheint als Ausritt v o n Regin).
Und diese Erzählung läßt sich nicht als Ganzes aus der Vǫls. erklären.
Die Vǫls. weiß insbesondere nichts davon, daß Sigurd das Roß von
seiner Mutter erhält, die ihn zu dessen Fang anweist[1]. Sie gibt
diese Rolle der Mutter vielmehr an Regin, läßt demgemäß die Szene
erst spielen nach Sigurds Ankunft bei diesem und bringt sie überdies
in einer Form, die deutlich zeugt von dem Ineinanderschieben
mehrerer Quellen[2]. Daß aus dieser verwickelten Darstellung der
Saga der RS seine einfachere und weit bessere durch bewußtes Um-
schaffen gewonnen haben sollte (wie de Vries S. 9 f. voraussetzt),
ist schon an sich wenig glaubhaft, und es wird widerlegt durch den
Einklang der Balladen untereinander im Gegensatz zur Saga.

Damit scheint mir bewiesen zu sein, daß im RS ein Grundstock
enthalten ist, der von der Vǫls. unabhängig war, und daß dies die
Urballade ist, die auch den festländischen Texten zugrundeliegt.

Dies Ergebnis bedarf näherer Bestimmung. Wir fragen, wie die
Urballade aussah, insbesondere wie sie sich zur Vǫls. verhält. Bei
einem Vergleich beider bleiben Ähnlichkeiten übrig, die schon vor-

---

[1] Panzer, Sigfrid 201 hat diese Abweichung bemerkt und den RS daher
'eine Art Zwischenstufe zwischen der Saga und dem Liede von Sivard snarensvend' genannt. Auch Panzer scheint also nicht an die Abhängigkeit des
RS von der Saga zu glauben.

[2] Wilmanns, Anz. f. dt. Alt. 31,89 (oben) hat richtig gesehen, daß der
Fang des Rosses in der Vǫls. an falscher Stelle steht, weil Sigurd es hier (noch)
gar nicht braucht.

handen gewesen sein müssen, ehe die Ballade zum RS wurde. Sie
wollen erklärt und womöglich als Beweismittel für weitere Einsichten verwertet sein.

Es ist klar, daß der RS die Handlung der Urballade in einen
sagamäßigen Zusammenhang hineinstellt, daß er ein S a g a l i e d
ist und dadurch von seiner Urquelle stark abweicht. Letztere ist·
also sicherlich durch Subtraktion zu gewinnen. Aber es fragt sich,
wie viel wir subtrahieren, und ob wir nicht auch etwas addieren
müssen. Denn die festländischen Texte können nicht dafür gelten,
mit der Urballade zusammenzufallen[1]. Sie weichen ja schon unter
sich im Motivbestande ab; Spielplatzszene und Schwertgabe hat nur
der norwegische bewahrt, der überhaupt im ganzen der altertümlichste
ist, aber doch auch seinerseits verarmt sein muß. Andererseits zeigen
sämtliche festländische Texte Plusmotive gegenüber dem RS, die
z. T. sicher sekundär sind (so der Bergtroll und der Asgardsreigen
im Ssv.), das aber nicht alle zu sein brauchen. Die Unursprünglichkeit
der festländischen Texte erhellt vor allem aus der Unklarheit ihrer
Fabel. Sie legen sämtlich den Hauptnachdruck auf das Roß und das
gewaltige Reiten Jung-Sigurds. Dieses bleibt aber rätselhaft und die
Erklärung dafür, daß Sigurd überhaupt ausreitet, schwankt. Das
offenbar Ursprüngliche — Sigurd zieht zur Vaterrache aus — bewahrt
in deutlichen Worten nur die schwedische Rezension, die aber kein
befriedigendes Ganzes daraus zu machen weiß und sichtlich manches,
so besonders den Anfang, vergessen hat. Die dänische ersetzt den
Rachewunsch durch die ritterliche Lust, an den Königshof zu reiten,
doch gedenkt der Eingang der Fassung A noch kurz der Rache.
Im Norwegischen überlebt von dieser nur die Einleitung, die Spielplatzszene, deren ursprünglicher Sinn der gewesen sein muß, daß die
mißhandelten Spielkameraden dem Helden schmähend zurufen, ihm
lägen andere Hiebe ob, gefährlichere. Auch der RS bezeugt nicht
bloß die Vaterrache, sondern auch den A u s r i t t zu ihr (89,1.
90,1. 91,3; Vǫls. hat die Ausfahrt zur See).

Bildete also der Ausritt Jung-Sigurds zur Vaterrache den Gegenstand der Urballade, so ist dies wichtig für ihre Beurteilung im
einzelnen. Zunächst fällt Licht auf die Ausmalung des wilden Rittes,
wobei der Reiter weder sich noch sein Tier schont, in den festländischen

---

[1] Im Sinne der oben besprochenen 'Identität' ist dies natürlich trotzdem zu bejahen.

Texten. Diese Wildheit erklärt sich aus der Heftigkeit des Rache-
wunsches, aus der 'Extase der Rache', von der Vilhelm Grønbech
so verständnisvoll gehandelt hat[1], und der rasende Ritt schließt sich
also vortrefflich an die Szene auf dem Spielplatz, wo Sigurds Rache-
durst und dadurch seine Heldenart geweckt worden ist. Wenn im
Schwedischen Sivard dem Rosse den Sattel mit einer Wucht über-
wirft, daß des Rosses Rücken schier zerbricht (Str. 9), so geschieht
das nicht, weil er unerhört stark ist, sondern weil der Rachegrimm
seine Muskeln befeuert. Die Vorstellung von der Wildheit des Reiters
hat also schon in der Urballade Ausdruck gefunden. Im RS (129)
trotzt Sjúrður auf seinem Ritt der Nachtkälte: dieser Zug stammt,
obgleich er an falscher Stelle steht, aus der Grundanschauung vom
unaufhaltsamen Rächer. Zu dem wilden Reiter aber gehört das wilde
Roß. Die festländischen Balladen lassen das Roß gewaltige Sprünge
machen und Feuer schnauben, und sie geben ihm die blitzenden Augen,
die sonst für den geborenen Helden und Kämpfer typisch sind[2].
Es ist also die Heldenart Sigurds dichterisch auf sein treues Tier
übertragen. Weil es ihn trägt und seinen eindrucksvollen Ritt, diese
Verkörperung des Racheethos, erst ermöglicht, bekommt es auch
Anteil an dem Rachewunsch selbst und damit an der Gemütsart
seines Reiters; es wird diesem seelenverwandt. Auch dies fand sich
schon in der Urballade. Das zeigt der RS mit seiner Roßwahl. Nach
den festländischen Texten holt Sigurd auf Anweisung seiner Mutter
das Roß aus dem S t a l l. Das kann nicht ursprünglich sein, denn
es verträgt sich allzuschlecht mit der stark betonten Unbändigkeit
des Tieres, das noch nie einen Reiter trug und nur mit Lebensgefahr
bestiegen werden kann (Norw. 10. 15, Schwed. 6, Dän. A 6,3 f.); im
Dän. heißt es, es sei dem Pferde wunderlich vorgekommen, daß ihm
das Sporn in die Flanke stach[3]. Diesen Zügen würde ein geübter
Blick auch ohne Kenntnis der fär. Fassung es ansehen, daß sie in dem

---

[1] Lykkemand og niding 69 ff.

[2] So Norw. 31,3 f., Schwed. 8,3 f., Dän. A 5,4; B 4,3 f. Dän. und Schwed.
machen aus *ormen i augo* (das auch in die norw. Hemingballade Str. 4 übergegangen ist) ein 'hell wie der Morgenstern' bzw. 'leuchteten wie zwei
Tagessterne' oder 'wie die klare Sonne' (DgF 4,583): das ist eine ähnliche
Umstilisierung, wie sie sich in der Charakteristik der Mutter zeigt, vgl.
de Vries 37.

[3] Diese Verse sind auch in das Lied De vare syv og syvsindstyve übergegangen.

Zusammenhang, in dem sie stehn, nicht heimisch sind. Schon der Verfasser der schwed. Strophe 6 hat sich über sie gewundert. Sie setzen offenbar ein w i l d e s Pferd voraus, keinen Stallbewohner, also ein Pferd, das der Held sich in der Wildnis fängt, wie im RS oder in der Vǫls. Die alte Einleitung zu dem wilden Ritt war die Roßwahl. Auch diese hat also der Urballade angehört.

Diese Folgerung wird dadurch bestätigt, daß der RS die Roßwahl nicht aus der Saga haben kann. Beiden Darstellungen ist gemeinsam, daß die Probe vor sich geht, indem eine Pferdeschar in einen Fluß gejagt wird und teils ans Ufer zurückschwimmt, teils nicht. In der Saga erscheint das Zurückschwimmen als Zeichen der Schwäche. Der Held wählt darum das Pferd, das nicht zurückkommt. In der Ballade hingegen werden die Pferde mit Steinwürfen verfolgt, und Grani allein kehrt trotzdem ans Ufer zurück (Str. 54): er fürchtet sich nicht, und — das dürfen wir hinzudenken — wie die Strömung des Flusses ihn abtreibt, sieht er seinen Verfolger und erkennt den ihm bestimmten Herrn. Also zwei deutlich verschiedene Varianten. Beide haben einen guten Sinn. Aber die des RS hat den besseren, und sie paßt weit besser zu der Kennzeichnung des Rosses in den festländischen Balladen. Die Saga legt den Gedanken nahe, daß das starke Roß ans andere Ufer hinüberschwimmt, denn nur so wird seine Stärke und Auszeichnung vor den andern anschaulich. Dann aber ist es dem Verfolger zunächst entzogen. Hat er es zurückgelockt? oder ist er ihm nachgeschwommen? Hier ist eine Unklarheit. Im RS dagegen ist der Zusammenhang völlig klar. Eine besondere Zierde dieser Variante ist es, daß sie andeutet, wie das Roß dem Helden freiwillig entgegenkommt (während es nach der Saga besonders weit vor ihm flieht). Dieser Zug kann schwerlich beim Versifizieren der Saga erfunden worden sein — so wenig wie die RS-Variante überhaupt —; denn er wird durch den Zusammenhang der Saga keineswegs nahegelegt, dagegen kehrt er in der þs. wieder, deren verstümmelte Roßwahlszene deutlich erkennen läßt, wie der Hengst, nachdem er lange gejagt ist, dem Sigfrid freiwillig entgegenkommt und sich von ihm zäumen läßt (1,318). Diese Parallele weist gleichzeitig darauf hin, daß die Roßwahl aus deutscher Quelle stammt. Der RS bleibt also der deutschen Quelle näher als die Vǫls. Wichtiger aber ist zunächst für uns, daß er den skandinavischen Festlandsballaden näher steht: der feurige Renner, der Sigurd in den Rachekampf trägt,

muß erwählt werden durch eine Mutprobe — und das ist das Steinwerfen, das den Steinhagel der Schlacht vorbildet —, nicht durch
Erprobung seiner Ausdauer im Schwimmen.

Wenn die Festlandballaden — oder vielmehr: deren Urform —
den Granifang beseitigen, so erklärt sich dies aus der Entbehrlichkeit
des Motivs und aus dem Bestreben, die Handlung zu vereinfachen.
Es muß dem unbekannten Sänger, der die Szene opferte, ja zuge-
geben werden, daß sie zu dem Aufwachsen Sigurds bei der Mutter
am Königshof weniger gut paßt als das poetisch anspruchslose
Holen des Grani aus dem Stall. An einem Königshofe pflegen Pferde
genug zu sein, so daß der Jüngling nicht in den Wald zu gehn braucht,
um sich eins zu fangen. Hierüber konnte der Dichter der Urballade
sich hinwegsetzen, denn er wollte die deutsche Roßwahl im Flusse
zur Geltung bringen im Rahmen der nordischen Vaterrache Sigurds,
wie sie das Eddalied[1] schilderte. Dies konnte jedoch nicht so vollkommen gelingen, daß nicht für seine Nachfolger die Versuchung
bestehn blieb, die Roßwahl wieder auszuscheiden.

Letzteres ist schon recht früh geschehen. Bekanntlich meldet
die Eddaprosa, Sigurd sei zum Gestüt des Hiálprekr gegangen und
habe sich dort den Hengst Grani ausgewählt. In dieser Notiz kann
ich nichts anderes sehen als einen Niederschlag der Urform unserer
Festlandsballaden. Diese liefern den Zusammenhang, in dem die
Einzelheit einst sinnvoll war. Und die Vǫls. verknüpft das königliche
Gestüt mit der Roßwahl im Walde. Auch hier ist der Zweck der Roß-
beschaffung vergessen. Er wird dadurch ersetzt, daß der Erzieher
Regin findet, dem jungen Ritter gebühre auch ein Pferd.

Balladeneinfluß auf Edda und Vǫls. wird manchem eine ungewohnte Vorstellung sein. Es gibt dafür aber noch mehr Zeugnisse.
Eins davon muß uns sogleich beschäftigen: die Grípisspá. Auf die
Beziehungen dieses Denkmals zu den festländischen Sigurdballaden
hat man schon früher hingewiesen, aber m. W. ohne sie zu deuten,
und auch ohne sie zu erschöpfen. König Grípir und Sigurds Ritt
zu diesem Mutterbruder stehn in der altisländischen Sagenüber-
lieferung so isoliert und rätselhaft da, daß der Zusammenhang, aus
dem sie stammen, anderswo gesucht werden muß. Und er findet sich
in den Sigurdballaden. Auch diese alle lassen Jung-Sigurd auf Grani

---

[1] Über dieses s. Heusler, Altnord. Dichtung u. Prosa von Jung-
Sigurd, 1919.

ausreiten zu einem Könige, der seiner Mutter Bruder ist; im Norw.
heißt er Greipe. Das war in der Urballade ein sinnvolles Motiv: die
Mutter schickt den Sohn zu ihrem Bruder, damit der ihm helfe; sie
selbst kann ihm nur Schwert und Roß geben, er braucht aber noch
Auskunft, Rat und Mannschaft. Der Isländer hat diese Erfindung
aufgegriffen, weil es ihn gelüstete, die Auskunft auszugestalten zu
einer sagenbelehrenden Weissagung im spät-eddischen Katechismus-
stil. Dabei hat er, um dem teilweise prosaisch gegebenen Rahmen
seines Situationsstückes etwas Körper und Farbe zu leiben, mehreres
aus der Balladenszene beibehalten: Sigurd kommt allein auf Grani
geritten, und er ist 'leicht kenntlich' (auðkendr), d. h. man erkennt
ihn gleich, nämlich an dem Lärm seines Rittes, wie Greipe den Sigur,
der Dänenkönig seinen Neffen, der Oheim seinen Neffen erkennt
(Str. 3 und 4,4 scheinen dies zu vergessen); Grípir befiehlt, den Ankömmling ehrenvoll zu empfangen und das Roß zu versorgen, beides
in einer und derselben Anrede wie im Ssv. (Str. 36 f.), und wie auch
im Dän. und Schwed. der Oheim seinen Neffen zu ehren befiehlt,
entsprechend auch der engen Zusammengehörigkeit von Reiter und
Roß in den Balladen[1].

Es scheint, daß der Verfasser der Prosa vor Gríp. auch auf die
Spielplatzszene der Urballade anspielt. Jedenfalls verhält die Angabe, der heranwachsende Sigurd habe an Kraft und Rüstigkeit alle
Altersgenossen übertroffen, sich zu der Spielszene wie das *Sigurðr
var auðkendr* zu der Erkennungsszene. Nicht zu übersehen ist dabei,
daß die Spielszene in einer etwa gleichzeitigen isl. Saga auftritt

---

[1] Die seltsame Wendung *tak við Grana siálfom* erklärt sich daraus,
daß der Verf. eine Strophe wie Ívar Elison 20 im Ohr hatte: *Uti so bunde dei
gangarane, aa sjave gjenge dei inn*; vgl. auch Hugaball 22; ein solcher Gebrauch
von 'selbst' wäre auch in Ssv. 36 f. zwanglos einzuführen; die Verschiebung des
Pron. an die falsche Stelle erklärt sich wohl am besten, wenn der Isländer
die betr. Strophe gesungen hörte. — Wie Grípir sich einmal weigert, mit seiner
Weissagung fortzufahren (weil er nichts Böses weissagen mag), so verweigert
Greipe dem Neffen zunächst die verlangte Auskunft (ebenfalls weil er ihn
schonen will, Str. 41 f.). Diese Übereinstimmung könnte aus Rückwirkung
der Grp. auf die norw. Ballade stammen, und man b r a u c h t darum auch
nicht an die Urballade zu denken, wenn die Art, wie der Jüngling die Weigerung aufnimmt, im Norw. (wo er aufbegehrend zum Schwerte greift) altertümlicher und in besserem Einklang mit Sigurds Charakter und Rolle ist als
in dem isländischen Meistersingerstück.

(Fms. 6,102 ff.): das kann aus der Sigurdballade übernommen sein; es wäre nicht der einzige Fall von Auftauchen eines Folkevisemotivs in einer Saga (vgl. de Vries 49 f.).

Der Fall Grípisspá ist wichtig für die Datierung der Urballade: diese war um die Mitte des 13. Jahrhunderts auf Island bekannt, sie dürfte also um 1200 entstanden sein.

Die Gríp. weist nun auf eine Form der Urballade, die als den Helfer, zu dem die Mutter den ausreitenden Sigurd schickt, wie die festländischen Texte den Oheim kannte, nicht den schwertschmiedenden Zwerg. Daraus folgt mit Wahrscheinlichkeit, daß die im RS vorliegende Variante jünger ist.

In bezug auf diese ist zuvörderst festzustellen, daß sie wiederum nicht aus der Vǫls. stammt. Letztere weiß ja von einem Ritt Sigurds zu Regin auf den Rat der Mutter nichts, ebenso wenig davon, daß der Weg zum Schmiede d u r c h   d e n   F l u ß führt (19,2. 51,2. 56,3), was ebenfalls, wie wir sehen werden, sagenmäßige Grundlage hat. Endlich tritt die Unabhängigkeit des Táttur von der Saga auch da klar hervor, wo Sjúrður den Regin besucht und sich von ihm das Schwert schmieden läßt.

In beiden Darstellungen sucht der Zwerg seinen Auftraggeber zu betrügen. Wenigstens wirft letzterer ihm das vor (Vs. 37,2 f; RS 71,3), und er hat ein Recht dazu; denn Regin hat schlechte Arbeit geliefert, die auf dem Amboß zersplittert, und er kann doch bessere liefern. In der Saga erweisen sich auf die genannte Art zwei Klingen als unbrauchbar. Da holt Sigurd die Trümmer des Vaterschwertes. Regin wird zornig, offenbar weil dieses Erz seine Pläne notwendig vereiteln muß. Er schmiedet aber nun den Gram und macht gute Miene zum bösen Spiel. Erheblich anders verläuft die Schmiedung im RS. Hier bringt Sjúrður die ihm von der Mutter übergebenen Stücke gleich mit, entfernt sich aber, während der Zwerg arbeitet (65,3: tá var hin ungi Sjúrður ridin adra ferd). Das Schwert zerschlägt er auf dem Amboß, befiehlt Regin unter Todandrohung, aus den Stücken ein besseres zu schmieden, und entfernt sich wieder. Während Regin das erste Mal nur drei Tage gearbeitet hat, arbeitet er jetzt dreißig Tage, daher wird das Schwert nunmehr gut und besteht die Amboßprobe. Hier scheint also die Güte der Klinge lediglich abzuhängen von dem Maße der auf sie verwendeten Arbeit. Das ist an sich plausibel, befremdet aber im Zusammenhange; denn Regin arbeitet ja mit dem Stoff des Odinsschwertes, von dem man meinen sollte, daß er unfehlbar eine tadellose Klinge ergeben müsse, wie das denn auch die Vǫls. voraussetzt. Ja, auch im RS selbst wird es vorausgesetzt, nämlich durch den betonten Handlungszug, daß Sjúrður wegreitet, als Regin zu arbeiten beginnt: das kann, obgleich es als ein Ausdruck von Sigurds Vornehmheit erscheint, nur so gemeint sein, daß der Zwerg sich des jungen Herrn Abwesenheit zunutzemacht, um mit falschem Erze zu schmieden. Dem widersprechen allerdings nicht nur die Angabe von den drei und den dreißig Nächten, sondern auch die erneute Abwesenheit Sigurds bei der zweiten Schmiedung und die Schmiedung des zweiten, tauglichen Schwertes aus den Trümmern des ersten (73 f.). Es sind also in dieser Episode des RS zwei einander widersprechende Vorstellungen enthalten: 1. Regin sucht Sigurd zu betrügen, indem er ihm eine weiche Klinge in die Hand spielt, die auf dem Amboß zerspringt, wird aber durch Drohung gezwungen, eine hervorragend taugliche zu fertigen, die den Amboß spaltet. 2. Regin schmiedet für Sigurd aus den Trümmern des Vaterschwertes ein Schwert, das den Amboß spaltet. 1 ist an 2 angepaßt, indem das endgültige Schwert mit dem neu erstandenen Vaterschwert gleichgesetzt und angedeutet wird, daß der Zwerg in betrügerischer Absicht anfangs statt der Schwerttrümmer schlechteres Erz benutzte. — Ganz ähnlich verhält es sich in der Vǫls., nur daß hier die beiden Vorstellungen noch deutlicher geschieden sind, erst der Betrug durch schlechte Arbeit, dann die Wiederherstellung des Vaterschwertes. Die Unvereinbarkeit ist klar: Wenn Sigurd den Zwerg der Untreue bezichtigt, so erwartet man, daß er ihn zur Treue, also zu gewissenhafter Arbeit nötigen wird, wie im RS; statt dessen geht er hin zur Mutter und holt das Wundererz, das nicht versagen kann; das setzt eine achselzuckende Resignation voraus, die Sigurd übel ansteht — wie viel besser ist die Drohung RS 71. 74! —; man wundert sich auch, daß ihm das Vaterschwert erst jetzt einfällt, und daß die dreigegliederte Schmiedeszene durch Sigurds Besuch bei der Mutter unterbrochen wird.

Das eigentümliche Verhältnis der beiden Parallelepisoden schließt es aus, daß eine aus der andern entstanden ist. Vielmehr hat jeder Text seine besondere Vorgeschichte. Die Motive der betrügerischen Schmiedung mit Schwertprobe und der Schmiedung aus den Trümmern sind zweimal, unter verschiedenen Voraussetzungen, wenn auch das eine Mal nach dem Vorbilde des andern, miteinander kombiniert worden.

Diese Kombination aber sieht stark nach Saga aus. Die Schmiedung aus den Trümmern wird ja in beiden Quellen in sagahaftem Zusammenhange mit dem Fall Sigmunds erzählt, und ohne diesen Zusammenhang ist das Motiv überhaupt kaum denkbar. Also schon dieses Motiv allein zeigt Sagastil. Der Urballade kann es nicht angehört haben, weil diese keinen Platz dafür hatte: Schon die Schwertschmiedung mit Amboßhieb hätte ihr eine Art epische Breite, eine schleppende Handlung gegeben, die mit Sigurds heißem Rachewunsch und dem Tempo seines Rittes allzuschlecht harmoniert hätte, und vollends die Vorgeschichte hätte den balladenhaften Grundriß sprengen müssen, an dessen Anfang wirksam die Spielplatzszene stand, und in dem Regin überhaupt überflüssig war. Im RS ist dieser Grundriß wirklich gesprengt, sichtlich infolge von Sagaeinwirkung. Also wird die Verknüpfung des Schmiedens aus den Trümmern mit der Balladenhandlung erst der Stufe des Sagaliedes angehören: der färöischen Stufe. Die Urballade selbst wußte weder vom Zwerge etwas noch von der Schwertschmiedung. Sie hatte das Waffnungsmotiv der nordischen Vaterrachedichtung nur in der vereinfachten, ihrem Zusammenhange einzig angemessenen Form bewahrt, daß Hjördis dem Sohne ein Schwert mitgibt (das natürlich das Schwert des toten Vaters ist, Ssv.). Als der färöische Dichter dies Motiv zu einer Szene ausbildete, empfand er immerhin ein Motivgedränge, behandelte daher die neue Szene als Ersatz für den Besuch beim Oheim und gab ihr den Platz und z. T. die Ausstattung dieses.

Und was ist von dem andern Motiv zu halten, dem Betrug des Schmiedes? Hier gilt es zunächst zu beachten, daß die Vols. Regin auch sonst als Betrüger gegenüber Sigurd schildert. Wie er diesen auf Fáfnir hetzt, stellt er Fáfnir als eine gewöhnliche 'Heideschlange' dar und bezeichnet die Gerüchte von des Drachen Größe als Übertreibungen, obgleich sie offenbar der Wahrheit entsprechen. Er kann hierbei keine andere Absicht verfolgen, als daß Sigurd beim Vorgehn gegen den Drachen die Vorsicht außer acht lassen und womöglich ein Opfer des Untiers werden soll. Darauf folgt die Schwertschmiedung, wobei der Zwerg dem Jüngling eine Klinge in die Hand zu spielen sucht, die beim kräftigen Schlag gegen Hartes zerspringt, also auch beim Kampf gegen den Drachenpanzer versagen müßte. Der dritte und letzte Versuch Regins besteht darin, daß er seinen Begleiter e i n e Grube graben heißt statt mehrerer, damit er im Drachenblut ertrinke. Dies weiß, in etwas abweichender Form, auch der RS (94 ff.). Der RS kennt also zwei böse Anschläge des Zwerges, die Vǫls. deren drei, ebenso wie er nur zwei Schwertschmiedungen erzählt, die Saga dagegen drei. In beiden Fällen muß die Dreizahl das Ursprüngliche sein. Im RS ist der erste der bösen Anschläge weggefallen, weil er in dem durch die Urballade gegebenen Handlungsgrundriß nicht gut untergebracht werden konnte: Regin, der Vertreter des Oheims der Urballade, von Sigurd nur zum Zwecke des Schwertschmiedens besucht, konnte nicht mehr als Pflegevater den Jüngling beraten, und der Hinweis auf Fáfnir fiel der Mutter zu.

Die Trümmerschmiedung stammte aus dem Vaterracheliede[1]. Woher stammte das betrügerische Schmieden? Offenbar aus einer Darstellung des D r a c h e n k a m p f e s , denn die Anschläge des Zwerges sind ja sämtlich auf diesen berechnet. Die Fáfnismál aber sind nicht die Quelle. Hier ist zwar auch von einem bösen Anschlag Regins die Rede, aber erst nach der Erlegung des Drachen; da wendet sich die habgierige Mordlust des Zwerges, die bisher dem Bruder gegolten hatte, naturgemäß gegen den Sieger, und das Rachebedürfnis unterstützt sie; den Tod des Drachen hat Regin also aufrichtig gewünscht. Es gibt jedoch eine andere Form des Drachenkampfes, wo der Zwerg umgekehrt wünscht, das Untier möge den Sigurd töten: die d e u t s c h e Sage in der Þs. Hier stammt die Hinterlist des Schmiedes aus dem Märchen vom Starken Hans[2], unter dessen Einfluß die ältere deutsche Sagenform, die derjenigen der Fáfnismál gleich war, umgebildet ist[3]. Aus dieser älteren Form

---

[1] Gegenüber Heuslers Beurteilung der Episode a. a. O. 171 f. muß betont werden, daß eine eigentliche Schwertprobe, die von Mißerfolg zu Erfolg fortschreitet, im Zusammenhange des Vaterracheliedes keine Stätte hat, weil das Odinsschwert nicht vonMenschenhand splittern kann, und weil die unzweifelhafte Hinterlist Regins, die nach den Quellen an dem Splittern des Schwertes schuld ist, dem Charakterbilde des Zwerges im Vaterracheliede (Heusler 176) widerspricht.

[2] v. Sydow, Sigurds strid med Fåvne, Lund 1918,16 f.

[3] Dies verkennt v. Sydow a. a. O. Ich verweise dafür auf meine Abhandlung 'Sigmunds Drachenkampf', die in der Zeitschr. Edda (Kristiania) erscheinen soll.

stammt u. a. die Schwertgabe des Schmiedes an Sigfrid. Daß auch die deutsche Dichtung die Tötung des Drachen mit dem Schwert gekannt hat, wie die Fáfnismál und das durch den Beowulf bezeugte alte Sigmundlied, zeigen außerdem das giftgehärtete Sigfridschwert Miming und der Hürnen Seyfrid. Es kann also schon in Deutschland geschehen sein, daß man die Schmiedrolle der Märchenvariante an den Schwertkampf angepaßt hat in der Weise, wie Vǫls. und RS es zeigen: der Zwerg schmiedet zwar auf Geheiß das Schwert, aber widerwillig, und er sucht trotzdem seinen hinterlistigen Anschlag zu verwirklichen. Und wir werden in der Tat nicht umhinkönnen, diesen Vorgang nach Deutschland zu verlegen. Regins Tücke wirkt in den nordischen Quellen, zumal in der Vǫls., störend. Man ist so wenig auf sie gefaßt, daß sie bisher von den Erklärern kaum bemerkt zu sein scheint. Regin, der des Drachen Tod durch Sigurd wünscht, legt es gleichwohl auf Sigurds Verderben an. Dieser schneidende Widerspruch kann nicht dadurch entstanden sein, daß ein nordischer Dichter die Rolle des Mime, wie sie die þs. hat, kennen lernte und nun den Schmied, der auf Sigurds Untergang sinnt, zur Geltung bringen wollte. Er muß vielmehr die konkreten Erfindungen kennen gelernt haben, in denen dieses Sinnen sich äußert. Diese konnten ihn wohl derart locken, daß er die ältere Sagenform ihnen unterordnete.

Daß die Motive wirklich aus Deutschland stammen, wird weiter durch den Quellenbefund bestätigt. In dem rheinischen Spielmannsgedicht Orendel (V. 1610 ff.) kommt eine Episode vor, die Regins betrügerischer Schwertschmiedung so ähnlich ist, daß sie mit ihr zusammenhängen muß: vermutlich ist sie aus der deutschen Sigfridballade entlehnt; denn der Orendel ist der Heimat der Sigfriddichtung räumlich eng benachbart und scheint auch sonst stofflich mit ihr zusammenzuhängen[1]. Der Kämmerer soll für Orendel ein bestimmtes wunderbares Schwert herbeischaffen. Das von ihm gebrachte wird an einer Steinwand erprobt und zerbricht in Stücke. Da muß er das rechte Schwert herausgeben, und dies schneidet Stein und Eisen und verleiht seinem Träger Sieg. Aus dem Vergleich mit einer früheren Stelle des Gedichts[2], aus der Nennung der Steinwand — der typischen Kulisse der Zwergenabenteuer — und

---

[1] Vgl. was Panzer, Sigfrid 199 N. anführt.

[2] Lütjens, Der Zwerg in der deutschen Heldendichtung 28 ff.

aus Sagenparallelen geht zweifelsfrei hervor, daß der Kämmerer ursprünglich ein Zwerg war. Diese Episode unterscheidet sich also von der Reginszene eigentlich nur dadurch, daß das Schwert nicht geschmiedet, sondern (aus der Tiefe) geholt wird (wie Nagelring, Tyrfing). Es handelt sich also um Varianten desselben Motivs. Besondere Beachtung verdient die phraseologische Übereinstimmung, daß beide Schwerter 'Eisen und Stein' (*jarn og so stein*, RS 63,4) schneiden. Das bezieht sich gewiß ursprünglich auf den Amboßhieb, den die Sigfridballade aus dem älteren Drachenkampfliede (der Quelle der Prosa, Edda 172) beibehalten hatte, und der bekanntlich noch im 17. Jahrhundert für die deutsche Sigfridsage bezeugt wird[1].

Ferner zeigt der Drachenkampf im RS — und stellenweise in der Vǫls. — auch sonst Einwirkung einer deutschen Quelle. Ebenso wie in der Schmiedeszene laufen in der Kampfschilderung verschiedene Vorstellungen nebeneinander her. Die Geschichte mit den Gruben (bis Str. 104) läßt einen Hergang erwarten wie in der Eddaprosa (176) und der ihr folgenden Vǫls.: Sigurd durchsticht den Drachen von unten her. Statt dessen s c h l ä g t Sjúrður auf den Drachen ein und trennt ihn mitten durch. Dies gleicht aber dem Drachenkampf im H ü r n e n S e y f r i d (148: *Er hieb jn von eynander da in der mit entzwey* = RS 111: *hió hann um miðju sundir*[2]), und es steht auch der Þs. nahe, insofern auch dort Sigurd auf den Drachen einhaut und ihm schließlich den Kopf abtrennt (was nötig ist für den folgenden, aus dem Märchen geschöpften Auftritt mit dem Schmiede). Daß hier wirklich eine deutsche Quelle im RS durchblickt, bestätigen dessen Verse: *tá skalv bæði leyv og lund og allar vörildar grundir* (110 f., vgl. Vǫls. 42,3). Auch im HSfr. bringen nämlich Sigfrids Schwertschläge und das Toben des Drachen die Tiefen der Erde zum Erbeben; die Zwerge fürchten, der Berg müsse einfallen (133, vgl. 129, wo auch die 'Welt' genannt wird). Und der Wald als Szenerie des Drachenkampfes schwebt nur den deutschen Quellen klar vor; in der Edda ist er vergessen bis auf das Wörtchen *á hrísino* (in der Vogelszene), die hier herrschende Vorstellung von der 'Gnitaheide' (dem Gnitten- oder Schnaken-

---

[1] W. Grimm, Heldensage Nr. 165.

[2] Vgl. Ragnarstáttur 33, wo das Motiv den Zusammenhang stört, also aus RS angeflogen sein wird.

8

walde) ist die eines waldlosen Hochlands, einer isländischen *heiður*. Eigentümlich unklar ist die Schilderung in RS 108 f.: '30 Klafter war der Wasserfall, unter dem der Wurm lag, oben waren seine beiden Büge (? *boxl*), der Rumpf aber lag auf dem Felsabsatz'. Die Vǫls. hat dafür: 'es wird erzählt, 30 Klafter hoch sei der Felsabsatz gewesen, auf dem Fáfnir lag, wenn er aus dem See trank'. Beide Texte wollen die ungeheure Größe des Drachen veranschaulichen, die Regins Vorspiegelungen von seiner Harmlosigkeit Lügen straft. Bemerkenswert ist außerdem, daß sie einen hohen, steilen Felsabsturz im Auge haben. Diese Angaben müssen aus einer von der Edda verschiedenen Quelle stammen, und zwar aus derselben, die Regins Tücken geliefert hat. Daß diese Quelle das deutsche Drachenkampflied war, würden wir schließen müssen, auch wenn der HSfr. nicht wiederum Anknüpfungspunkte böte: auch hier wird die ungeheure Größe des Wurms hervorgehoben (145 u. ö.), und auch hier schwebt der steile Felsabsturz vor, in dessen unmittelbarer Nähe der Kampf stattfindet (130. 145. 148: die Stücke des zerschlagenen Lindwurms fallen die Felswand hinab). Der RS denkt sich den Hergang so, daß Sigurd nach getanem Stich aus der Grube hervorspringt (105,3 f.) und nun der eigentliche Kampf gegen das zählebige Untier erst beginnt. Vermutlich war dies auch der Gang der Handlung in der deutschen Ballade. Dieser Erweiterung der älteren Kampfszene lag neben dem Wunsch, Sigfrids Heldenkraft heller glänzen zu lassen, der Gedanke zugrunde, daß der von dem trügerischen Zwerg angeratene Schwertstich den Drachen keineswegs töten kann, daß hierzu vielmehr die Überwindung des steinharten Rückenpanzers nötig ist, auf welche die Schwertprobe bereits hindeutet. Nur den Dialog mit dem sterbenden Fáfnir (aus dem 112,2 eine aparte Wendung mit anpassender Umdeutung entlehnt wird) dürfte der RS hier dem Eddaliede entlehnen.

Jene deutsche Ballade war eins der mündlichen Werke, deren Trümmer der HSfr. uns aufbewahrt. Wie das niederdeutsche Lied, das der þs. zugrundeliegt, erzählte sie, wie Sigfrid den Drachen tötet, obgleich der Schmied ihn zu verderben sucht. Aber sie neuerte nicht so entschieden wie jenes, sondern wählte einen Mittelweg zwischen der neuen märchenhaften und der alten Sagenform. Daher tötet Sigfrid den Lindwurm mit dem Schwert, und dieses hat der Zwerg geschmiedet, aber der Zwerg ist hinterlistig: die ersten beiden

Klingen, die er liefert, zersplittern auf dem Amboß, und erst die Drohung des Helden bewirkt, daß die dritte, länger geschmiedet, das leistet, was der Miming der älteren Dichtung gleich geleistet hatte. (Diese Schwertprobe stammt auch aus einem Märchen vom Starken Hans[1]; andererseits ist sie nachgedichtet worden in der Schmiedung des Miming durch Wieland þs. 1,97 ff., wo auch die Schmiedezeiten wiederkehren wie im RS). Auch die andern Tücken Regins haben der deutschen Ballade angehört. Strophe 131 des HSfr. (*Nun sprang her auß der hölen Seyfrid mit disem schwerdt*) zeigt, daß auch die deutsche Dichtung sowohl die Grube wie das Herausspringen Sigfrids aus ihr (Edda 176,8 f., RS 105,3 f.) gekannt hat, und zwar in dem Sinne wie der RS, daß der Kampf fortgesetzt wird. Der Entscheidungskampf spielte sich am Rande einer Fels-wand ab, wo der wunde Wurm sich hinabreckte, um seinen Durst zu löschen, und wo Sigfrid noch in ernste Lebensgefahr geriet (wohl ähnlich wie im HSfr. 145). Wahrscheinlich erfolgte die Aufklärung durch die Vögel, wie in der þs.[2], und als Schluß der Fall des tückischen Zwerges und die Erwerbung des Hortes durch Sigfrid.

Daß eine Dichtung ungefähr dieses Inhalts um 1200 im süd-westlichen Norwegen bekannt gewesen ist, lehren die Schnitzbilder an den Türpfosten der Kirche von Hyllestad, am deutlichsten das Bild, welches das Zersplittern des Schwertes auf dem Amboß darstellt[3].

Um dieselbe Zeit zitiert König Sverrir in einer seiner schlag-kräftigen Ansprachen an seine Krieger, bei Gelegenheit eines Ge-fechts in der Gegend des heutigen Kristiania, als 'etwas, was vor-getragen wird' (*sem kvedit er*) die Halbstrophe

> *Úlikr ertu   ydrum nidium,*
> *þeim er framrádir   fyrri váru*

---

[1] Panzer, Beowulf 41 f., 52 f.; Sigfrid 86. Sydows Kritik an Panzer (Sydow 22 ff.), auf dem methodischen Boden der beiden Märchenforscher vollständig berechtigt, ist in Wirklichkeit gegenstandslos, weil Sydows Quellen-gruppe A, mit der er und Panzer als mit einer Einheit operieren, dies keines-wegs ist. Man sieht an dem Unbefriedigenden von Sydows Gedankengang deutlich, wie die Märchenforschung nach philologisch-literargeschichtlicher Er-gänzung und Klärung förmlich schreit.

[2] Daß es sich hier um keine eddische Interpolation in der þs. handelt, glaube ich in dem obengenannten Aufsatz gezeigt zu haben. Gegen Sydows Herleitung des Motivs aus dem Keltischen wendet sich mit Recht Heusler 165 f.

[3] Am bequemsten zugänglich und ausreichend deutlich ist die Ab-bildung bei Olrik-Ranisch, Nordisches Geistesleben 57.

8*

und im selben Zusammenhange drei Verse der Fáfnismál. Die Halbstrophe steht dem, was Regin laut Vǫls. (41,21 f.) bei seiner dritten
Tücke zu Sigurd sagt, so nahe, daß sie das poetische Original dieser
Stelle zu sein scheint. Jedenfalls hängt sie eng zusammen mit unserer
deutschen Ballade von Sigfrids Drachenkampf. Da es nicht wahrscheinlich ist, daß die Form des Ausspruchs von Sverrir selber her-
rührt, der eine Balladenstrophe eddisch umgedichtet hätte, so dürfen
wir aus dem Zitat zurückschließen auf eine in Norwegen gemachte
stabreimende Bearbeitung der Ballade — ein literaturgeschichtlich
recht merkwürdiges Ergebnis, das eine ganze Reihe jüngerer Eddalieder auf einmal in ganz neuem Lichte erscheinen läßt (s. u.). Vermutlich bediente man sich der eddischen Form für den unmusika-
lischen Vortrag. Für den Liedvortrag, also auch für den Tanz hat
man die Balladenform beibehalten. Das zeigt der RS, der die Balladenstrophen von Jung Sigurd als solche reproduziert und weiterbildet,
allerdings nicht bloß die vom Drachenkampf und von des Zwerges
Tücken, sondern auch die vom Ausritt des Rächers, und nicht bloß
Balladenstrophen, sondern auch eddische. Ebenso wie man Balladen
als Eddalieder umkostümiert hat, so auch umgekehrt Eddalieder
als Balladen. Das Hauptbeispiel dafür ist die Torsvise[1]. Eine so
genaue Entsprechung in Grenzen und Aufbau der Fabel wie im Falle
þrymskviða—Torsvise findet sich bei den Sigurdliedern nur deshalb
nicht, weil hier eine dritte Kunstform eingegriffen hat: die Saga.

Diesen Vorgang dürfen wir uns so denken: Die Zusammen-
arbeitung der Eddalieder Fáfnismál und Sigurds Vaterrache mit den
Balladen von Jung Sigurd war das Werk eines Sagamannes, eines
Sagenkenners, der die Liedinhalte harmonisierend in Prosa zu erzählen pflegte. Dieser vielwissende, stofffreudige Sigurdbiograph
betätigte sich auch als Balladensänger. Und naturgemäß nahm
der überlieferte Balladenstoff unter seinen Händen ein sagamäßiges
Gepräge an. Die Lieder wurden von ihm nicht mehr, wie von seinen
naiveren Kunstgenossen auf dem Festlande, als künstlerische Ein-
heiten geachtet und als solche weitergegeben, sondern sie wurden
mit suveränem Schalten stückweise eingefügt in den neuen Balladen-
typus des Sagaliedes.

---

[1] Daß diese die isl. þrymlur voraussetze, haben Bugge und Moe m. E.
nicht bewiesen.

Bei dieser Annahme begreifen wir m. E. die Beschaffenheit des RS und sein Verhältnis zu seinen Quellen am besten; auch sein Verhältnis zur Vǫls. Die Kapitel der Vǫls., die von Jung Sigurd handeln, sind die prosaische Nebenform des RS. Beide — oder beider Urformen — sind gleichzeitig, in den gleichen Kreisen, in den gleichen Köpfen entstanden. Daher ihre enge Verwandtschaft. Es besteht aber zwischen ihnen ein wichtiger Unterschied. Die Vǫls. ist ganz überwiegend eddisch orientiert; der RS, als Ballade, mehr balladenhaft. Dies zeigt sich nicht nur an den ziemlich zahlreichen Stellen, wo der RS statt mit der Saga mit den festländischen Sigurdballaden oder mit den deutschen Quellen geht; es zeigt sich auch darin, daß der RS seinen Stoff enger begrenzt, einheitlicher wählt als die Vǫls. Z. B. entspricht dem Sagaabschnitt, der nach den Reginsmál von der Herkunft des Goldes erzählt, im RS nichts. Die Ballade behauptet eben auch als Sagalied ihre Eigenart als geschlossenere Kunstform. — —

Wir müssen noch einmal zur 'Urballade' zurückkehren. Diese stellte sich uns dar als das Werk eines Mannes, der das eddische Thema 'Sigurds Vaterrache' frei neu behandelt hat mit Benutzung des aus Deutschland eingewanderten Motives von der Roßwahl und jedenfalls auch mit Anlehnung an die Prügelei der Schmiedegesellen in der Quelle der þs. Hieran knüpft sich die Frage: In welchem Zusammenhange kam die Roßwahl diesem Dichter zu?

Während es im RS, der Urballade gemäß, die Mutter ist, die Jung Sigurd zum Fang des Rosses anweist, kennen die Vǫls. und auch die þs. R e g i n in dieser Rolle: in beiden Quellen schickt der Zwerg den Jüngling aus, damit er sich durch jemand anders das Roß verschaffe. Diese Übereinstimmung kann schwerlich Zufall sein. Unmittelbarer Zusammenhang (Benutzung der þs. durch die Vǫls. wie an andern Stellen) erscheint ausgeschlossen, weil die Vermittler verschieden sind (Hiálprekr: Brynhildr) und weil die Vǫls. offenbar (s. u.) mit dem bärtigen Greis im Walde einen alten Zug bewahrt, von dem die þs. nichts weiß. Es handelt sich also um mittelbaren Zusammenhang. Die Zwischenglieder müssen in der Balladentradition gesucht werden. Und diese geht natürlich von Deutschland nach Island, nicht umgekehrt. Der Zwerg, der Sigfrid zum Fang des Rosses ausschickt, ist also die deutsche Sagenform, aus der der nordische Verfasser der Urballade die seinige gewonnen hat, indem

er für den Zwerg die Mutter einsetzte, die als Anweiserin zur Schwertschmiedung dazu ohne weiteres berufen schien (Anpassung an die
eddische Vaterrache). Also wieder eine Anknüpfung der Urballade
an die Quelle der þs. Nun ist die betr. Szene der þs. sichtlich ebenso sekundär wie
die Waffnung Sigurds durch Regin an dieser Stelle und in diesem
Zusammenhange. Der Fang des Rosses durch den wandernden Jung
Sigfrid scheint einmal selbständig erzählt worden zu sein. Dies
bestätigt uns zunächst der bärtige Ratgeber in der Vǫls., der ja ein
Doppelgänger des Regin ist, so daß eine der beiden Figuren sekundär
sein muß. Da der bärtige Alte einen gehaltvollen Rat gibt — die
Anweisung zur Roßprobe —, Regin dagegen ziemlich sonderbar
und mit fragwürdigem Verfügungsrecht über das Pferd redet, so
spricht die Wahrscheinlichkeit stark zugunsten jenes. Nun sagt
Panzer, Sigfrid S. 199f. über die Roßwahl des jugendlichen Helden:
'Sie ist eine geschlossene, in sagen- und märchenhafter Überlieferung
vor allem des Ostens nicht seltene Formel und findet da und dort
sich in Ausprägungen, die mit der Erzählung der Vǫls. nahe übereinstimmen. Am genauesten trifft unter allen mir bekannten Parallelen eine russische Erzählung mit ihr zusammen, die in Afanasiefs
Märchensammlung in Nr. 5 des 8. Bandes gedruckt ist. Dort verlangt der Held, neun Tage alt, von seinem Vater, daß er ihn ausziehen lasse, die schönste Frau zu erwerben. Er begegnet unterwegs
einem Alten: 'Wohin gehst du?' Der Jüngling weist den Frager
grob ab, kehrt aber doch wieder um und sagt ihm, was er vorhabe.
'Du kannst nicht zu Fuß dort hingelangen!' 'Wie soll ich hinkommen,
ich finde kein Pferd!' 'Geh nach Haus, laß die 30 Pferde deines
Vaters ins blaue Meer treiben und nimm jenes Pferd, das weiter
als alle übrigen ins Wasser geht'. So geschieht es. — Hier stimmt,
wie man sieht, sowohl die Beihilfe des Alten als die Art der Roßwahl, auch daß sie im frühesten Alter des Helden statthat, genau
zur nordischen Überlieferung'. Das Letzte, was Panzer hier sagt,
ist unbestreitbar richtig. Wir haben einen jener Fälle vor uns, die
in der letzten Zeit namentlich von Waldemar Haupt und C. W.
von Sydow nachgewiesen worden sind, und deren Zahl sich noch vermehren ließe: russische Märchen- oder Bylinenstoffe haben im
12. — vielleicht schon im 11. — Jahrhundert vielfach in die deutsche
Sagendichtung Eingang gefunden. Jung Sigfrid, der unterwegs auf

den Rat des geheimnisvollen Alten das Roß erprobt und erwirbt, ist ein östlicher Märchenheld, ebenso wie Jung Sigfrid, der vom Schmiede hinterlistig gegen den Drachen geschickt wird und dann doch diesen erschlägt, und wie Jung Sigfrid, der die geraubte Jungfrau aus der Gewalt des Drachen befreit und sie heimführt[1]. Das russische Märchenstück findet sich aber nicht allein in der Vǫls. wieder, sondern auch in dem der Roßwahl entsprechenden Kapitel 168 der Þs., in dem die Roßwahl selbst verstümmelt, dafür aber das Ziel von des Jünglings Wanderung allein erhalten ist: er zieht ja aus, um die schönste Frau zu erwerben, und das ist natürlich Brünhild. Wenn Sigurd die Brynhild sang- und klanglos wieder verläßt, so muß das, wie oft ausgesprochen, unursprünglich sein. Zugrunde liegt eine Erwerbung der Jungfrau, die irgendwie mit dem lectulus Brunihildae und mit den Sigrdrífomál zusammenhängen muß. Wenn aber die Jungfrau selbst zur Eigentümerin des Pferdes geworden ist, so beruht dies auf Vermischung mit dem russischen Brautwerbermärchen, das — wie Panzer gezeigt hat — in der deutschen Werbungssage so kenntlich durchblickt. Daß die starke Prinzessin ein Roß besitzt, lebt in der Werbungssage selbst nicht fort, auch nicht in ihrer nordischen Form, deren Werbungsritt keineswegs eine Pferdeprobe, geschweige denn eine entstellte Reiterprobe[2] ist, und

---

[1] Hierüber s. bes. Sydow a. a. O. 16 ff. 41 ff. Die Sagenform des HSfr. war schon um 1200 vorhanden. Das zeigt die Eddanotiz vor Guðr. I: *þat er sǫgn manna, at Guðrún hefði etit af Fáfnis hiarta ok hon skildi þvi fugls rǫdd* (dazu die Noterklärung Vǫls. 47,6 f. 66,2 f.). Guðrun - Kriemhild war also dabei, als Sigfrid den Drachen tötete und sein Herz briet. Nachklänge hiervon HSfr. 119, auch wohl 149: hörte die Jungfrau, während Sigfrid erschöpft eingeschlummert war, die Vogelstimmen?

[2] In der Beurteilung der nordischen Quellen hat Panzer, abgesehen davon, daß er, wie auch sein Gegner Sydow, die literaturgeschichtlichen Tatsachen und Fragen zu wenig berücksichtigt, sich irreführen lassen von Boer. Es handelt sich in c. 27 der Vǫls. gar nicht darum, daß Gunnars Pferd versagt, sondern darum, daß Gunnar es aus Mangel an Entschlossenheit nicht in Gang zu bringen versteht. Darüber sollte Gunnars Entschuldigung auf Sigurds Frage, warum er (Gunnar!) zurückweiche: *eigi vill hestrinn hlaupa þenna eld*, und die Bitte, ihm den Grani zu leihen, nicht täuschen. Grani will doch nur darum den Gunnar nicht tragen, weil dieser, wie er an dem Druck der Schenkel spürt, kein Held ist (nicht etwa weil er Gunnar heißt und nicht Sigurd!). Und was sagt Brynhild im Großen Sigurdliede über Gunnar? 'Dein Bruder hat weder gewagt, durch das Feuer zu reiten noch hindurchzuschreiten' (Vǫls.

bei der überhaupt kein Zusammenhang mit dem Brautwerbermärchen hat nachgewiesen werden können[1]. Aber die Roßbesitzerin
Brynhild in der Þs. zeigt, daß doch auch dieses Motiv des russischen
Märchens in Deutschland bekannt gewesen ist. In Kap. 168 der Þs.
kreuzen sich also zwei Märchen, die beide von der Erwerbung einer
Jungfrau handelten und den Helden ein wunderbar wildes Roß
besteigen ließen. Aus dem Brautwerbermärchen stammt die vergebliche Verfolgung des Rosses durch zwölf Männer — die die Roßprobe
im Wasser verdrängt hat — und wahrscheinlich das gewaltsame
Eindringen in die Burg[2]. Aus dem Märchen von der Roßwahl stammt
die Erwerbung des Pferdes durch den Helden und wahrscheinlich
die Zahmheit des Tieres gegen den ihm bestimmten Herrn. Die Ver-
stümmelung der Roßwahlgeschichte erklärt sich also aus der Einwirkung des andern Märchens. Die Roßwahl war aber schon vor
dieser Einwirkung an Sigfrid geknüpft. Das zeigen Vǫls. und RS.
Im RS ist das Motiv umgedichtet im Sinne der Urballade von der
Vaterrache: zum Rosse weist die Mutter, und die Probe geht auf
Tapferkeit. Die Vǫls. steht der deutschen Quelle näher: sie bewahrt
den Alten im Walde und das Herkommen Sigfrids vom Schmiede,
jenes durch Afanasief, dieses durch die Þs. für die deutsche Quelle
gesichert. Letztere erzählte also sehr wahrscheinlich die Roßwahl
schon in demselben Zusammenhange wie die Þs., als Anhang zur
Drachentötung, jedenfalls im Zusammenhange mit Sigfrids Leben
beim Schmiede im Walde, das ist aber kaum anders denkbar als
in der Reihenfolge der Þs. Ist es also richtig, daß der Verfasser der
Urballade sich zu seiner Spielplatzszene hat anregen lassen durch
die Prügelei der Schmiedegesellen in einer Vorstufe der Þs., so verdankt er zwei seiner Zusätze zur nordischen Vaterrache derselben
deutschen Vorlage.

Str. 24). Dieses Zeugnis müßte, so sollte man meinen, zumal einem Forscher
zu denken geben, der überall von den jungen, kontaminierten Quellen ausgeht
und diesen seinen Begriff der Sage entnimmt. Brynhilds Worte in der angeführten Strophe sind eine Äußerung des Ingrimms und der Verachtung; daher
die kraß-deutliche Formulierung. Die Erzählung des Vorgangs selbst kennzeichnet diskreter, aber darum nicht minder klar und wirkungsvoll. — Auch
sonst scheint mir Panzer den guten Sinn der alten Quellen öfters zu unter-
schätzen.

[1] Vgl. Sydow 47.
[2] Panzer 198 f.

Die Vǫls. bezieht ihre ursprünglichere Fassung der Roßwahl wohl am ehesten aus der deutschen Ballade selbst (direkt oder indirekt), die in der Urballade von der Vaterrache umgedichtet bzw. verwertet ist. Sie bettet das Motiv ein in einen von dem eddischen Vaterracheliede gelieferten Zusammenhang (Hiálprekr). Dadurch geht der Schluß verloren, das Erscheinen des berittenen Wildlings bei Brunhild, womit die deutsche Dichtung vom Drachenkampf, wie es scheint, wirkungsvoll ausklang.

Leider entgeht uns dieser Auftritt, der sagengeschichtlich besonders wichtig wäre, überhaupt bis auf nebensächliche Reste. Die Urballade, deren Ausgang übrigens ebenfalls nicht klar hervortritt, hatte an Stelle der Jungfrau den fürstlichen Oheim. Auch dieser stammt aus deutscher Quelle. Woher sollte er sonst stammen? Die nordische Überlieferung hätte als Helfer zur Vaterrache nur den Hiálprek liefern können. Der seltsame Name Greipe, Grípir könnte ein deutsches 'Graf' (Grēve) spiegeln; er sieht aus wie die Norvagisierung eines als Grēbe gehörten dänischen oder niederdeutschen Wortes. Einen wichtigen Fingerzeig liefert der Ssv. damit, daß er Sigur — in verwirrtem Zusammenhang — durch das Wasser reiten läßt (48—50, frgm. 7. 8. 12): Grani muß neun Wasserstürze überspringen, und diese sind im R h e i n; denn es heißt 'Sigur ritt auf den Rheinfall' (Rinarfoss, Rimarfoss, Rimarfall). Von einem 'Fall' ist auch im RS die Rede (gekk han sár at fossinum, kastaði stein í á), und es handelt sich dabei offenbar um denselben Fluß, durch den Sjúrður, nachdem er das Roß erwählt, zu Regin reitet (ífir um á). Diese Angaben dürfen wir dahin kombinieren, daß die Urballade die Roßwahl im Rhein vor sich gehn und im Anschluß daran den Sigurd durch den mächtig strömenden Fluß zu dem Grafenschlosse am jenseitigen Ufer gelangen ließ. Diese Erfindung aber rührt von einem Deutschen her. Das lehrt nicht bloß die Nennung des Rheins, sondern auch der Umstand, daß der durch den Rhein schwimmende rastlose Reiter in der deutschen Sagendichtung um 1200 noch ein zweites Mal vorkommt: Eckehard warnt die Harlunge, þs. 2. 167[1]. Hier erkennt man den Schwimmenden von der Burg am andern Ufer, ähnlich wie in der Urballade Sigurds Oheim von seiner Zinne aus den Reitenden erkennt. Das stärkt die sich aufdrängende Folgerung, daß die eine Szene von der andern angeregt ist. Dann aber ist

---

[1] Vgl. hierüber Panzer, Deutsche Heldensage im Breisgau, 7 ff.

die Sigfriddichtung wahrscheinlich der gebende Teil gewesen; denn
in ihr begreifen wir das Motiv ohne weiteres als Nach- oder Weiterbildung der vom Märchen gelieferten Roßwahl: der Hengst, der weiter
in den Strom hinausschwimmt als alle andern Pferde, kann auch
den Reiter hinübertragen. Vielleicht war es der gewaltige Impetus
dieses Schwimmens durch den Rheinstrom, der den nordischen Um-
dichter auf den Gedanken brachte, dieser Sigfrid müsse Sigurd sein,
der zur Vaterrache ausreitet. In der Hávarðar saga Ísfirðings
schwimmt der alte Hávarðr, der zur Rachetat erwacht ist, dem
Töter seines einzigen Sohnes nach bis zu einer Klippe weit draußen
in der See.

Damit ist die Frage nach dem Zusammenhang, in dem die
Roßwahl dem Urballadendichter zukam, beantwortet. Die deutsche
Quelle, um die es sich handelt, erscheint uns als eine Nebenform
der Vorlage der Þs. Sie unterschied sich von dieser dadurch, daß
Sigfrid nach dem Roßfang zum Grafenschloß gelangte statt zur
Burg der Brünhild. Wahrscheinlich erfuhr der junge Held dort seine
Herkunft; die schon vorher herrlich geoffenbarte Natur fand ihre
Erklärung; der Königssohn trat aus der Niedrigkeit ein in die
ihm gebührende Umwelt. Dies ersetzte der Nordmann durch
die Anweisung und Hilfe zur Rache, indem er den Grafen
dem Hiálprek gleichsetzte — der vielleicht wirklich sein alt-
fränkisches Prototyp ist.

Daß Grafenschloß und Brünhildenburg Varianten gewesen sind,
d. h. daß sie in sonst gleichen Gedichten an entsprechender Stelle
gestanden haben, bestätigt die schwed. Sivardballade. Sie erzählt
nämlich, wie Sivard die gesuchten Mörder seines Vaters, die 'sieben
Schwestersöhne', im Hause des Oheims antrifft, sein gutes Schwert
zieht und alle sieben erschlägt. Diese (auch in den norw. Hugaball
übergegangene) überraschende Form der Rache — daß sie nämlich
gleich im Hause des Oheims vollstreckt werden kann —, beruht auf
Vermischung der beiden Varianten. Denn auch bei der Ankunft
in Brünhilds Burg zieht Sigfrid sein Schwert und erschlägt sieben
Männer, die Burgwächter (Þs. 1,316). Diese Äußerung helden-
mäßigen Ungestüms paßt gut zu der Szene in der Schmiede. Sie
dürfte also von Haus aus der Brünhildvariante angehören (die
sie nicht erst dem Brautwerbermärchen verdanken wird; auch Brünhild in dieser Rolle ist ja eine Märchenfigur).

Ähnlich zu beurteilen ist folgende Erscheinung. In den nordischen Balladen weiß der Oheim — bzw. seine Frau, die Königin — gleich, wer der Ankömmling ist: Sivard mein Schwestersohn, der keinen Spott duldet. Ebenso Brünhild nach der Þs. Auch sie sagt, als man ihr den Gast beschreibt: *Þar man vera kominn Sigurðr Sigmundarson*, und demgemäß begrüßt sie ihn mit Namen und heißt ihn willkommen. In diesem Falle kann man schwanken, auf welcher Seite der Zug zu Hause ist, und ob er etwa aus der Begegnung mit dem Alten im Walde stammen mag, der ebenfalls den Jüngling bei seinem Namen anredet und ihn wie Brünhild fragt: 'Wohin des Weges?' (Vǫls. 32,18, vgl. Þs. 1,317: *hvert hefir þú œtlat ferð þína?*). Wichtiger als diese Frage ist es, daß der Sinn des Motives klar ist (Sigfrid ist unverkennbar, einzig; die Personen der Dichtung sprechen aus dem Sinne des Publikums heraus), und daß es offenbar aus einem Balladentext in den andern geglitten ist. So ist die Anrede Brünhilds an Sigfrid auch ins Nibelungenepos gelangt und hat dort den Erklärern zu denken gegeben:

> sît willekomen, Sîfrit,   her in ditze lant.
>
> waz meinet iuwer reise?   gerne het ich daz bekant

(B 419). Das Epos verwendet den alten Baustein sorglos an neuer Stelle.

Den engen Zusammenhang der deutschen und nordischen Sigfridballaden kann man sich veranschaulichen an einer gemeinsamen Eigenschaft des inneren Stils, die auch darum Beachtung verdient, weil sie die Balladen- und Epenstufe unserer Heldensagen deutlich abhebt von ihrer älteren, stabreimenden Stilform: der Neigung zu hyperbolischer Schilderung. Der hyperbolische Geschmack tritt in der deutschen Literaturgeschichte zuerst hervor in den Sangaller Rhetorikversen vom Eber. Er findet sich auch in den russischen Bylinen und Märchen und ähnlich in den französischen Chansons de geste. Er ist also eine allgemein-mittelalterliche Erscheinung, deren Heimat gewiß nicht in Deutschland liegt, die vielmehr mit fremden Erzählungsstoffen zu uns gekommen ist. Mit den Sigfridballaden aber hat sie sich von Deutschland nach Skandinavien verbreitet; diese Balladen dürften sie ihren osteuropäischen Quellen verdanken. Sigfrid wird als Riese geschildert, besonders durch den eindrucksvollen Zug des Bäume-Entwurzelns, der anscheinend in der Drachenfabel zu Hause ist (vgl. Þs. und HSfr. Str. 8 f.). Im dänischen Liede De vare syv og syvsindstyve reißt Sivard die Eiche, an die er angebunden ist, aus dem Boden. Nach dem RS reißt Sjúrður einen großen Eichenstamm aus, um die Spielgenossen damit zu züchtigen (39,3), und der Stab, an dem er das Drachenherz brät, ist 30 Ellen lang, also ein mächtiger Baumast (119,4). Dem Wuchse des Reiters entspricht der des Rosses: Granis Rücken mißt laut Ssv. 16 fünfzehn Ellen, und seine Beine sind zwölf Ellen hoch; er springt über Berge und Täler (Dän. A 11, B 8) und über das Burgtor des Oheims. Und so ist auch Brünhild eine Riesin. Das bezeugt schon die Lokalisierung der Schlafenden auf dem gigantischen Steinbett des Feldbergs.

Hand in Hand mit dem Schwelgen in unwahrscheinlichen Körpermaßen geht das hemmungslose Ausmalen der Leibesstärke. Die ältere Heldendichtung betrachtete die starke Hand des Helden als selbstverständlich; was den Helden macht, ist nicht die Muskelkraft, sondern die Seele. Aus diesem Empfinden heraus ist noch der Amboßhieb Sigfrids im Drachenkampfliede (Fáfnismál) erfunden, dessen Wunderbarkeit die des Schwertes ist. Auch die dreimalige Schwertprobe in der oben besprochenen Drachenkampfballade bleibt noch auf diesem Boden, und zwar in Abweichung vom Märchen, das die Schwertprobe als Athletenstück behandelt. Anders dagegen in der auch sonst reiner märchenhaften Jung Sigurdquelle der Þs. der gewaltige, staunen- und schreckenerregende Hammerschlag, für den die von Heusler aufgedeckte nahe Parallele bei Firdusi ein östliches Vorbild mindestens sehr wahrscheinlich macht. Der Sigfrid dieser Märchendichtung ist überhaupt ein roher Kraftbursche, der mit dem älteren, gemeingermanischen Sigfridcharakter wenig mehr gemein hat. Nicht minder bezeichnend ist die nach der starken Prinzessin des russischen Märchens gemodelte Brünhild in Nib. und Þs. Für die ältere Zeichnung, wie sie die Eddalieder festhalten, ist Brünhild zwar eine Kampfmaid, aber das dient nur zur Veranschaulichung der Sprödigkeit, die zu ihrer Rolle gehört, und dies ist die Rolle einer tragischen Heldin, nicht die einer 'starken Königin' (Panzer 189). Beide, Sigfrid und Brünhild, steigen gleichsam vor unsern Augen herab von der Tragödienbühne in die Arena des Zirkus.

III.

Der B r i n h i l d a r t á t t u r (in Hammershaimbs Text) erzählt: Brinhild, die freiergrimme Tochter Buðlis, zieht, um den seit neun Jahren einzig von ihr geliebten Sjúrður herbeizulocken, in einen von zauberischem Feuer umgebenen Saal in der Einöde. Sjúrður erwacht im Morgengrauen aus einem Blutiges drohenden Traum, ergeht sich im Garten und wird von zwitschernden *igdur* auf die schöne Brinhild verwiesen, die ihn erwarte. Da reitet er aus auf dem schnellen Grani, der die Goldringe klirren macht, entreißt sich der Grimhild, die ihm unterwegs, am Tore von Júkagarðar, in die Zügel fällt, durchreitet die Waberlohe, schneidet die Brünne der noch im Bette schlafenden Brinhild auf, die erkennt ihn und weist ihn an Buðli, aber der stürmische Jüngling will sogleich ihre Liebe genießen, Ásla wird erzeugt, Sjúrður schwört Treue, liebkost und beschenkt seine Braut und bleibt sieben Monate in ihrem Saal, dann läßt er sich von ihr Waffen und Reitzeug bringen, um *lítil örindi* zu besorgen, sie weissagt seine Untreue und Ehe mit Guðrún, entläßt ihn aber mit Heilwünschen (Str. 106—108), und er scheidet mit Kuß und Treuschwur. Sein *örindi* ist die Werbung um Brinhild bei Buðli: er will die Geliebte mit froher Botschaft überraschen. Aber Buðli — der als ein unendlich gütiger, willenloser Greis erscheint — erklärt prophetisch, jenem sei vielmehr Guðrún als Gattin bestimmt, die ihm *valmanna drikk* geben werde; gleichzeitig warnt er vor den Júkagarðar und Grimhild. Diese aber treibt in Gestalt eines fürchterlichen Drachen den Helden doch dorthin, sucht den Standhaften vergebens zu locken durch Guðrúns Schönheit, zwingt dann diese trotz ihrer Weigerung, dem Gaste den Vergessenheitstrank zu bereiten und zu bringen, und Verlobung und Hochzeit sind die unausbleibliche Folge. Brinhild weiß von allem, und in der Brautnacht erwacht ihre Eifersucht. — Sie und Guðrún baden bei Sonnenaufgang im Flusse; es scheint, daß sie inzwischen (aus Rache?) Gunnars Frau geworden ist. (Lyngbys Strophen 35—45 schildern verwirrt eine frühere, vergebliche Werbung Gunnars um Brinhild; vgl. auch Str. 73—75). Guðrún reizt Brinhild durch Vorzeigen eines von Sjúrður ihr geschenkten Ringes und durch den Vorwurf, dieser habe Brinhilds *meydóm* und Buðlis Ehre geraubt, so daß Brinhild ihr mit Sjúrðs Tode droht. Dann legt sie sich zu Bett; ihre Kindsnöte beginnen. Als Sjúrður das erfährt, begibt er sich zu ihr. Bei

seinem Anblick wird B. (vorzeitig) Mutter. Sie befiehlt, das Kind
des Verhaßten in den Fluß auszusetzen, der es ins weite Meer ent-
führt. Gunnar, der mit dem Speer vor B. tritt (einige hss. sagen
ausdrücklich, daß er von der Jagd kommt), ist gleich entschlossen
sie an ihrem Beleidiger zu rächen. Als er hört, es ist Sjúrður, hat
er Bedenken, weil dieser sein Schwurbruder ist, und weil kein Schwert
ihn töten kann. Jenes entkräftet B. durch Drohung, dieses Högni,
indem er auf Grund alter Bekanntschaft ein Geheimnis des Sjúrður
enthüllt (welches dies ist, bleibt ungesagt, Str. 190; Str. 218,3
setzt Unkenntnis dieses Punktes voraus). Da steht B. auf und
befiehlt vom Hochsitze aus den Júkungar, sogleich wieder auszu-
reiten, um die Tat zu vollstrecken. Aber die bedürfen noch der
Ratschläge, welche B. in nicht ganz klarer Weise gibt. Da kommt
Sjúrður und erklärt, nach der Rückkehr aus dem Walde (von der
Jagd) B. *festa* zu wollen; sie lehnt das ab. Buðli erinnert seine Tochter an ihre alte Liebe, sie schaut Sjúrð nach, wie er an der Spitze
der Júkungar reitet, und weint Tränen der Wehmut: *far vel, Sjúrður
Sigmundarson, eg siggi teg ei á livi*. Beim Trinken aus einer Quelle
wird Sjúrður von Högni und Gunnar getötet. Letzterer bemächtigt
sich der Kleider des Toten und will, Brinhilds Rat folgend, den Grani
reiten, das Tier geht aber erst, als es mit dem toten Sjúrður beladen
wird. (Diese Strophen gehören ursprünglich dem Werbungsritt
an und zeigen das noch im Wortlaut, der z. T. gar nicht in den Zusammenhang paßt, auch in dem unvermittelten Anschluß des Folgenden:) Die Leiche wird auf einem Schilde heimgeführt und blutend
zu Guðrún ins Bett gelegt. Sie küßt den Toten auf den Mund, verheißt Rache und erbt den Hort. Brinhild 'zerspringt' vor Leid.

Wir haben hier eine zersungene Ballade vor uns. Sie erzählt
von einer verlassenen Geliebten, die sich rächt. Es sind aber Lücken,
Widersprüche und Unklarheiten da, die deutlich zeigen, daß die
Handlung einst weniger einfach war. Dahin gehört besonders die
Figur des Gunnar: er benimmt sich ganz so, als wäre er der Gatte
der von Sjúrður verlassenen Brinhild, aber wir erfahren nicht, daß
und wie er das geworden ist, und als B. ihn zur Tötung des Unge-
treuen antreibt, gesteht sie ihm ihre Eifersucht auf dessen Frau
Guðrún (183) — ein Gedanke, der dem Gattenverhältnis widerspricht
und also voraussetzt, daß es vergessen war. Der Text hat demnach
nicht bloß Verluste erlitten, sondern infolge solcher auch Änderungen

oder Zusätze oder beides erfahren. Zu den Änderungen gehört die Verschiebung von Strophen, die infolge teilweisen Vergessens unverständlich geworden waren, an neue Stellen, wo¹ sie nur sehr notdürftig passen. Zusätze sind schwerer zu erkennen. Daß aber auch solche vorliegen, darauf weist der Vergleich mit den verwandten Dichtungen älterer Herkunft.

Es ist nämlich klar — schon wegen der Namen —, daß der Br. ursprünglich die W e r b u n g s s a g e dargestellt hat, die Tragödie der Brünhild, die wir aus eddischer Überlieferung, aus dem Nibelungenepos und der Þs. kennen. Die Werbungssage enthält nirgends etwas, was dem ersten Teil des Br., der Schilderung des Liebesidylls in der Einsamkeit (in einer Art Minnegrotte, bis etwa Str. 130), entspricht. Dieser erste Teil fast allein aber bewirkt es, daß die Heldin als die verlassene Geliebte erscheint und ihr Schmerz über das verlorene Glück als der tiefste Grund ihrer Rachetat. Den alten Quellen liegt eine solche Beleuchtung der Brünhild fern. Ihre einhellige Auffassung ist vielmehr die, daß Brünhild durch einen Betrug den allein ihrer würdigen Gatten nicht bekommen hat, sondern die Frau eines andern hat werden müssen, und daß sie für solche Entwürdigung ihrer selbst Sühne heischt. Daher sind wichtige Glieder der alten Handlung der Betrug (Gestaltentausch, Tarnhaut) und die Aufklärung der Heldin über den Betrug (Frauenzank); und die Rolle des andern, Gunnars (Gunthers), ist unentbehrlich. Nun sind diese Stücke auch im färöischen Text einst vorhanden gewesen. Sie haben aber schwer gelitten. Vom Werbungsritt und Gestaltentausch überleben nur Trümmer, die in neuen Zusammenhängen notdürftig untergebracht sind. Der Betrug und die Ehe mit Gunnar sind so gut wie vergessen, infolgedessen auch die Aufklärung, so daß der Frauenzank (senna im Flusse) gleichsam ein leeres Gehäuse geworden ist. Durch diese Verluste war Brünhilds Tat unverständlich geworden. Darum hat man eine neue Begründung ersonnen, eben die, welche der erste Teil gibt. Dieser ist also erst zu einer Zeit hinzugedichtet worden, als der Text des zweiten Teils schon stark zerrüttet war.

Der Zudichter konnte anknüpfen an die frühere Verlobung zwischen Sigurð und Brynhild, wie sie Sigurðarkviða meiri und Vǫls. erzählten, an die Gestalt der Áslaug, an Sigrdrífomál, Helreið und Igðnaspá. Letztere hat er frei umgedichtet zu der Szene, wo der

Ritter Sjúrður sich in der Morgenfrühe im Garten ergeht und die
Vögel zwitschern hört[1]. Hier und an andern Stellen ist das moderne,
uneddische Gepräge seiner Arbeit sehr deutlich. Dahin gehört besonders die eigentümliche Erweichung des Brynhildcharakters, ihre
bösen Ahnungen, ihr elegischer Fatalismus[2] beim Abschiede des
Geliebten und die wehmütige Reaktion ihres Herzens, als sie die
Mörder nach ihm ausgeschickt hat. Diese letzte Szene ist sehr schön,
und es liegt auf der Hand, daß der Heilwunsch *far væl heilur og
happadriúgvur, allt gangi tár væl* (106 f.), der im Munde des ähnlich
gestimmten Buðli wiederkehrt (124), als tragische Ironie erscheinen
soll. Und doch ist es dem Erweiterer nicht gelungen, den Übergang
vom Schmerz zum heißen Rachewunsch recht glaubhaft zu machen.
Es ist zwar menschlich begreiflich, daß Brinhild trotz ihrer anfäng-
lichen Fügsamkeit in das Schicksal von Eifersucht überwältigt wird.
Aber der Eindruck bleibt doch bestehn, daß sie von der senna an
eine ganz andere wird. Das aber ist der Fall, weil wir hier alten
Sagengrund betreten.

Man hat längst bemerkt, daß der Schlußteil des Br. ausschließliche
Motivgemeinsamkeiten mit der Þs. aufweist; so die versalzenen
Speisen und daß Sigurðs Leiche der Gattin ins Bett geworfen wird.
Voreilig hat man geschlossen, die betr. Züge stammten unmittelbar
aus der Saga. Den positiven Gegenbeweis liefern gewisse ausschließliche
Gemeinsamkeiten zwischen Br. und Nib., die neuerdings de Boor
ans Licht gezogen hat[3], und die bis zu wörtlichen Anklängen gehn.
Der Sachverhalt läßt sich nur begreifen unter der Voraussetzung
einer gemeinsamen Quelle aller drei Denkmäler. Und diese gemein-
same Quelle kann nichts anderes gewesen sein als eine deutsche
Ballade[4].

---

[1] H. de Boor, Die fär. Lieder des Nibelungenzyklus (1918) 144 ff. sieht
hier eine alte Fortsetzung der Igðnaspá erhalten, ohne dafür irgend einen
triftigen Grund anführen zu können.

[2] Am auffallendsten tritt der fatalistische Grundzug des Ganzen hervor
bei Sigurds Übergang von Brynhild zu Guðrun, was de Vries S. 72 oben
nicht zu sehen scheint.

[3] a. a. O. 65 ff. Vgl. noch *honum voldu koinnur deyða* Br. 180,3 mit
von zweier vrouwen bâgen wart vil manic helt verlorn Nib. 876,4.

[4] Diese einfache und notwendige Folgerung ist de Boor (S. 69) nicht
aufgegangen, weil er sich schon einseitig auf die Sig. meiri eingestellt hatte.
So gerät er auf einen Holzweg, der durch unendliches Gestrüpp führt.

In diesem Falle liegen nun die Dinge so, daß ein großes Stück des deutschen Liedes klar erschließbar ist und damit Licht fällt auf die unmittelbare liedhafte Vorstufe des mhd. Epos und auf dessen Entstehung.

Die deutsche Quelle des Br. zeigt sich nicht erst in der Mordszene, sondern schon in der vorangehenden M o r d b e r a t u n g (Str. 182—194). Diese enthüllt sich bei näherem Zusehen als eine in den Grundzügen wohl erhaltene, von Dichterphantasie geschaute Szene von deutlicher, und zwar ziemlich altertümlicher Eigenart gegenüber allen andern, zumal den nordischen Quellen. Während sonst Högni und Gunnarr als der Bedenkliche und der Mordlustige sich gegenüberstehn, ist hier der Konflikt in die Seelen beider gelegt: Gunnar, der mit dem Speer in der Hand von der Jagd kommt, ist anfangs tatenlustig (*hann skal hardan deyda tola, id tár hevir gjört i móti!*); wie er hört, daß es sich um Sjúrð handelt, kommen ihm Bedenken, weil jener sein Schwurbruder ist; als aber Brinhild ihm die eheliche Gemeinschaft zu kündigen droht, wagt er nicht mehr auf die Treuepflicht zu pochen, sondern flüchtet sich hinter die Frage, wie man denn Sjúrð töten könne, den doch kein Schwert verletze. Nun greift Högni ein. Dieser hat zwar bleiche Furcht vor Sjúrð (190,2; vermutlich ging eine Frage Brinhilds an ihn voraus). Aber er sagt doch etwas, was Brinhild ermutigt — zerstreut mithin Gunnars praktische Bedenken —; denn Brinhild, die bisher im Bette lag (184,1), erhebt sich auf seine Äußerung hin, nimmt auf dem goldenen Stuhle Platz, und mit einem Messer spielend befiehlt sie den Júkungar, alsbald in den Wald zu reiten und nicht zurückzukehren, solange Sjúrður am Leben sei. Den Júkungar aber kommt der Mut zur Tat noch nicht. Sie verlangen Brinhilds Rat, und diese gibt ihn, indem sie anfängt, von *sálta krás* zu reden — offenbar folgte der Hinweis auf die Quelle, aus welcher trinkend Sjúrður bequem und ohne Gefahr im Rücken durchbohrt werden kann (vgl. 217 f: *Sjúrður legdist at drekka*; RS 123). Der Aufbau der Szene ist tadellos.

Es liegt aber auf der Hand, daß sie aufs nächste verwandt ist mit der Mordberatung in den N i b e l u n g e n. Högni, der Helfer Brinhilds, der mit ihr zusammen Gunnars Widerstand besiegt, ist klärlich der deutsche Hagene. Und der schwankende Gunnar ist der unschlüssige Gunther (nur daß im Färöischen das Schwanken anschaulicher und einleuchtender herauskommt). Jener fragt (189):

9

'Wie soll ich Sjúrð zu Tode bringen, den kein Schwert verletzen kann?'
Ähnlich sagt Gunther (872): *ouh ist so grimme starker der wundern-
küene man, ob er sîn innen wurde, so torste in nieman bestân.* Auch
hier ist dem praktischen Bedenken das sittliche vorangegangen
(872,1). Die Äußerung Gunthers lautet unbestimmter als die Gunnars. Sie gehört ihrem Wortlaut nach ursprünglich hinter Hagens
Antwort, dahin, wo die fär. Str. 193 steht, die mit ihrer Hilfe ver-
vollständigt zu denken ist. Daß auch Gunther einst unzweideutig
von Sifrits Unverwundbarkeit sprach (= Nib. 100,4), zeigt in Hagenes
Replik der Satz: *dâ man in mac verhouwen, die mœre saget mir
sîn wîp* (so C, vgl. B 875,4). Dieser Satz zeigt zugleich, daß Hagene
weiß, daß Sifrits Unverwundbarkeit eine Ausnahme erleidet. Seltsam genug weiß er nicht, worin diese Ausnahme besteht. Er will
dies von Kriemhilt erfahren. Also entstand die Seltsamkeit durch
das Eingreifen des Wandermotivs[1] vom arglosen Verrat der Gattin,
das nur im mhd. Epos erscheint, noch nicht in der Þs., mithin, eindrucksvoll wie es ist, der Liedstufe erst recht abgesprochen werden
muß. Denken wir uns diesen Anwuchs weg, so muß Hagene zur
Ermutigung Gunthers mehr sagen: er muß Sifrits Geheimnis ent-
hüllen (zwischen den Schulterblättern ist keine Hornhaut). Erst
dann hat seine Replik im Zusammenhang einen wirklich befrie-
digenden Sinn. Hagen muß ungefähr das sagen, was ihm Str. 899 ff.
von Kriemhilt eröffnet wird. Daß dies von Hause aus Worte Hagens
sind, bestätigt der Bericht, den dieser bei Sigfrids erstem Auftreten
in Worms über dessen Vergangenheit gibt, und der sich in Str. 100
nahezu deckt mit dem ersten Teil von Kriemhildens Erzählung
(vgl. besonders Str. 899). Dieser Bericht kann weder an der Stelle
noch in der Begrenzung, in der er vorliegt, ursprünglich sein. Hagen
kann nämlich nicht gut von Sigfrid beteuern, es schneide ihn keine
Waffe, wenn er nachher weiß, daß ihn doch eine Waffe schneiden
kann. Denn es ist weder denkbar, daß Hagen dies in bestimmter
Absicht verhüllen will, noch daß es ihm erst später bekannt geworden
ist. Er müßte also eigentlich auch die Ausnahme hinzufügen. Das
erlauben aber weder der Gang der Handlung (Sigfrids völlige Unverwundbarkeit spielt noch eine Rolle in der Mordberatung, und erst
im Laufe dieser darf die Ausnahme an den Tag kommen) noch der

---

[1] Vgl. die Baldrsage, auch Panzer Sigfrid 252 ff.

Sinn des Auftritts (Sigfrid soll verherrlicht werden). Mithin kann Hagen seinen Bericht über Sigfrid an dieser Stelle eigentlich überhaupt nicht geben. Er gibt ihn nur, weil der Epiker die ihm überlieferte Mordberatung geplündert und die Beute teilweise zur Ausstattung seiner Präsentationsszene verwendet hat. Mit dem andern Teil füllte er· den Kriemhildenrat. Daß Hagens und Kriemhildens Sigfriderzählung ursprünglich eins waren, geht endlich auch daraus hervor, daß Hagen von Kriemhild etwas erfährt, was er schon selber fast wörtlich ebenso erzählt hat. Das ist nicht epische Wiederholung — dazu ist der Abstand zu weit und diese Stilfigur dem Nibelungenepos zu fremd —, sondern einfach eine Begleiterscheinung der epischen Aufschwellung.

Nun beginnt im Br. dort, wo Hagen, wie wir sehen, in der Vorstufe der Nibelungenepos seinen Bericht über Sigfrids Verwundbarkeit gegeben hat, Högni seine ermutigende Rede mit den Worten: *tad eru fullir fimtan vetur, sidan vær fremdum leik.* Der Rest seiner Rede ist verloren. Wenn aber diese, wie der Zusammenhang zeigt, ermutigend war, so kann der Anfang nur den Sinn haben, daß Högni von seiner Spielkameradschaft mit Sjúrð her weiß, worin dessen Schwäche besteht. Das Fehlende berichtete also vom Drachenbad und vom Linden- oder Ahornblatt, dessen Auftreten in der schwed. Übersetzung der þs. es für eine Sigfridballade sichert. Daß die verwundbare Stelle auch des färöischen Sjúrður i m R ü c k e n sitzt, zeigt zur Genüge der Ausdruck *legdist at drekka* (217,1. 218,1). Das ganze Hornhautmotiv ist aber vergessen, daher sein Ersatz durch das besondere Schwert (218,3, vgl. 219,1, wo die Durchbohrung mit dem Ger daneben bewahrt ist), das ebenso wie in der stark neuernden dänischen Parallelballade Sivard og Brinhild gefolgert worden ist aus dem Verse mhd. *des snîdet in kein wâfen* (Nib. 100,4) = dän. *thet suerd er icke y alwerden til, hanom bider paa* = fär. *sum einki svörd kann granda* (Br. 189,4), ursprünglich ein Wort Gunthers wie im Fär. Högnis Einleitung aber, 'es sind schon volle fünfzehn Winter her', besagt, daß der Redende das Gewicht seiner Mitteilung abschwächen will, weil er Furcht hat (190,2). Erst Brinhilds listiger Rat feuert ihn, wie Gunnar, zum Handeln an.

Es dürfte also klar sein, daß die Mordberatung des Br. d i e - s e l b e ist wie die des Nibelungenepos. Sie hat im wesentlichen nur durch Vergessen gelitten. Im Nib. dagegen liegt außer Zersingen auch Umdichtung vor und damit weitergehende Zerstörung der alten

9*

Komposition, die im Br. kenntlich überlebt. Dieser zeigt uns eine einzige Szene von liedhafter Prägnanz und festem Umriß. Auch im Nib. blickt eine solche noch durch, und zwar eine Beratung in Prünhilts Gegenwart (852 ff.: Gunthers Zuspruch, 863 ff.); aber sie schwebt nicht klar vor, die Erzählung zerfließt in Reden. Auch die þs. (2,262, vgl. de Boor 61 f.) bewahrt diese Szene, aber in verblaßter, verwirrter Form. Was bei der Episierung am meisten zu kurz kam, ist die Rolle der Brünhild. Daß sie den entscheidenden Rat gibt, weiß auch die dänische Ballade (14), und die þs. setzt es voraus mit Hagens Abschiedsbesuch bei ihr (2,265), ein Auftritt, der ganz müßig wäre, wenn er nicht den Rat Brünhildens an die Mörder enthielt. Das Nib. erwähnt mehrmals, daß Prünhilt die Tat geraten hat (917,4; 1010,4: *ez hât gerâten Prünhilt, daz ez hât Hagene getân*). Wie dies aber zu verstehn ist, wird nirgends gesagt. Wir erfahren es erst aus dem Br. Dort erleben wir Brünhild in jener Aktivität, die man im Nib. mit Recht immer vermißt hat. Im deutschen Epos hat Hagene, der ursprünglich Prünhilts Werkzeug war, diese ganz in den Hintergrund gedrängt, wohl unter dem Einfluß des zweiten Teils, wo er der alles überragende Held geworden war, dem Bevormundung durch eine Frau und gar bleiche Furcht nicht ziemt (doch s. noch 982: *angestlichen*, C), und wo die eigentliche männerbeherrschende Heldin des Epos auftritt, neben welcher der Charakterrivalin keine Stätte über das unbedingt Notwendige hinaus mehr gegönnt wurde. Gleichzeitig wird Hagene auch sittlich gehoben. Auf der Liedstufe war er der gegebene Mörder, weil er als Jugendgespiele die Schwäche Sigfrids kannte und gleichzeitig dadurch den wirkungsvollen Stempel des Neidings aufgeprägt bekam[1]. Das Epos entschuldigt seine Mordtat mit der betonten Vasallentreue gegen die Königin und nimmt ihr den schlimmsten Makel ganz, indem die alte Freundschaft zwischen Hagene und Sifrit ausdrücklich geleugnet wird (86,2), obgleich Hagens Wissen über Sifrits Jugend sie eigentlich voraussetzt.

[1] Ist das Schwurverhältnis zwischen Sigfrid und den burgundischen Brüdern (Edda; Nib. 335,1; þs. 2,39 f.) erfunden nach dem Muster der ältesten Todsage, die noch nichts von den Burgunden wußte, und verdankt Hǫgni seine Stellung als Bruder einem Aufeinanderwirken der beiden Todsagen? Das erste Motiv zur Einführung der Guttormrolle wird nicht das gewesen sein, den Eidbruch zu umgehn, sondern die Rücksicht auf die Sage vom Burgundenuntergang, in der Hagen weiterlebte. In der deutschen Fassung hat man sich anders geholfen: die Rache des Sterbenden wurde zu einem bloßen Versuch.

Vor dem 12. Jahrhundert kann die deutsche Ballade schwerlich nach dem Norden gelangt sein. Und sehr viel älter wird sie überhaupt nicht sein. Jedenfalls unterscheidet sich ihre Sagenform stark von der ältesten, aus der Sigurðarkviða forna (Brot) bekannten Gestalt. Die hvǫt mit der meydóms-Klage hat in unserer Beratungsszene keinen Platz und ist durch sie aufgesogen worden. Gunther, der beim Anblick der Tränen seiner Frau dem Beleidiger sofort blutige Rache verheißt, der dann zaudert, aber durch ihre Drohung *ei fært tú nákað indi af mǽr* fast schon zum Entschluß des Treubruchs gebracht wird (man beachte, wie gut beides zusammen paßt), ist ein anderer als der Gatte, dem die Verleumdung des Nebenbuhlers kein Zaudern gestattet, und der nun zur Tat treibt. Jenen beherrscht die Liebe, diesen die Ehre. Jener kann seine Regungen offen, vor Zeugen aussprechen, dieser faßt seinen Entschluß im vertrauten Zwiegespräch mit der Gattin, und die Beratung mit dem Bruder muß eine neue Szene werden. Zu diesem paßt ein untergeordneter Mordhelfer wie Guttormr, der den Gatten vom tätlichen Eidbruch entlastet; jener kann selbst die Waffe schwingen oder doch bei der Überlistung mitwirken. Auf die verläumderische hvǫt muß die Ehrenrettung des Geopferten folgen; im andern Falle ist diese überflüssig.

Die Sagenform unserer Ballade findet sich schon in Eddaliedern, besonders in der S i g u r ð a r k v i ð a s k a m m a. Auch hier wird die meydóms-Klage ersetzt durch die Drohung der Gattin (in dezenter Verhüllung), Gunnarr demgemäß als lange unschlüssig Grübelnder gezeichnet und aus der Ehrenrettung ein Rückblick der Heldin gemacht. Gleichzeitig folgt die skamma in der Person des Töters, sowie in der abmahnenden Rolle Hǫgnis der älteren (nordischen) Version. Dieser Dichter hat also ein Kompromiß zu schließen gesucht zwischen der älteren (nord.) und der jüngeren (deutschen) Sagenform. Die Folge ist eine gewisse Unklarheit und Unsicherheit in der Führung der Handlung. Auch in seiner Tonart scheint die endreimende Ballade durchzuklingen. Demnach dürfte die skamma nicht älter sein als das 12. Jahrhundert, ungefähr gleichaltrig mit der m e i r i, die unter gleichen Bedingungen entstanden ist und in der Stoffbehandlung grundsätzlich dieselben Wege wandelt, nur daß die deutschen Einschläge hier noch bedeutender zu sein scheinen.

Sie zeigen sich u. a. in gewissen Berührungen mit dem Br. Gegen de Boors Satz, daß dieser die meiri benutze, spricht mit am stärksten dies, daß die Darstellung des Br. teilweise viel einfacher und altertümlicher ist als die der meiri. Man sieht dies deutlich an den Gesprächen von Vǫls. c. 31 (Olsen). Diese stimmen mit der Mordberatung im Br. (und in der dänischen Sivard-Brynildballade) darin überein, daß sie mit dem Besuch des Gatten bei der Bettlägrigen beginnen und mit Brynhilds Aufstehn enden (Vǫls. 79,14; doch ist laut Saga B. auch vorher schon aufgestanden). Sie stellen sich dar als die in die Länge gezogene, abgewandelte, psychologisch vertiefte Mordberatung der zugrundeliegenden deutschen Ballade. In dieser will Brünhild den Sigfrid tot sehen, und sie zückt leidenschaftlich ein Messer, als wollte sie selbst zustoßen (Br. 192, gewiß eine Erinnerung an ihren Selbstmord); in der Sig. meiri will sie auch Gunnar tot sehen, und sie zückt die Waffe im Ernst gegen ihn (Vǫls. 73,27, angelehnt an Brynhilds Drohung in der Werbungsszene des Alten Liedes). Ein gemeinsames Motiv ist ferner wiederum die angedrohte Verweigerung der Bettgenossenschaft (de Boor 104). In der meiri tritt es ganz nebenbei auf, in Schatten gestellt durch weit stärkere Dinge, die Brynhild ihrem Gatten sagt und zufügt. Im Br. ist es eins der wenigen, wichtigen Glieder des Dialogs (vgl. Nib. 622,3).

Wie Brot 3,7 zeigt, ist die verweigerte Bettgenossenschaft ein altes Motiv aus stabreimender Zeit, eng verbunden mit der hvǫt. Diese war im Alten Sigurdsliede vermutlich so eingekleidet, daß die im Bette liegende Brynhild am Abend nach der senna den spät heimkehrenden Gatten abwies mit der meydóms-Klage als Begründung; Gunnarr fügte sich und lag schlaflos (wie in der entsprechenden Szene Brot 12 ff.). Die Abweisung des Gatten scheint einer der Punkte gewesen zu sein, die das Brautwerbermärchen anzogen. So wurde sie aus- und umgebildet zu den aus Nib. und Þs. bekannten Brautnachtszenen. Dabei hat wohl auch Sigfrids keusches Beilager mitgewirkt. Jedenfalls wird dessen erzählerische Aufgabe, den Frauenzank zu ermöglichen oder vorzubereiten, restlos durch die Stellvertretung in der Brautnacht übernommen (der Ring, der Vorwurf 'Sigfrid ist dein erster Mann gewesen' Vǫls. 69,24 = Þs. 2,261, Nib. 840), während der Ritt durch die Waberlohe durch die athletischen Freierproben ersetzt wurde[1].

_____

[1] In diesem Zusammenhange sei angemerkt, daß in dem kleinen Auftritt Nib. 396 f. vermutlich der Werbungsritt nachlebt, bei dem Sigurd absteigt und Gunnar in den Sattel nötigt. Auch hier bedeutet der Märcheneinfluß nicht,

Das erste Wort, das die grollende Brinhild an Gunnar richtet, ist eine Klage über seine Schwester: *Tað vár hon Guðrun sistir tín, hon voldi már tád strið.* Ebenso beginnt Prünhilt ihre Klage bei Gunther: *ich muoz unvrœliche stân; von allen minen êren mich diu swester dîn gerne wolde scheiden* (853). Das unmittelbar Folgende ist im Fär. sichtlich verderbt ('denn sie hat Sjúrð zum Mann'). Brinhild kann dies unmöglich zu ihrem Gatten sagen (s. o.). Das sekundäre Motiv der verlassenen Geliebten tritt hier naiv an die Oberfläche. Schon der Zusammenhang (besonders Str. 168 f.) gibt an die Hand, daß Brinhilds Klage sich eigentlich auf Guðrúns ehrenkränkende Reden bezieht. Und eben dies ist bekanntlich der Hergang im Nib. Aus der Übereinstimmung ist zu schließen, daß die gemeinsame Quelle, die deutsche Brünhildballade, die Sache bereits ebenso dargestellt hat. Diese Darstellung wäre aber mit dem keuschen Beilager bei der Werbung nur schwer zu vereinigen. Schon die Übereinstimmung mit den Nib. spricht gegen diesen Zusammenhang. Dazu kommt: schwebte das keusche Beilager bei der Werbung vor, so würde Brünhildens Groll sich darauf beziehen, daß der Bezwinger der Waberlohe nicht, wie man ihr vorgespiegelt, Gunther, sondern Sigfrid war, und dieser Groll würde nicht zuerst mit der Klage über die Schwägerin laut werden; ihm geziemt vielmehr die alte hvǫt mit der meydóms-Klage; deren Ersatz durch die Klage über die Schwägerin setzt voraus, daß das Werbungsbeilager vergessen oder abgeschafft, und damit auch, daß die alte kühne und klare Konstruktion der Fabel geknickt war. Kein Wunder, wenn der färöische Nachkomme des deutschen Liedes die Sage und besonders die Psychologie der Brünhild vollends entstellt zeigt. Um so merkwürdiger aber, daß inmitten dieses Verfalls die einzelne Szene so lebensvoll blüht.

Die Strophen 43 und 44 des Br. wissen von einem K a m p f bei der Werbung um Brinhild: Grímur (?) und Högni schlagen sich auf grünem Blachfeld, so daß die hohe Halle bebt und die vom Saal aus zuschauenden Jungfrauen vor Schreck zittern. Diese unklare Stelle hat einige ähnlich unklare Seitenstücke in junger eddischer Überlieferung, besonders im Oddrúnargrátr 18 (de Boor 126 f.). Näher aber steht, was das Nib. von den Vorgängen auf Isenstein erzählt: auch hier Zweikampf vor Prünhilts Saal und zuschauende

daß die ältere Dichtung restlos weggeschwemmt wurde. Es handelt sich immer um Kompromisse.

Jungfrauen in den Fenstern. Namentlich dieser letzte Zug fällt ins Gewicht, denn er ist ritterlich, und er begleitet auch in der dän. Ballade Sivard snarensvend (B. 11 f.) das gewaltsame Auftreten des berittenen Sivard vor der Burg. Wahrscheinlich entsprechen aber dem Schwerterkampf des Br. nicht die Wettkämpfe des Nib., sondern Vorgänge, die mit der Herbeiholung der Nibelungenrecken durch Sîfrit zusammenhängen. Diese hat im Epos keine rechte Folge: ein Hinweis darauf, daß einst von einem wirklichen Kampf ganzer Scharen vor oder um Brünhildens Burg erzählt wurde (wie im Oddrúnargrátr, wo dies Motiv mit dem Flammenritt verbunden ist wie im Br. 45: Brinhild lächelt der Bemühungen der Kämpfer, nur durch den Flammenwall führt der Weg zu ihr). Die Daten sprechen dafür, daß der Kampf vor der Burg die Darstellung der deutschen Ballade war. Diese hatte also den Flammenritt ebenso beseitigt wie das keusche Beilager. Beides gehört ja auch zusammen. Nicht Zufall wird es sein, daß die Kudrun einige ähnliche Szenen hat.

Ferner werden wir unserer Ballade die Doppelhochzeit zusprechen müssen. Die Sig. meiri hat dies Motiv von ihr übernommen[1]. Es verbirgt sich hinter den Strophen 150—156. Brinhilds Unruhe im unmittelbaren Anschluß an Sjúrðs Hochzeit entspricht der Unruhe der Prünhilt beim Hochzeitsmahl. In der Ballade erklärte sie sich vielleicht daraus, daß die Heldin, die unter den Kämpfern vor ihrer Burg den gefeierten Drachentöter bewundert (vgl. Kudrun 644) und dann seine Gattin zu sein geglaubt hatte, nun plötzlich ihn sich gegenüber an der Seite der Schwägerin zu sehen meinte (vgl. die Sig. skamma, deren Werbungsszene schon durch das Fehlen des Flammenritts auf die deutsche Quelle weist). Der Kampf vor der Burg hatte also wohl den Gestaltentausch des Flammenritts beibehalten. Dann war er eine Kompromißform zwischen der märchenhaften Variante, die durch die Kraftproben des Freiers mit der leibesstarken Jungfrau gekennzeichnet war, und der älteren Sagenform, vergleichbar der betrügerischen Schwertschmiedung in dem oben erschlossenen Drachenkampfliede. — Ein versprengtes Zubehör der Doppelhochzeit finde ich in Sjúrðs so übel angebrachtem Trost an Brinhild: *tá ið eg komi af skógi heim, tá skal eg teg festa* (198). Dies scheint mißverstanden aus einem Versprechen Sigfrids an Kriemhild (oder

---

[1] Zschr. f. dt. Phil. 39,324; Beitr. z. Eddaforschung 229.

Gunthers an Sigfrid, Nib. 334 f.), daß er nach der Heimkehr von der Werbungsfahrt sie heiraten werde.

Die Fährte wird immer undeutlicher, je weiter wir uns von den Schlußszenen entfernen. Daß der erste Teil des Br., bis zur senna einschließlich, im wesentlichen auf nordischer Überlieferung ruht, ist sicher. Es erklärt sich aber daraus, daß die deutsche Ballade nur die Katastrophe der Brünhildsage eindrucksvoll und befriedigend darstellte. Was voranging, war stark verjüngt und ermangelte der Klarheit und Schönheit vermutlich in ähnlicher Weise wie die entsprechenden Teile von Nib. und Þs. Diese Strophenreihen waren zersungen. Nicht bloß das Vergessen hatte ihnen mitgespielt, sondern auch der verwirrende Einfluß der Märchenflut, die sich um 1100 über Deutschland ergossen zu haben scheint. Der nordische Bearbeiter hat versucht, mit schönen, alten heimischen Werkstücken die Ruine wieder zurechtzubauen. Wie weit ihm das gelungen ist, können wir heute nicht mehr sicher beurteilen. Da aber das Vorderstück des Br. so stark zerrüttet und überwachsen ist, während das Hinterstück sich weit besser erhalten hat, dürfen wir annehmen, daß der Zusammenhang von Anfang an ähnlich unbefriedigend gewesen ist wie in aller jüngeren Brünhildendichtung. Der Bearbeiter schuf nur einen wenig wetterfesten Notbau und lehnte ihn an das feste Gewölbe der Beratungs- und Todszene an.

Die Tätigkeit dieses Mannes hat unverkennbare Ähnlichkeit mit derjenigen des Verfassers der Urballade von Sigurds Ausritt. Wir dürfen uns beide im südlichen Norwegen lebend denken. Die weitere Geschichte ihrer Werke spielt auf den Färöern. Ihre Vorgeschichte spielt in Deutschland und bildet einen Teil der mündlichen Vorgeschichte unserer Heldenepen.

Siegfriedmärchen.

Von Friedrich Panzer, Heidelberg.

Die Brüder Grimm haben in den Anmerkungen zu ihren Kinder-
und Hausmärchen zuerst auf die Beziehungen hingewiesen, die eine
Reihe von Volksmärchen mit unserer Heldensage, insbesondere den
Siegfriedsagen verbinden. Man hat diese volkstümlichen Überlieferungen daraufhin gern als „Siegfriedmärchen" bezeichnet, und
die späterhin mit ihnen sich beschäftigten, haben — die Brüder
selbst hatten sich vorsichtiger ausgedrückt — die beobachteten
Übereinstimmungen meist dahin erläutert, daß in den Märchen ein
letzter lebendiger Nachklang der alten Heldensage forthalle. Es genügt dafür etwa auf August Raßmanns „Deutsche Heldensage" zu
verweisen, in deren 1. Bande innerhalb des Kapitels „Fortleben der
Sage im Norden und in Deutschland" gleichgeordnet mit den einschlägigen Kæmpeviser und den deutschen Liedern vom hürnen
Seifried und Ermanrichs Tod auch „die Sigfridsmärchen" behandelt
sind.

Man ist heute geneigt, das Verhältnis gerade umgekehrt aufzufassen: die Heldensage vielmehr aus dem Märchen, den Vorläufern
natürlich der seit dem letzten Jahrhundert erst aufgezeichneten, mit
ihnen aber im wesentlichen als inhaltsgleich vorauszusetzenden
älteren Märchen, entsprungen zu denken. Ich habe so in den beiden
Bänden meiner „Studien zur germanischen Sagengeschichte", München 1910/12, mich um den Nachweis bemüht, daß unseren Siegfriedsagen in der Hauptsache zwei Märchentypen zugrundeliegen: der
Bärensohn-Starkhanstypus und der Typus vom Brautwerber.

Es finden sich aber innerhalb der Märchenüberlieferung doch
zweifellos einzelne Belege dafür, daß auch umgekehrt in den Märchen
Nachklänge aus unserer Heldensage forttönen. Art und Ausmaß
solcher Beeinflussung der mündlichen Märchenüberlieferung durch
die literarisch überlieferte Heldensage ist dabei sehr verschieden,
die ganze Erscheinung aber anziehend genug, um einmal kurz im

Zusammenhang in einigen Beispielen vorgeführt und erläutert zu werden. Ich gebe hier ausschließlich Belege zur Siegfriedsage und möchte vorschlagen, den Ausdruck ‚Siegfriedmärchen‘ künftig für solche Märchen zu gebrauchen, in denen ein offenbarer Einfluß der Siegfriedsage sich bemerkbar macht.

U. Jahn erzählt in seinen „Volksmärchen aus Pommern und Rügen“, 1. Teil, Norden und Leipzig 1891, als Nr. 20, S. 128 ff. ein Märchen mit folgenden Grundzügen:

Einem König wurde sein zweijähriger Sohn von Zigeunern geraubt. Die legten das Kind unter einer Eiche nieder. Bauersleute fanden den Knaben und zogen ihn als ihren Sohn, Friedrich getauft, auf. Er ward früh über die Maßen stark, so daß er alle Jungen in der Schule prügelte und der Schulmeister seine liebe Not mit ihm hatte.

Als er eingesegnet war, kam er nach seinem Verlangen zu einem Schmied in die Lehre. Dem schlug er bald alles Eisen zu Schanden und den Amboß in die Erde, daß der Meister ihn wegschicken wollte. Der Lehrling wars zufrieden; doch sollte der Alte ihm vorher einen Wanderstab schmieden. Der machte ihm die schwerste Stange aus seinem besten Eisen; wie sie der Junge aber prüfend über den Arm schlug, bog sie sich wie Draht. Da verlangte Friedrich ein Schwert, dann wollt er freiwillig aus dem Dienste gehn. Mit des Jungen Hilfe kam ein großes starkes Schwert zustande, damit zog er in die Welt.

Nach einer Weile trat er als Soldat in des Königs Heer und stieg dort immer höher „und weil er immer Sieger blieb und niemals einen Kampf verlor, so wurde er nicht mehr Friedrich, sondern Siegfried genannt.“ Seiner Stärke wegen aber haßten ihn die Herren am Hofe und beredeten den König, sich seiner zu entledigen. Der schickte den Helden in den Wald gegen ein großes Einhorn, das Menschen und Vieh getötet hatte. Siegfried zog mutig aus; als das Untier aber wütend auf ihn losstürmte, sprang er erschreckt hinter einen Eichbaum. Darin rannte das Tier mit dem Horn sich fest und Siegfried erschlugs mit dem Schwerte. Stolz kehrte er heim und niemand wagte nunmehr mit ihm anzubinden.

Ein Jahr darauf erscholl das Gerücht, einem König des Nachbarreiches sei die einzige Tochter von einem zwölfköpfigen Drachen gestohlen: wer sie erlöse, solle sie zur Frau haben und das Königreich obendrein. Siegfried brach sogleich auf. Sein Weg führte ihn an der

Stelle vorbei, wo er vorm Jahr das Einhorn gefällt. Die Ameisen hatten dem Aase Fell und Fleisch abgenagt; unter den Knochen aber schwamm als gelbe Masse das unverwesliche Fett. Siegfried tauchte verwundert den Finger ein und fand ihn gleich mit einer Hornhaut bezogen, von der die Schwertschärfe abglitt. Da zog er die Kleider aus und rieb sich den ganzen Körper mit dem Fette ein; nur zwischen die Schultern konnte er nicht reichen. Das wußte er aber nicht, sonst hätte er sich auf den Rücken gelegt und in dem Fette gebadet. So ward er bis auf die eine Stelle hörnern am ganzen Leibe und zog dann vergnügt weiter.

Im Königsschlosse ward seine Absicht freudig begrüßt; denn niemand hatte bisher gewagt, den Drachen zu verfolgen. Siegfried zog gleich in den Wald, darin das Untier hausen sollte. Bald traten ihm dort drei Riesen entgegen und der erste schlug mit der Stange auf ihn; er aber bog sich zur Seite, daß die Stange in die Erde fuhr und schlug den Riesen mit dem Schwerte entzwei und so auch den zweiten und dritten. Dann tat er sich auf der Riesenburg ein paar Tage gütlich und zog nun weiter in den Wald hinein.

Da traf er Löwen und Bären, die riß er mitten durch und hängte die eine Hälfte zur Rechten des Wegs, die andere zur Linken. Dann begegneten ihm nacheinander zwei Ritter, die fielen ihn an, er aber erschlug sie. Der zweite sagte ihm sterbend, wie der Drache in der Nähe auf einem Felsen hause, den Zwerge bewohnten; von denen sollte er die Nebelkappe sich geben lassen, die würde ihm helfen.

Vor dem Felsen sperrten Unterirdische Siegfried den Weg. Er aber nahm ihrer fünf, sechs bei den Bärten und schlug sie aufs Gestein, bis sie ihm Hilfe gegen den Drachen zuschworen und die Nebelkappe brachten. Dann führten sie ihn auf den Felsen zur Jungfrau.

Die grüßte ihn mit Freuden und küßte ihn; bald aber kam der Drache geflogen. Siegfried schlug ihm die rechte Klaue und zwei Köpfe ab, aber vor seinem Feuer schmolz ihm die Hornhaut. Da setzte er die Nebelkappe auf und floh zu den Zwergen herab, die ihm die Haut mit Wasser kühlten und wieder härteten. Am nächsten Tage stieg Siegfried wieder zum Felsen. Es ging wie vormals; am vierten Tage erst erschlug er den Drachen. Da war die Prinzessin erlöst und auch die Unterirdischen von der Drachenherrschaft befreit; und sie brachten Siegfried ihre Schätze aus dem Berg. Er aber erbat sich nur zwei Rosse und führte die Jungfrau in ihres Vaters

Reich zurück. Zwölf Räuber noch erschlug er unterwegs und ward dann vom alten König mit der Tochter vermählt und zum Nachfolger ernannt.

Da war aber ein Minister im Lande, dem war die Prinzessin als Braut zugesagt worden, ehe der Drache kam. Der stellte nun Siegfried nach dem Leben. Einst entdeckt er an dem Badenden die weiche Stelle zwischen den Schultern; dort stieß er ihm, als Siegfried auf einer Jagd sich durstig zum Quell neigte, den Spieß ein und durchs Herz. Zu Hause aber gab er vor, Siegfried sei vom Pferde und ins Schwert gefallen.

Nach dem Trauerjahr ging er als Werber zur Witwe. Die stellte sich freundlich und sagte ihm zu, die Seine zu werden, wenn er ihr erzähle, wie Siegfried gestorben sei. Er verriet sein Geheimnis und ward hingerichtet; das Reich aber erhielt, als er erwachsen war, Siegfrieds Sohn.

Jahn hat diese Erzählung in Quetzow im Kreise Schlewe aus Volksmund aufgenommen. Eine Variante traf er in Petznick im Kreise Pyritz: statt des Einhorns erschlägt darin Siegfried einen Riesen, bestreicht sich mit dessen Blute und wird hörnern.

Diese Erzählung ist vom Standpunkte quellengeschichtlicher Kritik betrachtet kein Märchen. Es bedarf für den Germanisten keiner Ausführung, daß sie als Ganzes genommen dem Volksbuche „von dem gehörnten Siegfried" entstammt. Ihr Verhältnis zu dieser ihrer Quelle im einzelnen aber ist eigenartig genug.

Das „Märchen" zeigt zunächst einmal die Eigenschaften der gedächtnismäßig mündlichen Überlieferung, d. h. es gibt seine Quelle unvollständig und ungenau wieder. Es fehlen eine Reihe von Personen und Auftritten, und zwar hat das Gedächtnis mit gesundem Instinkt z. T. solche Szenen ausgestoßen, die, vom Volksbuche nachträglich eingeführt, mit der Haupthandlung nur in sehr lockerem Zusammenhange stehn, wie z. B. den Kampf von Jorcus und Civelles oder etwa das Turnier (S. 69 der Ausgabe des Volksbuchs von Golther, Halle 1911[2]). Nicht alles aber ist getilgt, das für den Aufbau des Ganzen unnütz ist; wir finden z. B. auch in unserem „Märchen" den Kampf Siegfrieds mit dem Ritter oder den Räubern (Volksbuch S. 71 und 89 ff.) wieder. Im Ganzen ist die Erzählung besonders in dem Bericht vom Drachenkampfe stark verkürzt; indem der für die Erzählung des Volksbuchs doch recht bedeutsame Egwaldus weg-

fällt und nur ungenannte und unindividualisierte „Unterirdische"
erscheinen, auch unter den Riesen kein Einzelner wie der Wulffgrambähr des Volksbuchs sich heraushebt, fallen auch wichtigere Bestandteile der Erzählung weg. Auch die Reihenfolge der einzelnen
Auftritte ist nicht genau festgehalten. So steht etwa unter den
Abenteuern, die Siegfried auf dem Zuge gegen den Drachen zu bestehn hat, im „Märchen" die Folge: Riese — Löwe und Bären —
Ritter — Zwerge anstelle der Folge: Löwen und Bären — Ritter —
Zwerg — Riese im Volksbuche.

Des Weiteren ist aber die gesamte Haltung der Erzählung ver-
schoben, und zwar aus dem höfisch Romanhaften des Volksbuchs
ins volksmäßig Märchenhafte. Die Namen sämtlicher Personen und
Örtlichkeiten sind verloren mit alleiniger Ausnahme des Namens des
Haupthelden; eben der aber wird nach Märchenart ausdrücklich
als ein redender erklärt: um seiner stäten Siege willen ward der Held
Siegfried genannt. Es ist weiter durchgängig der Rhythmus des
Märchens eingeführt, wenn der Kampf mit dem Ritter gegen das
Volksbuch verdoppelt, der Kampf mit dem Riesen verdreifacht wird[1].
Auch daß der Held vier Tage lang mit dem Drachen kämpfte und dem
zwölfköpfigen erst zwei, dann wieder zwei, dann vier und nochmal
vier Köpfe abschlägt, ist Märchenrhythmus. Es atmen die Umge-
staltungen und Zutaten Geist des Märchens, wenn der Held, nachdem er den Riesen getötet, „auf der Riesenburg" sich gütlich tut,
wie etwa sonst der Held im Glasbergmärchen, wenn die getöteten
Ritter — im Volksbuche gewöhnliche Menschen — zu halb dämo-
nischen Gestalten werden, die verwünscht waren, im Walde zu bleiben,
bis sie einen Stellvertreter gefunden hätten, wie der Ferge im Typus
vom Teufel mit den goldenen Haaren. Auch der Minister am Schlusse
der Erzählung und das Eifersuchtsmotiv im Gegensatze zu den Brüdern im Volksbuche mit ihrem politischen Neide dürfen hier angeführt werden.

Wichtiger aber nun als alle diese Dinge ist die Umgestaltung,
die dem Eingange des Volksbuches in der pommerschen Überlieferung
zuteil geworden ist. Daß sie den Königssohn von Zigeunern entführen und bei Bauern aufziehen läßt, ist nun freilich eine begreif-
liche Umgestaltung für einen Erzähler, dem es anstößig erscheinen

---

[1] Das Volksbuch legte diese Verdreifachung dadurch nahe, daß der
Kampf mit Wulffgrambähr dort in drei Auftritten sich abspielt.

mußte, daß der Prinz bei einem Schmiede in die Lehre trat. Aber weiter finden sich einige Zutaten gegenüber dem Volksbuche, die nicht auf freier Erfindung beruhen können. Die Angabe, daß der Junge alle Schulkameraden prügelte und dem Lehrer beschwerlich wurde, begegnet öfter in dem Märchen von Bärensohn und Starkhans, vgl. meine „Studien" 1, 34,53 f. Könnte das ein zufälliges Zusammentreffen sein, so ist doch, was weiter vom Schmieden des Stabes und Schwertes erzählt wird, sicher eben jenem Märchen entlehnt: dort läßt der Junge wirklich vom Schmiede einen „Wanderstab" anfertigen von ungeheurem Gewicht, Studien 1, 40 ff., 52 ff. Und hier stellt nun der Junge eben jene Probe mit der Waffe an, bei der sich, was der Schmied zuerst gefertigt, als viel zu leicht erweist: der Held verbiegt oder zerbricht den schweren Eisenstab, erst die zweite oder dritte Waffe taugt. Auch daß der Bursche nun nicht vom Schmiede selbst, sondern von einem Herrn, bei dem er später Dienste nimmt, gegen das Untier im Walde geschickt wird, findet sich vielfach im Märchen, ebd. 36 f. Die Einhorngeschichte, bei der Siegfried sich mit sehr unpassender Erschrockenheit gebärdet, entstammt natürlich einer hier sehr unangebrachten Erinnerung des Erzählers an das Märchen vom tapferen Schneiderlein. Sie mag dadurch heraufbeschworen sein, daß im Volksbuche der Drache durch einen Baum getötet wird, den Siegfried auf ihn wirft.

Für unsere Betrachtung ergeben sich also zwei bedeutsame Tatsachen. Einmal: Deutsche Heldensage ist aus literarischer Überlieferung in die mündliche Volksüberlieferung eingegangen und hier in den Märchenstil überführt worden. Zum andern: Die Heldensage ist in dieser Volksüberlieferung aus eben demselben Märchen mit sicherem Instinkt aufgeputzt worden, aus dem einst die Kunst des Scop die Heldensage gestaltet hatte, indem er den Märchenstoff in den Stil seiner Epik überführte[1].

Dies eigenartige Hin und Her zeigt sich auch noch in anderer Gestalt.

Im Jahre 1854 veröffentlichte H. Pröhle in seinen „Märchen für die Jugend" S. 230 f. eine Erzählung, die er von einem Gänse-

---

[1] Das Ergebnis ist um so bemerkenswerter, als die pommersche Erzählung durch die Aufnahme einiger dieser Märchenzüge mit der nordischen Sage von Sigurds Jugend — gewiß zufällig — zusammentrifft. Auch dort wird ja nach Anleitung des Märchens das Schwert für den Helden vom Schmiede gefertigt und hat die Waffenprobe statt: Studien 2. 86 ff.

hirten in Elbingerode gehört hatte. Danach ziehen die drei Diener eines Königs, unter ihnen Hans - fürchte - dich - nicht, aus, drei Königstöchter zu suchen, die von Riesen gestohlen waren. Sie treffen in einer Hütte im Walde einen Zwerg, der sie durch einen Schacht in die Unterwelt steigen heißt. Nur Hans traut sich hinab, tötet drei Riesen, läßt die drei befreiten Prinzessinnen hinaufziehen, wird selbst von den verräterischen Genossen unten gelassen, aber vom Zwerge hinaufgeschafft und entlarvt die Betrüger: alles Zug für Zug nach dem Schema des Bärensohnmärchens mit der Einleitungsformel C, Studien 1,108 ff. (das Märchen ist dort als Nr. 15 verarbeitet). Von den drei Riesen, die der Held in der Unterwelt tötet, heißt hier nun der dritte Wolf-Grambär, führt also den Namen des Riesen aus dem Volksbuche vom gehörnten Siegfried. Daß dies hier in der Tat eingewirkt hat, beweist auch noch der Verlauf des Kampfes. Die Riesen werfen mit Stangen nach dem Helden, der dem Wurfe geschickt ausweicht, so daß die Stange in die Erde fährt; der dritte Riese läßt die erhaltenen Wunden durch den Helden mittels einer Zaubersalbe heilen, wirft verräterisch doch noch einmal nach ihm und wird nun getötet: alles wie der Wulffgrambähr des Volksbuchs.

Dies Märchen ist ein bemerkenswertes Gegenstück zu der pommerschen Erzählung. Während dort dem Ganzen das Volksbuch zugrundeliegt und nur die Jugendgeschichte des Helden mit einigen Lichtern aus dem Bärensohnmärchen erhöht ist, hat hier das Umgekehrte statt. Für die Elbingeroder Erzählung war das Bärensohnmärchen durchaus die Grundlage. Aber auch hier stellte sich im Sinne des Erzählers die Verbindung mit der Heldensage her, die aus jenem Märchen entsprungen ist und ließ ihn an einer Stelle etliche Züge aus dem Volksbuche einführen.

Pröhle bemerkt zu seinem Märchen, in Elbingerode erzähle man von diesem Wolf-Grambär auch, daß er sich mit dem Zwergkönig Echwaldus befehde, wobei Echwaldus ihm immer plötzlich durch seine Nebelkappe entschwunden sei. Auch das stammt natürlich aus dem Volksbuche. Seine Bekanntschaft gerade in der Harzgegend wird nicht erstaunlich scheinen, da es ja sicher in Niederdeutschland, und zwar wahrscheinlich an der Ocker, vielleicht in Wolffenbüttel oder in Braunschweig entstanden ist, woher unser ältester Druck stammt (E. Schröder, Vj. f. Litg. 5,380 ff.).

In der Tat findet sich in einer andern Überlieferung, die Pröhle aufgenommen hat, noch einmal eine Beziehung auf unser Volksbuch. In seinen Kinder- und Volksmärchen, Leipzig 1853, teilt er als Nr. 5, S. 20 ein Märchen mit, das sich als eine Fassung des bekannten unendlich verbreiteten Zweibrüdertypus (K H M 60) darstellt. Der eine der Brüder, Pechvogel, wird von der Hexe getötet, der andere, Glücksvogel, aber erschlägt mit Hilfe seines Hundes den Drachen, dem die Prinzessin geopfert werden sollte, rächt und belebt später den Bruder: alles nach bekanntem Grundriß. Hierzu aber bemerkt Pröhle S. XXV f.: „Von den Varianten, die ich gehört habe, ist die merkwürdigste die, wonach der Held Siegfried heißt und bei einem Schmied in der Lehre ist; sein Meister schickt ihn in den Wald nach Kohlen und denkt, daß ihn dort ein Riese töten wird. Der Riese schnellt auch einen Baum auf ihn, er schnellt ihn aber (das Wie war dem Erzähler nicht klar) zurück und tötet den Riesen. Er preßt ihm das Fett aus, beschmiert sich damit, wird nun „der gehörnte Siegfried" genannt, kämpft mit dem Drachen, zieht, wenn er ermattet, ein Töpfchen, das er noch von dem überflüssigen Fett des Riesen gefüllt hat, hervor, bestreicht sich von neuem damit und siegt. Nachdem der Drache erlegt ist, geht alles den gewöhnlichen Gang, nur daß Siegfried die Prinzessin an ihrem Hochzeitstage mit dem falschen Diener vom Wirtshause aus durch einen Zettel, den er ihr durch die Hunde schickt, nicht nur um Speise, sondern auch um einen Tanz bittet".

Auch hier liegt deutlich eine Beeinflussung des Märchens durch das Volksbuch vom gehörnten Siegfried vor. Sie ist herbeigerufen durch den Drachenkampf, der in beiden Überlieferungen statthat und da und dort dem Helden eine Prinzessin erwirbt. So muß denn hier auch der Held zur Schmiede und hat, bevor er die Prinzessin vom Drachen erlöst, schon einen Kampf zu bestehn, der ihm die Hornhaut verschafft. Einen Kampf hier freilich nicht gegen einen Drachen, sondern gegen einen Riesen. Darin wird wohl weniger eine verwirrte Erinnerung an den Streit mit Wulffgrambähr zu sehen sein, als daß der Erzähler des Märchens nicht zweimal einen Drachenkampf haben wollte und so lieber das unerhörte Riesenfett statt des Drachenfettes in Kauf nahm. Denn daß der Riese im Märchen durch einen Baum getötet wird, den Siegfried auf ihn wirft, stammt ja doch sicher aus dem Drachenkampfe des Volksbuchs S. 65: „Siegfried bedenket

10

sich nicht lange, sondern den ersten Baum, der ihm zu handen kam, reißt er aus der Erden und wirft denselben auf den Drachen".

Eine ganz ähnliche Kreuzung findet sich auch auf litauischem Boden. A. Schleichers Litauische Märchen, Weimar 1857, S. 41 bieten eine allerdings sehr zerrüttete Fassung des Zweibrüdermärchens. Merkwürdig an ihr ist, daß ihr Held ein „hörnerner Mann" ist. Er hat nämlich einst in einem unbewohnten Hause eine Flasche gefunden und ihren Inhalt über den Finger gegossen. Da sah er, daß der Finger hörnern wurde, so daß man ihn nicht mehr schneiden konnte, und er begoß sich darauf am ganzen Leibe. Der gesamte übrige Verlauf zeigt das Zweibrüdermärchen, die Hornhaut aber mit der vorangegangenen Fingerprobe weisen deutlich auf eine Beeinflussung der Märchens durch die Siegfriedsage, die sich hier also auf litauischen Boden vorgedrungen zeigt.

Das in den obigen Ausführungen beleuchtete Hin und Her zwischen volkstümlicher und literarischer Überlieferung zeigt Verhältnisse, wie sie auf dem Gebiete des Volksliedes durch die Forschung der jüngsten Zeit in ausgedehntestem Maße nachgewiesen wurden. Übrigens können die hier aufgezeigten Tatsachen für den Märchenforscher auch nichts Überraschendes besitzen. Reinhold Köhler hat schon 1870 ausführlich dargelegt, daß das Volksbuch von Griseldis in die Märchenüberlieferung eingegangen ist (Kl. Schriften 1,334 ff.) z. T. mit Abänderungen, die grundsätzlich den an unserm pommerschen Märchen beobachteten völlig gleichlaufen. Die Florentiageschichte begegnet als griechisches Märchen (E. Rohde, Der griechische Roman, Leipzig 1876, S. 534). Italienische Märchen von der gestörten Mahrtenehe zeigen sich vielfach beeinflußt von dem aus einem Gedichte des 15. Jahrhunderts geflossenen Volksbuche von Liombruno (Verfasser, Merlin und Seifried de Ardemont, Tübingen 1902, S. LXXXVI.; Bolte-Polívka, Anmerkungen zu den KHM, 2.322 f.).

Ein sehr hübsches Gegenstück zu unserm pommerschen Märchen, das in seine Hauptquelle, das Volksbuch vom gehörnten Siegfried, Züge aus jenem Märchentypus einleitete, aus dem die Erzählung des Volksbuchs selbst letzten Endes geflossen ist, bietet das Märchen „vom weiberscheuen Prinzen" bei I. G. v. Hahn, Griechische und alba-

---

[1] Eine Übersetzung nach Schleichers Litauischem Lesebuche hat A. Edzardi 1875 in der Germania 20,317 ff. als „Ein litauisches Sigfridmärchen" mitgeteilt.

nesische Märchen, Leipzig 1864, I, 273 ff. Es ist, wie v. Hahn entgangen
ist, aber schon von F. Liebrecht bemerkt ward. (Heidelberger Jahrb.,
57. Jg., 1864, S. 217), nach seinem ganzen Aufbau nichts als eine
ins Märchenhafte hinübergeschobene Wiedergabe der Historia
Apollonii; im Mittelstücke aber sind bedeutsame Züge aus dem
Goldenermärchen eingeflossen, dessen Verwandschaft mit der
Historia, die L. Laistner 1894 wissenschaftlich nachgewiesen hat
(ZfdA. 38,116 ff.), der Erzähler fühlte.

Steigton und Fallton
im Althochdeutschen mit besonderer
Berücksichtigung von Otfrids
Evangelienbuch.

Von Eduard Sievers, Leipzig.

Schon seit geraumer Zeit haben sich die Vertreter der historisch-vergleichenden Sprachwissenschaft daran gewöhnt, mit dem Begriff von Satzdubletten zu arbeiten, d. h. mit der Erkenntnis, daß eine einst einheitliche Wortform im Laufe ihrer Geschichte durch satzphonetische Einflüsse in Unterformen gespalten werden könne, deren Gebrauch sich dann zunächst nach der satzphonetischen Stellung richtete, während später auch wieder Gebrauchsausgleichungen oder -verschiebungen eintreten konnten.

Diese Lehre von den Satzdubletten verträgt nun, wie mir scheint, noch eine recht erhebliche Erweiterung, und ganz neue Gebiete sind ihr noch zu erschließen. Man hat nämlich einerseits mit ihr vielfach mehr theoretisch als praktisch gearbeitet, d. h. insbesondere die Texte mit Doppelformen noch lange nicht genug darum befragt, ob hinter dem, was uns beim ersten Hinsehen oft nur den Eindruck einer wirren Wechsel s c h r e i b u n g macht, nicht doch noch eine vernünftige K l a n g r e g e l erkennbar sei, wenn es nur gelänge, den richtigen satzphonetischen Schlüssel zu finden; und man hat sich andrerseits, beim etwaigen Suchen nach solchen Schlüsseln, meist auch noch innerhalb zu enger Grenzen gehalten. So hat man zwar z. B. den Wirkungen des Tempos und des dynamischen Akzents oft genug nachzugehen versucht, aber den s a t z m e l o d i s c h e n Verhältnissen der einzelnen Texte mit wenigen rühmlichen Ausnahmen kaum noch eingehendere Aufmerksamkeit zugewendet. Hier möchten nun die folgenden Ausführungen, wenn auch meist nur mehr andeutend als irgendwie erschöpfend, einsetzen.

Auf den in Rede stehenden Fragenkomplex wurde meine Aufmerksamkeit zum ersten Male schon vor vielen Jahren hingelenkt, als ich mit W. Streitberg zusammen zur Aufhellung gewisser textgeschichtlicher Fragen die gotische Bibelübersetzung einer Klangprüfung unterzog, bei der das Satzmelodische eine Hauptrolle spielte. Einen weiteren Anstoß gab mir dann zunächst das Altnordische, insofern mich die Vorbereitung einer Ausgabe der Niflunga-Saga (es war im Sommer 1914) dazu zwang, ernstlicher zu untersuchen, was eigentlich als altnorwegisch im Gegensatz zu altisländisch anzusprechen sei, da mit den herkömmlichen Anschauungen (das zeigte sich bald) nicht auszukommen war. Auch dabei ergab sich sofort soviel Neues, und wie mir schien auch nicht Unwichtiges, daß ich seitdem die Gesamtfrage nicht mehr aus den Augen verlor, sondern sie immer wieder an den neuen Objekten mituntersucht habe, die mir ein äußerer Zufall oder der Zusammenhang anderer Arbeiten in die Hände führte. Aus dem so allmählich angesammelten Material möchte ich heute einen kleinen Ausschnitt vorlegen, den ich dem Althochdeutschen entnehme, weil ich denke, daß ich damit Dir, lieber Braune, als dem Schatzhüter der althochdeutschen Grammatik, am ehesten eine kleine Sonderfreude zum Geburtstage machen kann.

Als vorläufiges Gesamtergebnis meiner bisherigen Untersuchungen kann dabei hingestellt werden, daß es in allen altgermanischen Sprachen, sei es älterer, sei es jüngerer Zeit, Texte mit Doppelformen gibt, die man bisher meist als irgendwie sekundär eingeschleppt zu betrachten pflegt, aber in Wirklichkeit offenbar auf die Verfasser der Texte selbst zurückzuführen hat. So herrscht z. B. schon in den gotischen Texten, die ja freilich nur erst verhältnismäßig wenige Doppelformen aufweisen, bis auf verschwindende Ausnahmen nicht Schreibwillkür oder nachträgliche Einmischung von Jüngerem unter Älteres, sondern strenge satzphonetische Regel, die der phonetischen Beobachtungskunst des Ulfilas ein beredtes Zeugnis ausstellt. In noch erhöhtem Maße gilt das von gewissen andern altgermanischen Texten. So erwies sich gleich der erste altnorwegische Text, zu dem ich bei der oben erwähnten Gelegenheit griff, das altnorwegische Homilienbuch (G. Neckel hielt es gleichzeitig noch für nur schriftliches Mischprodukt aus verschiedenen Dialekten, s. Beiträge 40,60 ff.) als ein satzphonetisches Kunstwerk allerersten Ranges, und auch sonst haben sich inzwischen noch viele Texte gefunden, denen man ein ähnliches Lob spenden muß.

Natürlich soll damit nicht gesagt sein, daß nun j e d e r Text mit orthographischem Wechsel auch ein Beispiel für dessen satzphonetische R i c h t i g k e i t liefern müsse: das wäre ja schon dadurch ausgeschlossen, daß bei mehrfacher Überlieferung des gleichen Textes die Orthographie im einzelnen oft von Handschrift zu Handschrift schwankt, während doch höchstens eine von den Parallelüberlieferungen auch den satzphonetischen Gewohnheiten des Verfassers entsprechen kann. O b überhaupt irgendeiner Einzelüberlieferung satzphonetisches Verständnis zugutegekommen ist, kann man nie von vornherein wissen: es läßt sich das vielmehr jedesmal nur durch eine eigene Untersuchung feststellen, welche den betreffenden Text auf klangliche Geschlossenheit oder Nichtgeschlossenheit hin zu prüfen hat. Das geschieht am besten so, daß man bei jeder Einzelstelle fragt, wie sich die verschiedenen an sich möglichen Varianten der Wortform zum klanglichen Gesamtcharakter des Stückes verhalten: wobei denn in der Regel herauskommen wird, daß an jeder Einzelstelle auch nur eine einzige von den Wechselformen klanglich zulässig ist. Erleichtert wird das ganze Verfahren da, wo bei mehrfacher Überlieferung eines und desselben Textes die eine Überlieferung klanggerecht, die andere aber mehr oder weniger klangwidrig ist (das gilt z. B. in hohem Maße von den beiden Haupthandschriften von König Ælfreds Übersetzung der C u r a p a s t o r a l i s). Allgemein mag dazu noch weiter bemerkt werden, daß in weitaus den meisten Fällen die Texte, auf die wir mit Vorliebe unsere grammatischen Regeln stützen, weil sie sich durch 'Regelmäßigkeit' der Formgebung auszeichnen, nicht den Anspruch erheben können, ein auch nur leidlich klanggetreues Abbild gesprochener Sprache zu geben. Echte 'Sprache' im eigentlichen Sinne des Wortes finden wir viel öfter in Texten mit starkem Wechsel der äußeren Form abgebildet: in solchen Texten nämlich, deren Urhebern es gelang, die Unterschiede, die sie beim Sprechen machten, auch hörend wahrzunehmen und dann auch irgendwie orthographisch auszudrücken. Und glücklicherweise ist die Zahl solcher Texte nicht klein.

Doch zur Sache.

Von dem, was wir S a t z m e l o d i e nennen, kommt für unsere Spezialzwecke insbesondere dreierlei in Betracht, was wir unter die Schlagworte T o n r i c h t u n g , T o n b i n d u n g und T o n l a g e bringen können. In ersterer Beziehung, also hinsichtlich der

Tonrichtung, sind Steigton und Fallton zu unterscheiden. Ist beim Steigen oder Fallen der Ton zugleich glatt (so sage ich lieber statt des mißverständlichen 'gestoßen' im Kurschatschen Sinne), so bezeichne ich im folgenden den Steigton durch Akut, den Fallton durch Gravis (also *hábe* mit in sich steigendem, *hàbe* mit in sich fallendem *a*: natürlich ohne alle Rücksicht auf dynamische Verhältnisse). Ebenso zerfallen die Schleiftöne in aufschleifende und niederschleifende (also etwa *ā* und *ä*). Unter Tonbindung soll ferner hier die Vereinigung zweier Töne entgegengesetzter Richtung in éiner Silbe verstanden werden, also die gebundenen Tonfolgen steigend-fallend und fallend-steigend (im Bedürfnisfalle durch ˆ und ˇ bezeichnet, wie in *a`* und *a`*). Zu beachten ist dabei, daß die beiden 'Äste' der Bindung eine sehr verschiedene Länge haben, d. h. daß z. B. auf einen auch dem durchlaufenen Intervall nach ganz kurzen fallenden Eingang ein größerer Steigschluß folgen kann, und dergl. mehr.

Am meisten praktische Schwierigkeiten macht vielleicht die Bestimmung der Ton- oder Stimmlage, da es sich dabei stets um nur relative Verhältnisse handelt. Immerhin wird es unbedenklich sein, alles was über einem durchschnittlichen Mittelniveau liegt, gegebenenfalls durch einen hochgestellten Punkt zu bezeichnen, was unter jenem Niveau liegt, durch einen tiefgestellten, während die neutrale Mitte unbezeichnet bleibt (also etwa *ha˙be* : *ha.be* : *habe*). Aber man kann bei dieser einfachen Art der Scheidung noch nicht stehen bleiben. Man kann nämlich leicht beobachten, daß die Stimme der Sprechenden sich zwar gewöhnlich innerhalb einer engeren Zone von Höher bis Tiefer bewegt, daß aber einzelne Stellen der Rede doch auch über die durchschnittliche Höhengrenze hinaufsteigen oder unter die übliche Tiefengrenze hinabsinken: im wesentlichen nach Gesichtspunkten, die man unter den Begriff 'deklamatorisch' (im weitesten Sinne des Wortes) bringen kann. Solche Töne sollen im folgenden ausdrücklich als überhoch und übertief (d. h. als 'mehr als hoch' und 'mehr als tief') bezeichnet werden: für die graphische Auszeichnung kann man aber — jedenfalls im folgenden — auch mit den einfachen Hoch- und Tiefpunkten auskommen, da im Einzelfalle doch stets ausdrücklich angegeben werden muß, ob es sich um einen gewöhnlichen (d. h. innerhalb der

Durchschnittszone verbleibenden) Hoch- oder Tiefton, oder aber
um den Gegensatz von ü b e r h o c h und ü b e r t i e f handelt.
Bemerkt werden mag dazu noch, daß die übertiefe Stimmlage sich
durch eine eigentümliche Art von Stimmbruch von den übrigen
Lagen abhebt, insofern bei ihr eine dumpf-vibrierende, an die Murmel-
stimme erinnernde Stimmart eintritt, die sich von der klaren Stimme
auch noch der mittleren Tieflage deutlich unterscheidet.

H o c h t o n und S t e i g t o n einerseits, T i e f t o n und
F a l l t o n andrerseits gehen (und das gilt auch mutatis mutandis
von den beiden Arten von Zirkumflexen) begreiflicherweise oft zusammen, da der Steigschritt unwillkürlich nach oben, der Fallschritt
unwillkürlich nach unten treibt. Aber sie sind keineswegs aneinander
gebunden. Es gibt ebensogut hohe wie tiefe, überhohe wie übertiefe
Steigtöne u n d Falltöne *(hä·be,* *hä.be* : *hä·be,* *hä.be* usw.)
Auf weitere Einzelheiten braucht hier nicht eingegangen zu
werden. Auch ohnedies wird man schon jetzt fragen wollen, woher
wir es denn überhaupt wissen können, ob Schriftsteller vergangener
Zeit (also z. B. althochdeutsche) solche Unterschiede wie die besprochenen, wo nicht gar systematisch beobachtet, so doch wenigstens
instinktiv empfunden haben oder nicht? Darauf ist aber einfach
mit dem Spruch zu antworten: 'An ihren Früchten (also hier 'ihren
Texten') sollt ihr sie erkennen', d. h. durch das vorurteilsfreie Studium
der melodischen Verhältnisse, die dem Beobachter bei freiem und
flüssigem, dabei sinn-, stil- und, soweit möglich, mundartengerechtem
Vortrag entgegentreten. Denn a l l e Sprache ist auch in melodischer
Beziehung innerlich so geregelt, daß jede Abweichung von der Norm
von dem geschulten Beobachter tatsächlich erkannt werden kann.
Aber es wird vielleicht doch nützlich sein, noch eine weitere kleine
Vorbetrachtung einzuschalten.

Wo es sich um A k z e n t f r a g e n handelt, wird man gut tun,
auch die in den Texten vorkommenden Akzent z e i c h e n nicht
außer acht zu lassen, und sich darüber bewußt Rechenschaft zu
geben, was diese Zeichen, nicht nach unserer jetzt üblichen Ge-
brauchsweise, sondern für den Autor eines der Vergangenheit angehörigen Textes bedeutet haben mögen. Gerade in dieser Beziehung
aber sind wir offenbar noch recht weit davon entfernt, überall schon
die richtige Deutung jener Zeichen gefunden zu haben. Zwar daß
z. B. Otfrid mit seinen sog. Versakzenten nichts Dynamisches,

sondern etwas Melodisches bezeichnen wollte, darf schon für gesichert
gelten, ist ja auch längst von Fr. Kauffmann (ZfdPh. 29,19 ff.) ausgesprochen worden. Anderwärts aber gelten Akute noch unange-
fochten als L ä n g e zeichen. Für den nord. Gebrauch trifft diese
Deutung oft auch ohne weiteres zu: wie steht es aber z. B. mit den
Akuten der ags. Handschriften? Soweit ich sehe, haben sie d o r t
mit der Quantitätsbezeichnung nicht das geringste zu schaffen,
sie heben vielmehr gewisse, in ihrem Zusammenhang auszuzeich-
nende (oder auffällige) H o c h töne hervor, wie mich die Nachprüfung
langer Listen von Stellen gelehrt hat[1]. Und was bedeuten die Akute
und Zirkumflexe der ahd. Handschriften? Man wird da wohl generell
mit einem Hinweis auf N o t k e r s System antworten wollen, und
es fällt mir natürlich auch gar nicht ein, zu leugnen, daß Notkers
Akute tatsächlich meist auf kurzen, seine Zirkumflexe meist auf
langen Vokalen stehen. Aber schon seine gegensätzliche Behandlung
der echten und unechten Diphthonge (éi, óu gegen îe, úo) ist nicht
ohne weiteres als rein eindeutig anzusehen, und auch sonst kommen
doch nicht gar so selten bei ihm anomale Akzente vor, die einen
bedenklich stimmen müssen[2], und einen geradezu zu der Frage

---

[1] Sie stehen vermutlich deshalb mit Vorliebe auf langen Vokalen, weil
diese besonders häufig zu (fallendem) Tiefton neigen, daher Abweichungen vom
Durchschnitt häufiger zur Bezeichnung reizen mußten. — In der Beurteilung
der ganzen Frage weiche ich jetzt also auch von W. K e l l e r in den Prager
Deutschen Studien 8,97 ff. ab.

[2] Zu den bedenklichen Fällen rechne ich auch durchaus Notkers Akute
auf langen Vokalen und (urspr.) Diphthongen vor zwischenvokalischem h,
bei denen man seit Braune, Beitr. 2,130 f. wohl allgemein Verkürzung anzunehmen pflegt. Mit verkürzten Vokalen komme ich nämlich bei Notker satz-
melodisch nie aus, wohl aber finde ich bei ihm in allen einschlägigen Fällen
hohen Steigton auf Langvokal, der der in die Höhe treibenden Wirkung
des (nach meiner Meinung laryngalen) h zuzuschreiben sein wird, die in den
semitischen Sprachen (z. B. beim arabischen h) deutlich hervortritt. Man vgl.
etwa (ich gebe Braunes Liste in etwas erweiterter Form mit Zitaten nach
Piper, wo man die Stellen bequemer findet): ná·hŏr 5,14 . 13,11. 38,20,
uuá·he 10,4, uuá·hi 10,19, ká·hes 13,21 . 14,2, sá·hen 14,19, sá·ke 30,12.
74,19, enfá·het 33,23, geiá·he 34,11, sá·het 'sät' 39,7, ná·hent 40,3, fá·hĕn
43,23, gá·he 52,18, geuá·hen 61,19, -fá·hen 71,14, gefá·he 85,25, sá·hin
97,32; ulé·ha 70,5, fé·hi 90,16, geué·het 91,3; zí·het 'zeiht' 29,13. 16,
zí·hent 31,5. 15. 23. 42,21, tí·hen 'gedeihen' 44,29; zí·henta 'ziehende'
19,12, zí·het 21,9, zí·henne 59,10, gezí·he 60,32, furezí·hĕst 64,20,
gezí·henne 71,23, flí·hende 28,18, flí·hendo 77,20, flí·hen 87,16; zí·hit 'zieht'

zwingen, ob nicht auch Notker zur tatsächlichen Bezeichnung des Quantitätsgegensatzes auf indirektem Wege gekommen sein könne, d. h. daß er die Quantitätsgegensätze zwar tatsächlich m i t erfaßt haben könne, obwohl er eigentlich einen andern, und zwar einen dem Bereich des Melodischen zufallenden Gegensatz habe hervorheben wollen. Diese Frage liegt um so näher, als auch anderwärts im Ahd. Akut und Zirkumflex nebeneinander gebraucht werden in Fällen, wo man mit dem Quantitätsprinzip gar nicht durchkommt. Schon im Tatian ist das klärlich ausgeschlossen. Und was sollen wir schließlich z. B. zu einem Text wie der B a m b e r g e r B e i c h t e[1] sagen, in der Zirkumflexe massenhaft auch auf Kürzen, und Akute, wenn auch immerhin seltener, gelegentlich auf Längen stehen (vgl. z. B. eine Stelle wie *und en manega wis bewárta die wârheit* 138,31, oder Formen wie *sehentén* 138,38, *nótdieniste* 140,12, *áchuste* 142,26, *uirwázzinen* 143,37, *sérmuotigi* 144,23, *trúrigheite* 27, *ábulgide* 145,10, *gáhûnga* 13, *gitáte* 20, *uirzádilinne* 37 (mit hier sicher langem *ā*), *gilónot* 146,15, *uirsúmide* 21, *wíben* 147,11, *gihíleiches* 16, *áchustône* 24, *éwa* 31, *gilá* 148,14, *státmuoti* 16 [neben *stâten* in gleicher Zeile], usw.). Soll das alles nur sinnlose Schreibermache sein? Das will mir nicht einleuchten. Sprechen wir uns also einmal eine besonders 'schlecht' akzentuierte Stelle in ihrem Zusammenhange vor, und zwar

74,15. 82,1; *hû·he* 104,5, usw. Wo das *h* fehlt und Notker daher auch Zirkumflex setzt (Braune a.a.O.), herrscht entsprechend tiefer Fallton: *gá.es* 17,21, *gá.endo* 38,18, *anagá.enda* 38,28, *hû.e* 21,22. Geschichtlich würde diese Regel allerdings wohl umgekehrt so zu formulieren sein, daß da, wo der Zusammenhang der Rede Fallton des Vokals erfordert, das *h* bis zum Ausfall geschwächt wird. Das gleiche gilt übrigens auch von dem (oberdeutschen) Abfall des auslautenden *h*, den E. Schröder in den Gött. Nachrichten 1918, 378 ff. eingehend behandelt hat, und der ja auch schon bei Notker einsetzt. Namentlich bei den Schweizern, wie Ulrich von Zatzikhoven und Ulrich Boner, ist die konsequente Gegensatzparallele von *hôch, zôch, vlôch, nâch* : *hô, zô, vlô, nâ* sehr hübsch zu beobachten (vgl. z. B. 'ich vlôch vil balde' sprach diu vlô' Boner 48,35). — Daß Notkers *hô* (Schröder 383) wirklich für *hôh* steht und nicht etwa aus *hôho* kontrahiert ist, zeigt der glatt fallende Ton: in Kontraktionsformen spricht Notker stets (niederschleifenden) Zirkumflex: *suёr* Boeth. 6,12. 36,1. 79,18, *suёre(s)* 73,26. 74,2, *trâno, -e* 13,6. 23,9. 80,25, *·slät* 22,16, *cênzeg* 39,15, *mälôt* u. ä. 67,7. 69,15. 26. 71,10, *uersîst* 81,20, *slän* 105,9 usw., selbst in mindertoniger Silbe (soweit Länge des Vokals erhalten): *solēn* 22,5, *souuelēs* 99,8 usw. (Braune, Beitr. 2,135).

[1] Alle kleineren ahd. Stücke zitiere ich der Gleichmäßigkeit halber nach E. v. S t e i n m e y e r s Kleineren ahd. Sprachdenkmälern, Berlin 1916.

dem ganzen Charakter des Stückes entsprechend, mit scharf logisch pointierender Betonung und etwa dem schweizerdeutschen Intonationstypus (insbesondere muß man übrigens bei allen ahd. Texten alle Geminaten als echte Spaltkonsonanten sprechen, wenn man zu einem Ziele kommen will), also etwa 139,18 ff. *Ich gloubo daz dénne aller ménnisglich uúre sich selban góte réda gêban sôl, suie ser gilébet hábe, wôla alder ûbelo, unde daz ímo dár* (dies Wort hat den Nachdruck) *náh gilônot werde.* Kann man sich da überhaupt dem Eindruck entziehen, daß alle Tonsilben mittlerer Lage unbezeichnet gelassen sind, alle deutlich über diesem Niveau liegenden aber den Akut, alle darunter herabsteigenden aber den Zirkumflex erhalten haben? Und weiterhin, daß der Gegensatz von 'ausgesprochen hoch' und 'ausgesprochen tief' zugleich mit dem von 'steigend' und 'fallend' Hand in Hand geht? Daß also der Satz nach dem oben angeführten Bezeichnungssystem so zu umschreiben wäre: *ich gloube daz dé'nne aller mé.nnisglich uú're sich selben gó'te ré'da gè'ban sò.l, suie ser gilé'bet ha'be, wò.la alder ù.belo, unde daz í'mo dá'r nà̀.h gilô.not werde?* Ich glaube, man kann nun die Probe auf den ganzen Text ausdehnen, ohne zu einem andern Resultat zu kommen. Damit wäre aber dann doch wohl der melodische Charakter des Gegensatzes von ' und ˆ für diesen Text (und, wir können hinzufügen, auch für andere ähnlich geartete) erwiesen, und damit auch gezeigt, daß ahd. Autoren (oder Schreiber) den Unterschied von 'hoch-steigend' und 'tief-fallend' sehr wohl beachtet und beobachtet haben, sowie deren gemeinsamen Gegensatz zu den Tönen der (unbezeichnet gebliebenen) Mittellage.

Bei dieser Bestimmung der Zeichenwerte sind, wie man sieht, immer noch je zwei Elemente der Definition miteinander verbunden, nämlich 'hoch' mit 'steigend' und 'tief' mit 'fallend', und man möchte gerne wissen, welches dieser Elemente denn wohl eigentlich die Aufmerksamkeit der Zeichensetzer in erster Linie erregt haben möge, der Gegensatz von 'hoch' und 'tief' oder der von 'steigend' und 'fallend'. Ein strenger Beweis für die eine oder andere Annahme würde sich wohl bei unserem Text nicht führen lassen: aber ich glaube doch auf Grund ziemlich umfangreicher Beobachtungen es im allgemeinen für wahrscheinlicher halten zu dürfen, daß der Gegensatz von 'steigend' und 'fallend' deutlicher und stärker empfunden sei als der andere, an den w i r nach unseren heutigen Gewohnheiten wohl am ersten denken würden. Demgemäß knüpfe ich meine weiteren Erörterungen in erster Linie auch an das Paar 'Steigton' und 'Fallton' an, und lasse die Ton l a g e n gegensätze erst in zweiter Linie hinzutreten. Das dürfte auch schon deswegen zulässig sein, weil ein erheblicher Teil der Niveaugegensätze, wie schon S. 152 bemerkt wurde, sichtlich von dem Gegensatze der Ton r i c h t u n g abhängt.

Worauf sollen oder können sich nun aber in der Sprache die Einwirkungen dieser und ähnlicher melodischer Gegensätze erstrecken? Ich denke, man wird da in erster Linie an die Vokale und Diphthonge zu denken geneigt sein, wenn man der Sache überhaupt Beachtung schenken will. Dieser Gedanke wäre auch insoweit ganz richtig, als tatsächlich auf dem Gebiete des Vokalismus eine Reihe höchst bedeutsamer Einflüsse festzustellen sind, vom indogermanischen Ablaut u. ä. herab über Brechung, Umlaut, ältere und neuere Diphthongierung bis zu den neueren mundartlichen Verhältnissen.

So kommt beispielsweise für sehr alte Zeit das B r u g m a n n s c h e Gesetz über die Dehnung von indog. *o* zu sanskr. *ā* endlich wieder zu der ihm gebührenden Ehre, denn die Auszählung der Fälle im Rigveda zeigt (nach ziemlich umfänglichen Stichproben), daß steigendes *ó* ungedehnt als *á* erscheint, fallendes *ò* dagegen als gedehntes fallendes *à̄*. Besonders klar tritt der Gegensatz bei den Perfectis der e/o -Verba hervor, die in der 1. Sg. stets steigendes und nicht gedehntes *á* haben (*cakára* 1,165,8, *jagrábha* 8,6,10. 10,18,14, *tatápa* 7,104,15, *didháya* 3,38,1. 10,32,4, *papána* 8,2,17, *bibháya* 8,45,35, *mimáya* 2,29,5, *rárána* 9,107,19. 10,86,12, *çiçráya* 10,43,2, *çuçráva* 1,109,5 . 10,38,5), in der 3. Sg. aber stets fallendes und gedehntes *à̄*.

Was die B r e c h u n g anlangt, so ist z. B. noch im Mhd. der Gegensatz zwischen steigendem *schíf, schírmen* und fallendem *schèf, schèrmen* u. a. im Nibelungenlied auch handschriftlich in B noch korrekt gewahrt, und anderwärts, wo die Überlieferung schwankt, nach den Forderungen der Satzmelodie wieder herzustellen (so in der Kudrun). Auch der ganze Wechsel von *u* und *o* in gleichem Worte gehört hierher (einschließlich dem von *trúhtin : tròhtín*). Danach wird die ganze herkömmliche Lehre von der 'Brechung' zu revidieren sein. — Über U m l a u t und anderes folgt einiges Weitere gleich unten.

Zum modern Mundartlichen sei mit Rücksicht auf Beitr. 19,340 ff. 29,338. 576 und das Rundschreiben von „Dr. Johann W. Nagl, Wichtigere germanistische Fragen, in denen sich die Fachgenossenschaft durch vorläufige Nichtbeachtung meiner Ergebnisse meiner sicheren Voraussicht nach in Nachteil setzt" (o. O. u. J.). Nr. 4 bemerkt, daß ich mich im Sommer 1918 und 1919 etwa neun Wochen lang zwar nicht in Dinzling bei Cham, wohl aber in Arrach (das mundartlich auch zum Gebiete von Cham gehört) aufgehalten, und also reichlich Gelegenheit gehabt habe, auch auf die Mundart zu achten, z. T. im Verein mit K. Bohnenberger. Das Ergebnis meiner Beobachtungen war dieses:

Normalform der Vertretung von nichtumgelautetem altem *ei* ist allerdings *uз* (oder halbmundartlich *oз*), und fragt man nach einer bestimmten Einzelform, so bekomme man ausnahmslos dies *uз*, *oз* zu hören, z. B. in *zwuз*, *zwoз* 'zwei', substantiviert *zwuзri*, *zwoзri* 'zweie' u. dgl. In freier Rede besteht aber diese Form des Diphthongs nur bei Fallton: *зs san zwùзri gwen* 'es sind zwei gewesen'. Bei Steigton rückt dagegen der Druck um so deutlicher und stärker auf das zweite Glied des Diphthongs (das dann als das helle bayrische *a* erscheint), je größer das durchlaufene Intervall ist. So wird jene mehr gleichgültige Aussage in dem emphatischeren (etwa in triumphierendem Tone gesprochenen) *зs san owa zwuǎri* (*zwoǎri*) *gwen* 'es sind aber zwéie gewesen', und bei sehr hohem Steigton schwindet tatsächlich auch noch das *u̯*, *o̯*, so daß wirklich Sprechformen wie *зs san owa zwǎri gwen* herauskommen. Dasselbe gilt von den *oз* aus *or*, wie man z. B. beim Gutenmorgengruß bequem beobachten kann, der je nach Stimmung und Laune des Grüßenden mit fallendem *mòзgn* oder steigendem *moǎgn* bzw. *mǎgn* zu hören ist.

In unseren althochdeutschen Texten ist aber von diesen Erscheinungen verhältnismäßig wenig zu finden, wenn man nicht die ganze Masse der Überlieferung zusammennimmt. Ich beschränke mich also an dieser Stelle auf ein paar mehr gelegentliche Hinweise, deren Zitate ich in erster Linie der Exhortatio ad plebem christianam (Steinmeyer Nr. IX.) entnehme, von der übrigens nur der Casseler Text A klanggerecht schreibt. Ich hebe aus ihr folgendes hervor, indem ich die ausgezogenen Stellen gleich in der Weise bezeichne, wie sie meiner Meinung nach gesprochen werden müssen.

1. *uuîho ātum cauuisso dēm* m à. i s t r o n *dera christān h e i t i*, *dēm uuîhēm potōm sinēm* d e i s u *uuort thictōta* 11 zeigt im Verein mit *eigut* 5, *christānheiti* 6, *deisu* 20, *caheilit* 21, *dei* 23. 26, *caheizan* 30, *uueiz* 31, *caheizes* 37 und *hê·lī* 48, daß altes *ai* nur bei übertiefem Fallton seine alte Qualität noch gewahrt hat, schon in Mittellage dagegen überall bereits bis zu *ei* fortgeschritten ist, ja bei hohem Steigton sogar zu einem sehr engen *ei*, das in *hêli* 48 durch bloßes *e* bezeichnet ist. Ähnliches läßt sich bei andern Texten beobachten.

2. Der *i* - U m l a u t von *a* zu *e* setzt eine Vorschiebung der Zunge im Munde voraus, Tonvertiefung aber wird (wegen der damit verbundenen Senkung des Kehlkopfs, der dann einen entsprechenden Zug auf die Zunge ausübt) in der Regel von einer Rückziehung der Zunge begleitet. Es ist daher zu erwarten, daß eine erhebliche Tonvertiefung als Hemmnis für den Eintritt des Umlauts wirken könne. Dem entspricht der Zustand in der Exhortatio mit *za demo sōnatagin* r é· d i· a *urgé·pan*[1] *scal* 38 gegen *daz er ze sōnatage ni*

---

[1] Man beachte, daß hier *re-di-a* d r e i silbig, *radia* aber z w e i silbig zu sprechen ist, wobei das zweisilbige *radia* eine sekundäre akzentische Verkürzung eines vorauszusetzenden noch älteren *ra-di-a* darstellt. Weiteres dazu siehe unten Nr. 40 ff.

uuerde canaotit r à d i̯ a urgè.pan 45 (wobei allerdings das steigend betonte *sŏnatágin* des ersten Satzes nach wie vor als Ausgleichungsprodukt gefaßt werden muß). Wiederum stimmen andere Texte (z. B. I s i d o r) in diesem Punkte der Umlautsfrage zur Exhortatio[1].

3. Ursprüngliches *au* v o r D e n t a l o d e r *h* ist in der Exh. im Steigton nur bis zu *ao* verändert, in tieferem Fallton aber bereits zu offenem *ŏ* kontrahiert-*dera calaupa cauuisso f á· o i u uort sint* ... 8 gegen *der deisu f ŏ ü n uuort dera calaupa* ... *lirnēn ni uuili* 20; *ia auh dei uuort des f r á· o n o capetes* 23 (man wird gut tun, zur Kontrolle überall die vollen Sätze im Zusammenhange zu lesen, weil man sonst leicht Gefahr läuft, namentlich auch die Tonlage falsch einzuschätzen) gegen *dĕ galaupa iauh daz f r ŏ. n o capet* 42, und wieder *daz er za sönatage ni uuerde can a· o t i̯ t radia urgepan* 45.

4. Entsprechendes *ae* neben k o n t r a h i e r t e m *ē* fehlt in der Exhortatio. Zu erwarten wäre bei dem phonetischen Gegensatz zwischen *ai* und *au*, daß sich hier das Verhältnis von Kontraktion und Nichtkontraktion umkehre, d. h. daß die Vollkontraktion bei Steigton vorangegangen sei. Tatsächlich weisen alle kontrahierten *ē* von Stammsilben Steigton auf: *cal ĕrit* 34, (*ka*)*lĕren* 47, *hĕrrin* 49.

5. Die D i p h t h o n g i e r u n g von *ē*, *ō* zu *ea*, *oa* usw. setzt aus phonetischen Gründen jedenfalls z u n ä c h s t fallenden, vermutlich von Hause aus zugleich geschleiften Ton voraus[2]. Anderwärts (z. B. im Cottonianus des H e l i a n d) wechseln auch tatsächlich diphthongierte und nichtdiphthon-

---

[1] Anmerkungsweise noch einen weiteren Vermerk zur Umlautslehre. Auch noch im Mhd. verläuft der vielbesprochene Wechsel zwischen *ü* und nicht-umgelauteten *u* in vielen Texten noch direkt nach dem Schema 'steigend *ú̈*, fallend *ù̈*', bisweilen auch noch mit Wechsel innerhalb des einzelnen Wortes je nach der Betonung. So verlangt beispielsweise im Ü b e l n W e i b die Satzmelodie die Sprechformen *krücke*(*n*) 381. 403, *tücke* : *überrücke* 471, *rücke* : *gelücke* 747 neben *zücken* : *krücken* 357, *rùcke* : *krücke* 369, : *Insbrücke* 551, *krücken* 430 (dazu *wünne* : *gùnne* 17, *dùnket* 158). Im S e i f r i e d H e l b l i n g scheint der Gegensatz jedenfalls im wesentlichen (vgl. Seemüller S. LXXXV) sogar noch handschriftlich gewahrt zu sein (wenigstens ist in Seemüllers Text vollkommen klanggerecht geschieden): *gelückes* 1,921, *rücke* 3,34, *zücket* 2,390, *zücken* : *drücken* 4,337, *smücken* : *drücken* 15,145, *tücke* : *gelücke* 6,193 gegen *rùcke* : *Brücke* 6,134. 15,342, *rùck*(*e*) 1,69. 83. 176. 278. 3,196, *Brück* 3,338, *gerùcket* : *umbgezùcket* 1,872, *verklùcket* : *bùcket* 2,1141, *jùcket* 3,37, oder *kùche* 15,389 gegen *kùch* 1,768. 2,473 (und ähnlich in andern Fällen, z. B. beim Conj. Praet.)

[2] Bei steigendem Ton ergibt *ē* vielmehr die Diphthongierungsform *ei*, die aber im überlieferten Ahd. schon wieder bis auf wenige Reste durch Ausgleichung getilgt ist. Vgl. so noch *firléizssi* I s i d o r 29,23 gegen *firlèazssi* ib. 34,7, und in der F u l d a e r B e i c h t e A *biheĭlt* 10, *furleĭz* 12, *intpheĭng* 14, *giheĭzi* 17, *forleĭzi* 18 (*gih¹ezi, forl¹ezi* Hs.) gegenüber ständigem fallendem *ùo*. — Auch einzelne *ou* für gewöhnliches *uo* sind sicher so noch als alte (unaus-

gierte Formen je nach der Tonrichtung miteinander ab. In der Exhortatio fehlen zwar wieder diphthongierte Formen, aber die beiden erhaltenen ō (für altes ē fehlen überhaupt alle Belege) zeigen doch wieder den zu erwartenden Steigton: *sónatagin* 39, *sónatage* 46. Im F r e i s i n g e r P a t e r n o s t e r ist die Regel auch gewahrt: *gatóe* 5, *próder* 57 gegen *súonotakin* 18, *mùoz(z)īn* 19. 34, *plùot* 42; ganz ebenso auch bei I s i d o r. Beiläufig sei dazu weiter bemerkt, daß auch die Qualität der diphthongierten Formen nachträglich durch Akzenteinflüsse verändert werden kann. So hat beispielsweise der W e i ß e n - b u r g e r K a t e c h i s m u s (außer in den sieben Bitten des Vaterunsers) eine ausgeprägte Vorliebe für Steigton, und unter diesem Steigton hat er regelmäßig die Diphthongform *ua*[1]: *dúat* 25, *múatu* 34, *mĕrhúara* 46, *arstúat* 50, *cnúat(i)* 60. 92. 93. 99, *arstúant* 102, *súananne* 104, *gúat* 106, *gúatlichi* 110. 112, *gúates* 110, *hrúamamēs* 111, aber wo er einmal zum Fallton greift, hat er ebenso konsequent das differenzierte *ùo: gùodiu* 9, *flùochōt* 25, *gùodes* 25, *anthrùoft* 43. (Eine Geschichte der Diphthongierungen von diesem Gesichtspunkt aus wäre sehr erwünscht.)

6. Für 'wie' hat die Exhortatio die Formen *huueo, uueo* und *uuĕ: i n h u u è o quidit sih der man christānan . . . 19, . . ., u u è. o mag er christāni sīn . . . 25, odo u u è· mac der furi andran dera calaupa purgeo sīn . . . 28.* An erster Stelle hat das Wort Fallton in mittlerer Lage (zugleich starken

gleichene) Diphthongierungsformen zu fassen, so *sóuhtun* Tat. 101,2. Triphthongische Formen weisen auf steigend-fallende Betonung hin: so *pihei· alt* Ben. 217,28 neben sonst ständigem *èa* und *ía* (vgl. ebenda die wiederum durchgeführte Parallele *èo :ío*, und weiterhin das steigend-fallende *dei·˛ob* des Wiener Hundesegens, wo, gegen Steinmeyer S. 394, aus melodischen Gründen doch *uuas* ergänzt werden muß). — Übrigens steht auch der obd. Wechsel von *íu : eo* usw. gegenüber fränk. *eo, io* offenbar im Zusammenhange mit einem Wechsel der Tonrichtung: noch in der W i e n e r G e n e s i s (Braune, Beitr. 4,61 f.) geht z. B. das Schema 'steigend *íu*, fallend *ìe*' glatt durch, das doch gewiß aus einem älteren Kontrastschema *íu : èo (ìo)* hervorgegangen ist. —

Auch bei der j ü n g e r e n b a i r i s c h e n D i p h t h o n g i e r u n g v o n *i* u n d *ū* spielt die Tonrichtung eine Rolle, nur in anderem Sinne als bei der älteren Diphthongierung der *ē, ō* (was wieder mit den verschiedenen Charakteren der beiden Vokalpaare zusammenhängen wird): die Diphthongierung beginnt offenbar zunächst im tiefen Fallton, und auf diese Stellung ist sie in manchen Texten auch noch tatsächlich eingeschränkt, so z. B. in allen Reimbelegen des S e i f r i e d H e l b l i n g (Seemüller LXXII. Paul, Lit.-bl. 1887, 154): *strè.it* 1,844. 3,173, *zè.it* 1,1258. 15,505, *vergè.it* 7,1025, *sè.ist* 2,189. 10,49, *Grè.ife* 4,433, *lè.iden* 8,321, *sè.i* 7,397; *ò.uf* 1,1313, 4,483. 8,215, *bò.uwe* 1,833. 15,221, *sò.um* 1,1055, *hò.ufen* (?) 2,581, *bò.uch* 3,145. 4,394, *rò.uch* 4,127.

[1] Dies steigende *ua* beruht natürlich auf einer s e k u n d ä r e n , durch Ausgleichung vermittelten Umbildung des alten Gegensatzes *ó : ùa* usw.

dynamischen Druck, der die Erhaltung des *h* im Gegensatze zu den *h*-losen Formen der Wiederholung erklärt). An zweiter Stelle übertiefen Fallton, an dritter aber gedehnten überhohen Steigton: man sieht also abermals, wie sich die Entwicklung des alten *ēo aus *aiw* je nach der Akzentart verschieden gestaltet hat.

Was hier für einige Stammsilbenvokale angedeutet wurde, findet seine Parallelen in reichlichem Maße auch bei den mindertonigen Vokalen der Ableitungs- und Endsilben. So findet nun endlich der bisher so undurchsichtige Wechsel von *-in* : *-en, -un* : *-on* in der schwachen Deklination (*henín* : *hanèn*; *hanún* : *hanòn* usw.) oder *-úm, -ún* : *-òm, -òn* im Dat. pl. (*tagúm* : *tagòm* usw.), oder *u : o* in der pronominalen Deklination (*demú* : *demò* u. dgl.) seine einfache Erklärung. Die in unseren Texten mehr oder weniger deutlich hervortretende Regelung nach Dialekten u. ä. ist also sichtlich sekundär: denn z. B. noch im Tatian geht die Scheidung nach dem Akzent gut durch, soweit überhaupt Doppelformen erhalten sind (*tagún* mit Steigton : *tagòn* mit Fallton), während ja z. B. Otfrid schon meist zugunsten des *ò* ausgeglichen hat. Auch hier wäre eine erneute Spezialuntersuchung sehr notwendig: ich mache aber an dieser Stelle auch nicht einmal den Versuch eines weiteren Eingehens auf diese Frage, um mich vielmehr d e r Seite des ganzen Problems zuzuwenden, die vermutlich für die meisten Leser mehr Auffälliges enthalten wird, als das bisher Vorgetragene: ich meine die Frage nach der E i n w i r k u n g d e s A k z e n t e s (und zwar wieder von Steig- und Fallton) a u f d e n K o n s o n a n - t i s m u s.

Es hat auch bei mir lange gedauert, bis ich auf die hier in Betracht kommenden Erscheinungen aufmerksam wurde. Den ersten Ausgangspunkt für die weitere Untersuchung gab mir dabei die Beobachtung, daß in dem norwegischen Homilienbuch (oben S. 149) gewisse G e m i n a t e n unter bestimmten Akzentverhältnissen regelmäßig vereinfacht wurden, während sie bei entgegengesetzter Akzentuierung des betreffenden Wortes ebenso regelmäßig als Geminaten erhalten blieben. Mit der Erörterung dieser Geminatenfrage will ich darum auch hier beginnen. Da man aber für alle hierher fallenden Erscheinungen jedenfalls eines größeren Zahlenmaterials bedarf, wenn man Glauben finden will, so stütze ich meine Ausführungen auf O t f r i d s E v a n g e l i e n b u c h, das auf alle Fälle umfänglich genug ist, und außerdem den Vorteil gewährt, daß uns in V ein vom Verfasser selbst überkorrigiertes Exemplar vorliegt, das dessen besonderen Gewohnheiten auch in orthographischen Dingen mit Sicherheit zum Ausdruck bringen muß. Gerade Otfrids Korrekturen sind hier oft sehr bedeutsam. Ebenso wichtig ist aber auch die weitere Tatsache, daß ein g l a t t e s Ergebnis eben nur auf Grund von V zu erreichen ist, nicht aber auf Grund irgendeiner der andern Handschriften.

Und noch ein Anderes ist hier zu beachten. Der Gegensatz zwischen Steig- und Fallton ist ja großenteils d e k l a m a t o - r i s c h e r Natur: man muß also auch Otfrids Verse richtig deklamieren lernen, um zu glaubhaften Resultaten zu gelangen. Das ist aber vielleicht nicht so einfach wie es aussieht. Darf ich nach meiner eigenen Erfahrung an mir selbst urteilen, so wird es manchem andern Leser wohl auch so gegangen sein wie mir, der ich Otfrid lange Zeit vorwiegend bloß verstandesmäßig gesprochen habe, bis ich endlich im Verlauf meiner schallanalytischen Untersuchungen zu der, wie ich nun glaube, richtigeren Auffassung kam, daß Otfrid selbst überall stark pathetisch spricht. Um das voll nachfühlen zu können, muß man freilich auch körperlich richtig auf Otfrid eingestellt sein, im Sinne dessen, was ich in meinen Metrischen Studien 4 (Leipzig 1918 f.), 31 ff. ausgeführt habe. Solcher Einstellungen aber hat Otfrid zwei: die eine, die in den älteren Partien im Eingang und im Schlusse des Ganzen herrscht, die andere in dem später entstandenen Mittelstück (dies umfaßt Buch III nebst dem Schlußkapitel von Buch II und dem Anfangskapitel von Buch IV: dazu kommen eventuell einzelne Nachträge in dem älteren Teil). Für die jüngere Einstellung gilt die Formel „$6w^b$ (Ru) ‖ $6w^b$ (Ru, diagonal $\therefore$, l/r nach Halbzeilen wechselnd)“, für die ältere dagegen „$6w^b$ (Ru) ‖ $4k$ (diagonal $\therefore$, l/r, Kapitel um Kapitel wechselnd mit $4k$ ‖ $6w^b$ (Ru, diagonal $\therefore$, l/r)“. Stellt man sich dem entsprechend ein, so kommt auch der erwähnte pathetische Vortragston von selbst zur Geltung.

I. Zur Behandlung der Geminaten.

1. Eine Geminata ist (wie oft wird man das noch sagen müssen?) nicht einfach ein 'l a n g e r' sondern in erster Linie ein im Atemdruck g e s p a l t e n e r Konsonant. Der Atemspaltung parallel geht aber gewöhnlich auch noch ein W e c h s e l d e r T o n r i c h t u n g, dergestalt, daß die Geminata entweder zwischen Steigton und Fall-

11

ton steht ('S t e i g g e m i n a t a': Schema *ál-là*), oder zwischen Fallton und Steigton ('F a l l g e m i n a t a': Schema *àl-lá*). Dieser Bruch in der Tonrichtung unterstützt wesentlich die Auffassung der Geminata als eines gespaltenen Lautes (die Auffassung also, die auch zur Bezeichnung der Geminata durch zweimal gesetzten Buchstaben geführt hatte), und so kann man es verstehen, daß der Charakter der Geminata an Deutlichkeit verliert, wenn der Tonbruch schwindet, d. h. die Geminata zwischen zwei im Tone gleichgerichtete Silben zu stehen kommt (Schema *ál-lá* oder *àl-là*). Dieser Fall tritt aber sehr häufig ein, wenn in einem Texte der sonst wesentlich mit Steiggeminata arbeitet, der Vokal vor der Geminata aus satzmelodischen Gründen Fallton bekommt: die Folgesilbe beharrt dann in der Regel auch noch im Fallton (bei den Fallgeminaten kehrt sich die Sache begreiflicherweise wieder um)[1]. Dieser Einfluß der Tonrichtung (bzw. der mit ihr verbundenen Verschiebung der Tonlage, oben S. 152) geht nun aber in vielen Sprachen soweit, daß er wirkliche Vereinfachung des einst (und in der sprachlichen Erinnerung auch normalerweise noch als verdoppelt vorgestellten) Konsonanten zuwegebringt: das zeigt sich dann auch darin, daß hellhörige Schreiber auch nicht mehr Doppelzeichen, sondern nur einfache Zeichen setzen[-].

2. Dabei ist aber wieder gleich eine Einschränkung zu machen. Die Vereinfachung trifft (vergl. Braune, Ahd. Gr. § 93, Anm. 2) nicht alle Arten von Geminaten gleichmäßig, sondern fast nur die s t i m m l o s e n :

a) Ausgeschlossen sind im allgemeinen die Geminaten von Sonorlauten, insonderheit bleiben alle *ll*, *rr*, *mm*, *nn* in dynamisch volltoniger Stellung unversehrt (über die besondere Behandlung von *uu* s. unten Nr. 10. 13,e).

Bei Otfrid finde ich dementsprechend Vereinfachung nur in dem stets zugleich mindertonigen *nàles*, *nàlas* (stets so betont), und in *engìlichaz kunni*

---

[1] Ich spreche daher im Folgenden auch öfter von 'u m g e k e h r t e r' (d. h. 'umgekehrt intonierter') Geminata, wenn ein Autor, der gewöhnlich Steiggeminata verwendet, aus besonderen Intonationsgründen zur Fallgeminata greift (wie das auch bei O. vorkommt), und umgekehrt.

[2] Daß die vereinfachten Konsonanten mindestens zum Teil noch l a n g waren, zeigt der metrische Befund (Braune § 93, Anm. 2); denn auch nach solchen Konsonanten tritt ganz gewöhnlich Synkope der Senkung ein. Man sieht da wieder einmal ganz deutlich, daß 'Geminata' und 'Langkonsonant' zwei verschiedene Dinge sind.

1,18,10, also gleichfalls unter Mitwirkung der Druckminderung (bei *élichōr* 2,11,52. 5,23,266. 274 zeigt die steigende Betonung — wie übrigens auch die Vergleichung mit as. *elcor* — daß wir es jedenfalls nicht mit der gewöhnlichen, rein akzentisch bedingten Vereinfachung zu tun haben). — Übrigens k a n n energische Steigbetonung vor Fallton auch umgekehrt sekundäre Gemination hervorrufen: ein Beispiel liefert auch O. in *klagōta io bi nōti mīn selbes ārm·mùati* 3,20,4 (ein anderes die weitverbreitete Form *niuwiht*, d. h. phonetisch *niu-uiht* neben *niuiht*, z. B. in *niuuuihtu* Weiss. Kat. 78. 83. 84 gegenüber Otfrids stets endbetontem *niuuiht*).

b) So gut wie ausgeschlossen ist bei O. auch die Vereinfachung bei *bb* und *gg*, also in allen einschlägigen Formen von *sibba* und Ableitungen, *gotouuebbi, stubbi, ubbīg; eggo, leggen, liggen, āuuiggon, thiggen, huggen, luggi, ruggi.*

In dem letzteren Fall ist der Grund des Ausschlusses sofort klar; denn O. stellt alle diese Formen mit Steigton vor dem *bb, gg* ein. Nur einmal hat er Fallton bei Elision eines Schlußvokals: *thero selbon missidāto t h ì g ih, druhtin, drāto* 5,25,35, und da i s t denn auch ganz richtig vereinfacht, im Gegensatze zu *irhúggu ih* 3,1,17 und *irhúgg ih* S. 11 mit Steiggeminata[1].

c) Ausgeschlossen bleibt ferner fast überall die akzentische Vereinfachung von *ss*, während *ʒʒ* wie *zz* ihr ohne weiteres unterliegen.

Für alle übrigen Kategorien lege ich das Beweismaterial einfach systematisch geordnet vor. Bei dessen Zusammenstellung sind natürlich die Listen von Kelle und die Glossare von Kelle und Piper dankbar benutzt.

a) Vereinfachung von stimmlosen Reibelauten.

3. V e r e i n f a c h u n g v o n *ʒʒ* z u *ʒ*. a) Ich greife hier zunächst ein Wort heraus, das als Substantiv und zugleich auch als Ausdruck eines einigermaßen affektbeladenen Begriffs durchschnittlich wohl unter ziemlich gleichmäßigen Betonungsverhältnissen auftritt, wenn man eben von der möglichen Verschiedenheit der Tonrichtung absieht: ich meine das Wort *u u i z z ō d* 'Gesetz'. Hier betont und schreibt nun O. folgendermaßen: s t e i g e n d :

> *ther gotes uuízzōde kleip* S. 20
> *vuizzōd sīnan* 1,4,7
> *vuizzōd thero liuto* 1,14,9
> *sō ther uuízzōd iz gizalia* 1,14,17

---

[1] Daß O. bei Steigton Geminaten auch da bewahrt, wo er den folgenden Vokal im Hiatus beseitigt, wie bei diesen *irhúgg ih*, kann nicht auffallen: unterläßt er ja gegebenenfalls vor Vokal sogar die Vereinfachung alt auslautender Geminata (Braune § 93, Anm. 3), wie in *brátt er* 4,17,1, *brách er* 4,4,33, *sprách er* 1,5,13. 2,4,22. 7,46. 54. 3,17,5, *mánn es* 2,11,24 (über die *ch* vgl. unten Nr. 5).

11*

so ther uuízzöd hiaz iz machōn 1,14,24
thaz uuízzōd iuih lērit 1,24,9
ther uuízzōd ouh bizeinta 2,7,12
then uuízzōd firbrāchi 2,18,2
uuio ther uuízzōd thuruh nōt 2,18,10
thaz uuízzōd inan heizit 2,18,18
uuio ther uuízzōd gibōt 2,19,1
so ist ther uuízzōd altēr 3,7,29
so ther uuízzōd gibōt 3,15,6. 42
Moyses gab in uuízzōd 3,16,23
uuant es ther uuízzōd givuuag 3,16,40
then uuízzōd, so man hōrti 3,17,30
fullen uuízzōd sinan 3,20,134
uuaz thes ther uuízzōd sagēta 3,22,48
thes uuízzōdes rehtes 4,19,18
so uuízzōd iuer lēre 4,20,32

dagegen fallend :

ioh gotes uuìzōd thanne 1,1,38
then uuìzōd irfulle 1,14,2
thes uuìzōdes gihugitun 1,22,6
thaz uuān ih uuìzōd uuerie 2,19,7
ther uuìzōd gibiutit grazzo 2,19,11
then uuìzōd follícho 2,23,6
thes sarphen uuìzōdes nōt 3,7,23
so uuìzōd unsēr zeinōt 4,23,23
ther uuìzōd lērit thāre 4,23,27
themo uuìzōdspentāre 5,8,36
ther uuìzōd ginōto 5,23,90

Ich hoffe, diese Liste spricht schon so für sich selbst, daß ich weiteres Material nicht in gleicher Ausführlichkeit zu geben brauche: geprüft nach dem Zusammenhange sind alle zitierten Stellen:

b) s t e i g e n d : gimázzo 2,8,38, uuázzar 2,8,40, fázzo 2,9,19, házzōt 2,12,92, mázze: fázze 2,14,22, fázzes 2,14,27, grázzo: házzo 2,19,11. 16, házzōt 3,14,118. 119, fázzōn: liohtfázzon 4,16,15, házze 5,23,109, házzōn 5,25,152; — f a l l e n d : uuázar 1,26,1. 2,10,10. 12,31. 35. 2,14,30. 3,4,10. 12. 24. 8,28. 20,25. 21,25. 4,7,51. 33,31, uuázarfaz 2,8,27, uuázare(s) 2,8,35. 40. 9,5. 10,4. 14,14. 3,4,21. 8,17, uuázaru 5,1,11, gimázen 5,10,24.

s t e i g e n d : thriosézzo 2,8,38, ézzan: bisézzan 4,9,21, gisézzo 4,12,31, mézzo 4,12,46, ungimézzon 4,31,31, ézzichu 4,33,19, ézzan 5,13,33, mézze : sézze 5,18,7, zunmézze 5,23,109, bézzirun H. 52. — f a l l e n d : mézent 1,1,21, bézista 1,13,10, béziron 1,23,50. 5,25,87, -emo 2,6,45, -o 2,6,47, -un H. 123, alabéziron 2,9,88, ézēt 4,10,11, lēzist 4 13,33, ungimēzen 5,10,24, ézanne 5,11,33, ézan 5,11,39, bézira 5,25,45.

steigend : *flizzun* 1,1,3. 16,22. 22,2. H. 19, *giflízzi* 2,12,74. 3,24,26, *giflízzīn*: *inbízzīn* 2,14,12, *firslízzan* 4,29,20, *uuízzan* 1,4,55, *uuízzanne* 1,17,48. 5,6,19, *uuízzun* 3,7,5. 10,35, *uuízzīn* 4,26,6 (zu *uuīzan*), *uuízzi* 4,37,32. 5,23,40, *uuízzist* 5,23,229; — f a l l e n d : *mìzit* 1,1,26. 2,13,31, *flīzun*: *uuìzun* (zu *uuīzan*) 3,16,32, *giflīzīn* 4,21,19, *giflīzan* 4,29,20 und besonders häufig (was mit der Sonderbedeutung des Wortes zusammenhängt) bei Formen von 'wissen': *uuìzan* 1,19,28. 2,7,18. 5,11,39, *uuìzanne* 2,14,76. 4,11,28. 5,17,5. 8, *uuìzun* 2,6,56. 7,28. 12,8. 55. 14,65. 121. 3,3,27. 16,56. 57. 18,27. 20,89. 108. 135. 138. 23,9. 26,31. 4,5,7. 15,16. 5,1,7. 12,12. 23,43. H. 127, *uuìzut* 1,27,53. 2,18,9. 3,14, 102. 16,62. 64. 4,7,61, *uuìzi* 4,7,47, *uuìzìst* 2,2,15. 11,65. 21,14. 3,4,9. 5,18. 11,15. 27. 12,28. 35. 14,80. 17,13. 18,66. 23,11. 24,27. 4,1,20. 23. 13,33. 5,1,38. 6,62. 8,16. 9,38. 12,39. 18,12. 23. 37. 23,92. 112. 126. H. 108, *uuìzìst(h)ū* 5,8,17. 21. 23,268, *uuìzìt* 2,20,13. 23,21. 3,15,29. 16,13. 75. 33. 63. 18,7. 15. 21. 52. 64. 20,17. 34. 37. 21. 25. 22,27. 23,22. 25,29. 4,11,43. 13,3. 15,14. 5,11,12. 20,92,101, *uuìzīn* 1,10,21. 3,17,19. 22,14. 24,96, subst. *uuìzo* 2,9,19.

steigend: *núzzun* 2,7,22. 10,10, *ginúzzi* 2,12,74, *ginúzzun* H. 19, *girúzzi* 3,24,46, *nirthrúzzi* 4,5,44, *ginúzzi* : *brúzzi* 5,12,24; — f a l l e n d : *rùzun*: *flùzun* 1,20,9, *brùzīgen* 2,12,33, *slùzila* 3,12,37, *rùzun* 3,24,54, *rùzīn* 4,26,6, *rùzi* 5,7,47, *brùzi* 4,5,44.

c) Aus der Fülle dieser Belege hebe ich noch besonders die Stellen hervor, an denen *zz* + Steigton mit *z* + Fallton reimt, weil bei ihnen der Verdacht bloßer Ungenauigkeit der Schreibung wohl am wenigsten rege werden kann: es sind *fázzo*: *uuìzo* 2,9,19, *brùzi* : *nirthrúzzi* 4,5,44, *rùzin* : *uuízzīn* 4,26,6, *giflīzan* : *zislízzan* 4,29,20; auch eine Folge wie *uuàzar flíazzantaz* 2,14,30 mit Vereinfachung der Geminata nach fallender Kürze, aber Erhaltung nach steigender Länge (unten e) ist beachtlich.

d) Nach m i n d e r t o n i g e m V o k a l steht stets *z* in *emmizēn* und Verwandtem; das *i* scheint auch da überall fallend gesprochen zu sein.

e) Nach L a n g v o k a l e n u n d D i p h t h o n g e n herrscht bei O. schon einfaches *z* vor, ohne Rücksicht auf die Tonführung. Nur ausnahmsweise hat ein energischer Steigton die Gemination zu erhalten vermocht: *h é i z z i t iz scōno gotes sun frōno* 1,5,46, *uuàzar f l i a z z a n t a z* 2,14,30 (oben c). In 4,30,16 *thaz uuìizi manōt unsih thes* scheint das Doppel-*i* fallend-steigende Aussprache (also *uuì˘zi*) andeuten zu sollen.

Über *th* aus *þþ* s. unten Nr. 25.

4. V e r e i n f a c h u n g v o n *ff* zu *f*. Hier liegen die Dinge ganz ebenso wie beim *þþ* und *z*.

a) Den Anfang möge wieder eine in beiden Schreibungen stark bezeugte Wortsippe, o f f a n nebst Ableitungen, machen:

steigend:

óffan duat er thāre 1,15,41	óffenēn ougōn 3,21,33
thō uuarth ther himil óffan 1,25,15	óffonōta in uuāra 4,19,10
óffonōta in thō thaz 1,27,48	er det in óffan allaz 5,11,47
thaz uuir zu sehēn óffan 2,1,6	óffan scōno giduat 5,14,28
thaz óffonōt Johannes thār 2,14,19	ioh óffonōtaz iro muat 5,23,63
uuorto óffonoro 3,15,48	

fallend:

ófan uuesēt thrāto 2,17,20	det er ófan in thō sār 3,23,49
ófono untar manne 2,20,12	ni giang sō ófono untar in 3,25,39
ófono zi uuāre 3,8,6	ófonoro uuorto 4,1,17
ther sih ófonōn scal 3,15,23	ófono allan then liut 4,7,89
nales ófono thō 3,15,35	thaz uns iz ófanaz ist 4,33,40
er sprichit ófono hiar nu zi in 3,16,51	ófono filu fram 5,8,26
sie ófono bredigōn 3,20,144	thaz guata ófonōn sār 5,25,81
ófenemo muate 3,21,35	ófono thio guatī H. 151
thaz lāz thanne ófanaz sīn 3,22,13	

b) Weitere Belege sind nicht viele vorhanden. Sie entsprechen der Regel: steigend giscáffōta 4,29,31; héffenti 1,4,16, héffen 1,19,3, irhéffe 2,17,17 gegen ungiscáfan (: óffan) 2,1,6, drìfit 2,8,17, skīfe 3,8,36. 14,59; dazu alle Belege von biscófa, -e, -es, -o, bei denen zugleich der Einfluß der Mindertonigkeit des o zu veranschlagen ist. — Umgekehrte Geminata hat fon themo ski.ff ér zi imo sprah 3,8,31.

c) Nach Langvokal und Diphthong gilt wieder allgemein (vgl. 3,e) einfaches f: nur wieder eine Ausnahme zugunsten eines energischen Steigtones: ni gab si thoh ubaral io thes rúaffennes stal 3,11,20 (dagegen wenige Zeilen später wieder io afterrùnfenti 24).

5. Bei der gutturalen Spirans kompliziert sich die Sachlage ein wenig dadurch, daß kein adäquates Zeichen für den einfachen Laut zur Verfügung stand, das für den Fall der Gemination hätte verdoppelt werden können. Man hat also zu den bekannten Ersatzmitteln greifen müssen. Bei O. lautet die Formel: ch nach Steigton, h nach Fallton.

a) Es schien mir überflüssig, die ganze Masse der ch zu sammeln und vorzulegen, da ich jedenfalls nirgends Ausnahmen dabei bemerkt habe. Aber éin Wort mag wiederum den Gegensatz erläutern helfen: m i c h i l — m ì h i l. Während nämlich sonst ch durchaus überwiegt, ist die Form michil bei O. geradezu selten im Verhältnis zu mihil. Das hängt offenbar damit zusammen, daß das Wort meist ohne viel materiellen Bedeutungsinhalt einfach steigernd gebraucht und demgemäß mit Fallton gesprochen wird: Steigton und

Geminata erscheinen daher auch bei O. nur da, wo größerer Nachdruck auf dem Worte ruht:

> *er spenit unsih alle zi michilemo falle* 2,4,87
> *michil ist ir ubilū thuruh thaz herza frauili* 2,12,90
> *thie Judeon meid er thô bi thaz thuruh then michilan haz* 3,15,1
> *mit michilemo nide sô vuurtun sie umblîde* 3,18,26
> *fora themo liute mit michilemo nôte* 3,20,112.
> *thih zīhēn unhuldī bī michileru sculdi* 4,24,5

Dagegen halte man Stellen wie

> *thes duan ih mìhilan ruam* S. 10   *mìhilo ōtmuatī* 1,3,34,
> *mit mìhilemo uuillen* 1,1,110   *thera mìhilūn guatī* 1,8,16
> *ioh mìhilo uuunni* 1,3,4   *thuruh mìhila smerza* 1,15,48

usw. (über 90 Stellen).

b) Andere Beispiele für *h* nach fallendem Kurzvokal sind *làhonon* 1,11,35 und *sìhurheit* 3,25,36; man beachte deren auffallende Seltenheit.

c) Auch nach fallendem Langvokal oder Diphthong begegnen einige vereinfachte *h*: *sprāha* 1,4,76. 83, *skāhāri* 4,22,13, *scāhero* 2,11,23, *schāheres* 4,22,3; *rìhi* S. 5. 4,21,17, *rìhiduam* 1,1,63, *erdrìhes* 1,11,8, *spìhiri* 1,28,16, *analīhī* (: *rìchi*, dann *rìchi* : *guallìchī*) 2,4,82, *iagilìhēr* 2,8,26; *zèihan* 2,7,62, *ròuhenti* 1,4,20; *firsùahun* 4,24,20 (gegen *firsprāchun* ebenda 19), und mit Elision *ni rùah ih thero uuorto* 2,4,93 (gegen *ni rúach ih iro thingo* 2,23,28 mit abweichender Art von Gedankenbindung und Betonung).

b) Vereinfachung von stimmlosen Affrikaten.

6. Ziemlich oft ist die V e r e i n f a c h u n g v o n *zz* zu *z* nach Fallton belegt.

Durchgeführt ist sie in *lùzil* und Ableitungen, weil alle Belege Fallton haben (im Gegensatz zu z. B. *antlúzzi, annúzzi, einlúzzi, -o, púzzi, núzzi* usw.). Sonst notiere ich noch die Reimbindungen

> *sus nimis einìzēm?* | *uuil du iamēr thes iruuìzzen?* 3,22,12
> *biginnit thanne suìzzen,* | *mit zaharin sih nèzen* 5,6,36

und als weitere Belege für Vereinfachung *irsèzen* 5,17,4, *sìzen* 3,16,9, *-is* 3,7,81, *-it* 2,19,14. 3,26,4; *munìzāra* 2,11,8, *lichìcera* 2,20,11 (*mèzalāra* 2,11,7, *mèzelāra* 26 bleibt als Fremdwort vielleicht besser aus dem Spiel). — E r h a l t u n g des *zz* auch bei Elision in *irsèzz ih* 2,11,34, *púzz ist* 2,14,29.

7. Ähnlich liegt es beim Wechsel von *pph* und *ph, pf*, nur ist das Material nicht sehr groß:

s t e i g e n d : *gilépphēs* : *giscépphēs* 2,14,28, *krìppha, -ün* 1,11,36. 57. 12,20, *uuípphe* (: *nintslùpfe*) 4,16,28; *ópphorōn* etc. 1,4,12. 14,23. 2,9,61. 4,9,1, *ópphere* 2,9,59; — f a l l e n d : *àphules* 2,6,23, *kàpfētun* 5,17,37, *scèpheri* 1,5,25, *bislìpfit* 5,21,9, *òphere(s)* 1,4,81. 2,9,34. 3,4,6, *kùphar* 1,1,69, *nintslùpfe* (: *uuípphe*, s. o.) 4,16,28. Die einzige Ausnahme *scèfphe* 2,4,33 ist nur eine

scheinbare: V hat *scef^b_p^e*, ,was offenbar Korrektur zu *scephe* bedeuten soll:
der Tilgungspunkt unter dem *f* ist vergessen.

c) Vereinfachung von stimmlosen Verschlußlauten.

8. Kurzvokal vor *tt* hat bei O. stets Steigton, es kommen also
auch keine V e r e i n f a c h u n g e n v o n *tt* n a c h K u r z -
v o k a l vor. Dagegen unterliegt *tt* n a c h L a n g v o k a l o d e r
D i p h t h o n g dem üblichen Wechsel.

a) In Betracht kommen hierfür fast nur die schwachen Präterita (und
Partizipia) langvokalischer Verba: diese haben bei Steigton *tt*, bei Fallton
t: s t e i g e n d: *uuátta* etc. 1,11,43. 2,22,15. 5,20,106, *gistátta* etc. 2,1,30.
11,51; *gibéitti* etc. 2,4,12. 7,31. 66. 3,15,45. 4,5,28. 5,20,108, (*gi*)*bréitta* etc.
L. 55. 1,1,2. 3,8. 4,4,27. 32. 5,41. 21,32, *léitta* etc. L. 55. 2,4,12. 7,31.
33. 66. 9,35. 12,79. 3,15,45. 20,23. 4,5,28. 16,12. 17,32. 20,1. 26,2. 5,4,52.
20,108. 23,4; *miattun* 4,37,25; *gidótta* etc. 3,26,54. 4,6,54. 5,4,43, *nótta* etc.
4,13,48. 34,1. 5,10,4; *giguatta* 1,3,18, *húatta* 1,13,11. 19,1; f a l l e n d:
gistátaz 1,5,47, *léita* 1,16,7, *-un* 4,27,3, *bèitun*: *gilèitun* 5,10,14.

b) Sonst fallen hierher nur noch die wenigen *tt* aus *tr*. Geminata ist erhalten in *then é i t t a r thär bifiangi* 2,12,65 gegen *fon è i t e r e ioh fon vuuntön*
3,1,26 und ständiges *lätaraz* etc. 2,8,42. 9,15. 21,18. 24,36. 3,20,86.

A n m. Wenn in den schwachen Präteritis die Vereinfachung so
selten ist, wie die Beispielliste oben es ergibt, so hat das gewiß seinen Grund
darin, daß die Vorstellung von dem gleichen Wurzelauslaut + Suffixanlaut
noch zu lebendig war, als daß man den zu ihrem phonetischen Ausdruck nötigen
Steigton leicht hätte fallen lassen. Aus ähnlichen Gründen bewahren offenbar
auch die entsprechenden Formen der schwachen Verba auf *d* stets ihr *dt*(*blídta*,
gifúndta, húldta, kúndta, nándta; bilídta) ohne jede Vereinfachung oder auch
nur Assimilation.

9. Vor altem *kk* spricht dagegen O. viel häufiger Fallton als
Steigton, daher denn bei ihm hier auch die einfache Schreibung
k, c (darüber s. unten Nr. 36) überwiegt. Für die Bezeichnung der
Geminata verwendet er teils *kk, ck, gk*, teils *ch*:

a) Reimbindung von *k* mit *kk* etc.: *êràcar*: *uuáchar* 1,19,16, *irrèke*: *nidar-
scrikké* (mit 'umgekehrter Geminata') 2,4,79, *irréchen*: *gismèken* 3,6,24, *uuèkit*:
irquíckit 4,19,37, *ninthèkēn*: *nirzúchēn* 4,36,11, *réchit*: *inthèkit* 5,14,27, *réchen*:
thèkēn 5,25,66.

b) Einfaches *k* (*c*) in zahlreichen Formen von *àkar, àkus, fàkala, nàkot,
wàkar; bèkin, klèken, quèc, rèken, sèkil(àri), smèken, thèken, wèken* (ständig
n *èkordo* etc.); *irquíken, thíki, -o; lòcon, lòkōn; irzùken*.

c) Erhaltung der Gemination: *a) kk, ck*: -*scrikké* (: *irrèke*, s. oben a)
2,4,79, *irquícki* 3,1.32, *zùkké* (wieder mit umgekehrter Geminata) 3,10,33,
gilócko 4,37,18; — *β) gk* in *ioh these steina alle* | *i r q u i. g k ē n zi manne*
1,23,48, *iz u uas in imo io q u è. g k á z* | *ioh filu libhaftaz* 2,1,43, abermals

mit umgekehrter (also Fall-) Geminata: der übertiefe Fallton scheint tatsächlich Erweichung des Vorderstückes der Geminata hervorgerufen zu haben); —*γj ch* in

> *thia l ú c h ū n uuolt er findan* 2,4,14
> *i r r é c h i t uns sīn guati* 2,14,77
> *g i l é c h ǭ n t thoh thie uuelvfa* 3,10,37
> *s é c h i l noh thia malaha* 3,14,91
> *mit stālu nan nir z ú c h ē n* (: *ninthèkēn*) 4,36,11,
> *iz Augustīnus r é c h i t* (: *inthèkit*) 5,14,27
> *thaz ih giangi n á c h o t* 5,20,75
> *siuchī in mir g i l ó c h ô t* 5,20,76
> *ther n á c h o t a n ni thekit* 5,21,9
> *biginnet fram thaz r é c h e n* (: *thèkēn*) 5,25,66.

Mir scheint hier der klangliche (deklamatorische) Gesamtcharakter der betreffenden Verse ebenso sicher eine aspirierte Aussprache (also *k'* bzw. *kk'*) zu verlangen, wie überall da unbehauchte Aussprache des *k*-Lautes gefordert wird, wo kein *h* daneben steht. Die Orthographieform *ch* wäre danach also ganz gerechtfertigt, auch insofern, als sie ja die Vorbedingung für die Geminatenbezeichnung (zwei Buchstaben für den Doppellaut) in gewissem Sinne auch erfüllt.

II. Zur Behandlung des *w*.

10. Formen wie *hriuwa, frouwa* enthalten zugestandenermaßen von Hause aus geminiertes unsilbisches *u*, wären also phonetisch etwa durch *hriu-ua, frou-ua* zu umschreiben. Die übliche ahd. Orthographie bietet dafür entweder die volleren Typen (*h)riuuua, frouuua* oder die sparsameren (*h)riuua, frouua*, seltener daneben noch kürzere Formen, letzteres namentlich bei Otfrid. Auch hierin folgt O. wieder einer strengen Gebrauchsregel.

a) **N a c h S t e i g t o n** werden regelmäßig drei *u* gesetzt, ein auf das *w* etwa noch folgendes silbisches *u* aber nicht weiter bezeichnet.

Die Steigtöne und der entsprechende Bezeichnungstypus sind übrigens bei O. ziemlich selten, vgl. etwa *mit mihilên r i u u u ō n* 3,10,7, *thaz sīnan ni h ó u u u e* 1,23,59, *sō man zi f r ó v u ū n scal* 1,5,13 (man beachte Otfrids ausdrückliche Korrektur) und ähnlich *rīuuuī : thíuuuī* 3,10,30, *nīuuuaz* 4,10,8, *nīuuuiboran* 1,12,13, *ríuuu* 5,6,37. Ganz selten sind solche Formen von dem Pronomen 'euer': *al in ï·uuueran thanc* S. 60, *thera ï·uuuera slahta* 1,23,49, *theru ï·uuueru guatī* 1,23,50, alle mit starkem, überhohem Steigton; ein *iuuuih* kommt bei O. gar nicht vor (vgl. unten c).

b) **N a c h g e w ö h n l i c h e m** (höherem oder mittelhohem) **F a l l t o n** steht nur *uu*; folgendes silbisches *u* wird wieder nicht besonders bezeichnet.

Diese Betonungs- und Schreibungsform ist bei O. durchaus häufig: vgl.
dr̀iuuōn : r̀iuuōn 1,23,43, h̀iuuilōnne 5,23,22, r̀iuua 1,23,11, r̀iuuo 1,23,55,
r̀iuuētīn 4,30,36, bir̀iuuētut 5,20,77, nì·uuan 1,17,26, niuuanes 3,20,76, ala-
niuuaz 4,13,7, auch niuuiborana 1,12,20 (wo nach Ausweis der Satzmelodie
nicht etwa nìwi· zu sprechen ist, vgl. auch 1,12,13 oben unter a), desgl.
bl̀iuun (= bluun PF, sprich bl̀iuwun); glà·uue 4,7,9 (mit Erhaltung des a im
Hochton, vgl. unten c), fròuun (sprich fròuwūn) 1,5,7, dòuuen 4,23,24, : gi-
fròuuen 5,12,23, fròuuent 5,23,128, fròuuōn 2,9,6 etc. (8 mal), gòuuon 1,13,4.
3,14,75, innòuuo 4,4,70 und 50—60 Formen von scòuuōn und Kompositis;
nur beim Pronomen 'euer' sind die Belege wieder ganz spärlich (s. c): uuio
iz ìuuo buah singent 1,17,28, biscirmen thìuuo dāti 1,23,46 (in thìuue 1,12,15
ist das zweite u getilgt).

c) Nach deutlich tiefem Fallton schreibt O. nur
éin u, wie in ni uuolta er in thēn r ì. u ō n | thara zi in biscò.uōn
4,33,4, mit mihilēn r ì. u ō n | sō er iz biginnit scò.uōn 5,25,60.

So weiterhin bl̀i.uenti 3,8,13, bl̀i.uan 5,6,42, dr̀i.uōn 4,3,6, dr̀i.ua 4,18,28.
gidr ì.uon 4,35,22, (ala)nì.uaz 4,35,36. 37,24, nì.uenes 5,9,19, r̀i.uōn 1,28,4.
4,18.4. 33,4. 5,25,60, r̀i.uan 5,6,42, r̀i.uag 2,8,20, bispì.uan (sprich bispiuwan)
3,13,6; inò.uōn 3,14,75, scò.uōn etc. 5,10,22. 17,38. 23,227. 288, endlich
auch thaz uuill ih hiar gizellen | g l a͡u ē n mannon allēn 5,23,15, wo der
Diphthong erst hoch einsetzt und noch etwas steigt (darum auch das a erhalten
bleibt, s. oben unter b), dann aber stark in die Tiefe abfällt.

Hierher fallen nun natürlich alle die ì.uih, ì.uēr usw., deren besondere
Häufigkeit sich nun einfach daraus erklärt, daß diese Pronomina in der Regel
nicht nur falltonig, sondern zugleich auch tieftonig gesprochen wurden. — Wie
konsequent übrigens O. sein System durchführt, zeigt sich auch darin, daß
er sogar zweisilbiges ì.uwu (das die Satzmelodie erfordert!) graphisch in bloßes
iu zusammenzieht: nir ì.u kind bisnidēt 3,16,35. 41, ì.n kind ellu 4,26,33.
Ja selbst das ganz isolierte io für iuwo in mir uuārun thio io (sprich thì.nwo)
uuizzi | iu ofto filu nuzzi S. 9 scheint nicht ohne Absicht gesetzt zu sein:
die ganze Zeile liegt tief, und ì.uwo selbst rückt dadurch in übertiefe Stimmlage ein.

Der Gegensatz zwischen höherem und tieferem (übertiefem) Fallton läßt
sich übrigens besonders gut da beobachten, wo die beiden Tonarten miteinander
reimen: uuir unsih in thēn r ì. u ō n | ni muazin io b i s c ò u u ō n 1,28,4, uuolt
er in thēn r ì. u ō n | thaz enti b i s c ò u u ō n 4,18,4, thaz uuas in i n ·
ò. u o n | ioh ūze in thēn g ò u u o n 3,17,75, thaz muazin sih sīn f r ò u u ō n
| ioh enti b i s c ò. u ō n 5,10,22, uuir unsih thes thār f r ò u u ō n, |
selbon druhtīn s c ò. u ō n 5,23,288: man muß sich nur beim Lesen etwas
in den ziemlich stark pathetischen Vortrag Otfrids eingewöhnt haben.

Anm. 1. Auch bei der Schreibung der Lautfolge ūwu zeigt
sich, daß O. nach der Tonrichtung geht: thie dāti sie thō r ū̆ u u n | ioh iro
brusti b l ä̆ u n (sprich blǔwun) 4,34,21, thaz uuir nan harto r ǔ̈ u u n 1,10,23
gegen sie bl̆ǔun (sprich bl̆ǔwun) iro brusti 4,26,9. — Für die Folge K u r z ·
v o k a l + w wie in frauuēr, frauuōn, gizauua, zauuēn, freuuida, freuuen,

geuui, streuuen, threuuen, liuuit u. ä. ist das Gegensatzmaterial sehr spärlich, da hier fast ausnahmslos gewöhnlicher Fallton herrscht, womit zugleich die üblichen zwei *u* gegeben sind. An Ausnahmen finde ich nur *ioh thie ēuuarton rehto | l i u u u n* (sprich *līwun*) *filu knehto* 4,16,13 mit Steigton und drei-fachem *u* (deren letztes allerdings auf Rechnung des Schluß v o k a l e s fällt) und *zi theru t h r à. u thia er in zelita* (sprich *thrà.wu thìar*) 4,27,3 mit tiefem Fallton und daher graphischer Verkürzung von *wu* zu einfachem *u*.

A n m. 2. *ū* im Hiatus, in *būan* und *missidrūēn*, hat bei O. fast immer Steigton und bleibt dabei unverändert; an der éinen Stelle aber, wo einmal Fallton + Steigton auftritt: *nu b ů u u é n baldo thuruh thaz kuningrīchi sīnaz* (die ganze Zeile liegt tief) 3,26,57 hat sich überleitendes *w* entwickelt. Die Schreibung mit drei *u* entspricht der bei 'umgekehrter' Geminata (˚) üblichen.

11. W o r t a n l a u t e n d e s *wu* mit Steigton wird von O. durch *uu* bezeichnet, bei Fallton aber mit *uuu* (bzw. *vuu*, was ja das-selbe ist). Diese Regel war in der Grundschrift von V (namentlich in den ersten vier Büchern) noch nicht durchgeführt: um so deutlicher tritt sie in Otfrids Korrekturen zutage, welche alle steigenden *uú* belassen, alle fallenden aber, soweit sie auch nur durch *uu* bezeichnet waren, in *vuu* geändert haben (ich besterne unten die Stellen wo O. geändert hat).

a) Bei der L a u t f o l g e *wua (wuo)* ist Steigton und demnach die Schreibung *uua* sehr selten: *unz starb ther gote u ú o t o* 1,19,18, *es niaman ni gi u ú a g i* 4,3,10, *thes selbon mäg es thär gi u ú a g* 4,18,21, *thes mannes muat noh io gi u ú a g* 5,23,200. Dagegen halte man *giuuùag* etc. 2,3,27*. 6,3*. 18,11. 3,7,37. 19,32*. 23,16*. 4,7,28. 20,8. 37,27. 5,6,22*. 9,55. 14,30. 23,151. 230, *uuùachar* 4,7,74, *uuùahs, vuùahs* etc. 1,16,23. 21,15. 3,6,36. 37. 42, *uuùasg* etc. 3,4,5. 4,11,16. 24,25, *uuùaste, -ī, -inna* usw. 1,23,3. 9. 19, 27,41. 2,4 2. 12,64. 3,25,40, *uuùafen* etc. 3,24,45 *(vuu[a]fan)*. 4,18,39. 5,6,47.

b) L a u t f o l g e *wu* + K o n s o n a n t : *a)* steigtonige F o r m e n : *iruúllin* 5,4,16; *uúnna* 4,35,43, *-ōn* 2,9,15, *unuúnna* 4,7,35, *uúnnī* 2,6,39, *(gi)uúnni* 1,6,39. 20,16. 2,4,24, *ubaruúnnan* 1,1,76, *uúnsgenti* 1,11,32, *uúntun* 3. pl. 1,22,27, *uúntar* 1,22,13. 2,3,7. 43. 9,39. 3,24,112, *uúntar-licho* 4,25,3; *uúrfun* 4,5,43. 6,10, *ziuúrfun* 2,11,47, *uúrti, -īn, -un, niruúrtin* 1,3,19. 11,59. 12,4. 17,34. 19,14. 22,17. 2,1,3. 13. 4,23. 3,31. 5,25. 6,19. 21. 7,26 9,40. 10,8. 3,3,18. 5,4. 13,2. 14,66. 19,25. 20,122. 21,20. 26,16. 34. 4,5,30. 10,4, 12,9. 28. 15,2; *(un)giuúrti* subst. 1,5,34. 19,13. 3,18,25. 4,5,51, *antuúrti* subst.. *-en* verb. 1,5,34. 17,36. 27,26. 32. 47. 2,7,57. 11,35. 12,27. 14,55. 74. 79. 3,2,9. 10,15. 13,19. 16,31. 17,38. 55. 18,11. 25. 37. 3,7, 20. 101. 109. 174. 22,35. 4,4,63, 9,5. 11,25. 19,16. 17. 19. 39. 41. 23,39, *antuúrtī* 1,22,38. 30,95 (keine Korrektur!) — *β)* f a l l t o n i g e F o r m e n mit *uuu, vuu: uuùllun* 4,35,37, *uuùnna* etc. -ī u. dgl. L. 96. 1,3,4*. 18,10. 28,14*. 2,6,11. 14,26. 16,4*. 3,9,15. 14,81. 4,3,24. 4,54. 5,47. 9,23. 5,4,31. 9,5. 12,100. 22,3. 23,20. 165. 209. 291. 24,4. H. 18, *vuùnnun, giuuùnni* 3,14,63*. 4,8,4. 12,49, *uuùnₑgtun* 3,9,9, *givuùnrti* 2,2,37*, *uuùnta* etc. 1,18,22*. 2,9,85*. 17,3*. 3,1,16*. 4,1,44*. 10,15. 12,37. 23,134*, *uuùntōn* verb. 1,15,45*. 3,1,34*. 4,25,7. 5,2,16. 11,23,25, *uuùntar* etc. nebst *uuùntarlïh, uuùntorōn* 1,3,44. 4,71. 80*. 9,27*. 33*. 11,1*. 12,7*. 14,22*. 15,21. 44*. 16,27*. 17,2*. 16*. 70*. 19,20*. 22,37*. 2,3,5. 8,44*. 9,21*. 12,37*. 14,81. 82*. 3,1,2*. 3*. 2,12*. 3,6,2*. 7*. 12,19*. 44. 14,1*. 69*. 16,5*. 71*. 18,54*. 20,42*. 56*. 145*. 158*. 160*. 23,3*. 26,37*. 38*. 4,1,19*. 30*. 31*. 7,6*. 15,49. 34,5. 36,7. 5,11. 16. 39. 5,14. 6,55. 8,5. 47. 54. 11,28. 12,2. 15. 18. 25. 32. 41. 17,24. 37. 20,1, *uuùntun* etc. (zu *uuintan*) 3,24,102*. 4,34,20. 35,31. 5,5,11. 13. 6,57. 58. 61. 66, *iruuùnti* etc. I,22,44. 2,6,8. 29*. 5,4,47, *ubaruuvntan* 5,14,14* *uuùrti, -un* etc. 3,24,77*. 99*. 26,27*. 4,4,2*. 13,42. 35,28. 5,4,58. 7,32. 23,64, *uuùrfun, -īn* 3,18,70*. 20,100. 165*. 170*. 4,28,9. 5,13,15, *uuùrti, -un* etc. 1,1,17(2)*. 22,92*. 3,10*. 8,5*. 14*. 18*. 14,15. 15,22*. 17,2*. 6*. 7*. 13*. 17*. 72*. 73*. 20,6*. 24*. 22,9*. 2,3,9*. 11*. 35*. 4,91*. 108*. 6,44. 9,44*. 3,2,30*. 4,20(2)*. 6,47(2)*. 14,21*. 22*. 17,28*. 18,28*. 62*. 63*. 20,4*. 12*. 21,14*. 27*. 4,1,51*. 5,63*. 13,19. 41. 15,44*. 58. 19,45. 60*. 20,5. 23,32. 26,18. 27,6. 29. 29,16. 17. 20(2). 33,32. 37,28*. 5,2,13. 4,35. 6,26. 9,31. 33. 36. 11,19. 37. 12,9. 20,23. 22,16. 23,69. 24,9. H. 104, *(un)giuuùrt, -i* etc. 1,22,38*. 27,32*. 39*. 2,12,47*. 3,2,30*. 7,75*. 14,21*. 18,62*. 20,3*. 109*. 4,3,8*. 15,58. 29,16. 5,8,70. 15,15. 16,13. 22,16. 24,21, *givuùrtig* 2,8,36*, *antuuùrti, antuuùrten* etc. 1,27,39*. 2,4,91*. 4,7,22*. 16,45. 20,11. 23,21*. 34. 27,29. 31,5. 5,9,15. 15,15. 30. 20,81, *uuùrzelūn* etc. 1,3,27. 23,51 (über 120 Korrekturen: man beachte darunter namentlich die Stellen, wo in gleicher Zeile ein steigendes *uú* neben korrigiertem fallendem *uuù* steht bzw. belassen ist, wie *giuuùrti* : *antuúrti* u. ä. 1,22,38. 27,32. 39. 2,7,57. 3,20,109 neben doppeltem steigendem *uú* (das dann immer so belassen ist, wie *antuúrti* : (un)giuuúrti 1,5,34. 2,7. 57. 3,18,25) oder doppeltem fallendem (belassenem oder korrigiertem) *uuù* etc., wie *uuùrti* : *fir-vuùrti* 1,17,7 und ähnlich 2,4,91. 3,2,30. 4,20. 6,47. 14,21. 18,62. 4,15,58. 19,16. 29,16. 5,15,15. 22,16.

12. *w* zwischen wortanlautendem Konsonanten und folgendem Vokal wird in der Regel durch einfaches *u* ausgedrückt: nur bei nachdrücklichem übertiefem Fallton erscheint dafür *uu*:

incloub man mit thēn s u u è. r t o n | thaz kind ir thēn hanton 1,20,17
sulïh quement sie iu noh heim, | thaz ir s u u i. n t e t innan bein 4,26,41
nu sie iz in thaz uuentent, | then gruanon boum sus s u u è. n t e n t 4,26,49
vuir uuizun āna z u u i. v a l | thaz er thes uuialt ubar al 5,1,7
thō uuurtun sie gidruabte | z u u i. v a l e m o muate 5,11,19
sie henti ouh sīno ruartīn, | thaz sie ni z u u i. u o l ō t ī n 5,11,22
giuuan ouh mit gi t h u u i. n g e | in sīn selbes heiminge 5,16,4.

Anderwärts belegtes *quu* statt *qu* kommt aber bei O. nicht vor, sei es daß der Einfluß des lat. Vorbildes für ihn zu stark war, sei es daß die Wörter mit *qu* welche auch tief fallende Aussprache aufweisen (es kommen dafür namentlich *quàd, quàdun* in Betracht) suis locis der nötigen Emphase entbehrten.

13. Es fragt sich, wie die unter Nr. 10—12 vorgeführten Schreibgewohnheiten Otfrids theoretisch aufzufassen sein mögen: denn irgendeinen phonetischen Grund muß doch Otfrid wohl gehabt haben, so zu verfahren, wie er tatsächlich verfahren ist. Mir scheint in dieser Beziehung etwa folgendes erwägungswert zu sein.

a) Daß O. direkt die Akzentverschiedenheiten beobachtet haben sollte, nach denen er ja letzten Endes tatsächlich geht, will mir nicht sehr glaubwürdig vorkommen, trotz seiner melodischen Versakzente, die es eben nicht mit Steig- und Fallton, sondern mit Hoch- und Tiefton zu tun haben. Eher möchte ich geneigt sein zu glauben, daß O. im allgemeinen da m e h r *u*-Zeichen verwendet haben möge, wo ihm der auszudrückende Laut stärker *u*-artig zu sein schien, als in den andern Fällen, wo er weniger *u*-Zeichen setzt. Von diesem Standpunkt aus würde man namentlich Nr. 12 gut verstehen. In Wörtern wie *duāla, duālēn, duellen* ist das *u̯* zwar stimmhaft, aber doch nur schwach stimmhaft, in den Verbindungen *qu, su-, thu-, zu-* ist es noch dazu stimmlos: nur da wo man nachdrücklich und tief fallend spricht, macht sich das *u̯* stärker bemerkbar, und darum bekommt es das Doppelzeichen.

b) Vergleicht man ferner steigende und fallende Parallelen wie *lá : là, rá : rà, má : mà, ná : nà,* so wird man, wie mir scheint, unwillkürlich leicht dazu getrieben, die anlautenden Konsonanten vor Steigvokal auch etwas schwächer (etwas weniger deutlich stimmhaft, auch wohl etwas weniger lang) zu sprechen als vor Fallvokal. Überträgt man das auf die genaue phonetische Parallele *u̯ú : u̯ù,* so begreift man nach dem Gesagten wiederum, wie Otfrid zu seinen Schreibtypen *uúntar : uùntar* gelangen konnte.

c) Somit bleibt noch die Trias von Nr. 10 mit dem Schema *riuuua, riuua* und *ri.ua.* Hier möchte man ja vielleicht bei dem Paar *riuuua : riuua* geneigt sein, einfach an akzentische Geminatenvereinfachung zu denken. Damit würde aber das *u̯u* aus dem Zusammenhange mit den andern stimmhaften, zumal sonoren Konsonanten gerissen, deren Geminaten nicht oder doch nur ausnahmsweise vereinfacht werden (Nr. 2, a. b). Außerdem zeigt ja die einfache Leseprobe, daß auch *riuua* bei O. doch mit dem Diphthong *iu* und nachfolgendem *w* zu sprechen ist, also in *riuua* tatsächlich noch ebensogut eine Geminata besteht wie in *àlla* u. dgl., von der weiteren Entwicklung der Laute im Deutschen gar nicht zu reden. Man wird also wieder

nach einer andern Erklärung suchen müssen, und ich glaube sie in
derselben Richtung finden zu dürfen, in der uns die Betrachtung von
Nr. 11 und 12 hineinführte. Darf ich nämlich meinen Ohren trauen,
so besteht ein ziemlich starker Gegensatz zwischen dem bereits hoch
und dazu steigend gesprochenen ersten *u* von *ríu-ua*, *$\frac{}{}$róu-ua*,
und dem zweiten, das wieder in die Tiefe zurückführt; außerdem
scheint mir das zweite *u* dabei stärker gerundet zu sein; dadurch
bekommt es eine dumpfere Resonanz, die ziemlich stark ins Ohr
fällt. Die Wirkung ist etwa derart, daß das -*ua* ungefähr als so
selbständig empfunden wird, daß es wie wortanlautendes *ua*-
behandelt, also auch -*uua* geschrieben wird. Bei *ríuua*, *fróuua* ist
der Kontrast bei weitem nicht so groß: daher denn vermutlich die
'sparsamere Art' der Bezeichnung. In dem dritten Typus *rí.ua*,
scò.uón endlich wird wiederum das *u* im Anlaut der zweiten Silbe
wegen seiner übertiefen Lage sehr stimmschwach, und zwar so stimmschwach, daß O. hier ganz auf seine Sonderbezeichnung verzichtet,
obwohl er, wie die Leseprobe zeigt, doch auch hier noch wirklich
ein *u* spricht.

III. Zum Gebrauch von *f* und *v*.

14. Für germanisches (einfach gebliebenes) *f* zwischen Sonorlauten sowie für entsprechendes *f* in Fremdwörtern steht nach Steigton *f*, nach Fallton *v*, geschrieben *u*.

a) Nach k u r z e m V o k a l steht überwiegend *u* in *àuur* (wie in *uuurtun*
à u u r gauaröt 1,3,10), seltener *f* (wie in *then thu á f u r nu uabis | ioh thir*
zi thiu liubis 2,14,53): 1,8,8. 2,7,46. 14,53. 18,13. 14.23, 18. 3,17,67. 20,116.
23,32. 26,47. 4,3,14 (neben *àuur* in der Folgezeile). 29,58. 2,25,56. H. 155.
Doppelformen finden sich sonst noch bei *áfalóti* 1,23,21 : *giàualön* 4,7,43;
giáfarönti etc. 1,9,12. 4,31,10. 5,9,49: *gàuaröt* etc. 1,3,10. 4,26,20; nur *f* ist
belegt bei *zuelifi* 4,12,6. 16,18, *einlifo* 4,15,15, nur *u* in *rèue(s)*, *fràuili* etc.,
liuol etc.

b) N a c h K o n s o n a n t : in *thúrfun* etc. nur Steigton und *f*, dagegen
uuòlua mit Fallton.

c) N a c h L a n g v o k a l o d e r D i p h t h o n g : nur Steigton und *f*
in *díufal*; dagegen heißt es, abgesehen von dem einen steigenden *zuífolo* 4,29,53,
stets fallend *zuíual*, -*in*, -*ön* usw.; ebenso *brìeuenti* 1,11,18. — *dúfar*,
-*líchún* 2,22,31. 4,31,6 verlangt Fortis (vgl. Nr. 16), hat also wohl *f* aus germ. *p*.

15. Im A n l a u t gebraucht O. im allgemeinen nur *f*, auch vor
gewöhnlichem Fallton. Dagegen scheint ü b e r t i e f e r F a l l t o n

bei ihm *u* hervorzurufen: ob konsequent, habe ich nicht untersucht.
Beispiele:

> *uns sint kind zi beranne* | *iu daga fúriu à. r a n e* 1,4,51
> *sie sprächun u ì. l u blíde* | *zi themo säligen uuìbe* 1,9,19
> *sie gicleiptun sär thaz guat* | *fi· lu u à. s t o in iro muat* 1,9,38
> *ni sì man nihein sö u è. i g i ,* | *ni sinan zins eigi* 1,11,10
> *zi nöti, thär man uuestū* | *thero fordoröno u è. s t ì* 1,11,22
> *unz siu thö thär gistultun,* | *thio zīti sih i r u ù. l t u n* . . . 1,11,29
> *then situ ouh then thie altun* | *fò·rdoron ir u ù. l t u n* 1,14,3
> *thaz uuazzar lūtaraz uuas* | *thö sie fúltun thiu u à. z.* 2,8,42
> *gifò·rdoröt er u ò. l ſ o n* | *then minan muatuuillon* 3,18,42
> *zalt er im sum sibun uuē:* | *in einemo ist zi u ì. l u lē* 4,6,47

Nicht ausgesprochenen Tiefton hat *uuita-uìna* 2,19,18: hier wird die Stellung im Inlaut des Kompositums mit maßgebend gewesen sein, ebenso wie bei dem ständigen *zuì-uall* etc.

16. Der Lautwert der inlautenden *v* von Nr. 14 scheint nach der Klangprobe sicher stimmhafte, der der entsprechenden *f* stimmlose Lenis gewesen zu sein. Dagegen ist Stimmhaftigkeit für die Anlauts -*v* von Nr. 15 wiederum durch die Klangprobe ausgeschlossen: es kann sich da bei *f*: *v* nur um den Gegensatz von Fortis und Lenis handeln.

Ist diese Bestimmung richtig, so folgt daraus, daß in Otfrids Sprache der Fallton einerseits das Auftreten von Lenes, andrerseits die Stimmhaftigkeit (d. h. hier die Erweichung von ursprünglichen Stimmlosen) begünstigt. Dieselbe Art von Einwirkung sehen wir auch weiter, und vielleicht noch deutlicher, in der nächsten Gruppe von Erscheinungen, die ich hier behandle.

IV. Zum Wechsel von Media und Tenuis.

17. Verhärtung von *b* zu *p* im Auslaut und vor Stimmlosen tritt nur nach Steigton ein, nicht nach Fallton: vgl. ein Reimbeispiel wie *uuio sīn gináda thaz b i u u à r b* | *thaz er bi unsih ir s t á r p* 5,6,69.

Beispiele: a) *biléip* : *kléip* S. 20, : *giscréip* 2,2,6. 4,1,27, *léip* : *giscréip* 2,9,78, *gráp* : *gáp* S. 30; ferner (*gi*)*scríp* 1,1,2. 2,9,91. 3,7,52. 4,27,6, *dréip* 4,4,65, *sélp* 1,1,16, *ir-*, *erstárp* 1,21,1. 2,9,80, *kórp* 3,7,57, *lámp* 2,7,12. 4,9,2; — b) *dúmpmuati*, *-e* 1,3,29. 5,9,41, *dúmpheit*(*i*) 1,2,19. 3,3,12. 4,5,6. 5,25,30, *líphaftes* 1,5,24; — c) *firléipti* : *kléipti* 2,6,30, *zárpta* : *uuárpta* 2,1,21, ferner *kléipta* etc. 1,1,2. 9,38. 3,20,48. 59, *úaptun* 2,8,3, *giloúptun* 2,12,85. 3,15,25, *gikrúmpti* H. 2.

Als Gegenbeispiele zu c) vergleiche man die Präterita (und Partizipia)
dr ùabta 3,24,57. 4,12,2. 20,26, *gidrùabte* 5,11,19, *klèibt er* 3,20,24, *lèibta* : *ñubta*
5,11,43, *gillubta* 1.13,13. 3,20,71. 146, *gilòubta* etc. 1,4,84 usw. (25mal),
ùabta 1,16,12.

18. Vor *g* herrscht (was bei seiner gutturalen Artikulation begreiflich ist) durchaus der Fallton vor, und so bleibt es normalerweise
auch im Auslaut und vor Stimmlosen erhalten (vgl. speziell die Präterita wie *fùagta, nèigta, òugta, rùagta, sòugta, fùrbta, àngta, hàngta,
thuàngta*). Die Ausnahmen sind spärlich und nicht ganz einheitlich
zu erklären.

a) Verhärtung nach gewöhnlichem Steigton in den
telestichischen Reimbindungen *edilinc* : *Ludouuic* L. 18, *githic* : *uuirdic*
H. 56, *gináthic* : *uuirdic* H. 168.

b) Verhärtung nach emphatischem übertief einsetzen-
dem Fallsteigton in

nu g a. n˘ k¹ *thu frammort inti sih* 3,17,57,
huabun sie thō hōhaz | *s a.* n˘ *k filu scōnaz* 4,4,41
thu hōrist thār āna uuank | *io thero engilo* s a. n˘ *k* 5,23,179
biquāmi zioro āna uuank | *thaz selba frōno* g i f a. n˘ *k* 4,29,38
ioh selbon scouuōſī āna uuank | *thō simo skuaf thaz* gi f a. n˘ *k* 4,29,50
si noh hiutu āna uuank | *uuibit Kriste sin* gi f a. n˘ *k* 4,29,52
thaz sī gisunt ther selbo folk | *thuruh thes einen mannes* d o. l˘ *k* 3,5,27
ioh thuruh sinan einan d o. l´k | *uuāri al gihaltan ther folk* 3,26,29.

19. Umgekehrt kann auch ursprüngliches *k* unter dem
Einflusse des Falltons zu *g* herabgedrückt werden. Genaueres hierüber
siehe unten Nr. 38. Über *sg* neben *sc, sk* siehe unten Nr. 33 ff.

V. Wechsel im Stande der Lautverschiebung und Verwandtes.

20. Daß westgermanisches *d* auch nach gewöhnlichem Fallton
zu *t* verschoben wird, zeigen Stellen wie

ther sueizduoh uuard thār fúntan, | *zisamane biuuùntan
fon dēn sabon s ùntar :* | *thaz bizeinōt uuùntar* 5,5,13

u. dgl.: zwischen zwei übertiefen Falltönen aber
unterbleibt die Verschiebung, z. B. in

thes ganges īltun gāhūn | *ioh thaz grab gisāhun,
in mihilan unuuān* | *thaz ketti f ù. n d ù. n indān* 5,4,20.

---

¹ Durch die Stellung des ˘ nach dem Konsonanten deute ich an, daß
der Aufstieg der Stimme hauptsächlich in diesen Konsonanten fällt.

Dies *fù.ndù.n* ist der einzige Beleg für Nichtverschiebung gegenüber zahlreichen *fúntun, fúnti, fúntan* usw. Ebenso einsam stehen
üze stuant ther liut thār, | *uuas sie filu u u ù. n d à. r* 1,4,71
und *bizeinta thaz sīn uuirdī* | *zi niuuihti scioro u u ù. r d ì.*, 4,19,45
neben vielen Formen mit *nt, rt.* Unter ähnlichen Bedingungen
nicht verschobene *d* finden sich ferner in

riht er zi uns ouh heilant, | *thaz unsih m ì. d ì. fiant* 1,10,9
ther iro kuning iungo | *ni m ì. d ì. z io so lango* 1,20,31
thaz uuarf er allaz sär in houf, | *thaz sie firm ì. d ì. n thār then kouf* 2,11,15
theih thuruh thino guatī | *b i m ì. d ì. thio arabeiti* 2,14,16
sih ouh thes ni m ì. d ì. n , lēs, | *sines halsslagōnnes* 4,19,72,

vor allem aber bei vielen einschlägigen Formen von *quedan,* das ja
seiner besonderen Bedeutung nach im Satzzusammenhange besonders
starken Tonschwankungen nach oben wie nach unten hin unter-
worfen ist.

So heißt es zwar im Konj. Prät. stets steigend *(gi)quä́ti* 2,8,26. 3,11,13.
12,3. 17,12. 18. 27. 31. 4,2,27. 12,16. 16,32. 22,2. 27,28. 5,7,39. 8,31. 43,53,
aber im Ind. neben *thaz thu mir nu q u ä́ t i* 2,8,21 (ähnl. 3,12,30) und *q u ä́ t u n*
iz ni zāmi 1,9,20 (ähnl. 3,19,15. 24,88. 26,2. 4,22,29. 27,27. 5,4,6. 10,13. 28.
18,3. 20,10) viel häufiger *quì. dù.n,* wie in *q u ä̀. d ù. n iz sō zāmi* 1,9,13
(ähnl. 3,4,35. 5,12. 15,44. 20,36. 24,45. 26,15. 4,8,13. 18,20. 19,30. 20,17. 21,
auch *quì. dù. n sih thera dāti* 3,20,106), namentlich bei eingeschobenem *quā-
dun,* wie in *thiz, q u ä̀. d ù. n , ist giuuāro* 3,6,51 (ähnl. 1,27,29. 3,12,11.
15,23. 18,13. 20,51. 81. 23,31. 45. 24.62. 25,7. 4,4,61. 73. 8,15. 13,53. 14,3. 13.
18,27. 20,35. 22,27. 28,11. 30,25. 36,5. 5,10,5)[1].

Sonst finde ich bei Verbis so noch zweimal ein schwaches Präteritum
behandelt:

thārana dātun sie ouh thaz duam, | *ò. u g d ù. n iro uuïsduam,*
ò. u g d ù. n iro cleinī | *in thes tihtōnnes reinī* 1,1,5 f.;
ferner

thaz ïh ouh nu gi s ì. d ò. thaz | *thaz mir es iomēr sī thiu baz* 1,2,49
dazu stellen sich dann an anderen Wortformen noch

uuārun siu bēthiu | *gote filu d r ù̀. d i ù.* 1,4,5
thaz sīn tōd ubar al | *ni uuese in uns sō ì. d á. l* 3,26,65
noh uuinkil ù. n d à. r himile | *thār er sih ginerie* 1,5,54
ù. n d à. r uns ni flïzēn, | *uuir sulïh uuerk slïzen* 4,28,14
vuizzōd sīnan | *io u u ì r k è. n d à. n* 1,4,7

---

[1] Nicht hierher gehört steigendes *in sih selbon āna ruah* | *l ú a d u n
mihilan fluah* 4,24,30 : auch im Part. heißt es steigend *bilādane* 1,22,39.
4,5,11, zum Zeugnis dafür, daß bei diesem Verbum der grammatische Wechsel
bereits früher durch Ausgleichung entfernt worden war; *d* steht also hier für *th.*

12

thū scalt beran einan | a l a u u a l t ė. n d ä. n 1,5,23,
fon s c i n ė. n d è. r u uunni : | uuaz er lêuues uúnni! 2,6,39
mit lōzu thaz g i t h ù. l d ė. n , | uuir sa alanga gihaltēn 4,28,16[1].

21. A l t e s *t-* i m A n l a u t (germanisch nur in der Verbindung *tr-*) sinkt bei O. bekanntlich in der Regel zu *d-* ab, aber immer nur vor (hier allerdings sehr stark vorherrschendem) Fallton: vor Steigton wird das *t-* gewahrt, und zwar als eine deutliche, wenn auch nicht gerade stark behauchte A s p i r a t a.

a) V o r V o k a l kommt hier nur das fremde *dùnicha : t' ùnicha* in Betracht. Es heißt mit Fallton:

thaz sie ouh thes ni ruahtin, | zuā d ù n i c h ū n ni suahtin 3,14,95
er umbi thaz in gāhi | thia d ù n i c h ū n gigābi 4,14,10,

aber mit Steigton:

thō uuard in theru dèilu | thiu t ú n i c h a zi leibu 4,28,5* (*t* aus *d*)
bizeinōt thisu t ú n i c h a | racha diurlicha 4,29,1
mit in ist io in ebinu | thiu t ú n i c h a giuuebinu,
thiu t ú n i c h a thiu guata, | bi thia ther lōz ruanta 4,29,14 f.

b) B e l e g e f ü r *tr-* vor Steigton:
sie uuunsgtun muasin rīnan | thoh sīnan t r ä́ d o n einon 3,9,9
ioh iz zi thiu gifiarta, | thes giuuātes t r ä́ d o n ruarta 3,14,24
kêrt er sō dō er mohta | sines selbes t r á h t a . . . 4,31,17
ob auur uuïr iz ahtōn, | ioh uuola iz al bi t r á h t ō n, 5,1,9
thaz ēr ioman in uuorolti | sulīh t r é s o legiti 4,35,13

Dagegen halte man z. B. *thoh bi thia meina | thia d r ä̃ d u n ekord eina* 3,14,19, *thaz hursgit thina d r à h t a* 1,1,18 (27 Belege für *dràhta* und Ableitungen), *indātun sie thō thāre | thaz iro d r è s o sāre* 1,17,63 etc. (zus. 8 Belege), und ständiges *drètan* (13), *driuua, dri.ua* und Abl. (6), *drōst* und Abl. (35), *missidrüēt* 4,15,12.

22. In ähnlichem Sinne richtet sich auch die Behandlung des ursprünglichen a n l a u t e n d e n *d-* nach dem Akzent: nur genügt hier der gewöhnliche Steigton noch nicht, um das *d* bis zum *t* (d. h. wieder *t'*) zu treiben. Vor d i e s e m Steigton erleidet das *d* gegenüber dem längeren und deutlicher stimmhaften *d* vor Fallton

---

[1] S. hierzu Nr. 26, Anm. — Ähnliche Wirkungen des Falltons machen sich übrigens auch später wieder oft bemerkbar, z. B. bei der Erweichung des *t* zu *d* nach *n* und *l*. *Sólte, wólte, milte, schílte* u. ä. haben beispielsweise auch mhd. regelmäßig Steigton, *s ólde, w òlde, milde, schílde* aber Fallton (so auch massenhaft in der Kudrun *Hille : Hilde*). Für *nt : nd* kommen im klassischen Mhd. allerdings fast nur noch die schwachen Präterita wie *nánte, sánte : nànde, sànde* in Betracht. Die Handschriften haben in allen diesen Fällen sehr gewöhnlich das Klangrichtige noch erhalten.

nur eine gewisse Verkürzung und Stimmschwächung (es befindet sich also auf dem Wege zur stimmlosen Media), vgl. etwa *lang sīn d á g ā sīne* L. 77 mit *lāz imo thie d á g ā sīn* L. 35, oder *d r ù h t ī n höhe mo thaz gúat* L. 6 (ähnlich 24. 35. 42. 94) mit *scirmta imo io gilīcho | d r ú h t ī n lioblīcho* L. 52 (ähnl. 63. 71), usw. Durch e m p h a - t i s c h e n ü b e r h o h e n Steigton aber wird das *d* wirklich bis zur Aspirata (vgl. Nr. 21) hingetrieben. Charakteristisch ist dabei, daß sich Otfrid d i e s e s Unterschiedes nicht von Anfang an deutlich bewußt gewesen zu sein scheint, denn die meisten dieser deklama- torischen *t* hat er erst nachträglich in V hineinkorrigiert, das (doch vermutlich nach Otfrids ersten Entwürfen) in der Regel noch das gewöhnliche *d* gesetzt hatte (die Korrekturformen sind in folgendem besternt). Bei der Kontrolle muß man hier übrigens auf den dekla- matorischen Charakter von Otfrids Vortrag besonders gut ein- gestellt sein.

a) Die Belege für *t* sind, abgesehen von dem nachher in Nr. 23 zu be- handelnden Wort 'Tod' nur spärlich, weil die einschlägigen Wörter an sich meist nur verhältnismäßig selten Anlaß zu deklamatorischer Hervorhebung bieten. Es gehören nämlich hierher:

ni forahti thir, biscof: | ih ni t é r r u thir drof* 1,4,27
sō sie biginnent t é· r r e n | boume themo thurren* 4,26,52
ò.ugdun iro cleinī | in thes t í· h t ō n n e s reinī* 1,1,6
uuanta in fir tí· l ö t thaz sēr | dròst filu managēr* 2,16,10
fir tí· l ö t in thia smerza | ioh rōzagaz herza* 2,16,12
uuas ouh ther g i t í· u r t o | furisto thero liuto* 2,12,2
'*far' quad er thō 'innan thes, | t ó· h t e r *, heimortes* 3,14,47
thie dāti uns uuola t ó· h t u n, | ioh sid gisehan mohtun* 3,21,21
ia uuurtun t í̆· t e man ouh, lēs, | queke sīnes uuortes* 4,56,18
'*ih irstantu' quad er zi in | 'sō ih dri.tten dà.ges t ó· t e r* bin* 4,36,8
ther liut nu zi imo loufit, | ioh er se alle t ó· u f i t 2,13,4
t ó· u f e t sie inti bredigōt, | thaz sie giloubēn in got 5,16,28
uuola thiu nan t ú̆· z t a | inti in ira barm sazta!* 4,11,41

b) Das bei diesem Steigton durchlaufene Intervall ist ziemlich groß, der Steigton selbst muß aber schon auf einer Hochstufe einsetzen, um wirksam werden zu können: Großsteigtöne aus der Tiefe, bei denen also das *d* noch dem tiefen Teil des Intervalls angehört, lassen das *d* unverändert. Besonders interessant in dieser Beziehung ist

thie dāti man giscrībe, | theist mannes lust zi lībe:
nim gouma thera d i. h t t a : | thaz hursgit thīna dràhta 1,1,17 f.

Hier setzt das *d* ganz vollstimmig tief ein, fällt sogar in sich wohl ein wenig, dann aber steigt die Stimme so energisch in die Höhe, daß sie in dem *lt* sogar eine sekundäre Geminata hervorruft (vgl. oben S. 163). Mit dem Niveau

12*

von *ti·htönnes* 1,1,6 vgl. ferner das ganz abweichende von *themo*
d i. h t ō n ih thiz buah L. 87, *d i. h t o io thaz zi nōti* 1,1,49 mit ähnlichem
Großaufstieg wie bei 1,1,18 und anderes der Art mehr.

23. Von dem hier Erörterten aus fällt endlich auch Licht auf
die bekannte Art der Sonderbehandlung des Wortes 'Tod', im Gegensatz auch zu dem Adj. 'tot': sie liegt wieder im Deklamatorischen
von Otfrids Vortrag begründet, und geht dabei offenbar in erster
Linie darauf zurück, daß das Substantiv 'Tod' für O. in der Regel
stark gefühlsbetont ist, während das Adjektivum 'tot' im ganzen
einer neutraleren Gefühlszone angehört.

a) Das A d j e k t i v u m *dōt* nebst Ableitungen hat an allen außer den
bereits unter 22,a zitierten beiden Stellen (mit deklamatorischem *t*) 4,26,18.
36,8 bei O. stets gewöhnlichen Steigton (23 Belege), zeigt also einerseits auch
sowohl das zu erwartende anlautende *d*, wie das entsprechende innere *t* (vgl.
Nr. 20). Die akzentgemäße 'G l e i c h g ü l t i g k e i t s f o r m' des S u b -
s t a n t i v u m s hätte natürlich *dōd*, flektiert *dōdes* zu lauten: aber gerade
sie ist bei O. selten und auf gewisse Präpositionalformeln beschränkt:

> *hungere biuuerien* | *ioh ouh* *f o n d ò d e nerien* 3,7,90
> *er ist fon helli iruuuntan* | *ioh uf* *f o n d ò d e irstantan* 5,4,47
> *gifreuuet allēn in thaz muat,* | *uuant er f o n d ò d e hiutu irstuant* 5,4,62
> *ioh habēt fasto ouh unsēr muat,* | *sīd er f o n d ò d e selbo irstuant* 5,12,11
> *'nist' quad er ' thiu ummaht* | *sō fram z i d ò d imo brāht* 3,23,19
> *mit thiu meintun thie man* | *thaz er i n d ò d e sigu nam* 4,3,23
> *zi sīn selbes rīche, sō gizam,* | *sīd er in d ò d e sigu nam* 5,17,15 ;

dazu kommt ein e m p h a t i s c h e s *sō imo selbo gizam,* | *al thaz er d ò. d e*
ginam mit übertiefem Fallton 5,4,55 und ein weiteres überemphatisches *then*
er z i d ó· t e salta | *bi unsih sōs er uuolta* 2,9,77 mit großem Steigton
von der Höhe aus, lautlich entwickelt aber offenbar von der Pronominalformel
zi dōde aus, mit Steigerung des *d* zu *t* durch die Emphase: weder *dōthe* noch
tōde (unten d, c) wären klangrichtig.

b) Daneben bestehen noch mehrere andere e m p h a t i s c h e F o r -
m e n d e s S u b s t a n t i v s mit verschiedenem Betonungswert. Das Material dafür muß hier ausführlich vorgelegt werden, da alles auf die Betonung
im einzelnen ankommt.

c) Die Form *tōd*, flektiert *tōdes* usw., setzt mit ihrem anlautenden *t* offenbar überhohen Einsatz voraus, mit ihrem *d* aber nach Nr. 24 jedenfalls fallenden
Ton. Prüft man die Belegstellen mit gebührender Berücksichtigung des Deklamatorischen (das O. selbst durch viele nachträgliche Korrekturen von *d* zu *t*
berichtigt hat), so ergibt sich, daß unsere Form regelmäßig bei g r o ß e m
F a l l t o n a u s d e r Ü b e r h ö h e h e r a u s steht. Charakteristisch ist

dabei ferner, daß die Präpositionalformeln (oben a) hier verhältnismäßig nur
schwach vertreten sind:

a) *thār ist līb āna t ȯ·d**, | *lioht āna finstrī* 1,18,9
   thō erstarp ther kuning Herōd, | *ioh hina fuarta inan t ȯ· d* . . . 1,21,1
   in t ȯ· d* quad ni gigiangīn, | *thoh siu tharazua fiangīn* 2,6,15
   ouh then man hiar nu zalta, | *ioh sie alle t ȯ· d* bifalta* 3,18,34
   nu er then t ȯ· d suachit, | *thes lībes ouh ni ruachit* 3,23,59
   ginādaz thīn ni hangtī | *thaz t ȯ· d mo sus io giangtī* 3,24,14
   thaz sīn t ȯ· d* ubar al | *ni uuese in uns sō īdal* 3,26,65
   ther t ȯ· d* uuas in uuunna | *thuruh gotes minna* 4,5,47
   ni kūmet t ȯ· d* mīnan: | *ni scal ih inan mīdan* 4,26,30
   gilouba thīn sī kreftīg, | *thaz thir sīn t ȯ· d sī githīg* 4,37,15
   ziu druhtīn hiar in uuoraltī | *thes krūzes t ȯ· d iruuelītī* 5,1,2
   thoh inan t ȯ· d*, giloubi mir, | *ni sculi ruaren furdir* 5,12,38
   thia er ginam in sīna hant, | *thō er t ȯ· d ubaruuant* 5,14,8
   nist themo thār in lante | *t ȯ· d io thaz inblante* 5,23,245
   odo imo t ȯ· d so gienge, | *thaz got io thaz gihenge* 5,23,249
   t ȯ· d inan bisuīkhe | *in themo selben rīche* 5,23,260
   then t ȯ. d then habēt funtan | *thiu hella ioh firsluntan* 5,23,265

β) *ouh forahten t ȯ· d e s suārī* | *unz er mit imo uuārī* 3,8,46
   ioh sīnes t ȯ· d e s* guatī | *zisamane gifuagtī* 3,26,48
   thaz uuir frō thes t ȯ· d e s* | *farēn heimortes* 3,26,51
   ioh Kristes t ȯ· d e s* thuruh nōt | *ther liut sih habēt gieinōt* 4,1,2
   mennisgon ouh alle | *mit sīnes t ȯ· d e s falle* 4,27,14
   er nam in t ȯ· d e s rīche | *sigi kraftlīche* 5,4,49
   thiu in thār uuārun meista | *thes sīnes t ȯ· d e s* drōsta* 5,10,10
   uuio iz thārana ist al gizalt, | *er t ȯ· d e s duan scolta ubaruuant* 5,10,12
   thiz ist t ȯ· d e s* giuualt, | *thār ist līb einfalt* 5,23,85

γ) *ioh uuio man ouh irqualtun*, | *z i t ȯ· d e nan firsaltun* 5,9,29
   uuant inan druhtīnes uuort | *fon t ȯ· d e fuarta uuidorort* 4,3,5

δ) *mit t ȯ· d u* er dagā fulta*, | *ther io in abuh uuolta* 1,21,2
   mit sīnes selbes t ȯ· d u | *ubarfuar thō bēdu* 3,7,20.

Dazu kommt noch eine emphatische Auslautverhärtung (vgl. oben a
Schluß) in *er zeinta, thes sie uuas ouh ōth*, | *sīnes līchamen t ȯ· t** 4,19,35,
und eine ebensolche im Inlaut: *bittirī t ȯ· t e s*:* | *thiu nātara gispuan ses*
5,8,50 (wo wiederum nicht korrigiert werden darf: als Gegensatz vgl. 2,11,47
hernach unter d).

d) Die Formen mit inneren *th* weisen nach Nr. 24 auf g r o ß e n S t e i g -
t o n hin. Geht dieser Steigton von der Ü b e r h o c h l a g e aus, so wird
zugleich das anlautende *d* zu *t* verschoben, so daß der Typus *tȯ́th, tȯ́thes*
entsteht. Viele *t* sind wieder erst nachträglich von O. einkorrigiert. Eine Prä-
positionalformel ist nur einmal belegt:

a) *āna t ȯ́· t h* inti āna leid* | *ni mag ih gisagēn thes gisceid* 5,22,8
   uuio firdān er unsih fand | *thō er selbo t ȯ́· t h e s* ginand* 1,2,12

er tó· t h e s io ni chorēti | ēr er then dròst habēti 1,15,7
thaz ziuúrfun sie, lēs! | mit bittirī t ó· t h e s 2,11,47
in thes t ó· t h e s gähī | thara zi imo sāhi* 2,12,66
unz er uuas hier in uuorolti | er t ó· t h e s bi unsih korōtī* 3,1,4
thie t ó· t h e s ni korönt ēr | noh ni thultent thaz sēr* 3,13,40
uuanta sie uuārun thuruh nōt | sīnes t ó· t h e s gieinōt 3,15,2
in karkāri zi faranne | ioh t ó· t h e s ouh zi korönne 4,13,24
dròst er sie thō uuorto | sīnes t ó· t h c s harto* 4,15,1
thie folgētun imo alle | zi sīn selbes t ó· t h e s falle 4,26,4
β) z i t ó· t h e sie nan brungun | mit uuassidu iro zungūn 4,20,40.

c) **G r o ß e r S t e i g t o n v o n d e r U n t e r t i e f l a g e** aus bringt
den Typus *dó.th*, flektiert *dó.thes* zuwege. Belegt sind die nur flektierte Formen, unter denen die Präpositionalformeln überwiegen:

α) det er in dròst thō alles | thes iro d ó. t h e s falles 4,7,19
in scantu thesses d ó. t h e s ! | thaz uuīzi manōt inan thes. 4,30,16
β) ioh ob er iz firslunti, | f o n d ó. t h e ni iruuūnti 2,6,8
f o n d ó. t h e inan irquictōs | then līchamon iruuagtōs 3,1,21
thār er f o n d ó. t h e iruuagta, | Lazarum irquicta 4,2,6
thaz er mo sie gihielti | unz er f o n d ó. t h e irstuanti 4,15,63
ein ist thaz man uuekit, | f o n d ó. t h e man irquickit 4,19,37
ther liut thō sār gimeinta, | z i d ó. t h e nan irdeilta 4,19,69.

24. E r h a l t u n g v o n i n n e r e m *th* für germ. einfaches
þ setzt, wie schon in Nr. 23 bemerkt wurde, **e m p h a t i s c h e n
g r o ß e n S t e i g t o n** voraus, der, abgesehen von der schon in
Nr. 23 vorgeführten Sonderbehandlung des Wortes 'Tod', immer
zugleich **i n d e r H ö h e** einsetzt (die Belege für 'Tod' werden
hier nicht wiederholt):

a) *th* **n a c h V o k a l e n u n d D i p h t h o n g e n :**
uuārun siu b é· t h i u | gote filu drūdiu 1,4,5
ist uns hiar gizeinōt | in b é· t h ē n io thuruh nōt H. 117
b l í· t h e t iuih muates | ioh harto freuuet iuih thes 2,16,37
uuio er gidāti filu sēr | themo einegen b r ú· a t h e r H. 34
ziu scal iu lōn sīn thanana guat? | thaz ouh h é· i t h i n ēr duat 2,19,26
thoh sīn līb scolta entōn | in h é· i t h i n e r o hanton 4,20,38
l é· i t h e s theih githulta, | hier liebēn mīnēn zalta 5,20,104
ni m í· t h u h iuēr nihein, | ist unkēr zueio uuesan ein 3,22,32
nu uuill ih thes giflīzan, | then segal n í· t h a r lāzan 5,25,5
lugināra thanne | ioh n í· t h i g n n alle 5,21,16
er zeinta, thes si uuas ouh ó· t h, | sīnes līchamen tōt 4,19,35
sār thūzar theru menigī | s c é· i t h i s t dīn gidigini 1,1,29

b) *th* **n a c h K o n s o n a n t e n :**
fliuh in á· n t h e r a z lant, | bimīd ouh thesan fiant 1,19,4
thō giang näh ther á· n t h e r, | thaz selba meid er thār ēr 5,6,27

thie á·n t h e r e zi lante | quāmun feriente 5,13,27
thie á·n t h e r e iz ni niazent, | thara after iamēr riazent 5,20,52
thō ir b ó·n t h er imo io thes sìndes | thes skōnen heiminges 2,5,10
ioh thiu quena mìnu | ist k ì·n t h e s urminnu 1,4,50
bin mir m é·n t h e n t i, | in stade stantenti 5,25,100
fuarun sār thes s í·n t h e s | thia hirta heimortes 1,13,21
    (ähnlich 1,16,22. 17,11. 19,1. 21,8. 22,20. 3,1,36)
u u é·r t h e n filu māro, | thaz uuizīt ir giuuāro 3,23,22
ni u u ì·r t h i t ouh innan thes, | zi stuntōn brest imo thes 5,23,139
in u u ì·r t h i t in themo erbe | thaz man thihein irsterbe 5,23,259
vueiz ih thaz giuuisso | thaz ih thes u u ì·r t h ì g uuas ouh sō. H. 13.

25. Geminiertes *þþ* wird unter dem Einflusse der Un-
betontheit vereinfacht und zu *d* verschoben in *odo*, bleibt ober sonst
unverschoben in *èthes-* und *mìthōnt*, *mìthōntes*: die Vereinfachung erfolgte einfach nach Maßgabe der in Nr. 1 ff. entwickelten
Regeln, denn sämtliche Stellen haben Fallton.

26. Übertiefer Fallton bringt Verschiebung von
anlautendem *th* zu *d* zuwege, und zwar nicht nur bei mindertonigen
Wörtern wie
    uuola uuart d ì· h lebènti | ioh giloubenti 1,6,6
    sō kualist d ū. d ì. h ofto | mit brunnen redihafto 2,9,92,
    biheizist d ì. h niuuihtes, | thaz thū thaz irrihtēs 2,11,39
    forosagun sungun | fon d ì. r sālīgūn 1,5,9
    thaz d ù. nāmis in thīn muat | uuio thie heilegun duent 2,9,96,
usw., sondern auch in durchaus volltonigen:
    a) *in herzen ioh in dātin | fon ubilēn gi d ä̀. h t i n* 5,3,14
    martyro heriscaf: | then uueg man forahten ni d à. r f 4,5,42
    thes thanke ouh sìn g i d ì. g i n i | ioh unsu smāhu nidirī L. 26
    sār thūzar theru menigī | sceithist thīn g i d ì. g i n i 1,2,39
    thera ērerūn uuesinī, | sō iz ēr sah sìn g i d ì. g i n i 5,12,50
    yrhuab er sih sō er thaz gisprah | thār sìn g i d ì. g i n i iz gìsah 5,17,3
    thes hūses uuiht bi d ì̀. h a n | noh hera nidarsīgan 4,30,14
    thaz uuasiāmarlīchaz dì. n g, | thaz folc thaz stuant thar umbiring 4,30,35
    thō sprah ther biscof: | harto forahta er mo d ò. h 1,4,4
    ni duit man untar mannon | thaz thrìbon lese ir d ò. r n o n 2,23,13
    thes managfalten sēres | thaz uuir nu d ù. l t ē n, | lĕuues, 5,9,35
    ni d ù. l t a· si in giuuissī | nihein iruuartnissi 5,12,22
    ia d ù. l t ï· s t· thu zi nōti | thio selbūn arabeiti 4,31,8
    sie sprāchun thio un d ù. l t ï· , | ioh uuaz si thara uuoltī? 5,7,17
    ʽoba dǜ. Krist' quad er ʽbist, | hilf thir nū dì̀.r d ù. r f t ist* 4,31,3
    ni d ù. r f u. n sie in uuār mìn, | er sprichit scioro mit in 5,4,64
    ir ni d ù. r f u. t in uuār : | ni eigut ir sin uuiht hiar 5,4,45

ni d ù. r f u. t ir nan riazan: | *ia uuas iuz ēr giheizan* 5,4,48
ir ni d ù. r f u. t bidi.u: | *er quimit auur sama zi iu* 5,18,5
for thēn gab follon muases | *finf d ù. s u. n t o n mannes* 3,6,4

b) *mit heri uns sus hiar engit,* | *ioh ūzar ther burg d r ì. n g i. t* 4,4,62.
ioh uuio man nan firduà.sbtī | *mir zi leidlusti* 5,7,34

Wie genau O. auch hier verfahren ist, zeigen die vielen Korrekturen von falsch gesetzten *d* in *th*, die er in V eingetragen hat (Kelle 2,503).

A n m. Eine scheinbare Ausnahme: *mit lōzu thaz g i t h ù. l -d e n,* | *uuir sa alanga gihaltēn* (*githulden* aus *gidulden* korrigiert), die durch ihr *ld* statt *lt* auf übertiefen Fallton hinweist (Nr. 20) und doch ausdrücklich *th* haben soll, erklärt sich daraus, daß es sich um g r o ß e n Fallton handelt, der noch in der H ö h e einsetzt, und erst mit seinem tieferen Teile auf das folgende wirkt. — Ähnlich erklären sich die *lt* der Formen wie *d ù.lte·n,* wie schon oben durch deren Bezeichnung im Text angedeutet ist, daraus, daß ihre zweite Silbe wieder in die Höhe rückt, während die Nichtverschiebung von *d* zu *t* an die Stellung z w i s c h e n zwei übertiefen Falltönen gebunden ist (Nr. 20).

27. Der Lautwert der *th* und *d* läßt sich durch Klangprobe leicht feststellen: das *d* ist durchaus stimmhafte Media, das *th* stimmloser Reibelaut (also $= þ$), ebenso wie im Anlaut volltoniger Wörter. Nur im Anlaut von Formen pronominaler Herkunft (wie *ther, thesēr, thār, thō* usw.) ist auch bei O. schon die Erweichung zum stimmhaften Reibelaut eingetreten. — Über Präteritalformen mit *dt* wie *blīdta, kundta* siehe oben Nr. 8 Anm.

28. U r s p r ü n g l i c h e s *lp, rp* bleibt nur nach überhohem Steigton auf der Stufe der Affrikata stehen, während es sonst zu *lf, rf* wird. Auch der folgende Vokal liegt dabei noch hoch; wird er fallend gesprochen, so wird die Affrikata durch *ph* bezeichnet, steigt er dagegen, so setzt O. das offenbar als 'schärfer' empfundene *pf*[1]:

a) *thu uns h é· l p h à·, druhtīn, dāti* | *ze dero oberōstūn nōti* 1,11,19
bin gote h é· l p h à· n t e | *thero arabeito zi ente* 5,25,7

b) *'druhtīn' quad siu, h í· l p f m í· r :* | *then drōst uueiz ih in thir* 3,10,29
ioh in allēn nōtin | *h ú· l p f ì· n io thēn liutin* 3,14,88
gilechōnt thoh thie u u é· l p f ã·: | *theist laba in ioh ouh h é· l p f à·* 3,10,37
thēn kindon ir thēn hanton | *inti u u é· r p f é· z ú.z thēn hunton* 3,10,34

---

[1] Diesen Unterschied (*ph* vor Fallton, *pf* vor Steigton) macht O. auch sonst: vgl. außer dem was das Folgende noch bietet aus Nr. 7 *k à p f é t u n* sie lango 5,17,37, *oba ouh ther bis l ì p f i t* (korr. aus *bislippit*) 5,21,9 und namentlich *sär zi themo u u í p p h è,* | *thaz er in n i n t s l ù p f é* 4,16,28.

29. Diese Regel erstreckt sich natürlich nicht auf die aus *rpp*, *lpp* entstandenen *rph*, *lph* usw., die auch im Mhd. noch Affrikaten bleiben: bei ihnen gilt Affrikata auch nach einfachem Fallton:

ist thār uuiht sō s à r p h è s | odo iauuiht ouh sō g è l p h è s 1,23,25 *thes s à r p h è n uuizōdes nōt | bizeinōt thisu finf brōt.* 3,7,23 *thaz suazes er gilērū, | zi s à r p h ì d u iz bikērū* 3,17,31 *h à r p h à ioh rotta | ioh thaz io guates dohta* 5,23,199.

Ebenso aber auch bei (überhohem) Steigton:

mihilu g é· l p f h é· i t | ioh unsèr herza gimeit 3,19,10
(beachte wieder das *pf* vor hohem Steigton).

30. A l t e s *mp* wird nach Steigton zu *mph* (bzw. wieder zu *mpf*, wenn ein weiterer Steigton folgt), nach Schleifton (einerlei ob er nach oben oder nach unten schleift) zu *mf*, nach Fallton bleibt es unverschoben als *mp*:

a) *ia l í m p h ì t mir theih uuerbe | in mines fater erbe* 1,22,54
uns l í m p h ì t uuir mit uuillen | guatalih irfullèn 1,25,12
sō l í m p h ì t thaz man fāhe | ioh hōho nan irhāhe 2,12,67
mir l í m p h ì t thaz ih thenke | theih sīnu uuerk uuirke 3,20,13
gi l í m p h ì t theih thiz uuolle, | ioh thaz giscrib irfulle 4,17,22
stat filu rìchu, | zi thiu g i l ú m̄ p f l í c h u 2,18,60
b) *ia l ā.̃ m f sō sie gisagētun, | fon Kriste sulih zelitun* 5,9,45
er uuas dūbūn gilīh: | thaz uuas sō g i l u.̄ m f l ì h 1,25,25
c) *sō duat ouh ther guatō: | iz l i. m p ì t sō gimuato* 2,23,16
giuuar es uuis giuuisso: | harto l ì. m p ì t iz sō 4,29,2
vuizzi thēh imo āna sār: | thaz uuas g i l ù. m p l ì h in uuār 1,16,25
'ist, druhtīn' quad 'g i l ù m p l ì h | thaz thū nu uuasgès mih? 4,11,21
giuuisso, theist g i l ù m p l ì h , | in got giloubet ioh in mih 4,15,4

Die Formulierung der Regel ist hier nicht ganz sicher, da alle Belege auf das Wort *limphan* nebst seinen Ableitungen entfallen, das meist zugleich affektbetont ist und damit über die Mittellage hinaus zur Ü b e r höhe, oder unter sie hinab zur Ü b e r tiefe drängt. Eine scharfe Scheidung nach dieser Richtung hin scheint sich aber nicht durchführen zu lassen.

31. Die Belege für die Verschiebung von a l t e m *pp* sind bereits oben Nr. 7 vorgeführt (vgl. dazu auch noch Nr. 28 Fußnote und Nr. 29). Unverschoben ist *pp* nur geblieben in

ioh int s l ù. p t a ì. n gāhūn | then mithōnt se anasāhun 5,10,26,

wie man sieht, vor folgendem Konsonanten und zwischen zwei übertiefen Falltönen. Auch das letztere wird wieder nicht bedeutungslos sein. Jedenfalls ist das *p* ohne Explosion zu sprechen (vgl. Sievers, Phonetik[5] § 457), und das scheint wieder auf Akzenteinfluß zu deuten; denn die 'pt nach Steigton' von Nr. 17 verlangen ihrerseits ebenso deutlich scharfe Explosion des *p* wie sie an unserer Stelle stören würde[1].

VI. Zur Behandlung der *k*-Laute.

32. Der Herabdrückung des *k* zu *g* im Auslaut und vor stimmlosen Konsonanten ist bereits in anderem Zusammenhang in Nr. 19 vorübergehend gedacht worden (Genaueres siehe Nr. 38). Ein ähnlicher Wechsel von *k, c* einer- und *g* andrerseits findet sich bekanntlich bei der **Lautgruppe** *sk* im **Nachlaut**, und auch er ist von der Betonung abhängig: *sg* gilt bei O. nur (aber stets) nach Fallton, *sc, sk* nach Steigton. Letzterer tritt aber fast nur in den beiden Wörtern *éiscōn* und *biscof* auf, die daher in Otfrids Orthographie auch allein (aber auch wieder stets) in V mit *sc, sk* geschrieben werden (Kelle 2,507).

33. Auch der Wechsel von *sc* und *sk* ist nicht willkürlich, auch nicht im **Anlaut**, wo die beherrschenden Ursachen am deutlichsten hervortreten. Vergleicht man nämlich die folgenden Stellen mit anlautendem *sk*:

ioh theiz ni uuas ouh horalang | *thaz heri s k à. f m ì. t imo sang* 2,3,13
thanne uuas im auur thēr[2] | *s k à. h ặ. r i hebīgēr* 4,22,13
er ist gizal ubar al | *ío sō edilthegan s k à. l ,* ‖ *u u ȉ. s ēr . . .* 1,1,99
　　(vgl. 2,2,26. 4,71. 9,16)
bat er sìn uuort gimeintī, | *er sìnan s k à. l k h è. i l tȉ* 3,3,6
s k à. l k ặ. ioh thie rĩche, | *thie gēnt thār al gilĩche* 5,19,53
s k à. r à. filu breita, | *ioh sie tharaleitta* 4,16,12
fon themo liohte uuas ther man | *in ēuuōn gis k è. i d à. n* 4,17,52
ni uuas er thaz lioht, ih sagen thir ein, | *thaz thār thēn liutin irs k è. i n ,*
　　　　　　　　　　　　　　　　　‖ *sù. n t a r . . .* 2,2,11

---

[1] Man fühlt sich gedrängt, bei dieser Gelegenheit die Frage aufzuwerfen, ob nicht auch etwa die mittelfränkische Bewahrung der *-t* von *dit, dat, wat* usw. mit der Schwächung der Explosion durch tiefen Fallton zusammenhängen könne, welche natürlich dem Prozeß der Affrizierung entgegengewirkt hätte. Die Sache bedürfte aber näherer Untersuchung. Einstweilen sei nur bemerkt, daß es im Trierer Capitulare tatsächlich stets *thà.t* heißt (305,1. 13. 14. 306,20. 25. 307,2), ebenso *gesà.t* 305,11, aber *inde t h á· z behaldan uuerde . . .* 307,3, wo *that* klanglich unmöglich wäre. Vgl. auch in De Heinrico 8,2 *t h á z t ì. d alláz uuār is* usw.

[2] Diese Form wird hier klanglich gefordert. Ob noch mehreres der Art bei O. vorkommt, weiß ich nicht.

er kẽrta sih sār uuidar zin, | *quad 'guate man, uuaz s k è. l ì. z sïn?* 2,7,16
intẽrẽtun nan herton | *mit ìro s k è. l t u u ò. r t o n* 4,30,2
s k à. l ì. z geistlichaz sïn, | *sie s k è. n k è. n t uns then guatan uuïn* 2,9,16
thie heristrāza in s k ì. e r è., | *ouh scõno giziere* 1,23,22
nub er zi gänne in drāti | *sih fon themo s k ì. f è. dāti* 3,8,36
thõ sïn githigini zi imo riaf | *thõ er in themo s k ì. f è. sliaf* 3,14,5
ioh reinõt iuih sāre | *in s k ì. n è. n t e m o fiure* 1,27,62
in giang er thõ s k ì. o r ò. | *goldo garo zioro* 1,4,19
ioh iro uuillo ubilẽr? | *got b i s k ì. r m è. mih ẽr* 5,25,78
thaz ni uuārun sie in uuār: | *bithiu sõ s k ì. u h t ù. n se thãr* 3,17,49
er quam sõs er s k ò. l t à. | *ioh uuïsõta thõ er uuolta* 2,2,21
uuard imo thõ ouh uuntar | *zï s k ò̤. n z̧. n ẽrõn gidän* 2,9,39
tho irbonth er imo io thes sinthes | *thes s k ò̤. n è. n heiminges* 2,5,10
er uuolta in themo äna uuank | *duan sõ samalïchan s k r à. n k :* |
$\qquad$ *g è. n a n . . .* 2,5,13
thaz dātun sie bi nõti, | *thaz ros ni s k r à. n k ò. l õ tï* 4,4,19
sõ sliumo sie ïz gihõrtun, | *sie sãr bis k r à. n k ò. l õ t u n* 4,61,41
ther unsih io b i s k r à. n k t à., | *fon himilrïche iruuanta* 2,5,28
zïstïaz er thia s k r à. n n ò. n | *thẽn selbõn koufmannon* 2,11,17
ingegin s k r è. i g ì. nõto | *al menigï thero liuto* 4,24,4
nihein ouh thes githenkit, | *uuio er se emmizïgẽn s k r è. n k ì. t* 5,23,155
sõ uuer sõ thes githenke, | *then diufal b i s k r è. n k è.* 3,19,34
ioh selbon scõuuõti äna uuank, | *thõ simo s k ṳ̀. a f th à. z giuuant* 4,29,50
ingagan uuidaruuinnõn | *sõ s k ṳ̀. l u. n uuir unsih uuarnõn* 2,3,56

mit solchen mit anlautendem *sc* wie z. B. (ich greife nur einige be-
liebige Beispiele aus dem Anfang des Werkes heraus)

euuïnïga drũt s c á f | *niazẽn se iamẽr sõso ih quad* L. 85
er õstarrïchi rihtit al | *sõ Frankõno kuning s c á l* L. 2
in guatemo lante: | *bithiu sint sie un s c á n t e* 1,1,66
ther liut in giburti | *gi s c é i d i n ẽr uuurti* 1,1,92
vuant er uuolta man s̈ïn: | *thaz uuard sïd filu s c i̤ n* L. 39
mit gotes s c i r m u s c i o r o | *ioh harto filu zioro* L. 20
ni lãz thir zït thes ingän: | *theist s c ò̤ n i fers sãr gidän* 1,1,48
uuanana s c ú l u n Francon | *einon thaz biuuankõn* 1,1,33
sie thaz in s c r i p gicleiptïn, | *thaz sie iro namon breittïn* 1,1,2,

oder mit solchen wie

sun filu zeizan, | *Johannes s c à l er heizan* 1,4,30
thu hilfis io mit krefti | *theru thïnera gi s c è f t i* 1,2,47
s c è p h e r i uuorolti: | *theist mïn ārunti* 1,5,25
heil, magad ziari, | *thiarna sõ s c ò̤ n i* 1,5,15
zi gote ouh thanne thigitï | *thaz er gi s c ò u u õ tï* 1,4,7
vuard after thiu i r s c r ì t a n sãr, | *sõ moht es sïn ein halb iär* 1,5,1

usw. usw., so sieht man sofort, daß weder Steigton noch gewöhnlicher
Fallton vor sich ein *sk* dulden, daß aber umgekehrt der ü b e r -

tiefe Fallton eben dieses *sk* vor sich fordert, zumal wenn ihm, wie das in allen oben zitierten Beispielen der Fall ist, noch ein weiterer ebensolcher Ton folgt[1]. Das bedeutet, eins ins andere gerechnet, zunächst für den Vortragsakzent, daß das betreffende Wort oder Satzstück stark in die Tiefe rückt, für die Artikulation des Verschlußlautes aber eine Verschiebung der Artikulationsstelle nach hinten, d. h. also, daß O. mit seinem *sc* und *sk* einen v o r d e r e n und einen h i n t e r e n *k*-Laut unterscheiden wollte, deren Anwendung sich im einzelnen nach dem satzmelodischen Akzent richtete: der hintere *k*-Laut trat nur dann auf, wenn ein gewisser Grad der Stimmtiefe bereits an der Grenze zwischen *k* und Folgelaut erreicht war.

34. Unter denselben Bedingungen erscheint *sk* auch im Nachlaut, nur daß ihm da nach Nr. 32 noch immer ein Steigton vorausgehen muß. Es wird genügen, nur die Belege für *sk*, nicht die zahlreicheren für *sc* zu verzeichnen:

uuir eigun sīna lēra: | *uuaz é i s k ȯ̈. n uu ì. r es mēra?* 2,2,50
ih sagēn thïr in uuāra: | *ni tharft es é i s k ȯ̈. n m è. r a* 2,12,29
Petrus bat Johannan | *thaz er ï r é i s k ȯ̈. t ï then man* 4,12,29
ioh é i s k ȯ̈. t a ȯ. u h thō mēra | *bi sīnes selbes lēra* 4,19,6
stuant druhtin innan thes in uuār | *fora themo b í s k ȯ̈. f è thār* 4,19,1
alte ioh thie iunge | *zi thero b i s k ȯ̈. f ȯ thinge* 4,19,22
thie b i s k ȯ̈. f ȧ̈. zi nōti | *firsprāchun thō thie līuti* 4,24,19
ni sie in f r é n k ï s k ȯ̈. n biginnēn | *sie gotes lob singēn* 1,4,34
uuïo Krist nam finf leibā | *ioh zuēne f i s k ā. tharazua* 3,6,3

35. Dieselbe Doppelheit von k^1 und k^2 findet sich natürlich auch bei *k* in V e r b i n d u n g m i t V o k a l e n o d e r s o n o r e n K o n s o n a n t e n , nur tritt sie da etwas zurück, weil im allgemeinen hier der Fallton herrscht, der hinteres *k*, d. h. das Schriftbild *k* hervorruft. Das gilt insbesondere vom A n l a u t .

a) V o r V o k a l gebraucht O. fast ausschließlich *k*, vgl. z. B. *irkïasēt* S. 6, *kindon* L. 83, *kórn* 1,1,28, *Kȯstinzero* S. 2, *kùani* 1,1,63. 100, *kùning* L. 2.27. 1,1,93, *kùningrïchi* L. 70, *kùninginna* L. 84, *kùnni* 1,1,120, *kùphar* 1,1,69, *kùrfï* 1,1,22, *ā-kùst* 1,1,30 usw. usw.

---

[1] Von dieser Gewohnheit machen, soviel ich sehe, nur zwei Stellen eine Ausnahme:

thō quad er thaz sie s k ȧ̈. n c t í n | *zi themo hēresten sih uuantïn* 2,8,37
sō Petrus thaz thō gisah, | *fon themo s k ì. ff ér zi ïmo sprah* 3,8,31

mit Steigton hinter dem übertiefen Fallton.

b) **E i n f a c h e s** c setzt O. nur ein paarmal in Fremdwörtern, aber doch auch wieder akzentgerecht:

zi hōnidōn gerno, | *c ó r ō n a thero thorno* 4,22,22
thurnīna c ó r ō n a: | *gidān uuas thaz in hōna* 4,23,8
c á r i t a s thiu diura, | *thiu būit thār in uuāra* 5,23,120

gegenüber achtmaligem *kàritas* und *kàritāti* 1,18,38, *kàritāte* H. 149.

c) Etwas öfter gebraucht O. die **V e r b i n d u n g** *ch*, und zwar zweimal im Akrostichon vor Fallton *(C h è r e t thaz in muate* S. 25, *C h è r ì ouh thir in thrātū* H. 55), sonst nur vor Steigton:

in buachon man gimeintū | *thio iro c h ú a n h e i t i* 1,1,4
sie sint sō sama c h ú a n i | *selb sō thie Romani* 1,1,59
ist er zi gotes henti | *uuola c h è r e n t i* 1,4,38
c h ü̆ m ī g bin ih iāro | *iu filu manegero* 1,4,49
thie fordoron bi barne | *uuārun c h ú n i n g a alle* 1,5,8
ih scal thir sagèn, c h i n d min, | *thū bist forasago sīn* 1,10,19
thaz si c h i n d bāri | *zi uuoralti einmāri* 1,11,30
er tōthes io ni c h ó r ē t ī | *ēr er then dröst habētī* 1,15,7
ouh in thēn ārūmen | *sō suāslicho b i c h ü̆ m e n* 4,35,30.

Die Leseprobe ergibt überdies für alle Steigtonfälle (d. h. für alle Belege außerhalb der Akrosticha) deutliche und starke **A s p i r a t i o n :** in germ. Wörtern hat also der Steigton auch zu dieser hingedrängt, während die romanischen *c* von *córōna, cáritas* unaspiriert blieben. — Aspiriert ist auch das einmalige *sch* in *zi thiu thaz ih inklenke,* | *thio riomon hier gi s c h r é n k e* 1,27,60.

d) **V o r** *l* **u n d** *r* mit folgendem Steigton steht c in *C l é i n e r o githanko* | *sō ist ther selbo Franko* L. 17
sie thaz in scrip gi c l é i p t ī n | *thaz sie iro namon breittīn* 1,1,2
ougdun iro c l é i n ī | *in thes tihtōnnes reinī* 1,1,6
habēn ih gimeinit, | *in muate bi c l é i b i t* 1,5,39
sie gi c l é i p t u n sār thaz guat | *filu harto in iro muat* 1,9,38
i n c l ó u b man mit thēn suuerton | *thaz kind ir thēn hanton* 1,20,17
in thesemo ist ouh scinhaft, | *sō fram sō inan lāzit thiu c r á f t* L. 65
thi er hera in uuorolt sentit, | *thanne er c r á f t uuirkit* 1,4,61;

dazu kommen dann noch 11 steigende *crūci* etc. neben 13 fallenden *krūzi* etc., über die unten in Nr. 39 genauer berichtet werden soll.

36. N a c h V o k a l e n steht unverschobener *k*-Laut nur bei ursprünglicher Verdoppelung, das einschlägige Material für die Stellung z w i s c h e n Vokalen mußte daher in der Hauptsache bereits unter Nr. 9 vorgeführt werden. Dazu ist jetzt ergänzend hinzuzufügen, daß das vereinfachte *k* in *àkar* usw. immer das hintere ist: die wenigen *c* (in *lòcón* 4,2,18, *ēràcár* 1,19,16) scheinen entweder durch Hochlage (trotz Fallton) oder durch den folgenden kleinen Steigton hervorgerufen zu sein. Die aspirierten *ch* enthalten (wie bei Nr. 35,c) den vorderen Laut, die *ck* (zwischen Steig- und Fallton

stehend) eine Verbindung von $k^1 + k^2$ (mit Vorwärtsrollung der
Zunge zwischen Verschluß und Öffnung), die *kk* bei 'umgekehrter
Geminata' dagegen wieder das k^2.

37. Auch nach *l, r, n* steht i n l a u t e n d bei O.
gewöhnlich *k*, nur ausnahmsweise zwischen Steigtönen auch *c*:

uuanana sculun F r á n c ó n | einon thaz biuuànkôn 1,1,33

38. Im A u s l a u t u n d v o r d e m *t* d e s s c h w a c h e n
P r ä t e r i t u m s wechseln *c, k* und *g* je nach der Betonung miteinander ab; *c* bezeichnet dabei wieder einen vordern Velarlaut, *k* und *g*
dagegen beide einen hinteren: sie unterscheiden sich aber dadurch
daß *k* mit kräftiger, *g* dagegen mit sehr geschwächter Explosion
gesprochen werden muß.

  a) N a c h S t e i g t o n wird *c* geschrieben:

  α) thaz uuaz iāmarlïchaz ding : | thaz f ó l c thaz stuant thâr umbiring
4,30,35
    vuola, druhtïn mïn : | iā bin ih s c á l c thïn 1,2,1
    thö sprah ouh filu blïdĕr | ther alto s c á l c sïnĕr 1,15,14
    mit dagon ioh ginuhtin | thïnan s c á l c, druhtïn 1,15,16
    ioh zellet thaz āna u u á n c | al in iuuueran t h á n c S. 26
    deda si thö then gi d á n c | zi gotes thionôste āna u u á n c 1,16,19
    thes er nū āna u u á n c | habĕt fora gote t h á n c H. 114
  β) fon döthe inan ir q u í c t ö s , | then lïchamon iruuàgtös 3,1,21
    thâr er fon döthe iruuàgtà, | Lazarum irq u í c t a 4,2,6
    ioh mit theru krefti | auur nan irq u i c t i 4,3,15
    er quad, zilôstïn siez in uuâr, | thaz er irq u í c t i iz auur sär 4,19,34
    irq u í c t a in theru bāru, | thaz sagĕn ih thir zi uuāru,
    irq u i c t er ouh, sö moht er, | thes hĕresten dohter 3,14,6 f.

Ebenso nach F a l l s t e i g t o n :
    thö quad er thaz sie s k a n̆´c t ĭ n , | zi themo hĕresten sih uuantïn 2,8,37

  b) Z w i s c h e n F a l l t o n u n d S t e i g t o n steht *k*:

  α) q u ĕ k u u á r d sär imo thaz muat, | ioh fon themo grabe irstuant 3,24,101
    ioh ouh thaz f ò l k in stuanti | sïnes selbes guatï 3,15,21
    thaz sï gisunt ther selbo f ò l k | t h ú r u h thes einen mannes dolk 3,25,27
    ioh thuruh sïnan einan dolk | uuāri al gihaltan ther f ò l k , ‖ m á m -
                                                              m o n t o . . . 3,26,29
    thie Judeon giuuāro | ioh f ò l k ó u h heidinero 5,6,4
    bat er sïn uuort gimeintï | ioh sïnan s k à l k h é i l t ï 3,3,6
    in thiu sïs s t à r k i o sö stein, | thaz thū sïs mïnĕr drūt ein 2,7,38
    in thiu uuèrg mïnu | sö ist s t à r k g i louba thïnu 3,10,43
    ioh u u è r k f í l u hebïgu | ist iru kundentu 1,4,72 (und so 34 mal *uuèrk*)
    d r à n k ĕ r thö sö nan lusta : | er uuiht es thoh ni uuesta 2,8,39

ik scal thir ouh nu rachōn: | *ni* **d r è n k** *i h thes gimachon* 2,8,52
ih zellu thir in alauuār: | *luzil* **d r à n k** *i h es thär* 3,9,25
er **d r à n k é s** *sō ih thir zellu* | *ioh sīnu kind ellu* 2,14,32
thiu diurī thera salba | **s t à n k** *í n alahalba* 4,2,19
ther **s t à n k t h é r** *blāsit thär in muat* | *io thaz ēuuinīga guat* 5,23,277
thes uuizun **t h à n k t h á n n e** | *richemo manne* 3,3,27
ouh fona gote āna **u u à n k** | **s ó** *ni quimit thir es* **t h à n k.** ∥ *ó b a . . . .*
2,20,8
er mohta in themo āna **u u à n k** | **d ú a n** *sō samalīchan* **s k r à n k.** ∥
g é n a n . . . 2,5,13
sō thir ther abaho **g i t h à n k** | **u u e l k ē t** *mēr ānā* **u u à n k** ∥ *i ó h* 3,7,82
thaz uuir uuizīn āna **u u à n k** | **t h é n** *thīnes muates* **g i t h à n k,** ∥
t h ú̆ . . . 3,17,19
thaz uuaz io āna **u u à n k** | **á l l a z,** *druhtīn, thīnēr* **t h à n k,** ∥
d r ú h t ī n . . . 4,1,49
sie uurfun nidar āna **u u à n k** | **í r o** *sēlōno gifang* 4,5,43
biquāmi zioro āna **u u à n k** | **t h á z** *selba frōno gifank* 4,29,38
ioh selbon scouuōtī āna **u u à n k,** | **t h ó** *si skuaf thaz gifank* 4,29,50
si noh hiutu āna **u u à n k** | **u u í b i t** *Kriste sīn gifank* 4,29,52
sih ougit thār āna **u u à n k** | **t h é r** *selbo luzilo gi* **t h à n k.** ∥ **v u á r d . .**
5,19,40
ioh ouh giuuisso āna **u u à n k** | **h á r t o** *nīdīgēr* **g i t h à n k,** ∥ **h á z . .**
5,23,113
hiar suidit manne āna **u u à n k** | **i o** *ther ubilo gi* **t h à n k,** ∥ **í n . . .**
5,23,149
thū hōrist thār āna **u u à n k** | **i o** *thero engilo sank* 5,23,179
sih kērta er zi gote āna **u u à n k,** | **t h ó** *ellu uuorolt thar* **i r d r à n k,** ∥
é r . . . H. 61

β) *luzil ih es uuolta,* | *ioh gōrag is gis* **m à k t á** 2,9,26
mit lēru sie unsih **t h à k t ĭ̄ n,** | *fon ungiloubu* **i r u u à k t í n** 4,5,29
mit themo brunnen thū nu quist | *mih uuĕnegūn gi* **d r à n k t ĭ s t** 2,14,44
iz uuidorort ni uuanta | *inti unsih sō firs* **à n k t á** 2,6,28
ther sē nan thār thō **s à n k t á,** | *sō imo ther hugi* **u u à n k t á** 3,8,39
ther unsih iu **b i s k r à n k t á,** | *fon himilrīche iruuanta* 2,5,28

Einige weitere Stellen siehe unter den Reimbindungen von c, β) — Wie einfacher Fallton wirkt natürlich auch S t e i g f a l l t o n :

ū̆f **y r s c r i k ʌ t á** *harto* | *ther furisto ēuuarto* 4,19,43
thie man thoh thie thar **s c a n ʌ k t ú n** | *iz filu uuola irkantun* 2,8,41
ni uuāni si thes ouh uuàngtī | *ni si thär gi* **s c a n ʌ k t ī** 4,2,11
fon theru selbūn henti | *then tōd gi* **s c a n ʌ k t** *in enti* 5,8,55

c) Z w i s c h e n z w e i F a l l t ö n e n steht *g* (der vorhergehende Ton kann wieder ein S t e i g f a l l t o n sein):

a) ʽ*druhtīn*ʼ *quad* ʽ*uuio mag sīn?* | *ia binnih smāhēr* **s c a l ˋ g t h í n** 1,25,5
in thiu **u u è r g m ì n u** | *so ist stàrk gilouba thīnu* 3,10,43

sî ther gi t h à n g î u festi | *innan theru brusti* 2,21,6
sô quam gisiuni mînêr: | *theist gotes t h à n g i ò h sînêr* 3,20,50
indân uuard uns thô āna u u à n g | *t h è s himilrîches ingang* 4,33,29
ia sagēt man thaz zi uuāru, | *sie s c r i g^ t î n fon theru bāru* 4,26,19

β) *ioh muater thiu nan quatta* | *ioh emmizîgèn t h à g t à* 1,11,40
ioh man thes gihogtī, | *ouh nakote g i t h à g t î* 4,2,24
zi kuninge sie nan quattun, | *ioh imo then uueg t h à g t ù n* 4,4,18
t h à g t ù n sie imo scioro | *then uueg thãr filu zioro* 4,4,29
fon dõthe inan ir quictōs, | *then lichamon ir u u à g t ò s* 3,1,21
ir u u à g t ù n thuruh forahta, | *thô er thaz zeichan uuorahta* 3,14,60
thãr er fon dõthe ir u u à g t à, | *Lazarum ir quicta* 4,2,6
thaz unsih io s a n^ k t à, | *er al iz thãr i r d r à n g t à* 2,3,54
sie nan ouh thō quattun, | *mit ezzichu d r à n g t ù n* 4,33,19
in guates nio ni u u à n g t à, | *mit uuïsduame d r a n^ k t a* 2,10,6
ioh iagilïh thes u u à n g t î, | *in fiantscaf ni giangtī* 3,15,51
ni uuāni si ouh thes u u à n g t î, | *ni si thãr gi s c a n^ k t ī* 4,2,11
in giloubu ni gi u u à n g t î s, | *ioh muates thih gihartīs* 4,13,18
in selbēn thaz ni hangtīn, | *thaz sie imo io gi u u à n g t î n* 4,13,51
mir iagilïh io u u à n g t à | *thes ih in iuih thīngta* 5,20,109
u u à n g t à zuein, ih sagēn thir thaz, | *thero iãro fiarzug in uuas* 3,4,17

A n m. Über die Behandlung des durch Verhärtung aus *g* entstandenen
k-Laute siehe Nr. 18.

VII. Zweierlei *z*.

39. Wie Otfrid der Artikulationsstelle nach zweierlei verschiedene *k* unterscheidet, so hat er auch zweierlei *z* in seinem Sprachmaterial beobachtet und bezeichnet: ein v o r d e r e s (also mehr
palatales), für das er *c* schreibt, und ein h i n t e r e s (etwas weiter
zurückliegendes und etwas dumpfer klingendes), das er mit *z* wieder-
gibt. Ersteres steht vor steigendem, letzteres vor fallendem Ton.
Die ganze Unterscheidung spielt sich aber fast ausschließlich bei dem
Fremdwort 'K r e u z' und dessen Ableitungen ab, das nach Maßgabe des eben hier und des oben S. 186 ff. über den Gegensatz von *cr-*
und *kr-* Bemerkten bei Otfrid in vier Typen auftritt: a) s t e i -
g e n d + s t e i g e n d : *crúcí*; — b) s t e i g e n d + f a l l e n d :
crúzì; — c) f a l l e n d + s t e i g e n d : *krúcí*; — d) f a l l e n d
+ f a l l e n d : *krúzì*.

a) *ioh irstarp thãre* | *in thes c r ú c é s altāre* 2,9,80
haftētun thie armon | *in thes c r ú c é s hornon* 2,9,83
mit thes c r ú c é s fiure | *sus brennent inan hiare* 4,26,50
in thaz c r ú c í sie nan nagultun, | *sô sie iz zi diu gisitōtun* 4,27,7
sie dātun sô ih zelita, | *in thaz c r ú c í man nan nagalta* 4,27,17

β) ioh riafun filu heizo: | *'c r ú z ò , lês, nan c r ú z ò !'* 4,23,18
'nemet inan' quad er 'zi iu | *inti c r ú z ò t inan untar iu* 4,23,18 l.
ther uuizöd lêrit thâre | *in c r ú z i man then hâhe* 4,23,27
hina, hina nim inan, | *inti c r ú z ò then man!* 4,24,15
er nagalta sie in thaz c r ú z i | *inti thulta hi unsih uuîzi* 4,23,13
ioh leitun nan mit zorne | *zi des selben c r ú z è s horne* 4,26,2

γ) uuio thu thultôs uuîzi, | *thaz hônlîcha k r ú c í* 4,1,43
thes k r ú c é s horn thâr obana | *thaz zeigôt ûf in himila* 5,1,19
nu sculun uuir unsih rigilön | *mit thes k r ú c é s segonon* 5,2,1.
sint zuêne ouh, nim es gouma, | *thes selben k r ú c é s bouma* 5,2,8
thuruh thes k r ú c é s krefti | *ioh selben Kristes mahti* 5,4,1
then sie hiar gidöttun, | *mit k r ú c é martolôtun* 5,4,43
thaz man nan gifiangi, | *in k r ú c i nan irhiangi* 5,15,46

δ) vuio er selbo druag thaz k r ú z i, | *thô er thulta thaz uuîzi* 2,9,79
'mih scal man' quad 'gifâhan, | *ûfan k r ú z i hâhan* 3,13,5
ioh neme k r ú z i sînaz | *tharazua ouh ubar thaz* 3,13,29
ziu druhtîn hiar in uuoralti | *thes k r ú z è s töd iruueliti?* 5,1,2
giloubent sie thaz k r ú z i, | *ioh selben Kristes uuîzi* 5,6,31
ioh ouh thanne güle | *zi thes k r ú z ò n n e s heile* 4,1,26

In einheimischem Sprachgut finde ich das vordere *c* nur einmal, in
thia c é s s a drat ih untar fuaz, | *si furdir darôn mir ni muaz* 5,14,17.
Vergleicht man die Stelle z. B. mit

ther sê ist z è s s ö n t i, | *sih selbon missihabênti* 3,7,15
er gibôt thên uuinton, | *thên undon z è s s ö n t ö n* 3,14,57,

so wird man leicht wahrnehmen können, wie der große und überhohe
Steigton an ihr das *z* zu der ungewöhnlichen Vorderaussprache getrieben hat.

VIII. Zur Behandlung des ableitenden *i, j.*

40. Nachkonsonantisches unsilbisches *i* (vulgo *j*) ist bei Otfrid
schon allgemein geschwunden. Ist damit die Regel richtig formuliert,
so müssen Formen mit geschriebenem *i* wie *herie, nerien, rediön*
nicht *j*, sondern silbisches *i* enthalten. Das hat für die *(gi)nerian,
skerian* des Petrusliedes bereits Scherer nach den übergeschriebenen
Neumen festgestellt. Dies Urteil bestätigt sich nun allgemein durch
die Klangprobe mit Hilfe des in meinen Metrischen Studien 4
(Leipzig 1918 f.), 22 ff. besprochenen Gesetzes von Grad und Ungrad
aufs deutlichste: das *i* ist wirklich überall silbisch zu sprechen, ferner
geschlossen, und — der Geschlossenheit entsprechend — auch lang,
so gut wie in den Fremdwörtern *ĕvangĕliŏ* 1,3,47 etc. (18 mal),

13

Mária 1,3,31. 5,7. 6,1. 7,1. 25. 3,23,10 (neben *Maria* 2,8,12. 4,2,15. 5,5,1. 7,1), *Samáriam* 2,14,5 (nach Länge ist es dagegen offen und kurz: *Bethánia* 3,23,10 (im Reim auf *Mária*!). 4,2,5. 6,1).

41. Nun liegen aber bekanntlich zu den in Rede stehenden Formen vielfach Doppelformen ohne geschriebenes *i* vor, und so muß man sich wieder fragen, worauf die Doppelheit beruhe. Prüft man nun die Texte im einzelnen durch, so ist es leicht zu sehen, daß abermals die musikalische Betonung maßgebend gewesen ist: das *i* steht nach Steigton, aber nicht nach Fallton: zwei Ausnahmen siehe in Nr. 42. Ich scheide bei der Vorführung des Materials danach, ob das *i* ohne oder mit Hinterlassung westgermanischer Gemination geschwunden ist.

a) Die Gruppe *rédia, rédiôn, rédii*: α) Nach Steigton: sämtliche *ī* tragen ebenfalls Steigton:

> *er hiar in thesēn r é d ĭ ō n | mag hören euangéliōn*[1] L. 89
> *scóneru brediga : | hört al ther liut thia r é d ĭ a* 3,17,6
> *thaz ih in thesēn r é d ĭ ō n | ni lugi in theuangéliōn* 5,25,33
> *lis selbo theih thir r é d ĭ ō n | in sĭnēn euangéliōn* 2,9,71
> *uuanta heil, sō ih r é d ĭ ō n, | thaz quimit fona Júdiōn* 2,14,66
> *thie scríbent euangéliōn: | lis selbo theih thir r é d ĭ ō n* 3,14,4
> *bigond cr in thō r é d ĭ ō n | selb these euangéliōn* 3,20,143
> *thaz zellent euangéliōn | al sō ih thir r é d ĭ ō n* 4,34,13
> *gidougno, sō ih thir r é d ĭ ō n, | in thesēn euangéliōn* 5,6,6
> *sie sint filu r é d ĭ e | sih fianton zirrettinne* 1,1,75.

Ja selbst in 3,19,4 ist nur die Lesung

> *theist sār filu r é d ĭ ĭ | thaz uuir thār sprechēn uuidari*

klanglich möglich: in V stand ursprünglich *redu* (oder gar *redii*?), aber der letzte Strich ist ausgekratzt: da auch P noch *redu*, F *redii* bietet, schwerlich von O. selbst.

β) Nach Fallton:

> *thes nahtes er in zalta | r è d a managfalta* 4,13,2
> *thaz ēuuinīga uuisduam | scolta r è d a thār thō duan* 4,19,2
> *sie in thō r è d u dātun, | uuio sie nan ouh irknātun* 5,10,35
> *irthenkit uuiht io mannes muat, | er im es alles r è d a duat* 5,18,16
> *ther man io sulih r è d ō t a, | selbo druhtin thagēta* 3,10,16
> *uuaz sie fon imo r è d ō tĭ n, | ioh uuio fon imo zelitĭn* 3,12,4

---

[1] Auch dies Fremdwort gehört ja eigentlich hierher: man kann aber wohl auf die Aufzählung der hier nicht gegebenen Stellen verzichten, da sie nichts Besonderes darbieten.

Anm. Ganz nach demselben Muster wird (abgesehen von der Quantität) auch das (wiederum stets silbische) *e* von *Judeo(n)* behandelt. Einmal, bei tiefer Stimmlage, ist noch das alte *œ* gewahrt: *thaz ih Júd œ'o ni bin* 4,21,11, einmal ist durch hohe Stimmlage das *e* bis zu *i* in die Höhe getrieben (und lang): *uuan thaz heil, sö ih redīōn,* | *thaz quimit fon thēn Júdīōn* 2,14,66. Sonst heißt es bei Steigton stets *Júdéon* etc., aber nach Fallton *uuīsōmēs thero Júdōno* 3,23,27, *bi fòrahtün thero Júdōnō* 5,11,1 (daneben 3,15,48 *bi fórahtün thero Júdeōnó* [mit ausdrücklich einkorrigiertem *e*] bei anderer Tonlage und Tonrichtung). — Analog steht ferner 2,14,17 *'vuio mag thaz' quad si 'uuerdan?* | *thū bist júdísgēr man* neben 4,27,26 *ist kuning er githiuto júdisgero liuto.*

b) Die Gruppe *dérîen : dèrren* und Verwandte: Der Gegensatz der Behandlungsweise tritt sehr hübsch hervor in dem Musterbeispiel

thaz man sih niht firsuérîe, | *thaz uuän ih uuizōd uuérîe:*
mīnu uuort thiu uuèrrent, | *thaz ir sär ni suèrrent* 2,19,7 f.,

bei dem wieder Stimmrichtung und Stimmlage kontrastieren (steigend : fallend und hoch : tief). Im übrigen enthalten die meisten Belege Reimbindungen (bei denen ich nach dem ersten Reimwort ordne).

α) Formen mit silbischem (und stets wieder steigendem) *î* nach Steigton:

thie anthere zi lante | *quāmun férîente* 5,13,27
ni stuant thiu maht thes uuīges | *in menigī thes hérîes* 4,12,59
noh uuinkil untar himile, | *thär er sih ginérîe* 1,5,54. —
ni sint thieimo ouh dérîēn, | *in thiu nan Frankon uuérîēn* 1,1,103
gisuntēn uns thir dérîen : | *uuir uuollēn thih in uuérîen* 4,13,54
nist ther uuidar hérîe | *sō hēreron sīnan uuérîe* 4,17,7[1]
ni sie sih ginérîēn, | *ioh scōno giuuérîēn* 2,22,12
thaz er thaz sīn ginérîe | *ioh fianton biuuérîe* 4,7,60
ni bunsih uuáfan nérîēn, | *gistēn uuir unsih uuérîen* 4,14,18
thaz man sih ni firsuérîe, | *thaz uuän ih uuizōd uuérîe* 2,19,7
thō bigonda er suérîen : | *er uuolta sih ginérîen* 4,18,29
mit uuáti er thih io uuérîe | *ioh emmizīgēn nérîe* 2,22,26
mit thiu thin muat sih uuérîe, | *thir uuirs ni gibúrîe* 3,4,46
hungere biuuérîen | *ioh ouh fon dōde nérîen* 3,7,90
sōso ein man sih scal uuérîen | *ioh hēreron sīnan nérîen* 4,17,13
thaz ih mih nu biuuérîe | *mit mines selbes hérîe* 4,21,24
mit thiu sih thoh biuuérîēn | *ioh ethesuuio ginérîēn* 5,19,14.
44. 66.

───────────────

[1] Vergl. auch *mit hérî uns sus hiar engit* 4,4,62 mit Verkürzung vor Vokal.

13*

β) F o r m e n o h n e *i* nach F a l l t o n :

sì thār thaz ni dohta, | *sŏ mir gi b ù r r e n mohta* 5,25,29
thaz er mir hiar ni d è r r e, | *ouh uuiht mih ni gimerre* 1,2,30
thaz imo uuiht ni d è r r e, | *thes uueyes ouh ni merre* 2,4,65
thaz suht ni d è r r e uns mēra | *thēn lidin noh theru sēla* 3,5,6
thaz siu thir uuiht ni d è r r e, | *thero gouma ni gimerre* 3,7,72
thurst inti hungar | *thiu ni d è r r e n t uns thār* 5,23,78
thaz uuir ni mugun u u è r r e n, | *in thiu uuir thaz uuollēn* 4,19,16.
mìnu uuort thiu u u è r r e n t, | *thaz ir sār ni s u è r r ē n t* 2,19,8
thìn hant mih ouh bi u u è r r e, | *thaz fiant mir ni d è r r e* 3,1,42
mìn herza ouh mir bi u u è r r e, | *thaz fiant mir ni d è r r e* 5,3,8

42. Nur zweimal steht, wenn ich richtig höre, *i*-lose Form auch
nach Steigton, und zwar nach dem e m p h a t i s c h e n ü b e r -
h o h e n S t e i g t o n von Nr. 22, der anlautendes *d* zur Aspirata
t' treibt:

ni forahti thir biscof: | *ih ni t' é r r u thir drof* 1,4,27
sŏ sie biginnent t' é r r e n | *boume themo thurren* 4,26,52.

Man wird wohl nicht irregehen, wenn man der Meinung ist, daß es
sich hier nur um eine nachträgliche deklamatorische Verschiebung
eines ursprünglichen *dèrren* handelt, mit andern Worten, daß es
einmal nur zwei akzentisch geschiedene Parallel- bzw. Kontrast-
formen gegeben habe, *dérīen* und *dèrren*.

43. Ins Voralthochdeutsche zurückübersetzt liefern diese
Parallelen also die Dubletten **da-ri-an* und **dar-jan,* und damit
wird endlich auch der Grund klar, warum in den hierher gehörigen
Formen z. T. die westgermanische Gemination fehlt: denn letztere
konnte ja nur in Wortformen eintreten, welche schon vor dem Eintritt
der Gemination *j* (d. h. unsilbisches *i,* nicht silbisches *i*) hatten, die
Spaltung des alten *i* in *i* und *j* aber war, wie aus dem Gesagten hervorgeht, offenbar schon im Westgermanischen vorhanden. Nur
muß man dabei beachten, daß ahd. *rèda, rèdōn* u. ä. (oben S. 194)
nicht direkt auf ein westgerm. **ràþja* zurückgehen kann (dann
müßte es ja auch ahd. **rèdda* usw. heißen, so gut wie ags. *pæþþan,*
ryþþa neben ahd. *rúdeo*), sondern daß sie s e k u n d ä r e (erst deutsche) Umbildungen eines durch Ausgleichung allein übrig gebliebenen
*rádīa sind, die ebenso entstanden wie *Jùdo* neben *Jùdéo* oben S. 195,
Anm. Ob die Spaltung selbst bis ins Germanische zurückgeht, wird
noch zu untersuchen sein. An sich wäre das ja recht wohl möglich,

denn ein Teil der in Rede stehenden *i*, *j* ist ja sicher aus älterem silbischem Laut hervorgegangen, so deutlich bei den Verbis auf -*ja* aus altem -*éjō*, und Spuren von Akzentwirkung finden sich bei den -*io*-Stämmen auch außerhalb des Westgermanischen. Ich vermag es wenigstens nicht für einen bloßen Zufall zu halten, daß z. B. im Gotischen die Masculina auf -*eis* wie *hairdeis* normalerweise mit Steigton und höher gesprochen werden als die tieferen und fallenden Neutra auf -*i* wie *reiki*, und damit wird denn doch irgendwie auch der Gegensatz der Genitive *hairdeis* : *reikjis* und ähnliches zusammenhängen, was hier nicht weiter erörtert werden soll. Nur das eine sei hier noch bemerkt, daß auch der reguläre 'Ausfall der *j* nach Konsonanten' sich in verschiedenen alten ahd. Texten noch nach der Stimmrichtung geregelt zeigt, d. h. daß das *j* offenbar nach Fallton früher schwand als nach Steigton. Später ist dann ja wieder Gleichmäßigkeit eingetreten, wobei rein lautliche Entwicklung und Ausgleichung nebeneinander gewirkt haben mögen. Auch das braucht aber noch nähere Untersuchung.

IX. Assimilationen.

44. Betonte *in*- und *un*- vor Labialen bleiben steigend unverändert, werden aber fallend zu *ìm*- und *ùm*-:

a) *in kindo i n b r u s t i* 1,4,42, aber *quam i m b o t imo in droume* 1,21,4 und ähnlich 1,12,9. 13,2. 17,53.

b) *ú n b e r a uuas thiu quéna* | *kindo zeizero* 1,4,9, aber *thiu kindes ù m b e r a s i* 4,26,37 und *r e u e s ù m b e r e n t a* 1,5,59; *thaz quámi uns in yidrahti*, | *thih thuungīn ú n m a h t i* 5,20,87, *ioh uuári in théru súhti* | *mit grózeru únmáhti* 3,2,8 gegen *kréftigera súhti* | *iòh grózera ùmmáhti* 3,23,6 und ähnlich 2,15,10. 3,3,7. 9,5. 14,56. 20,118. 23,21. 5,23,77. — Nur fallend assimilierte Formen sind belegt von *ùmbiruah*, *ùmbitherbi*, *ùmblídi*, *ùmnahtīg*, *ùmmez(zig)*, -*līh*.

Die phonetische Erklärung ist wieder einfach genug. Der Steigton treibt die Zungenspitze nach vorn und oben, hilft also sie in ihrer Dentalstellung festigen, zugleich begünstigt die Dentalstellung die Tonerhellung, die mit der Tonerhöhung verbunden zu sein pflegt. Umgekehrt wird der Eindruck der Vertiefung beim Fallton noch durch die dumpfe Resonanz des *m* gefördert, der Zungenspitzenverschluß für das *n* aber durch die mit der Stimmsenkung verbundene Rückweichung der Zunge im Munde geschwächt, so daß ein Umspringen der Artikulation leichter möglich wird.

Beachtenswert ist, daß vor *g*, *k* keinerlei Assimilation des *n* eintritt: Aussprache mit velarem Nasal würde überall stören. Es scheint mir aber auch wieder, daß alle *in-*, *un-* vor *g*, *k* bei O. tatsächlich steigend zu sprechen sind. Das würde denn bedeuten, daß die Herabdrückung zu fallendem *ìm-*, *ùm-* eine Spezialwirkung der Folge l a b i a l e gewesen sei, die dann weiterhin wohl auf deren dumpfe Resonanz zurückzuführen sein dürfte. Bewahrung des Steigtons und damit des unveränderten *n* hätte demgemäß deklamatorische Gründe: der Inhalt der zitierten Stellen spricht auch sehr wohl dafür.

Aus dem Nachleben des Clm. 18140.

Von E. von Steinmeyer.

Auf S. 58 meiner Beiträge zur Entstehungsgeschichte des Clm.
18140 tat ich 1901 dar, daß diese von mir a genannte Hs. den Schluß-
stein einer langen Entwicklungsreihe bildet und nur noch einmal im
Laufe des XI. Jahrhunderts kopiert worden ist. Aber zwei Jahrhunderte später unterzog sie jemand einer gründlichen Durchsicht,
als deren Ergebnis auf den Blättern 45ᵃ—49ᵇ des Clm. 6028 eine
kleine Sammlung von Auszügen vorliegt. Daß dies Exzerpt nur
aus a schöpfen kann, geht zunächst daraus hervor, daß es durchweg
der in a beobachteten Ordnung der biblischen und nichtbiblischen
Bücher folgt: doch hat es den Comes[1] hinter den Paulinischen Briefen,
Acta apostolorum hinter den Propheten eingereiht und bringt zum
Schluß fünf nicht feststellbare Glossen (*Obiter interdum. Sicophanta
calumniator. Petelum brauium. Tuedula* — verschrieben für *Ficedula*
— *snephe. Columellas tramites*), von denen allenfalls *Columellas*
zur Hist. ecclesiastica 555,9 Mommsen = a 223ᵃ² gehören könnte.
Es verwertet ferner innerhalb der einzelnen Propheten Glossen aus
deren Prologen, welche a am Ende des ganzen Werkes Bl. 265ᵃ—271ᵃ
vereinigt hatte: z. B. Oseas *Sincronon . i . contemporalis . a sin . quod
est con . et cronon . tempus* = a 266ᵇ² *Sincronon . i . contemporalis .
sin . i . con . cronos . tempus*, während a 200ᵃ³ keine Bemerkung enthält; Abdias *Mausoleus rex fuit egipti . quem in tantum uxor eius
dilexit ut post mortem ei sarcofagum aureum et piramidem argenteam
desuper construeret . vbi postmodum omnia sepulcra ornata mausolea
dicuntur* = a 268ᵃ³ *mausoleus rex fuit* (268ᵇ1) *aegypti . quem in
tantum sua dilexit uxor ut ei post mortem sarcofagum aureum et
piramidem argenteam desuper construeret et ex nomine mausolei .
illud sepulchrum mausoleum appellauit . vnde omnia sepulchra
ornata mausolea dicuntur;* Sophonias *Sicomorus est genus uirgulti .
infrvctuosum quidem . set tamen poma habet pauca . lapidee duritie .
quorum tantam uim esse dicunt . ut si illis serpens in giro circumdatus*

---

[1] Deshalb hätten *Mirîce fuelbôm* und *Siliquis por sᵃpchelon* nicht
Gll. 4,280,19. 300,21, sondern 1,812,63. 813,29 abgedruckt werden sollen.

fuerit. nullatenus pre timore egredi presumens moriatur = a 270[a1]
*Siccomorus autem est genus uirgulti infructuosum quidem sed tamen
poma habet pauca lapideę duricię. Quorum tantum* (sic) *uim esse
dicunt. ut si illis serpens in giro circumdatus fuerit. nullatenus
egredi pre timore presumens moriatur;* Aggaeus *Vita hominis peccato
suo adbreuiari potest. protelari uero bono nullo modo potest* = a 270[b1]
*Nam uita hominis suo peccato adbreuiari potest. protelari uero bono
nullo modo potest.* An unrechtem Ort sind zweimal Glossen eingereiht, nämlich in den Canticis *Astrologos mathematicos uocant,*
welcher Ansatz aus Esaias a 164[a1] *Augures cęli. hoc est astrologi.
qui uulgo mathematici appellantur* oder 191[a1] *Augures cęli. LXX astrologos transtulerunt. quos vulgo mathematicos uocat* stammt, und
zwischen Esaias 27,1 und 19,10 *Mille passus fatiunt miliare l leugam
unam,* das aus der Randbemerkung zum Jeremiasprolog a 191[b2]
Tribus milibus. i. tribus leugis herzurühren scheint. Mehrfach gestört ist die richtige Folge der Glossen in den Maccabaeerbüchern
und im Esaias. Letztere Tatsache hat darin ihren Grund, daß der
Exzerptor die beiden Esaiasglossaturen von a wechselweise benutzte.
Der ersten entnahm er z. B. *Flaccentia. i. contracta l clausa* =
a 121[b3] *Flaccentia contracta. clausa* (a 188[b2] nur *Flaccentia contracta*);
Gallus gallinatius castratus. quem nos capum l caponem dicimus
= a 126[a2·3] *Gallus gallinatius est castratus quem nos capum siue
caponem dicimus* (= Haymo, Migne 116,822, dagegen a 189[a3] *Gallus
gallicinius huoniriner hano); Institores dicti. quod semper negotiis
et mercimoniis instent* = a 127[b3] *Institutores uocantur negotiatores.
quod semper insistant negotiis et mercimoniis* (= Migne 116,826;
a 189[a3] nur *Institutores negotiatores); Fertur quod draco natet in
aquis ut piscis. in terra repit. in aere uolat* = a 132[b1] *Ferunt enim
quia draco in aquis natat vt piscis. in terra repit. in aere volat*
(= Migne 116,843; fehlt a 189[b1]); *Beta semicocta. herba calore solis
flaua* = a 170[b1] *Ubi in hebreo dicitur dormierunt sicut bestia inlaqueata.
LXX transtulerunt. sicut beta semicocta. quę herba calore solis cito
flacida efficitur* (= Migne 116,980; fehlt a 191[a2]); *Orix bestia sacrifitio
non apta* = a 170[b1] *Et alii interpretes dixerunt. sicut orix inlaqueatus.
quę est bestia sacrificio non apta* (= Migne 116,980; fehlt a 191[a2]);
Nomos grece. latine lex l Ratio. vnde anomia. que sine lege sunt
= a 172[b2] *Unde apud grecos monos* (sic) *dicitur lex. Anomia autem
quicquid sine lege est. l contra legem* (= Migne 116,991 f.; fehlt

a 191[a2]). Der zweiten entnahm er *Vlule aues noctuales . uoce sua luctum l gemitum imitantes* = a 188[b1] *Ululę . aues noctuales. Al aues a planctu et luctu nominate . cum enim clamant aut fletum imitantur . aut gemitum* (dagegen a 116[b2] *Ululę sunt bubones . tante magnitudinis . vt corui . sed uariis maculis respersi . que solent rostrum defigere in paludem et enormiter ululare* = Migne 116,789); *In supinis collibus . i . in superioribus l summitatibus* = a 190[b3] *In supinis collibus in superioribus in summitatibus* (aber a 153[a2] *Aperiam in supinis id in inclinatis et humilibus gentilibus,* vgl. Migne 116,918); *Armamentarium . est domus armorum* = a 189[a2] *Armentarium domus armarum* (sic; hingegen a 125[b1] *Armamentarivm est locus ubi recondunt tela armorum* = Migne 116,821). Die Verwertung beider Esaiasglossaturen, deren erste sich nur in a vorfindet, ist ein weiterer Beweis dafür, daß Clm. 6028 aus keiner andern Hs. als a geschöpft haben kann. Allein mit a teilt sodann Clm. 6028 zwei Glossen zu dem vor den Paulinischen Briefen eingereihten Paulusgedicht des Damasus V. 14 und 22, nämlich *Tria sunt genera uisionum . corporale quo corpora intuemur . spirituale quo absentia cerninimus* (sic) *. tertium intellectuale l mentale quo celestia mentaliter contemplamur* = a 211[a1] *Tria sunt genera uisionum. Vnum corporale . unde corpora intuemur . . . Secundum spirituale . unde corpora adsentia* (sic) *animo inspicimus . . . Tertium genus est intellectuale siue mentale quod nos et angeli ceteraque incorporalia mentaliter contemplamur* (zur Sache vgl. beispielsweise Haymo, Migne 117,661), und *Stigmata . i . signa passionum* = a 211[a2] *Stigmata . i . plagas uirgarum l signa passionum.* Zwischen Glossen zum zweiten Buch des Esdras und den der Monseer Sammlung entlehnten zum ersten nebst ihrem Ezechielanhang enthält endlich a 92[b1] die folgenden anderweit nicht nachweisbaren: *Cerimonias obsecrationes sacrorum l religionis . l sacrificii. Ceremonium sacrum deorum religiosum . Caereos . uarios oculos. Chaos prima confusio omnium rerum profundum l caligo l inpenetrabile . confusionem tenebrę . Auerni . inferni . Auitus . antiquus. Mutuo . inuicem. Arcariis . (*darauf unterstrichenes *siue*) *auctoribus . siue dispensatoribus. Trabes . materię ualidę. Diadema . uitta capitis regis . l corona aurea. Laniorum . gladiatorum . Bugeus . consiliarius. Cuniculis . antiquis proplematibus questionibus.* Von *Mutuo* an beziehen sie sich außer *Laniorum* auf Esther 3,8. 9. 5,14. 6,8. 12,6. 16,5. Die vorangehenden dürften

einem alphabetischen Wörterbuch angehört haben, wenigstens sind
sie sämtlich mit nahezu den gleichen Interpretamenten im 4. und 5.
Band des Corpus glossariorum latinorum nachzuweisen. Und eins
dieser Lemmata, nämlich *Auitus antiquus*, weist am entsprechenden
Ort auch Clm. 6028 auf.

Aus den mitgeteilten Proben wird man bereits ersehen haben,
daß der Exzerptor kleine Fehler seiner Vorlage gelegentlich bessert:
das ist auch der Fall bei *simila* a 18^{b1}, *examinari* a 76^{a}, *Factvs*
a 108^{a}, *currvs* a 219^{a3}, die Berichtigung zu *situla, exanimari, Fastus,
cursus* erfahren. Er zog ferner die jeweilen glossierten Schriften
selbst zu Rate, denn er ergänzt mitunter die a fehlenden Textworte
der Umgebung, so *carnibus* hinter *Obesis* a 6^{a1}, *manibus* nach
Conplosis a 17^{a1}, *Lingua* vor *Eucharis* a 70^{b3}, *suam* nach *Abram*
a 88^{b1}, *In saccum* (Vulg. *sacculum*) vor *Pertusum* a 203^{b2}, *Ad* vor
statuarium a 204^{a2}, *por* (d. h. *porcorum*) nach *Siliquis* a 264^{a3}.
Einen Teil der deutschen Erklärungen behält er bei, während er andere
mit lateinischen vertauscht: er schreibt daher *Ascopam suam . i .
flasconem uas simile utri* gegen a 88^{b2} *Ascopam vlascun similis utri;
Tallos genus uasis ciphi* statt a 96^{b2} *Tallos genvs uasis chopha;
Ephebian . i . lupanar dictum ab ephebis* für a 95^{b1} *Et ephebian
huorhus ab ephoebis dictus; Lupanar a lupa . i . meretrix* für a 195^{b1}
*Lupânar huorhus a lupa . i . huorra dictum; Teraphin . i . imago l
species* für a 200^{b1} *Theraphim pilide; Indolis bone spei* für a 228^{a3}
Indolis anavuani; In sago in filtro. In phiatio in matta für a 228^{b1}
*In sago in vilze. In phiathio in tachun. Matta tacha; In centro in
medio polo* statt a 239^{b3} *In centro in mittemo himile; Analogium .
i . pulpitum* statt a 258^{a1} *Analogium lector dictum quod sermo
inde predicetur* (dabei kann a 246^{b1} *Pulpitum lector* mitgewirkt
haben). Bei *sincopin* bleibt zwar die deutsche Glosse *magepizet*
= a 229^{b2} *magapizodo*, aber die wörtliche lateinische Version *concisio
uitalium* tritt hinzu; nicht minder gesellen sich *Exentera scurfe* =
a 87^{b1} *Exentera scurffi* und *Tháureis uarrinen zenun* = a 96^{a1}
Taureis uarrinen zenon ein *euiscera* und *. i . flagellis* bei. *Callosi
nodosi* im Vergleich mit a 220^{a3} *Callum gisuil* geht wohl auf *Callos.
i . nodos* zurück: das scheint dafür zu sprechen, daß uns im Clm.
6028 nicht das Original des Exzerpts, sondern bereits dessen Abschrift vorliegt. Auf der andern Seite werden neue deutsche Glossen
eingeführt: so *gedarme* über *intestina* in dem nach Reg. 1, 5, 9 zurecht-

gemachten Satz *Extales . i . intestina . egrediebantur per posteriora
natium et conputrescebant,* der ganz von a 29ᵃ³ *Extales et ani unum
sunt quos fecerunt in similitudinem intestinorum* abweicht; erhaben
über *Anaglipha* = a 43ᵇ¹ *Anaglypha; retuch* über *Stragulum oper-
torium mortuorum* = a 48ᵃ³ *Stragulum . i . uestem quam habebat
super se mortuus* nebst interlinearem *oportorivm,* oder veraltete
modernisiert, z. B. *Pobles chniscibe* statt a 19ᵃ² *rkhpn; Fossorium
grabescuuel* statt a 31ᵃ² *craba.* Der Verfasser des Exzerpts wandelt
bisweilen casus obliqui der Lemmata zu Nominativen um: *Archi-
magirus princeps cocorum* = a 5ᵇ² *archimargyrum . i . principem
cocorum; Simmata conlationes* = a 69ᵃ³ *Simmatibus collationibus;
Discoforus abacuc . i . discum ferens* = a 198ᵇ *Discoforum . i . discum ferentem; Bilibris* = a 207ᵇ³ *Bilibri,* und liebt etymologische
Zusätze (hier bezeichnet durch Einklammerung): *Proemium grece
prefatio latine . i . prelocutio . imen grece latine uia* [*quia uia in librvm*]
= a 2**ᵃ**; *dicitur etiam naupreda quasi nauis preda* [*eo quod pisca-
toribus libenter predari soleat*] = a 76ᵃ; *In conopeo mukenneze
[a canopo]* = a 88ᵇ²; *Eos grece latine aurora* [*quasi oriens aura*] =
a 103ᵃ³; *Scene . l scenomata grece . tabernacula l umbracula . [unde
scenophegia . festum tabernaculorum]* = a 183ᵇ¹; *Pedâlis . weppegarte .
[quia calcatur pede]* = a 193ᵇ³; *Offa picis,* darüber *Palle, . i . massa.
ab ore* [*et faucibus*] = a 198ᵇ; *Vncinus hake* [*ab unco*] = a 201ᵇ³;
Poderis est uestis linea pertingens ad pedes [*a pos . i . pes*] =
a 207ᵇ¹ stark abweichend *Poderis est tunica linea sacerdotalis
adtricta. Unde et nuncupata . quam uvlgo cammisiam uocant;
Auitis . antiquis . [ab auo uenit]* = a 218ᵇ³ *Auitam antiquam; Metrum
mensura l modius [inde metreta et cetera]* = a 220ᵇ². Nicht selten sind
Zusätze synonymischer Natur: *Resina . pix de multis arboribus* = a 5ᵇ²
*Resîna . quę fit de multis arboribus; Gomor . Hin . batus . ephi men-
sure sunt* = a 10ᵃ¹ *Ephi et bathus unum sunt . mensuram habens
modiorum trium* (doch steht *Gomor* kurz vorher); *Cidaris . mitra .
pilleus . thiâra . idem sunt* = a 12ᵃ¹ *Cidarim et mitras et thiaras unum
sunt; Locusta brvcus . et erugo l eruca idem sunt* = a 14ᵃ² *Brucus
et locusta et erugo unum sunt; Cardines celi et climata mundi . sunt
oriens occidens . septentrio . meridies* = a 20ᵃ¹ *Cardines cęli . oriens.
meridies . occidens . et aquilo; Manubie dicuntur spolia . quia manibus
tolluntur* = a 37ᵇ³ *Manubia dicuntur quia manibus tolluntur;
Hibernali brvmali . hiemali* = a 69ᵇ² *Hibernales . hiemales; Stuppa*

awirc . fomenta ignium = a 199^{b1} *Stuppa auvirchi; Colobium . talmatica sine manicis* = a 260^{a1} *Colobium dictum quod longum est et sine manicis . antiqui enim utebantur.* Verständigerweise wird *panes* eingefügt in dem Satz *Lapades olle minores l panes uladen l praitinge* gegenüber a 88^{b2} *Lapates* (darüber *fladun l preitinga*) *olle minores,* denn *olle* vertrug sich schlecht mit den interlinearen deutschen Worten. Zwei von a erklärungslos gelassene Stichworte versieht Clm. 6028 mit Gegenglossen: a 260^{a3} *Emporio* mit *natatoria,* a 259^{a3} *Paxmate,* wofür er *Paximates* einsetzt, mit *quarta pars panis* (vgl. Gll. 2,731,42 *fiorteil*): daraus erhellt zugleich, daß nur a, nicht seine jüngere Kopie, der von späterer Hand *VIII. pars panis* beigeschrieben war (Beitr. 60), die Vorlage gewesen sein kann. Wenn es an Stelle von a 227^{b1} *Patricius . i . pater patrię* heißt *Papa l patricius . i . pater patrie,* so rührt die Beigabe von *Papa* aus a 257^{a2} *Papa . i . pater patrię* her. Auch sonst scheinen mitunter Parallelstellen herangezogen zu sein, so für *Toparca . i . princeps loci . topos enim locus* nicht a 94^{b1} *Tres toparchas ... Thopon locus. archos princeps . i . principalia loca* (so korrigiert aus *principales locos*), sondern a 219^{a3} *Toparcha . princeps loci. Topus locus.* Zum Ersatz von a 219^{a1} *Commenta cogitata* durch *Commenta opiniones* verführte wahrscheinlich das in a unmittelbar folgende *Oppiniones rumores.* Andere Zusätze gelten der Erläuterung: *Salom hebraice pax . inde salomon [non salemon] . i . pacificus* = a 38^{a3} *Salomon . i . pacificus. Ieronimus salom hebraice dicitur pax . unde diriuatur salomon; Pira est genus sepulcri . in altum extensa et a lato incipit et in angusto finit . ut ignis . inde piramide . irmsúl . [ut rome nadel]* = a 94^{b2} *Piramidas irmansvli. l auarun. Pira est genus sepulchrorum quadratum et fastigiatum ultra onnem celsitvdinem ... A lato incipivnt et in angusto finiuntur sicut ignis:* in den von mir durchgesehenen deutschen Pilgerreisen fand ich diese Bezeichnung für eine der römischen Pyramiden nicht; *Seminiuerbius . i . spermologus . [paulus]* = a 183^{a3} *Seminiuerbius id permologos* (sic) *uocatur; Discoforus [abacuc] . i . discum ferens [. i . uas quod detulit in babilonem]* = a 198^{b} *Discoforum . i . discum ferentem.*

Einige Belege mögen die Selbständigkeit veranschaulichen, mit welcher der Exzerptor seiner Vorlage gegenüberstand. *Bdellium secundum plinium . est genus gummi . et positum in uase l in mensa l in anulo . sudando l ebulliendo uenena discernit. Est autem secundum priscianum . genus lapidis* = a 2^{b3} *Bdellium . plinius dicit quod genus sit gummi . priscianus autem quod genus sit lapidis . . . al bdellium . inde facit homo uasa . . . et stabat in mensa regum ad cognoscendum venenum si fuerit in potu . aut in alio aliquo mittebat . supraferuebat quasi aqua ebulliendo; Virago . eo quod quasi uirum se regat l agat . dicta a uiro . sicut in hebreo is . uir dicitur . issa mulier* = a 3^{a1} *Uirago a uiro dicta est . sicut et in hebreis . is uir dicitur . et deinde issa dcriuatiuum . i . mulier . . . quod quasi uirum se regat l agat; Maceriam uocat membranam de qua paruuli prodeunt* = a 5^{b3} *Maceriam uocat membranulam secundarum lehtro . de quibus egrediuntur partus infantis; Conliridam . panis triangulus oleo unctus et modicus* = a 37^{a2} *Colliridam eo quod oleo vngeretur. Al modicus panis triangulus; Conmentarii scriptores l custodes librorum. l magistri librariorum qui custodiebant libros* = a 37^{b3} *Commentarius custos librorum . l qui scribit annales. A commentariis . i . super librarios* (darüber *chenzilarun. Al qui causas commendabant et disputabant . l scriptores annalivm). l magister erat librariorum qui libros custodiebant; Elate palmarum . i . rami excellentiores et semper uirentes* = a 68^{a1} *Elatę palmarum sunt rami productiores et excellentiores . . . et numquam uirorem suum amittentes; Asilum . domus refugii* = a 96^{b3} *Asylum locus confugientium; Poliandrum . congeries mortuorum* = a 96^{b3} *Poliandrum cimiterium seu domus mortuorum; Artemon . i . malus in naui . sustinens uela* = a 185$^{a2.3}$ *Artemone segale . arthemon arbor altus in naue in quo uela appendantur.* Noch freier ergehen sich die Ansätze *Fiscus est bursa regis . inde dictum fiscella . uas scirpeum l uimineum* und *Saul percussit mille cum nullum ibi occiderit . set dictum est ut aliquid fecisse uideretur respectu dauid . cui decem milia in occisione golie ascribuntur . in milibus suis . i . in angelis qui sibi auxilio fuerunt* gegenüber a 8^{a3} *Fiscus dicitur saccus publicus . unde fiscella diminutivę dicitur* und a 32^{b2} *Percussit saul mille et dauid X milia . . . Nam saul nullum ibi interfecit. Sed ideo hoc dictum est ut aliqua uictoria ei asscriberetur . maior autem dauid in milibus suis . scilicet angelorum qui ei in adiutorium fuerunt.* Gänzlich verschieden sind *Capri equi et hirci in admissura emissarii uocantur* und a 14^{b1} *Capro emissario rfmnklpntfmp; Suscitationem samuelis . quidam uere factam . plures autem fantasticam fuisse dicunt . et diabolum uera dixisse permissione dei . sicut et caiphas ucra prophetauit* und a 34 ^{b3} *Cum autem uidisset mulier samuhelem . non uere spiritum samuhelis excitauit a requie sua . sed aliquid fantasma diaboli machinamento factum credimus; Scorpius est animal . scorpio est genus sentis asperrimi hiufolter* und a 45 ^{a1} *Scorpionibus . genus flagelli durissimi est.*

Im Gegensatz zur Mehrzahl jüngerer Abschriften des Mittelalters, welche Fehler auf Fehler häufen oder wie Clm. 22 201 gedankenlos modernisieren, ist also dieser Auszug erfreulicherweise mit Verständnis und unter Nachprüfung der Quellen hergestellt worden.

———————□———————

Zu Wernhers Helmbrecht.

Von Alfred Götze, Freiburg i. B.

Das Gedicht von Helmbrecht dankt dem Gelehrten, den wir mit diesem Festband ehren, entscheidende Förderung durch eigene Forschung, durch gern wiederholte und vertiefte Behandlung in seinem Seminar und dadurch, daß er in der von ihm geleiteten Zeitschrift alle die wichtigen Beiträge veröffentlicht hat, die bis in die letzten Jahre hinein dem Verständnis des Helmbrecht haben dienen wollen. So mag auch auf diesen Blättern mit einer Reihe von Beobachtungen des liebenswürdigen Epos gedacht werden.

Panzers Ausgabe meidet es weitgehend, schwere Sinneseinschnitte in das Versinnere zu verlegen. Dem Dichter ist aber dieses Verfahren nicht durchaus fremd. Er baut kurze Sätze, die die Verszeile zerlegen, z. B.

> 1518 nemt ir si gerne? der knabe jach...
> 1734 sprach der blinde . ich wil iu sagen,

legt aber auch die Fuge zwischen längeren Sätzen gelegentlich mitten in einen Vers hinein:

> lâ mich ûz dîner huote
> 420 hinnen phurren, nâch mînem muote
> wil ich selbe wahsen.

Gestützt auf solche Vorbilder möchte ich auch an einigen weiteren Stellen einen schwereren Sinneseinschnitt in die Verszeile verlegen:

> der kunde ez iu gesingen baz
> 220 dan ich gesagen. nû wizzet daz:
> si verkoufte manec huon und ei...

> der gedinget doch ze jungest baz
> 348 danne dû . nû wizze daz:
> nimst dû im ein fuoter ...

> ich bin geheizen Helmbreht
> 810 iuwer sun, und iuwer kneht
> was ich vor einem jâre.

Die Erwähnung des Schneiders in V. 142 hat man auf einen besonderen Hochmut des jungen Helmbrecht deuten wollen, der beim Schneider arbeiten ließ, während sonst jeder auf den Höfen selbst für seine Kleider sorgte. Aber die Verse:

> 139 ouch gap im diu muoter,
> daz nie seit sô guoter
> versniten wart mit schære
> von deheinem snidære

enthalten keine derartige Anspielung. Mit 'nicht einmal von einem Schneider' ist die Stelle sinngemäß zu übersetzen.

Den schwierigen Ortsnamen in V. 192 wird man am besten gerecht, wenn man statt des von A überlieferten *Haldenberc* die für Hans Ried schwierigere Lesart *Handenberc* in den Text stellt. Das Kirchdorf Handenberg (1112 und 1140 *Hantinperch;* Urkundenbuch des Landes ob der Enns 1,223 und 253) liegt sechs Kilometer östlich vom ehemaligen Helmbrechtshof und mochte das Ostende einer Herrschaft bezeichnen, an deren Westgrenze eines der vielen *Hôhensteine* zu suchen sein mag. Daß die Handlung des Epos einen historischen Kern hat, ist durch L. Pfannmüller, Beitr. 43 (1918) 549 f. endgültig einleuchtend gemacht, daß sie in der Gegend des Helmbrechtshofs im Innviertel gespielt hat, ist namentlich seit L. Fuldas Ermittlungen im Vorwort zu seiner Übersetzung (Halle 1889) S. 21 f. glaubhaft und durch K. Schiffmann, Beitr. 42 (1917) 1—17 mindestens nicht widerlegt. Wenn Wernher aus dem Kremser Geschlecht der *Gartenære* stammte, so konnte er die Kleidervorschriften und die Benennungen des Richters, wie er sie aus seiner niederösterreichischen Heimat kannte, arglos auf das Innviertel übertragen. Der Fahrende brauchte nicht einmal zu wissen, daß dort in diesen Einzelheiten andere Sitte galt, dagegen das Gebiet der Herrschaft kannte er gewiß, die er durch Verewigung ihrer Grenzen ehren wollte.

Bei Darlegung der Geschichte des Wortpaars erheblich und unerheblich habe ich in Kluges Zs. f. d. Wortf. 11 (1909) 258 darauf hingewiesen, welche Rolle das Bild von der Wage in der Sprache spielen kann: erheblich ist der Beweisgrund, der die Wagschale des Gegners erhebt und, indem er der eigenen Wagschale die nötige Schwere verleiht, gewichtig oder ausschlaggebend wirkt. Entsprechend ist es mit Wernhers Ausdruck *erhaben* V. 210:

> ich wil des mit wârheit jehen,
> daz ich bî dem selben knaben
> den wîben hêt unhôhe erhaben:

'ich hätte an der Wage des Frauenurteils die Schale nicht steigen machen, wenn Helmbrecht als Gegengewicht darin lag'.

Die mit V. 235 beginnende Rede wird in Panzers Ausgabe, die hier B folgt, eingeleitet durch das Verspaar:

> Dem vater was daz ungemach.
> ze dem sune er in spotte sprach . . .

Die Rede und das ihr folgende Tun des Vaters enthalten nichts Spöttisches. Allenfalls konnte Schreiber B in dem versprochenen Hengst, den der Sohn *dâ ze hove* haben sollte, eine spöttische Anspielung auf das Trachten des Jungen nach ganz anderen Höfen, als der bäuerliche des Vaters war, sehen. Das mochte dem Schreiber genügen, V. 234 umzugestalten, in der Vorlage *AB stand gewiß:

> Zu dem sun er do sprach,

wie wir in A lesen und mit dieser sicher auch hier zuverlässigeren Handschrift in den Text setzen dürfen, denn der Vers mit seiner Synkope der zweiten Senkung ist dem Dichter durchaus gemäß, wie

> 43 ûf die hûben genât,
> 49 und wie man Troye gewan

und viele andere erweisen können. B aber folgte auch hier seinem Drang, die Senkungen gleichmäßig auszufüllen.

Umgekehrt ist es wohl das Bestreben, zweisilbige Senkung zu vermeiden, das B veranlaßte, in V. 538 das vorausliegende *weder dir nû gevalle baz* zu ändern in *wer* . . . Im 13. Jahrhundert ist *weder* im Sinn des lat. *uter* noch fest, im 16. ist es geschwunden und darum in Handschrift A nicht zu erwarten. Für den Dichter dürfen wir es voraussetzen und darum gegen die Überlieferung in den Text stellen, wie Lambel schon getan hat.

In die Rede des Meiers V. 1020—1035 sind zwei Anführungen aus Rittersmund eingeschlossen. Die erste von einem Ritter der

14

alten Zeit umfaßt nur V. 1026, die zweite aus dem Mund eines neu-
gesinnten Raubritters reicht von 1028—1035. Mit V. 1035 geht
dieser Einschub zugleich mit der Rede des Meiers zu Ende, V. 1036
bis 41 spricht ohne besondere Einführung der junge Helmbrecht.

Die Verse

> 1620 des schergen kneht al eine in zôch
> her für bî dem hâre.
> daz sag ich iu für wâre

bieten die Schwierigkeit, daß der scheinbare Dativ *wâre* durch den
Reim gesichert ist, während nach *für* ein Akkusativ *wâr* zu er-
warten wäre. Edward Schröder hat darum D. Literaturztg. 1887
Sp. 1272 vorgeschlagen, gegen beide Handschriften *ze wâre* zu
lesen. Aber unserm Dichter ist die Erweiterung solcher Formen
durch ein auslautendes -e geläufig, im Gegensatz zu Bruder
Wernher, wie Panzer in der Einleitung zu seiner Ausgabe S. X.
Anm. gezeigt hat. Er bildet V. 242 zum starken Verbum *erwinden*
den Imperativ *erwinde* (gegen *erwint* 298), entsprechend 1800 den
Imperativ *ziuhe* zum starken Verbum *ziehen*. Vergleichbar ist der
Akkusativ *hâre* 433 und der Nominativ *jâre* 792, beide gleichfalls
durch den Reim gesichert und offenbar durch ihn veranlaßt. Somit
ist in Reimstellung auch der Akkusativ *wâre* unserm Dichter
zuzutrauen.

Mit V. 1736 ist die kurze Rede des jungen Helmbrecht zu Ende,
in V. 1737 setzt die Gegenrede des Vaters ein, was durch die Zeichen-
setzung deutlich zu machen wäre.

Hugo von Trimbergs Renner und das mittelalterliche Wissenschaftssystem.

Von Gustav Ehrismann, Greifswald.

I.

Hugo selbst hat den großen Mangel seines Werkes wohl erkannt, die Formlosigkeit. Oft entschuldigt er sich, daß er von einem zum andern fahre. Er vergleicht sich einem Reiter, der widerstandslos von seinem wild gewordenen Rosse über Gruben und Graben, über Stock und Stein fernab dem Ziele auf Irrbahnen getragen werde (13899—13964. 15147—15149). Er überläßt sich dem momentanen Treiben unwillkürlich sich fortspinnender Gedankenreihen und ungehemmt strömt ihm die redselige Mitteilsamkeit des Alters. Aber wie häufig er auch den geraden Gang seiner Aufgabe durch Abschweifungen unterbricht oder durch Wiederholungen verschleppt, er hat doch von vornherein einen einheitlichen Plan im Kopfe, zu dem er immer wieder zurückkehrt. Äußerlich zeichnet er den Fortschritt seiner Erörterungen gern an durch die Übergangsformel *Nu sül wir aber vürbaz rennen und unsern herren baz erkennen,* wir sollen nun wieder in unserem Thema, das ist: in unseren moralischen Betrachtungen, fortfahren und damit unseren Herrn immer besser erkennen (2887. 4365. 6725. 7549. 8273. 8903. 9430. 11251. 13217. 13897. 14893. 15301. 19159. 20345. 21169, vgl. 855), geändert in *Nu sül wir aber vürbaz varn, Got müeze uns lîp und sêle bewarn* 13963, weil schon kurz vorher 13897 das normale Reimpaar *rennen: bekennen* gesetzt war[1].

---

[1] Neben der Allegorie vom Baume der Menschen, die den Inhalt des Gedichtes versinnbildlicht, geht die vom rennenden Pferde (cursor equus, cursarius), welche die technische Seite betrifft. In der Übergangsformel mit *fürbaz rennen* bedeutet *rennen* weitereilen, fortfahren, wobei der Gedanke an das Bild vom Pferd ganz verblaßt und das Verbum weiterrennen eigentlich nur noch ein metaphorischer Ausdruck für fortsetzen ist. Mit „rennen", rasch laufen, will der Dichter betonen, daß er der Vorschrift der Rhetorik und Predigt folgt, die verlangt, daß der Autor oder Redner nicht zu lang mache, um nicht Überdruß zu erregen. Wirklich zur Allegorie, zu einer epischen Szene verdichtet ist aber die Vorstellung von einem mit seinem Reiter davonrennenden

14*

Unter den Gesichtspunkt der Gotteserkenntnis also stellt Hugo sein Moralgedicht: die fortschreitende sittliche Besserung ist ein immer tieferes Eindringen in das Wesen Gottes. Sittliche Erkenntnis ist Gotteserkenntnis, das ist kirchliche Lehre. Des Menschen Weisheit ist seine Pietät, hominis sapientia pietas est, Pietät aber heißt Gott ehren, ihm dienen: ecce pietas est sapientia, si autem quaeras, quam dixerat eo loco pietatem, distinctius in graeco reperies ϑεοσέβειαν, qui est dei cultus, Augustin, Enchiridion I, 2. Des Menschen Weisheit also ist Gottes Verehrung. — Omnis homo eo ipso quo homo est suum intelligere debet auctorem, cujus voluntati tanto magis serviat quanto se quia de se ipso nihil sit pensat, Gregor, Moralia, Praef. Kap. II (Migne 75,518 B). — Beata vita cognitio divinitatis est. Cognitio divinitatis virtus boni operis est. Virtus boni operis fructus alternitatis est. Primum est scientiae studium quaerere Deum, deinde honestatem vitae cum innocentiae opere, Isidors Sentenzen, Migne 83,599.

Der Renner ist also eine moralische Erkenntnislehre. Die Methode ist eine negative: die Moral wird gelehrt durch Aufdeckung der Unmoral, der Sünden. Es ist eine Abschreckungstheorie. Aber auch das Heilmittel zur Wiederherstellung der Moral wird angegeben, es ist die Buße. Demnach ist folgendes der Grundplan des Gedichtes:

A. Die Sünden, 269—20346: 1. Hochmut (hôchfart) 269—4366; 2. Geiz (gîtikeit) 4367—9317; 3. Unmäßigkeit im Essen und Trinken (frâz) 9318 (bzw. 9432)—11726; 4. Üppigkeit (unkiusche) 11727—13964;

Rosse in den beiden oben angeführten Stellen. Der Titel des Gedichtes jedoch, „Renner", stammt nicht von Hugo, den hat ihm erst Michael gegeben. Er hat den nur in den Hss. En überlieferten Vorspruch *„Renner ist ditz buch genant, Wanne ez sol rennen durch diu lant"* verfaßt, wie aus den Einleitungsworten seines Registrum hervorgeht (Ausg. des Lit. Ver. Bd. 256 S. 4 Z. 1—6). Bei der Begründung dieser Namengebung hat aber der Bamberger Protonotar den Sinn, den der Dichter dem Bild vom rennenden Rosse beigelegt hatte, verwischt, denn Hugo meint damit nicht, sein Gedicht solle die Lande durchwandern, um bekannt zu werden (wie der Überarbeiter des Frankfurter Drucks im Vorspruch zudichtet: *Renner ist das buch genant: dan er Rennett durch alle lannt Und ist auch woll bekannt vor allen do man in nannt*), sondern er will ja damit das Kreuz- und Querspringen seiner Gedanken versinnbildlichen. Allerdings wünscht auch er, sein Gedicht möge wegen seiner vielen guten, sonst nicht bekannten Lehren durch die Lande ziehen 24543—24551, aber es ist nicht dabei vom rennenden Roß die Rede (*Swâ diz buoch vert durch diu lant.*)

5. u. 6. Zorn und Neid (zorn und nît) 13965—15946; 7. Trägheit (lazheit) 15347—18000; darauf folgt von 18001—20946 eine lange Abschweifung, *frî urloup* genannt (20347), die zunächst bis 19160 sehr verschiedenartigen Inhalt hat[1], dann von 19161 bis 20346 nach der Entstehung des Menschen (19161—19228) einen Physiologus enthält.

B. 20347—24587: Beichte, Alter, Tod und Jenseits; die Beichte, 20347—22742, enthält die dazu gehörigen Stücke der Reue, Beichte, Buße, zu dieser die guten Werke und die drei Sündengebiete, die sechs Werke der Barmherzigkeit 20366—21170; dann wiederum Sünden (die Behandlung der Todsünden gehört in die Beichte, aus diesem Grunde ist eine Wiederholung dieses Themas in dem 2. Teil, B, gerechtfertigt und Hugo erklärt sich selbst darüber 21203—5) 21171—22120; die Sünden der Zunge (mit einer Abschweifung über die Sprache) 22121—22742.

Die Allegorie vom Menschenbaum, mit der Hugo seine uferlosen Moralisierungen umspannen will, bildet nur einen losen Rahmen, aber sie dient doch als haltbares Gefüge für den Aufbau. Die Birnen des Evenbaumes bedeuten die zweierlei Menschen, die in den Sünden Verlorenen und die Reuigen. Danach ist das Fachwerk in die obigen zwei gegensätzlichen Hälften A und B geteilt, in Sünde und Buße. Diese beiden moralischen Verhaltungsweisen aber sind die Grundstücke des Beichtsakraments, und somit trägt die Morallehre des Renner in ihrer Anlage den Charakter eines Beichtspiegels oder auch einer Bußpredigt. Gerade die ausschweifende Formlosigkeit, die Einschaltung erzählender Exempel, die Zitierung von Autoritäten

---

[1] *Ein veltrede* (vgl. J. Grimm, Reinh. Fuchs, Anm. zu V. 631, S. 106) wird dieser Abschnitt in den Überschriften der Hss. m und p zu 18001 genannt. *Veltrede* ist wohl soviel wie eine im freien Felde, „im Freien" gehaltene Rede oder Predigt, wie sie die Volksprediger, z. B. Berthold von Regensburg, vor großen Mengen hielten (Lecoy de la Marche, La chaire française au moyen âge S. 228: en plein air, S. 229: on en voyait [les Vaudois] discourir sur les places, sur les routes et jusque dans les champs). Die *veltrede* wird in mp näher bezeichnet ein *veldred gemain* und dazu noch in m *niemantz allain*, also für ein allgemeines Publikum, nicht etwa für bestimmte Personen oder Stände, mit allgemeinem Inhalt, wie ein s e r m o c o m m u n i s , vgl. Cruel, Gesch. d. deutschen Predigt im M. A. S. 4. Die Sermones communes konnten „vermöge ihres allgemeinen Inhaltes — eindringliche Ermahnung zur Buße und Bekehrung, besonders zur Beicht — bei den verschiedensten Gelegenheiten … gebraucht werden", Linsenmayer, Gesch. d. Predigt in Deutschland S. 169.

gehört zum Stil der mittelalterlichen Predigt[1]. Dem Inhalt liegt zugrunde die geistig-religiöse Geschichte der Menschheit, die beginnt mit dem Sündenfall 133 und endet mit dem jüngsten Gericht 24397—24483. Der Dualismus des Christentums zieht sich durch das ganze Gedicht: Nichtigkeit der Welt und Herrlichkeit des Himmelreichs, Laster und Tugend, Sünde und Gnade, der Teufel und Gott, Zeit und Ewigkeit, das sind die Antinomien dieser Tragödie, und unser Leben spielt sich ab zwischen der Sündenlache und dem schönen Gras der Reue.

Die Satire im Renner entfaltet sich zu einem sozialen L e b e n s - b i l d , das mit der Kindheit und der üppigen Jugend beginnt (257. 263) und mit den Gebrechen des Greisentums endigt. Jedes Alter, jeder Stand hat seine ihm besonderen moralischen Schäden, die aus seinen natürlichen Bedingungen entspringen.

Der Dichter steht mitten im Leben und betrachtet es mit offenem Blick. Er versinkt nicht in der Flut seiner allgemeinen Sittenregeln, er gewinnt immer wieder den festen Boden der Einzelwahrnehmung. Er charakterisiert die Gattung durch den individuellen Vorgang und schaltet Beispiele ein, besondere typische Fälle, Fabeln, kleine Novellen, historische Erzählungen, wirkliche Begebenheiten. Darin folgt er wie andere Didaktiker dem Gebrauch der Geistlichen, die solche Geschichtchen als P r e d i g t m ä r l e i n zur Belehrung und Unterhaltung in ihre Reden einflochten. Das nun wäre nur eine formale Angelegenheit, eine Erscheinung der äußeren Darstellung. Indessen die ganze Auffassung der Dinge, die Denkweise des Mannes ist mehr gegenständlich als begrifflich, das kommt auch im Anschauungsgehalt der Sprache zum Ausdruck. Hinter der Masse der auseinanderfallenden Erscheinungen aber steht die Persönlichkeit des Verfassers, der aus reicher Lebenserfahrung schöpft und den Leser offenherzig an seinen intimen Familienverhältnissen teilnehmen läßt. Diese persönliche Stimmung ist es vor allem, was dem spröden Stoff Leben und Wärme verleiht.

So gibt der Bamberger Schulrektor in seinen langen Moralreden ein B i l d d e s m e n s c h l i c h e n L e b e n s , und er selbst ist der Mittelpunkt dieses Lebens. Aber er hat noch mehr geben wollen, er hat das sittliche Lebensbild zu einem W e l t b i l d erweitert. Denn

---

[1] Linsenmayer S. 154.

in die Sittenpredigt eingeschaltet sind vielerlei Kenntnisse aus fast allen andern Wissensgebieten. Die Hauptmasse besteht in der Sünden- und Bußbelehrung; von hier, vom ethisch-religiösen Blickpunkt aus, ist die ganze Welt der Erscheinungen betrachtet, Natur und Mensch- heit sind als sittliche Einrichtungen gewertet in ihrem Verhalten zur göttlichen Weltordnung. Als Morallehre gehört das Werk zu- nächst in das Fach der Ethik (Ethica). Unzertrennlich mit den ethischen sind natürlich die religiösen Anschauungen verbunden. Hugo steht auf dem Boden eines einfachen volkstümlichen Christen- tums; in die wissenschaftliche Theologie der Zeit, die Scholastik, ist er nicht eingedrungen, er will *niht tiefiu wort ûz kirnen;* denn Got *minnet slehte einveltikeit* 23499—23507, vgl. 13941—13962. 17915 f. 18697—18702. 18747—18752. 22357—22366.

Von der Morallehre als dem Zentrum aus sind Abschweifungen auf die verschiedenen sonstigen Wissenschaftsgebiete gemacht. Die sieben freien Künste (1245ff.) lagen dem Lehrer Hugo (13402ff. 16465 ff. 17392 ff.) am nächsten. Unter ihnen ist es wieder die Gram- matik, der künste *muoter Gramaticâ* 16665 f. 16725, ferner 8787. 8804, in weiterem Sinne die Sprache überhaupt, auf die er sein Interesse ausdehnt. In einer Laster- und Beichtpredigt müssen die Sünden der Zunge und des Mundes schon an sich behandelt werden, da sie ja einen wichtigen Teil des Ritus bilden, und Hugo zieht denn auch oft genug gegen sie zu Felde beim Kampf gegen Lügen, Falsch- heit, unnützes Klaffen usw. Groß ist die Bedeutung des Wortes, Worte gehören zu den besten Gaben Gottes 22167 ff., die Worte der weisen Meister und der Heiligen sind besser als alle Schätze 17729—17742. Worte können Gutes und Übles bewirken, je nach der Gesinnung des Redenden 22419 f. 17743—17787. Für den Prediger in der Kirche, für den Lehrer in der Schule (22217—22236) ist das Wort die notwendige Vermittlung, und so hat Hugo den Worten noch ganz besonders einen langen Abschnitt gewidmet (22121—22644). Der Grund, weshalb er dem Gebrauch der Sprache und des Wortes eine so hervorragende Bedeutung beimißt, liegt in dem Rang, den diese Funktionen in der kirchlichen Praxis und Wissenschaft ein- nahmen, und Augustinus weist in seinem Lehrbuch für das Studium der heiligen Schrift den Worten die erste Stelle im menschlichen Verkehr an (De doctrina christ. II,3), denn sie sind, wie Aristoteles begründet hat, Zeichen für Begriffe; sie drücken alle Gedanken aus, die man mitteilen will, und sind darum das wichtigste Mittel, um in das Verständnis der heiligen Schrift einzudringen.

Auf die zweite Wissenschaft des Triviums, die Rhetorik, beziehen sich der Preis und die Beurteilung der *namhaften singer* 1179—1244 (dazu 21637—21644, vgl. auch 16183—16199) sowie die Angaben über die Metrik 17817—17848. Die Dialektik wird gestreift 16783 ff. Von den Wissenschaften des Quadriviums ist vertreten die Geometrie (d. i. Geographie, durch die Brunnen 19787—19802. 20151—20264), die Musik 5809—5874. Zur Naturwissenschaft gehören die Imago mundi 18849—18858, (worunter auch Astronomie), 19781—19820 und die vier Elemente 6053—6067; die Entstehung des Menschen 19161—19228; die fünf Sinne 9633—9643; speziell zur Botanik der Balsam 20265—20279. Am meisten Stoff unter den naturwissenschaftlichen Fächern lieferte die Zoologie: Beobachtung des Tierlebens 4793—4818, Physiologus 18865—18908. 20039—20150. Weiter sind vertreten die Jurisprudenz in dem Ausfall gegen die Juristen, gegen die schlechten Richter, bes. 8275 ff; die Medizin beim Fraß ca. 9585—9974, bes. 9625 ff.; die Zeitgeschichte besonders in dem Abschnitt über Rom 9019—9168, s. auch 22645 ff. Für die Politica kommen die Partien über Staatswesen in Betracht, für die Oeconomica die über das Familienwesen; zu der Mechanica endlich gehören die Spiele 11313—11484, Kampfspiele 11567—11682, und was zerstreut über Krieg, Gewerbe und technische Kultur gesagt ist.

Der Renner verbreitet sich also über das Gesamtwissen der Zeit, das hier enzyklopädisch verarbeitet ist, formal ist demnach das Gedicht eine Art Enzyklopädie in predigtmäßiger Anlage. Die enzyklopädische Behandlungsweise ist eben charakteristisch für die Auffassung, die das Mittelalter vom Wesen der Wissenschaft hat: „Philosophia est rerum humanarum divinarumque cognitio" lautet die herrschende Begriffsbestimmung der Wissenschaft, wohl auch mit dem Zusatz „cum studio bene vivendi conjungta" (Isidor, Etym. II, 24,1). Es ist Universalgelehrsamkeit, die in einer Anhäufung großer Stoffmassen besteht, wobei es in der Hauptsache auf ein Sammeln von Einzelheiten ankommt, die aber nicht zu einer Synthese erhoben werden. In strenger wissenschaftlichen Fällen kommt es vom Sammeln auch zum Ordnen, so daß ein wohlgegliedertes System ausgebildet ist. Wo aber die enzyklopädische Methode mit dichterischer

Freiheit behandelt wird, da ist der Willkür im Arbeitsverfahren Tür und Tor geöffnet: *sant Jêronimus der hôhe lêrer vil mêre hât, denne ich, hin und her von dirre materie an jene gevarn; kein dihter mac daz wol bewarn* (23489—23492).

Die Systematik des mittelalterlichen Wissens[1] ist eine Erbschaft aus dem Altertum, wo der Kreis (*κύκλος*) der septem Artes liberales, die Enzyklopädie im eigentlichen Sinne, die Vorschule, die Propädeutik zu der höheren Wissenschaft, der Philosophie, bildete. Die erste Wissenschaftslehre des christlichen Abendlandes ist Augustins Doctrina christiana. Hier ist auch die Bedeutung der weltlichen Wissenschaften festgesetzt: sie haben den Zweck, dem Verständnis der heiligen Schrift zu dienen, die Philosophie ist eine Dienerin der Theologie (vgl. Renner 20301 f. *alliu lêre ist als ein wift, der niht hilft diu heilige schrift; diu oberste wîsheit ist, swer alle wege minnet got und rehte bedenket sînen tôt* 17968—17970; *werltliche wîsheit meine ich niht* 17917; vgl. 17449 ff. 17600 ff. 22375 ff. u. ö.). Die Grundlage für das Studium der septem Artes im Mittelalter haben Martianus Capella, Boethius und Cassiodor geschaffen, das erste und für das Mittelalter maßgebende Gesamtlehrgebäude sind Isidors Etymologien (Origines). Unter der Dialektik (Etym. II, Kap. 24) gibt er (wie auch schon Cassiodor in seinem Werke De Artibus ac Disciplinis liberalium artium) die zwei von Aristoteles aufgestellten Einteilungssysteme[2] der gesamten Wissenschaftszweige: 1. die Dreiteilung (die auch Seneca in seinem für die Geschichte dse Unterrichtswesens so wichtigen 89. Briefe angenommen hat), nämlich in Physica (Naturwissenschaft und Mathematik [= Quadrivium]), Ethica (Moral und Lehre des rechten Lebens), Logica (Rhe-

---

[1] Vgl. Otto Denk, Geschichte des gallo-fränkischen Unterrichts- und Bildungswesens; Franz Anton Specht, Geschichte des Unterrichtswesens in Deutschland; Eduard Norden, Die antike Kunstprosa, bes. S. 670 ff.; Anton E. Schönbach, Studien zur Geschichte der ad. Predigt, 8. Stück, Wiener SB. 155 (1907) 5. Abhandl. S. 2 ff.; sehr wichtig ist: Ludwig Baur, Dominicus Gundissalinus De divisione Philosophiae, Beitr. zur Gesch. d. Philosophie d. Mittelalters, hgb. von Baeumker und v. Hertling, Bd. IV, H. 2—3. Literaturangaben s. auch in meinen Studien über die Rhetorik im Mittelalter, Heidelberger SB. 1919.

[2] Zeller, Philosophie der Griechen II,1, 1. Aufl. S. 122 ff. — Die Dreiteilung geht auf Plato zurück, von ihm hat sie Augustinus übernommen, De civ. Dei VIII, Kap. 4.

torik und Dialektik); 2. die schon bei Aristoteles und dann in der ganzen Geschichte der Philosophie herrschende Zweiteilung in theoretische und praktische Philosophie, Θεωρία und Πρᾶξις, abgekürzt Θ und Π, d. i. einerseits Naturwissenschaft, Mathematik Theologie = Θ, andrerseits Ethik, Π, geteilt in Tugendlehre (Philosophia moralis, mos vivendi honestus), Hauswesen (Phil. dispensativa, domesticarum rerum ordo), Staatswesen (Phil. civilis). Nach dieser Einteilung ist das ganze Werk der Etymologien selbst eingerichtet und seine Spuren sind noch im Renner zu erkennen an den verschiedenen oben angeführten einzelwissenschaftlichen Beiträgen. Wichtig für das Mittelalter wurden auch Isidors Sentenzen, ein Handbuch der Kirchenlehre. Isidors Etymologien sind dann von Hrabanus Maurus in seinem Werke De Universo ausgeschrieben worden.

Ein kurz zusammengefaßtes Wissenschaftssystem, eine Einleitung, hat Hugo v. St. Victor in seiner Eruditio didascalica III Kap. 1 ff. (Migne 176,765 ff.) aufgestellt. Ausführlicher hat Dominicus Gundissalinus in seiner Einleitung in das Studium der Philosophie, De divisione philosophiae (um 1150), ebenfalls das ganze Gebiet, hauptsächlich die über die sieben Künste hinausgehenden Zweige behandelt. Eine Enzyklopädie ist auch der Hortus deliciarum der Herrad von Landsperg. Viel benutzt wurde das Compendium theologicae veritatis (Reinh. Köhler, Germ. 8,23). Besonderes Gewicht ist auf die Naturwissenschaften gelegt in des Bartholomaeus Anglicus De proprietatibus rerum (um 1230)[1]. Den grandiosesten Bau mittelalterlichen Wissens aber hat Vincenz von Beauvais (Mitte des 13. Jahrhunderts) errichtet in seiner Riesenenzyklopädie, die in das Speculum naturale (Naturwissenschaft), historiale (Weltgeschichte, niederländ. bearbeitet von Jacob van Maerlant 1283 als Spiegel Historiael) und doctrinale (das Gesamtwissen, ähnlich wie Isidors Etymologien) zerfällt; ein Speculum morale wurde von einem andern Verfasser später (um 1310—1320) zugefügt, das mit dem Inhalt des Renner viel Verwandtschaft hat (Einteilung in Distinctionen, die sieben Todsünden und die Tilgung derselben durch die Buße, Ende des menschlichen Lebens und die letzten Dinge).

---

[1] Über das enzyklopädische Wissen Bertholds von Regensburg, s. Schönbach a. a. O. S. 1 ff. und in den Mitteilungen des Instituts für österreich. Geschichtsforschung 27 (1906), 54 ff.

Enzyklopädisch ist auch die wissenschaftliche Arbeit Bedas des Lehrers der Angelsachsen, Alcuins des Lehrers des Frankenreichs, des praeceptor Germaniae Hrabanus Maurus und unseres Notker Teutonicus, aber sie haben (abgesehen von Hraban in De Universo) die Unterrichtsgegenstände in einzelnen Lehrbüchern oder Abhandlungen vorgetragen, nicht in enzyklopädischen Sammelwerken.

Enzyklopädische Kompendien beschränkteren Stoffgebiets sind dann die kosmographischen Bücher wie die Philosophia mundi des Wilhelm v. Conches, die Imago mundi des Honorius Augustodunensis, der Megacosmus et microcosmus (Kosmologie und Psychologie) des Bernhard v. Chartres. Endlich darf noch der prunkhafte Anticlaudianus des Alanus unter den lateinischen sammelwissenschaftlichen Werken nicht unerwähnt bleiben. Aber die gewaltigste, die weltgeschichtliche Enzyklopädie ist das Lehrgebäude des Thomas von Aquino, vornehmlich in der Summa theologica.

Der von den Gelehrten angehäufte Wissensstoff sollte nun aber auch den Laien, die nicht Lateinisch konnten, zugänglich gemacht werden. So entstanden seit dem 12. Jahrhundert auch Sammelwerke in den Volkssprachen, oft unter allgemeinen Titeln wie Summa (frz. Somme), Speculum (Miroir, Spiegel), Imago mundi (Image du monde), Trésor[1]. Mit deren Inhalt trifft häufig auch der Renner zusammen. Als Morallehre, besonders auch mit dem Zielpunkt auf alle Stände, hat Hugos Gedicht die gleiche Tendenz wie die Bible des Guiot de Provins, wie die allegorische Schachspielliteratur, die von Jacobus de Cessolis ausgeht[2], oder auch in der Gegenüberstellung von Laster und Tugend wie das italienische, von Hans Vintler a. 1411 und später (1468) von Arigo übersetzte Buch Fiore di virtù. Insofern in Hugos Werk der Stoffkreis über den moralisierenden Grundton hinaus auf weitere Gebiete ausgedehnt ist, berührt es sich mit dem afrz. Trésor (bzw. dem italien. Tesoretto) des Brunetto Latini, und mit des Matfre Ermengaud

---

[1] Samener hieß das kleinere Sammelwerk Hugos, dessen Inhalt er später, nachdem ihm ein Teil davon abhanden gekommen war, zum Renner erweiterte (24588 ff.). Samener kommt im Renner 4933 u. 21411 vor, = Schatzsammler, Schatzverwalter, und entspricht dem lat. Thesaurarius.

[2] Vgl. bes. Edw. Schröder, Das Goldene Spiel von Meister Ingold, Einl. S. XXI f.; Ferd. Vetter, Das Schachzabelbuch Kunrats von Ammenhausen, bes. Einl. S. XXIII ff.

Breviari d'Amor, mit dem es auch das Motiv eines allegorischen Baumes gemein hat.

Der Renner ist der ausgesprochenste Vertreter dieser enzyklopädisch-didaktischen Literatur in Deutschland. Hier stehen ihm in Form und Inhalt am nächsten Thomasins Wälscher Gast und der Freidank. Auch Thomasin ist ein Sammler von vielem Wissenswerten, aber er ist ein Kind einer andern Zeit und eines andern Geistes. Der italienische Domherr und der Bamberger Schulmeister stehen auf verschiedenen Bildungsstufen. Gemeinsam ist ihnen die Grundlage, die Weltanschauung, das Christentum als Jenseitsreligion mit der Geringschätzung der irdischen Vergänglichkeit. Aber Thomasin betrachtet dieses Verhältnis vom aristokratischen, Hugo vom bürgerlichen Standpunkt aus.

Die engsten Beziehungen verbinden den Renner mit Freidanks Bescheidenheit. Kein Werk hat Hugo so stark ausgenützt wie dieses. Er zitiert den Frîdanc darum auch sehr häufig, aber auch ohne dies trifft man immer wieder seine Spuren. Er ist ihm die Hauptquelle für die Gedanken im Einzelnen, und er folgt ihm sogar auch in der äußeren Anlage; viele Kapitel des Freidank liefern den Stoff für entsprechende Abschnitte im Renner, zuweilen sogar in gleicher Reihenfolge. Viel hat Hugo für die Beurteilung der sittlichen Welt von Freidank gelernt, er hat auch nahezu die gleiche Gesinnung den Dingen und Personen gegenüber und das gleiche Werturteil. Die Ideale des Ritterstandes sind Freidank seiner Lebenszeit entsprechend geläufiger, im Kapitel über die êre 91,12 ff. und bei der Minne klingen höfische Töne an, z. B. 100,18 f. Auch für Freidank ist die Summe aller Ethik die Erkenntnis Gottes: er beginnt mit der Gottesverehrung: *Gote dienen âne wanc deist aller wisheit anevanc* 1,5 f., und schließt mit einem Gebet, dessen Anfangsworte lauten *Got herre, gip mir daz ich dich müeze erkennen unde mich* 180,8 f. Die Selbsterkenntnis besteht in dem Bewußtsein eigener Sündhaftigkeit. Die Sünden werden getilgt durch *wâre riuwe* 180,12. So ist schließlich im Freidank das sittliche Tun zusammengefaßt in Sünde und Buße, jene beiden Pole, nach denen im Renner der Stoff in die beiden Hauptteile A und B gegliedert ist.

Was die beiden Werke so ungleich scheinen läßt, ist die Form. Freidank und Hugo verarbeiten den gleichen Stoff ganz verschieden. Mit treffsicherer Knappheit läßt jener in seiner Spruchlehre seine

Erfahrungssätze einen um den andern in guter Ordnung aufmarschieren, dieser verwirrt sich in seiner Moralpredigt mit breiter Redseligkeit, jener gibt allgemeine Regeln, dieser Lebensbilder und die einzelnen Fälle. Das wenigstens sind im großen und ganzen die bestimmenden Merkmale der formalen Anlage beider Werke. Demnach gilt von Freidank, was Konrad von Hirsau über das Spruchwerk des Cato sagt: Materia Catonis e x h o r t a t o r i a e sunt s e n t e n t i a e ad institutionem humanae vitae prolatae (ed. Schepss S. 32,21 f.), Hugo dagegen ist ein Sermonarius: sermonarii [sunt] qui ad edificationem auditorum s e r m o n e s e x h o r t a - t o r i o s de diversa materia componunt (ebda. S. 25,1 f.), und zugleich ein Satyricus: Satyrici, a quibus generaliter vitia carpuntur usw., Isidor, Etymol. VIII, 7,7 (vgl. Konrad v. Hirsau, Schepss S. 71,5 ff.).

Auch an die Kosmographie streift der Renner. Für die Naturlehre gab es besondere Unterrichtsbücher, so die obengenannten Philosophia mundi des Wilhelm v. Conches, die Imago mundi des Honorius Augustodunensis (frz. Image du monde von Gautier von Metz, die Mappemonde). In dieser Hinsicht hat der Renner auch einige, allerdings nur wenige, Stoffteile, die zum Inhalt des deutschen L u c i d a r i u s, des populären Lehrbuchs der Kosmographie und der über den katechetischen Unterricht hinausgehenden Religionslehre[1], gehören.

II.

Unter den einzelwissenschaftlichen Exkursen, zu denen Hugo in seiner Sittenlehre abschweift, haben den Germanisten immer seine Bemerkungen über S p r a c h e u n d M u n d a r t e n besonders interessiert (22237—22352)[2].

[1] Der Lucidarius ist zusammengesetzt aus Bestandteilen, die in des Honorius Augustodunensis Elucidarium, Gemma animae und Imago mundi vorkommen.

[2] Zur Literatur über die latein. Grammatik des Mittelalters s. die oben S. 217 angeführten Werke von Denk, Specht, Norden, ferner bes. Charles Thurot, Notices et Extraits des Manuscrits de la Bibliothèque impériale Tome XXII; Las leys d'Amors ed. Gatien - Arnoult; Johannes Müller, Quellenschriften und Geschichte des deutschsprachl. Unterrichts bis zur Mitte des 16. Jhs.; M. H. Jellinek, Gesch. d. nhd. Grammatik von den Anfängen bis auf Adelung; J. J. Baebler, Beiträge zu e. Geschichte d. lat.

Hugo will kein System aufstellen, er gibt nur ausgewählte Kapitel aus dem grammatischen Unterricht in poetischer Verbrämung, alle einzelnen Punkte lassen sich historisch rückwärts auf die lateinische Grammatik und vorwärts bei den deutschen Schulmeistern des 16. und 17. Jahrhunderts verfolgen. Zunächst handelt er von den Vokalen 22237—22252 (A), dann von der Verschiedenheit der Sprachen (Von manigerleie spräche) 22253—22352 (B).

A. Die Vokale fallen in das erste Kapitel der lateinischen Grammatik, in das von den Buchstaben (De literis oder De litera). Hugo beschäftigt sich nur mit den Vokalen, nicht auch mit den Konsonanten. Sie bedeuten ihm die *kraft aller spräche* 22237. Kraft ist lat. potestas, der technische Ausdruck für Aussprache, pronuntiatio, einer der drei Bestimmungen im Grundprinzip der Lautier-Lesemethode, welche sind Benennung des Buchstabens, sein Schriftzeichen, seine Aussprache, Donatus, Keil IV, 368,14: Accidunt uni cuique litterae tria, nomen, figura, potestas. Quaeritur enim, quid vocetur littera, qua figura sit, quid possit; deutlicher Priscianus, Keil II, 9,2: Potestas autem ipsa pronuntiatio, propter quam et figura et nomina facta sunt. Die deutsche Übersetzung von potestas bei den Grammatikern des 16. Jahrhunderts ist *kraft:* Ickelsamer und Fuchßperger, bei Johannes Müller, Quellenschriften S. 55. 171. 172. 174; *würckung* bei Kolroß, ebda. S. 71 f., s. ferner S. 335. 406. Hugo will also sagen: wer die richtige Aussprache haben will, der muß die fünf Vokale genau kennen lernen.

Die fünf Vokale übertreffen alle anderen Laute an Würde und (Klang)schönheit, man nennt sie *stimmerin*, weil alle Worte und alle Melodie nach ihnen gestimmt sind, d. h. den Klang nach

---

Grammatik im Mittelalter; M. Schanz, Gesch. d. röm. Literatur, im Handbuch der klassischen Altertumswissensch. IV, 1, 2. Aufl. S. 141—180; die Ausgaben der latein. Grammatiker von Heinr. Keil, Grammatici latini, und Herm. Hagen, Anecdota Helvetica. — Das Mittelalter schöpfte besonders aus Martianus Capella und den Grammatiken des Donatus (Ars minor, 2. Hälfte des 4. Jhs., und Priscianus, 5./6. Jh.). Besonders erwähnt seien hier Cassiodor, De orthographia; Isidor, Etymol. B. I u. IX; Beda, De orthographia und De arte metrica; Alcuin, Grammatica und De orthographia; Smaragdus, Commentar zum Donatus; Buch XVI in des Hrabanus Maurus De Universo und dessen Exzerpte aus Priscian; das Doctrinale des Alexander de Villa Dei (1199); Vincentius Bellovacensis Speculum doctrinale B. III.

ihnen, ihnen entsprechend, erhalten; sie versehen die Worte mit Stimme, mit Klang, vgl. Priscianus: vocales dicuntur, quae per se voces perficiunt vel sine quibus vox literalis proferri non potest, Keil II, 95 f; Probus: Vocales ... per se proferuntur, hoc est ad vocabula sua nullius consonantium egent societate ... et per se syllabam facere possunt, Keil IV, 49,10, ähnlich Sergius, ebda. S. 475,13; Commentum Einsidlense: quod per se prolatae plenam faciant uocem, Hagen, Anecdota Helvet. 222,28; Isidor, Etymol. I, 4,3: quod perse vocem impleant et per se syllabam faciant nulla adhaerente consonante. Diese Definitionen wurden von den deutschen Schulmeistern übernommen, der Bestimmung Hugos am nächsten kommt Kolroß: ... heissend darumb stimmbuchstaben das ein yeder für sich selbs ein besundere volkumne stimm hat vnd alle andere buchstaben vnd sylben durch sy gestimmet werden usw., Joh. Müller S. 66; vgl. ferner S. 55. 95. 112. 127. 174; auch Hesler, Apokal. (Bartsch, Germ. 1,194, 1364; Helm, Beitr. 24,178 ff. Ausg. 1366): *vocales ... fumv buchstabe, dar die wort alle lût abe nemen die man gesprechen mac.* Schon in der Begriffsbestimmung der lateinischen Grammatik ist also den Vokalen eine höhere Bedeutung als den Konsonanten zugesprochen, und dadurch erklärt sich das besondere Lob, das Hugo ihnen zollt. Schulmäßig ist die Ausdrucksweise in V. 22238 *Der merke mit flize fünf buochstaben*, vgl. Ickelsamer a. a. O.: Daraus mercke der leser vleissig acht haben auff die buchstaben; besonders: Der Stymmer sol man mit vleisse warnehmen, Fab. Frangk, ebda. S. 96. Aber es wird nicht in trockenem Schulton doziert, sondern Hugo spricht als Dichter, die Laute werden als beseelte Wesen angesehen, sie vollbringen Handlungen und haben eine persönliche Ehre (*wirdic* 22239, *wirdikeit* 22249).

Nach der allgemeinen Bestimmung der Vokale 22239—22242 kommt Hugo auf die Beschreibung der einzelnen 22243—22247. Was er gibt, ist eine vergleichende Beschreibung, „Vergleichung der Sprachlaute mit anderen bekannten Schällen"[1]; A und E werden zudem allegorisch erklärt: beides sind Schmerzenslaute. Nach Langensteins Martina 120[d],103 ff.[2] ist A der erste Laut des Knaben, wenn er in die Welt kommt, E die erste Stimme des Mädchens; A lautet nach Adam, E nach Eva. Die Stelle der Martina ist ent-

---

[1] Jellinek 2,21 ff.
[2] Mhd.Wb. I, 1.

lehnt aus Innocenz III De contemptu mundi B. I, Kap. 7[1]: Omnes nascimur ejulantes, ut nostram miseriam exprimamus. Masculus enim recenter natus dicit A, femina vero E: Dicentes vel E et A, quotquot nascuntur ab Eva. Quid est igitur Eva nisi heu ha? Utrumque dolentis est interjectio, doloris deprimens magnitudinem (Migne 217,705). Â â â ist beim jüngsten Gericbt der Wehruf der ersten Gruppe der in die Hölle verstoßenen Sünder, Renner 24454. *A hebt und endet des mannes leben*, weil es demnach der erste und der letzte Schrei des Mannes ist. Allegorisch ist Adam der erste und letzte Mensch, der primus und der novissimus Adam (Christus secundus Adam) I. Kor. 15,45. (A als Sprache der kleinen Kinder s. Thurot S. 135, Isidor, Etymol. I, 4,16). Zu V. 22244 *E den wibesnamen ist geben* vgl. *Êvâ, des êrsten wibes nam* 133. Auch Fuchßperger in seiner Lecßkonst verweist, um die Aussprache von A und E zu erläutern, auf die Wörter Adam und Eua (Joh. Müller S. 172). Nach einem anonymen lateinischen Autor (Hagen S. 303,4 f.) ist a deshalb der erste Buchstabe im Alphabet, weil der erste Menschenname Adam lautet.

Auch I und O werden mit Ausrufen verglichen. Die Bedeutungen, die dabei den Interjektionen î! und ô! zugewiesen werden, beruhen auf richtiger Beobachtung und waren so jedenfalls im Unterricht bei der Lehre von der Interjectio üblich. *I tratzes und ouch wunders pfliget:* trotzige Verwunderung drückt î! in der Tat in dem einzig nachgewiesenen mhd. Beispiel, Gotfrids Tristan 10207, aus. Auch im Nhd. wird in diesen beiden Fällen der Ausruf î! gebraucht: „Unwilliges" î! bei Verwünschungen und Flüchen (*I tratzes pfliget*) und verwunderndes î! s. DWb. 4,2, 2013—2016. Nach Fuchßperger lockt man die Kinder mit i, y, „so jne etwas schons gelobt wird", Joh. Müller S. 173. — Im O lösen sich die Affekte des Schreckens, Begehrens, Verwunderns aus, es ist Anruf und Ausruf 22247: also verschiedenartige innere Bewegungen drückt ô! aus, vgl. J. Grimm, Gramm. 3,200. 300 f., DWb. 7,1041—1046; ô als Interjectio in der lateinischen Grammatik z. B. bei Donatus, Keil IV, 391, Probus, ebda. 146, Servius ebda. 443 u. a.; danach bei Laur. Albertus, Müller-Fraureuth S. 130, Alb. Ölinger, Scheel S. 104. 106. Ô ô ô schreit die dritte der verdammten Schaaren 24456; hier also

---

[1] Reinhold Köhler, Germ. 8,21 f.

ist ô Ausruf des Schreckens (*O schricket* 22247). — U fällt von sich aus (per se)[1] nicht besonders ins Gewicht (es hat keine so starke Klangfarbe wie a e i o), von ihm ist in diesem Zusammenhang (es ist keine Interjektion wie a e i o) nichts zu sagen. Vielleicht hängt Hugos Geringschätzung von u mit der Bestimmung des Donatus zusammen, daß u (wie i) expressum sonum non habet (Keil IV, 367,14 ff. und dazu Sergius, ebda. S. 476,2—22). Die Doppelnatur von i und u als Vokal und Halbvokal wird in den Grammatiken mit Vorliebe behandelt.

B. Der z w e i t e T e i l des sprachlichen Exkurses, V o n m a - n i g e r l e i e   s p r â c h e 22253—22352[2], handelt nach einer allgemeinen Einleitung I. 22253—22264, II. von Mundarten (*lantsprâche* 22287) und III. von Fremdsprachen, und zwar II. 22265—22321, außer 22277—22286: Mundarten; III. 22322—22352, dazu 22277—22286: Fremdsprachen. Während der erste Teil (A), Von den fünf vocalibus, der Grammatica, der ersten der artes des Triviums,

---

[1] *Von im selber* 22246 = per se: Donatus, Keil S. 367,21. 368,5: semivocales sunt quae p e r s e quidem proferuntur, sed p e r s e syllabam non faciunt ... Mutae sunt quae nec p e r s e proferuntur nec p e r s e syllabam faciunt; Audacis excerpta, Keil 7,325, 16: Quid est p e r s e? Sine alterius adminiculo; Joh. Kolroß (Joh. Müller S. 66): S i h e i s s e n d d a r u m b s t i m m b ů c h s t a b e n, d a s e i n y e d e r f ü r s i c h s e l b s ein besundere volkumne stimm hat (s. oben S. 223).

[2] Vgl. J. Grimm, Kl. Schr. 7,445. 450; Adolf Socin, Schriftsprache u. Dialekte im Deutschen S. 116—119; Paul Pietsch, Deutscher Sprache Ehrenkranz, 2. Aufl. S. 13—15. 574 f. — In der nhd. Grammatik wird von Anfang an auf die Verschiedenheit der Sprachen und das Bestehen dialektischer Unterschiede hingewiesen, womit auch schon die klassische Sprachlehre vorangegangen ist (vgl. außer den Zitaten oben im Text aus Isidors Etymol. noch Hieronymus Epist. 73,8: Cum. . . pro voluntate lectorum varietate regionum eadem verba diversis sonis atque accentibus proferantur [Thesaurus Linguae lat. Bd. I Sp. 280 f.]), z. B. Exercitium puerorum (Joh. Müller S. 18): Cum multiplex sit idioma laycum ... Et teutonicum iterum diuersicatur per altum bassum et medium; Aventins Chronica (Joh. Müller S. 310): denn ein jegliche Sprach hat jhren eigenen brauch vnd besondere eigenschafft ... Es hat sonst auch der Landt vnd Leut auch Geschichtbeschreibung jhr art vnd besondere manier vnd mainung. Vgl. ferner Joh. Müller S. 70. 94. 97. 106. 126. 139. 141. 142. 306. 307. 308. 310. 393 u. ö.; Jellinek I, 41. 45. 52. 54. 55. 58. 69. 82 u. ö.; Rud. v. Raumer, Gesch. d. German. Philol. S. 22. 26. 42. 63. 242; H. Rückert, Geschichte der nhd. Schriftsprache und A. Socin, Schriftsprache u. Dialekte passim; O. Behaghel, Gesch. d. deutschen Sprache, Pauls Grundriß, 3. Aufl. S. 59 ff.; *lantsprâche*, DWb. 6,142.

15

entnommen ist, gehört der zweite Teil (B) zu einem ganz andern Abschnitt des mittelalterlichen Wissenssystems, nämlich zur Ethnographie und Geographie. Dementsprechend werden in Isidors Etymologien die fünf Vokale im Liber I behandelt, welches die Grammatica enthält, die Mundarten und Fremdsprachen aber im Liber IX, Kap. 1 „De linguis gentium". Ganz genau ist die Scheidung nicht, da z. B. die drei Grundsprachen Renner 22325—22332 bei Isidor zweimal vorkommen, sowohl im B. I als im B. IX.

I. 22253—22264. Allgemeines über Mundarten: Jedes Land hat seine Eigenart; unterschieden sind die Mundart, die Maßbestimmungen, die Volkstracht. Ja, die ganze Welt ist eingerichtet nach Sprache, nach Maß, Gewicht, Zahl (Sprache ist das unterscheidende Merkmal der Völker, Volk und Sprache werden in der Bibel parallel gebraucht.) *Mâze, wâge, zal* sind die Prinzipien der Weltordnung, Gott hat alles geordnet in Maß, Zahl und Gewicht nach Sap. 11,21. Die Dreiheit mensura, numerus, pondus ist eine der Grundtatsachen im Wissen des Mittelalters, in engerem Sinne bilden die drei Größen die Elemente der Arithmetik und Geometrie. Die Sprache wurde diesen dreien von Hugo beigefügt, weil sie hier Gegenstand seiner Belehrung ist.

Die zwei folgenden Hälften II (22265—22321) und III (22322—22352) des zweiten Teiles (B) zerfallen wieder in mehrere Unterabteilungen.

II. 22265—22321. Von Mundarten. 1) 22265—22276. Die einzelnen deutschen Mundarten. Hiermit sind wir zum fragwürdigsten Punkte in Hugos sprachlichen Angaben gelangt. Ein Dutzend deutscher Stämme führt Hugo auf. Er teilt sie in drei Gruppen zu je vieren. Die erste Gruppe besteht aus seiner Heimat Franken (Ostfranken) und den drei zunächst wohnenden Volksstämmen, den Schwaben, Bayern, Thüringern. Dann folgen weiter entfernte Mitteldeutsche: die Obersachsen, Rheinländer, Wetterauer, Meißner. Zuletzt kommen vier östliche Sprachgebiete: das ostfränkische Egerland und die speziell österreichischen Dialekte von Österreich, Steiermark, Kärnten. Die Mundarten der ersten Gruppe zerfallen wieder in zwei Gegensatzpaare: die Schwaben spalten die Wörter (bzw. Silben), trennen sie, — die Franken (Ostfranken) falten die Wörter zusammen, sie binden sie; die Bayern reißen die Wörter auseinander[1], die Thüringer

---

[1] Vgl. „Etliche (Wörter) stutzen sie kurz ab", J. Grimm a. a. O. S. 445.

dehnen sie. *Spalten* und *zezerren* bedeuten dasselbe: starke Worttrennung (Isolierung), staccato-Artikulation; *valten* bezeichnet das Gegenteil, die Wortbindung (Kontinuierung), legato-Artikulation; diese Art der Lauterzeugung hängt auch mit dem *ûf sperren*[1], dem Ausdehnen der Wörter, zusammen, so daß unter *valten* und *ûf sperren* das gleiche sprachliche Dialektmerkmal verstanden ist[2].

Damit stehen die beiden oberdeutschen Stämme, die Schwaben und die Bayern, denen Worttrennung zugeschrieben wird, den mittleren Stämmen, den Franken und Thüringern, bei denen Wortbindung hervorgehoben wird, gegenüber[3].

Kommt es bei der ersten Gruppe auf den Stärkegrad der Artikulation an, so handelt es sich bei der zweiten um mangelhafte Lauterzeugung. Das *bezücken* der Sachsen und das *verdrücken* der Rheinleute betrifft die gleiche Erscheinung: das Unterdrücken von Lauten. *Bezücken* ist synonym mit *underzücken* unterdrücken, nicht aussprechen, verschweigen: *Denne daz er* (der Priester) *die buochstaben unordenlich zesamen rücket, sô er diu wörter under zücket und über si rumpelt unde loufet* 2732 ff.; ferner: *sibenzehen stücke, diu ich durch kürzen under zücke* 20635 f., vgl. auch 15186. 17985; ähnlich *des wirt manic wort verdrücket und in dem munde wider zücket*, zurückgedrängt, zurückgehalten 22139 f. (7974), desgl. *rede verzücken: kriec verdrücken* 6657 f. Die technisch sprachliche Bedeutung von *verzucken* ergibt sich aus der Übersetzung Konrads v. Megenberg: titubantes et syncopizantes 15,13 *stamelnd und verzuckend sprâch* (s. Lexer 3,323, wo auf die Bedeutung von *sincopare die Silben abprechen* bei Diefenbach Gl. 536a hingewiesen

---

[1] 10129 f. *den lip ûf sperren.*

[2] In 14911 *diu wörter spalten* und 18332 *Ein rede in siben stücke spalten* ist das Verbum metaphorisch in moralischem Sinne gebraucht „vom Deuteln der Worte", „von zweideutiger Rede" DWb. 10,1856; vgl. auch 17699. — Bei Moritz v. Craon 1781 f. (vgl. Pietsch a. a. O. S. 4. 566) bezieht sich *wort spalten* und *zwei zesamen valten* nicht auf die Aussprache, sondern auf die richtige syntaktische Anordnung der Wörter, die in gebundener Rede durch den Reim- und Verszwang erschwert ist. Die Äußerung betrifft also die Fehler des Soloecismus (vgl. unten S. 228. 232 f.; Soloecismus im Vers: Isidor, Etymol. I, 32,3); s. auch Renner 17817 ff.

[3] Die beiden Schallformen würden sich, wenn obige Deutung das Richtige trifft, zu einander etwa (im großen u. ganzen) verhalten wie die Beispiele 4 und 5, die Saran, Deutsche Verslehre S. 27, aufstellt, mit den lauterzeugenden Grundbedingungen einerseits straffer, andrerseits schlaffer Muskulatur.

15*

ist). *Bezücken* also bedeutet Laute oder Silben verschlucken[1].
Underzücken braucht Hugo hier deshalb nicht, weil *under* nicht in
das Versmaß paßt, und *verzücken* nicht, weil das folgende Reimwort *verdrücken* auch mit der Vorsilbe *ver-* beginnt; deshalb wählt
er das seltenere *bezücken*. Die Wetterauer und die Meißner unterscheiden sich wieder durch gegensätzliche Lauthervorbringung: jene
würgen[2] die Worte mühsam mit zusammengepreßter Kehle (und
dadurch undeutlich) heraus, diese stoßen sie (ungehindert) voll
(vollständig und deutlich) hervor.

Am unklarsten sind die Bezeichnungen der vier letzten, der
östlichen Dialekte. Es sind wohl speziell Akzentverhältnisse gemeint. *Diu wörter senken* würde der grammatischen Bestimmung
des Gravis entsprechen: Gravis accentus dictus, quod deprimat et
deponat syllabam, Isidor, Etymol. I, 17,2.3. Nach der Form des Akzent-
zeichens erklären Donatus und ihm folgend die lateinischen Grammatiker: Accentus gravis a summo in dexteram partem descendens
(Keil IV, 371,32, vgl. auch Isidor I, 18,2). Die in den Verben *swenken* hin und her schwingen, intr. schweben, sich schlingen, und
schrenken verschränken, verflechten, liegenden Bewegungen haben
das Gemeinsame, daß sie nicht eine gerade verlaufende, sondern
eine gebrochene oder gebogene Richtung voraussetzen. Dies würde
auf den Zirkumflex zutreffen: Incipiens enim ab acuto in gravem
desinit atque ita, dum ascendit et descendit, circumflexus efficitur,
Isidor a. a. O., und ebenso schon Donatus; vgl. auch Ger. Joan. Vossius,
De arte Grammatica (1635) B. II, Kap. 7: Circumflexus nomen sortitus
est a figura, quae est virgula arcuata... linea incurva...
flexilis nota ... Wie das deutsche *senken* einem lat. deprimere

---

[1] Deutliche Aussprache (Sprachrichtigkeit) ist mit der Reinheit das erste
Erfordernis in der Rhetorik, z. B. Cicero De oratore B. I, Kap. 32,144. B.
III, Kap. 10—12; Ad. Herennium B. IV, Kap. 12,17. Die lateinische Grammatik
hat einen eigenen Abschnitt über Barbarismus und Soloecismus, z. B.
Quintilian B. I, Kap. 4 u. 5, B. VIII, Kap. 1,1; Donatus, Keil S. 392 f. und B. III
seiner Ars major; Isidor, Etymol. I, 31. 32. 33,2. 3. IX, 1,7. Volkmann,
Rhetorik der Griechen und Römer, 2. Aufl. S. 396; Thurot S. 83. 100 u.
Regist. S. 568. 588. Deutliche Aussprache ist eine Regel für den liturgischen
Vortrag: Integra verba intelligibiliter et tractim proferat, ultimam syllabam
cujuslibet dictionis tam integre, dure ac perfecte sicut primam (die Endsilben
nicht verschlucken) Surgant, Manuale Curatorum, Basilea 1502, S. 51a.

[2] Würgen bei der Aussprache des k: Joh. Müller S. 56.

entspricht, so *swenken* und *schrenken* dem lat. flectere (flexus).
Dann bleibt *baz lenken* für den Acutus: die Steiermärker geben dem
Ton eine bessere Richtung, d. h. eine Erhebung und damit Ver-
schärfung bzw. Verstärkung des Tones: Acutus accentus dictus,
quod acuat et erigat syllabam, Isidor a. a. O. Der Akut ist die Erhebung der Stimme, elevatio, quae dicitur arsis, der Gravis ist
depressio, quae dicitur thesis, der Zirkumflex ist eine modulatio
zwischen den beiden (Thurot S. 393 f.). Demnach ist der Acutus
der accentus principalis (dominans), der herrschende, der Gravis
ist der accentus non principalis, sonoritas magis fit per elevationem
(also beim Akut) quam per depressionem (beim Gravis), Thurot
S. 396, vgl. auch Alanus, Anticlaudianus, Migne 210,517 C: Qua
ratione ... imo parumper excedat pars una toni, superetque minorem.
Das *baz lenken* würde also den besseren Taktteil bezeichnen gegenüber
dem *ein teil senken*. — Bei der ersten und zweiten Gruppe ist der
dynamische Akzent maßgebend, bei der dritten käme es wohl mehr
auf den musikalischen Akzent an[1].

Gerne möchte man genauer wissen, was sich eigentlich Hugo
von Trimberg bei dieser Charakterisierung der Mundarten gedacht hat. Für die Kenntnis der Schallformen der mittelalterlichen Dialekte könnten diese Charakterisierungen von größtem
Werte sein, wenn sie nur nicht so unklar wären. Hat aber denn Hugo
überhaupt selbst eine klare Vorstellung mit diesen unklaren Bestimmungen verbunden? Beruhen sie auf eigener Beobachtung?
Sicher ist, daß ihm die Veranlassung auch zu diesem Thema auf
gelehrtem Wege kam. In der lateinischen Enzyklopädie gab es
einige Paragraphen über Dialektkunde. Isidor handelt in jenem
IX. Buch, das die meisten von Hugo in diesem Abschnitt 22253ff.
erwähnten Punkte enthält, beim Griechischen und Lateinischen
auch von den Dialekten und zählt für jenes fünf, für dieses vier
auf (B. IX, Kap. 1,4—7; Hrabanus De Universo VI, Kap. 1,
Migne 111,435 f.; vgl. auch Thurot S. 131). Beschreibungen der
einzelnen Dialekte gibt Isidor nicht, und Hugos Wissen beruht letzten Endes auf Cicero. Cicero hat in seiner rhetorischen
Schrift De Oratore bei der Belehrung über die Vortragskunst[2]

---

[1] Sievers, Grundzüge der Phonetik § 25 ff.; Saran, Deutsche Verslehre
§ 2 ff.; Behaghel, a. a. O. S. 87 ff.

[2] Über die Vortragsregeln der klassischen Rhetorik s. Volkmann § 56.

B. III, Kap. 57 und 58 sprachliche Beobachtungen niedergelegt, die in manchen Punkten auffallend zu Hugos Ausdrücken passen: die Gegensätze contractum-diffusum, der gepreßte und der gedehnte Ton[1], entsprechen dem staccato und legato; ebenso, aber umgekehrt, continenti spiritu intermisso, der mit gehaltenem bzw. der mit abgestoßenem Atem hervorgestoßene Ton; fractum scissum ist wörtlich übersetzt = *zezerren, spalten;* flexo sono extenuatum inflatum der durch Beugung der Stimme entweder verdünnte oder angeschwellte Ton, decrescendo und crescendo, läßt sich in der dritten Gruppe Hugos wiederfinden (flecto = *swenken, schrenken;* decrescendo = *senken,* dann also wäre *baz lenken* = crescendo).

Noch an einer früheren Stelle des Buches vom Redner kommen ähnliche Wendungen vor, B. VIII, Kap. 11,41: obscurari neglegentius „zu nachlässig verschlucken" entspricht dem *bezücken;* verba... quasi anhelata gravius „aus tiefer Brust aufkeuchen" erinnert an *vol schürgen.*

Ähnliche, auf Cicero sich gründende Äußerungen über die Vortragskunst macht Quintilian: contracta et fusa B. XI, 3,15; tum intentis tum remissis modis ebda. § 17; et frangitur et obscuratur et exasperatur et scinditur vox; fauces tumentes strangulant vocem § 20; vgl. auch Ad. Herennium B. III, Kap. 14.

Ciceros Vortragsregeln sind im Mittelalter bekannt gewesen. Alcuin hat sie benutzt in seinem Dialogus de Rhetorica et virtutibus (Migne 101,941 f.)[2]. Gerade seine Darstellung setzt einen Zusammenhang mit Hugo von Trimberg außer Zweifel: Nec verba sint inflata vel anhelata vel in faucibus frendentia (*würgent*) nec oris inanitate resonantia, non aspera frendentibus dentibus, non hiantibus labris prolata (*vol schürgent*), sed pressim (*spaltent, zezerrent*) et aequabiliter (*valtent, ûf sperrent*) et leniter et clare pronuntiata (nicht *verdrücken, bezücken*), ut suis quaeque litterae sonis enuncientur et unumquodque verbum legitimo accentu decoretur (22273—22276), nec immoderato clamore vociferetur vel ostentationis causa frangatur oratio.

---

[1] Die folgenden Verdeutschungen bzw. Erklärungen sind genommen aus Kühners Übersetzung und aus der Teubner-Ausgabe von Piderit, 6. Aufl.

[2] Carolus Halm, Rhet. lat. min., s. Manitius, Gesch. d. lat. Lit. des MA. I, 282 f.

Das Ergebnis für die Beurteilung dieser mundartlichen Erörterungen Hugos wird also sein: auch hier ist er Nachahmer, auch in dieser so ganz nationalen Frage geht er an der Krücke der wissenschaftlichen Überlieferung. *Der wîse man her Tulius* 16239 ist die Autorität, wenn er vor seinen deutschen Landsleuten deutsche Mundarten kennzeichnen will. Einzelne Schlagwörter hat er aus der mittelalterlichen ciceronianischen Rhetorik übernommen und die Begriffe auf deutsche Mundarten verteilt. Dabei scheint er die charakterisierenden Prädikate oft ganz willkürlich oder nur mit oberflächlicher Kenntnis angewendet zu haben, ohne wirkliche Beobachtung der betreffenden Mundart. Nur für einige Fälle, etwa für die erste Gruppe, können seine Angaben Glauben beanspruchen. Bayerische Mundartformen waren ihm bekannt; denn er gebraucht, um bayerische Dialekte nachzuahmen, die Diminutivform *daz köstel* 13786.

Die mundartliche Aussprache ist eine fehlerhafte Abweichung von der Normalsprache, der mhd. Schriftsprache[1]. Sie gehört also unter die Sprachfehler, die vitia in weiterem Sinn, die den ganzen Sprachcharakter betreffen (Vitia im engeren Sinn sind einzelne sprachliche Unarten, Isidor I, Kap. 33). Als vitia behandelt Alcuin die oben angeführten, bei Hugo wiederkehrenden Schallformen. Auch er betrachtet die dialektischen Merkmale, die er aufzählt, als Sprachmängel, ohne jedoch hier eine Rüge auszusprechen.

2) 22277—22286. Abschweifung von den Mundarten zu fremden Sprachen. Die in 22279 f. genannten Länder kommen auch großenteils in der Aufzählung der Volkssprachen (idioma laycum) des Exercitium puerorum vor (Joh. Müller, Quellenschriften S. 18). Franzois entspricht dem dortigen Gallicum, Walhe = Italicum, Engellant = Anglicum, Yberne kann sein = Hyspanicum oder Scoticum, denn Iberia und Hibernia wurden leicht verwechselt; so hat bei Diefenbach Gloss. 277a ein Vocabularius für Hibernia *spanienlant*, ein anderer *schotlant* d. i. Irland (Diefenbach, Novum Gloss. S. 203: Hybernia — *yrenlant, spangenlant*), Norweye würde mit Goticum zusammenzubringen

---

[1] Die mhd. Schriftsprache bedeutet für mhd. Verhältnisse den Dialekten gegenüber dasselbe wie die Attica (lingua) unter den griechischen Idiomen, vgl. Isidor, Etymol. IX, 1,5: Attica, videlicet Atheniensis, qua usi sunt omnes Graeciae auctores.

sein[1]. Auch die Völker von 22283 f. finden sich zusammen, und zwar in Isidors Etymol. IX, 1,8 f.: *kriechisch* = Graeci, *jüdisch* = Hebraeus, *syrisch* = Syrus, *kaldêisch* = Chaldaeus, *heidenisch* mag, caeterarum gentium IX 1,10 sein. Lateinisch fehlt, es wird nicht zu den Fremdsprachen gerechnet.

Mit 22285 wendet sich Hugo gegen den Gebrauch von Fremdwörtern in der Dichtung, die Barbarolexis (schon 1202 ff. hatte er Konrad v. Würzburg wegen seiner lateinisch gedrechselten Worte getadelt). Auch hierin folgt er einem Lehrsatz der klassischen Grammatik[2].

3) 22287—22321. Fortsetzung der Besprechung der Mundarten. Berechtigung mundartlicher Eigentümlichkeiten. a) 22287—22292. Sie sind erlaubt, wenn sie geziemend und mit Geschmack, und nicht nur aufs Geradewohl gebraucht werden. Damit spricht also Hugo für Zulassung der Mundart innerhalb bestimmter Grenzen.

b) 22293—22298. Jedoch gehören zu Deutschland auch Westfalen[3] und viele Länder, deren Dialekte sehr unverständlich sind.

---

[1] Kriechen, Walhen, Lamparter als fremdsprachliche Völker 24541 f., Beheim, Walch und Unger 3636.

[2] Über Barbarolexis: Emil Henrici, Sprachmischung in älterer Dichtung Deutschlands, daselbst Literaturangabe S. 1 und sehr reichhaltig S. 60 ff. Speziell sei hier verwiesen auf Donatus, Keil S. 392; Isidor, Etymol. B. I, 31,2: Inter barbarismum et barbarolexim hoc interest, quod barbarismus in verbo latino fit dum corrumpitur, quando vero barbara verba latinis eloquiis inferuntur, barbarolexis dicitur; B IX, 1,7: Mixta (lingua), quae post imperium latius promotum simul cum moribus et hominibus in Romanam civitatem irrupit, integritatem verbi per soloecismos et barbarismos corrumpens (darnach Hrabanus, De Universo B. VI, Kap. 1, Migne 111,436 C). Also lingua mixta, Mischsprache, Sprachmischung. Vgl. ferner Notker, De arte rhetorica, Piper I, 676,1 ff.: barbara. i. Endirskiu alder froemidiu qualia Donatus dicit... Die deutsche Humanistengrammatik hat den Kampf gegen die Fremdwörter wieder aufgenommen, auch hier einen klassischen Gedanken wiederholend: vnser Redner vnd Schreiber vorauß so auch Latein können ... vermengens (vnser Sprach), felschens mit zerbrochnen Lateinischen wörtern... Also gleicher maß lauts vbel bey solcher sachen erfarnen, wo man das Teutsch vermischt mit frembder Sprach demnachs zerbrochen und unverstendig wirdt, Aventin in der Vorrede zur bayrischen Chronica, Joh. Müller a. a. O. S. 310.

[3] Die Klasse I der Handschriften hat *Westualen Hessen:* Laurentius Albertus nennt unter 'Niderlendisch teutsch' zuerst Haßi Westphali (Müller-Fraureuth S. 39).

Gemeint ist hier das Niederdeutsche, das also mit dem früheren Oberdeutschen und Mitteldeutschen 22265—22276 den dritten Zweig der deutschen Sprache bildet. Durch das Würgen, Zwicken und Binden der Sprache[1] will Hugo den großen Abstand des Niederdeutschen vom Hochdeutschen andeuten. Er denkt wohl dabei besonders an die durch die Lautverschiebung hervorgerufenen Unterschiede, die an jeder Stelle des Wortes, *vorn, mitten und hinden*, auftreten können.

c) 22299—22305. Zum Abschluß des mundartlichen Teiles geht Hugo noch auf seine eigene heimische Sprache ein: T und N und R fehlen hier im Auslaut vieler Wörter. Tatsächlich sind die n-losen Infinitive charakteristisch für das Ostfränkische. Was den Abfall des r im Auslaut betrifft, so mag auch diese Behauptung auf Beobachtung beruhen, indem wirklich das r in Auslautstellung schwach artikuliert sein konnte. Welche einzelnen Fälle für die Tilgung des t geltend gemacht werden könnten, ist unsicher. Der Schwund von Konsonanten im Auslaut ist ein Fall des Barbarismus, und zwar die Detractio, vgl. Donatus, Keil S. 392,7 ff.: per detractionem litterae [fiunt barbarismi] „sicut" infantibu parvis" pro infantibus. Selbst innerhalb des ostfränkischen Dialekts herrscht keine Einheit in der Aussprache: die Schwanfelder ziehen die Wörter in die Länge, die Bamberger lassen sie zusammenschrumpfen. Hiermit ist ein charakteristischer Unterschied zwischen den beiden ostfränkischen Mundarten, der des Bistums Würzburg und der des Bistums Bamberg, hervorgehoben, und hier schöpft Hugo gewiß aus eigener Erfahrung, denn er war im Würzburger Dialektgebiet geboren und lebte im Bamberger (Iste dei verna de villa nomine Werna Frankorum natus in Babenbergque moratus sagt er in seiner Laurea Sanctorum)[2].

d) Den vorher 22287 ff. allgemein ausgesprochenen Satz von der Zulassung der Mundartformen in die Dichtung wendet er nun

---

[1] Die Sprache ist vorgestellt als ein Band, eine Kette von Gliedern, eine vox articulata; die Silbe ist = συλλαβή, ein Zusammenfassendes, ein Band, complexio, syllaba quae ex pluribus nascitur literis (Isidor, Etymol. I, Kap. 14 f.). In dem Bild vom Band der Zunge 22296—22298 gehört *würgen* speziell zu *zunge*, die Sprache worgsen, *zwicken und binden* bezieht sich auf die Metapher vom Band: sie befestigen und binden das Band.

[2] Vgl. Anton Jäcklein, Hugo v. Trimberg, Verfasser einer „Vita Mariae rhythmica", Bamberger Progr. 1901, S. 4 f. 22; Erich Seemann, Hugo von Trimbergs Lateinische Werke I. Das Solsequium, Münchener Texte II. 9 S. 8.

ins persönliche und bittet um Anerkennung dieses Rechtes für seinen eigenen Sprachgebrauch[1]. Er bekräftigt diese Forderung durch einen von warmem Heimatsgefühl getragenen Hinweis auf die altanerkannte Tüchtigkeit seiner Landsleute.

III. 22322—22352: Mit der Formel *Von der rede ich kêren wil* geht Hugo zu andern sprâchen, jüdisch, kriechisch und latîn, über.

1. 22325—22332. Diese drei Sprachen *müezen in allen messen sîn*, sie sind zum Verständniss der heiligen Schrift nötig: Augustinus, De doctrina christ. II, Kap. 11; sie sind die heiligen Sprachen: Isidor, Etymol. IX, 1,3 Tres sunt linguae sacrae, danach Pseudo-Beda, De linguis gentium (Migne 90,1179), Hrabanus, De Universo B. VI, Kap. 1 (Migne 111,435). Hebräisch ist *diu muoter*, der Ursprung aller Sprachen, nach Gen. 10,25, vgl. Augustinus, De civitate Dei B. XVI, Kap. 11,1, De doctrina christ. B. III, Kap. 36,2; (Pseudo-)Eucherius, Commentar. in Genesim, Migne 50,942 f.; Isidor, Etymol. B I, 3,4 linguam Hebraicam omnium linguarum et literarum esse matrem, auch B. IX, 1,1, und dieses ist überhaupt dann ein allgemeiner Lehrsatz im Mittelalter. Griechisch ist *aller sprâche lêrerîn*, vgl. Priscianus I, 1 (Keil II, 2, S. 1,1): Cum omnis eloquentiae doctrinam et omne studiorum genus sapientiae praefulgens a Graecorum fontibus derivatum . . . video. Die

---

[1] *Sint miniu wort ein teil gebogen* 22308: die Sprache biegen, von der Normalsprache abweichen, sie mit fremden oder fremdartigen Bestandteilen durchsetzen, vgl. Aventinus (Joh. Müller S. 310): Ich brauche mich deß alten lautern gewöhnlichen, jedermann verstendigen Teutsches, denn vnser Redner vnd Schreiber, vorauß so auch Latein können, biegen vnd krümmen vnser Sprach im reden vnd schreiben usw. (s. oben S. 232). Dasselbe besagt Wolframs humoristische Selbstironie *min tiutsch ist etswâ doch sô krump* Willeh. 237,11; vgl. auch Rudolf v. Ems im Alexander, Junk, Beitr. 29,423. Über das Biegen der Urkundensprache s. Gutjahr, Zur nhd. Schriftsprache Eykes von Repgowe S. 10 und Die Urkunden deutscher Sprache in der Kanzlei Karls IV,1 S. 195. In der Schule mußte in der Heimatmundart unterrichtet werden, wird im Exercitium puerorum auseinandergesetzt (Joh. Müller S. 18). — 22308—22310 ist zugleich eine Bescheidenheitsbitte und gehört also unter die Unzulänglichkeits- und Demutsbezeugungen, die bei dem mittelalterlichen kirchlichen Gebrauche folgenden Autoren üblich waren (bes. in Prologen, s. Richard Ritter, Die Einleitungen der altdeutschen Epen, Bonner Diss. 1908, S. 49 ff.).

Hochschätzung des Lateinischen tritt im ganzen Renner oft zutage, z. B. bes. 17833 ff.[1].

2) 22333—22335. Die Charakterisierung der drei Grundsprachen nach der Artikulationsbasis = Zahnlaute, Gurgellaute, Gaumenlaute hat Isidor, Etymol. IX, 1,8.

3) 22339—22342 vgl. Isidor Etymol. IX, 1,3, danach Pseudo-Beda, De linguis gentium a. a. O., Hrabanus a. a. O. und Comment. in Genesim B. II, Kap. 11 (Migne 107,530).

4) 22343—22352. Zuletzt werden die Sprachen Deutsch, Lateinisch, Griechisch und Jüdisch dem Umfang nach bestimmt (*wîte hofestat, an smalem fletze, gar wîte gestrôuwet*). Man denkt zunächst an die räumliche Ausdehnung der betreffenden Sprachgebiete: das Deutsche ist weit verbreitet (Sermo germanicus longe lateque fusus est, Beatus Rhenanus, s. Joh. Müller S. 309), ebenso das Griechische im Orient, das Lateinische dagegen ist beschränkt auf die Gelehrten. Jedoch ist höchst wahrscheinlich die Schrift, das Alphabet der betreffenden Sprachen, gemeint. Beim Jüdischen ist dies sicher der Fall; da ferner im Vorhergehenden erwiesen ist, daß Hugo in diesem grammatischen Exkurs sich eng an die Überlieferung der lateinischen Grammatik und Enzyklopädie anschließt, so wird dies auch für diesen letzten Gegenstand seiner Darlegung zutreffen. Bei der Lehre von den Buchstaben wird in der lateinischen Grammatik auch ihre Anzahl, also der Umfang des Alphabets, vorgetragen. Gewöhnlich werden vierundzwanzig griechische und dreiundzwanzig lateinische Buchstaben angegeben, aber ursprünglich seien es bloß siebzehn gewesen. Donatus (Keil S. 368,12), sagt, nachdem er dreiundzwanzig Buchstaben aufgezählt: quidam putant, Latinas litteras non plures esse quam decem et septem; Isidor, Etymol. I, 3,4: Latini XXIII elementa habent, und später Kap. 4,10: Decem et septem autem Latinis literis vetus scriptura constabat. Danach nimmt, nach Isidor, das Lateinische die Mitte ein zwischen dem Griechischen, das vierundzwanzig, und dem Hebräischen, das zweiundzwanzig Zeichen hat. Auf die Anzahl der Buchstaben wurde in der Lehre von der Grammatik Gewicht gelegt, denn diese Stellen werden später oft wieder vorgetragen (z. B. Hrabanus, Migne 112,1579—1584; Pseudo-Beda, De loquela per gestum digitorum Migne 90,698, gibt

---

[1] Vgl. Braune, Sitzungsberichte d. Heidelberger Akademie der Wissenschaften 1916, 11. Abhandlung S. 21.

27 griechische, 23 lateinische an; s. auch Comm. Einsidl., Hagen
S. 225). Es ist also begreiflich, daß auch Hugo diesen Passus in
seinen grammatischen Abriß aufnahm. Er hat bei der Betonung
des geringen Umfangs des lateinischen Alphabets das alte, kürzere
von siebzehn Buchstaben im Auge. Die Angaben über die Zahl der
deutschen Buchstaben schwankt in der Humanistengrammatik, in
jedem Falle aber werden mehr als bloß siebzehn, d. h. mehr als
im alten lateinischen Alphabet, gezählt.

Das Auffallende im hebräischen Alphabet ist, daß es keine
Vokale besitzt, sondern diese durch Punkte andeutet (22351).
Die Behauptung *Jüdisch hât in im selber strit* findet ihre Erklärung
in Isidor, Etymol. I, 3,5: (Literae Syrorum et Chaldaeorum) cum
Hebraeis et numero et sono concordant, *solis characteribus discrepant.* Das Hebräische gehört mit dem Syrischen und dem Chal-
däischen zusammen, Isidor IX, 1,8. 9, insofern kann gesagt werden:
es streitet in sich selbst, es ist in sich uneinheitlich.

Mit dem Alphabet, den fünf Vokalen, hat die spezialwissen-
schaftliche grammatische Abschweifung begonnen und mit einem
Stück über das Alphabet schließt sie ab. Der Dichter geht nun wieder
in den allgemein moralisierenden, predigtartigen Vortrag über. Aus
dem Lehrgebiet der Sprache hat er zwei der ihm wichtig scheinenden
Kapitel ausgewählt. Denn der Grund, weshalb er gerade die Vokale
behandelt, liegt darin, daß sie *mit hôher wirdikeit ûz gesundert*
sind. Noch bedeutungsvoller aber ist das Thema V o n m a n i g e r -
l e i e s p r â c h e , da die Sprache eines der die Völker unterscheiden-
den Weltprinzipien ist (22263 f.). Aber wie im Mittelalter alle irdische
Wissenschaft ihren Wert doch nur in ihren Beziehungen zum Ewigen
findet, so ist auch diese Abhandlung über die Ars grammatica nur
ein Zwischenstück, eingeschaltet in die Betrachtungen über den
höheren, ethisch-religiösen Sinn der Sprache, die eine Führerin zum
Himmelreich sein soll (22230) und durch die heilige Schrift die süße
Lehre von der Liebe Gottes verkündigt (22353 ff.).

———————◉———————

Die Oberrheinische Chronik.

Von Karl Helm, Würzburg.

Die von Grieshaber herausgegebene[1] Oberrheinische
Chronik (OChr.), als historische Quelle selbst großenteils wert-
los[2], ist literarhistorisch von nicht geringem Interesse. Sie stellt
uns vor eine Reihe noch ungelöster Fragen: nach Heimat und Verfasser, Quellen und Entstehungszeit. Zu deren Beantwortung sind
wohl Anläufe gemacht worden; diese sind aber alle ohne gesichertes
Resultat stecken geblieben[3]. Die Schwierigkeiten, welche sich insbesondere der genauen Heimatbestimmung entgegenstellen, sind
beträchtlich; da zu wenig sichere Anhaltspunkte zu finden sind,
entgleiten uns immer wieder auch solche Resultate, die man schon
beinahe sicher zu fassen meint. Auch meine Bemühungen um das
Denkmal, zu welchem mich zunächst die Frage, ob es zum Deutsch-
ordenskreis gehöre, geführt hat, haben in wichtigen Punkten
ein befriedigendes Ergebnis noch nicht gebracht. Dies gilt besonders wieder von der Frage nach der Heimat. Die von Grieshaber
gewählte Bezeichnung oberrheinisch trifft gewiß das richtige und
man wird auch mit dem Ansatz in der Nordschweiz kaum irregehen.
Aber weiter ist vorläufig nicht zu gelangen. Für Basel ist manches
geltend gemacht worden, aber anderes spricht dagegen: Bl. 26ᵃ

---

[1] Oberrheinische Chronik, Älteste bis jetzt bekannte in deutscher Prosa,
aus einer gleichzeitigen Handschrift zum erstenmal herausgegeben von Franz
Karl Grieshaber. Rastatt, beim Herausgeber, 1850.

[2] „ein schlechtes Machwerk" Potthast I², S. 305. Doch ist, wie bei allen
mittelalterlichen Chroniken, auch hier die Darstellung der Ereignisse, welche
der Verfasser miterlebt hat, die Zeit Ludwigs des Bayern und Friedrichs von
Österreich, bedeutend besser: „nicht ohne selbständiges Urteil und eigentümliche Charakteristik" (Ott. Lorenz, Deutschlands Geschichtsquellen im
Mittelalter I³ [1886], S. 82 f.).

[3] An früherer Literatur ist zu nennen: C. v. Wyss, Die oberrheinische
Chronik von Grieshaber, Anz. f. schweiz. Geschichte XII (1866), S. 1 f. — Const.
Amrein, Wöchentliche Unterhaltungen, Beilage zum Luzerner Tagblatt,
1869, Nr. 17 u. 18. — O. Hartmann, Wo hat der Verfasser der Oberrhei-
nischen Chronik von Grieshaber geschrieben? Anz. f. schweiz. Geschichte,
N. F. III (1877—1881), S. 382—385.

kann z. B. meines Erachtens nur von einem Schreiber geschrieben sein, der oberhalb von Zürich und Luzern lebte, nur ein solcher konnte schreiben: *furen die von Luzerne die Riuse a b e* und *ist das niden das lant h a r u f komen untz gen Zürich.* Hätte er weiter abwärts gelebt, so hätte er schreiben müssen *die Riuse h e r a b* und *das lant u f e . . . unz gen Zürich.* Vielleicht liegt die Lösung in der Richtung, daß dem Verfasser des Hauptteils Aufzeichnungen aus verschiedenen Gegenden vorlagen. Ich schweige von diesem noch nicht spruchreifen Punkte deshalb im folgenden ganz. Für manches andere hat sich mir indessen allerlei ergeben, und ich will die Arbeit nicht beiseitelegen, ohne diese Resultate mitzuteilen. Da die an ein Denkmal sich anknüpfenden Fragen oft vielfach verkettet sind, können auch diese Ausführungen vielleicht die Beantwortung weiterer noch ungelöster Fragen vorbereiten und einen anderen auf seinem Weg fördern. — Einiges über die Handschrift selbst sei als erster Punkt vorausgeschickt.

I.

Die H a n d s c h r i f t, einst in Grieshabers Besitz, ist mit dessen ganzem Nachlaß an die Universitätsbibliothek Freiburg i. Br. gekommen und trägt dort nun die Nummer 473. Über die Zusammensetzung sind Grieshabers Angaben S. V f. zu vergleichen. Daß unsere Chronik, die den zweiten Teil der Hs. bildet, von verschiedenen Händen geschrieben ist, hat Grieshaber auch bereits festgestellt; doch ist dem einiges hinzuzufügen.

Die e r s t e Hand hat den Hauptteil der Chronik, Bl. 1ᵃ—26ᵇ . . . *die si den fienden hatten genomen* (Ausgabe S. 32 unten), geschrieben. Innerhalb dieses Teiles finden sich auf einigen Blättern einige wenige Zeilen am oberen oder unteren Rande von derselben Hand zugefügt mit Verweisen auf die Stellen im Text, an die sie gehören. Das sind keine jüngeren Zutaten, sondern Sätze, die versehentlich ausgelassen und alsbald nachgetragen wurden. Es sind die folgenden: Bl. 15ᵇ *und leit daz riche . . . von Beheim* (Ausgabe S. 19, Zeile 6—3 von unten); Bl. 21ᵃ *ouch ferluren . . . frowen* (Ausgabe S. 26, Zeile 14—12 von unten); Bl. 22ᵇ *und gap . . . Missen* (Ausgabe S. 27, Zeile 6—5 von unten). Die Einfügung dieser Stellen zeigt, daß der Hauptteil der Chronik, wie er uns vorliegt, keine erste Niederschrift, sondern eine Abschrift ist.

Als Z u s ä t z e derselben Hand fasse ich aber auf: Bl. 9^b die
Worte: *Celestinus V resignavit propter* neben Nicolaus IV, ohne
daß also mit dem neuen Namen eine neue Zeile begonnen wird.
Ebenso auf Bl. 10^a unter Johannes XXII den mit etwas dünneren
Strichen und rechts über den Rand hinaus geschriebenen Satz:
dar nach starb er an sant barbarē tag. Als der Schreiber auf Bl. 25^a
dieses Datum für den Tod des Papstes niederschrieb, bemerkte er
wohl, daß er es in der Papstliste übergangen hatte, und fügte es
dort nachträglich noch ein.

In demselben Teil finden sich nun aber auch von anderen Händen
die folgenden, mit einer Ausnahme auch von Grieshaber S. XII f.
verzeichneten Zusätze.

a) Bl. 9^a (bei Grieshaber ist irrtümlich 9^b angegeben) die auf
Rasur stehenden Zeilen unten auf der Seite. Ursprünglich war hier
der Text unter Gregor IX. kürzer; denn auf der vorletzten der radier-
ten Zeilen stand, wie der noch vorhandene rote Strich zeigt, bereits der neue Papstname. Auf dem unteren Rand ist jetzt noch eine
sehr abgeblaßte Spur einer Zeile zu erkennen; entziffern lassen sich
zur Not noch die Worte *Augustini episcopi* und am Ende stand eine
Zahl. Offenbar war also ein Teil von dem, was jetzt auf Rasur steht,
hier ursprünglich am Rand nachgetragen gewesen.

b) Bl. 10^a *unde starp … in dem meigen* (Grieshaber S. XII).

c) Bl. 16^a die Stelle über den Herzog von Zähringen (s. u.).
Grieshaber gibt an, diese Randnotiz stamme vom Schreiber des
ersten Nachtrags; doch zeigt die Schrift keine solche Übereinstimmung, daß der Schluß notwendig wäre.

d) Auf Bl. 26^a hat eine jüngere Hand am Rande das Wörtchen
hvte geschrieben.

Eine z w e i t e Hand — ich zähle hier die Schreiber der gerade
aufgezählten vier Punkte a—d nicht mit — hat die erste Fortsetzung
der Chronik geschrieben Bl. 26^b—27^b *erlasch diu sunne* (Ausgabe
S. 34, Zeile 10 von oben). Im Anfange dieses Teiles sind einige Worte
mit anderer Tinte und mit weniger sorgfältiger Schrift wiedergegeben, nämlich der Name des englischen Königs *Adelwart* und der
Satz: *Do brach der keiser sin gelubde … v̄n im wol gieng.* Es ist
aber kaum nötig, einen anderen Schreiber anzunehmen, zumal der
Schreiber dieses ganzen Abschnitts hier bereits den nötigen Raum
ausgespart hatte; er hat also die Absicht gehabt, noch eine Ergän-

zung zu geben, und es ist leicht erklärlich, wenn eine spätere Zufügung auch desselben Schreibers etwas anderen Schriftcharakter trägt. Eine dritte Hand schrieb die zweite Fortsetzung der Chronik bis Bl. 32ª unten (abbegótten, Ausgabe S. 39). Grieshaber vermutet hierfür denselben Schreiber, der die Disputatio gegen die Juden in der ersten Hälfte der Hs. schrieb; aber diese Gleichsetzung ist mir sehr zweifelhaft. Der nämlichen Hand weist Grieshaber S. XV f. dann aber auch noch den Inhalt von Bl. 32ᵇ zu bis tot in der vorletzten Zeile (Ausgabe S. 39, Zeile 15 von unten); aber er macht selbst auf die nachlässigere und regellosere Schrift und Rechtschreibung aufmerksam und auf einige „dem Niederdeutschen sich nähernde Formen". Tatsächlich ist die Schrift nicht nur nachlässiger als die der vorhergehenden Seiten der dritten Hand, sondern in manchen Buchstaben sehr wesentlich abweichend: charakteristisch sind vor allem die energisch nach rechts umgebogenen Schwänze der z und h. Schon das nötigt, für diesen Teil einen neuen, vierten Schreiber anzunehmen. Dazu kommt das Hervortreten orthographischer und mundartlicher Eigenheiten. Das Material ist bei dem geringen Umfange dieser Hand zwar nicht groß, es erlaubt aber doch, in diesem Schreiber, wenn auch keinen Niederdeutschen, doch einen Mitteldeutschen zweifellos zu erkennen. Einige Formen aus diesem Stück neben entsprechende Formen von Bl. 28—32ª gestellt, mögen den Unterschied und den sprachlichen Charakter zeigen.

bl. 32ᵇ: selbin, grossir,	bl. 28—32ª: selben, grosser,
herzhoge, lutte, zwiszhin,	herzoge, lúte, zwissent,
vier(gift), forthe, marchgrabe.	ver-, forhte, marggrofe.

Wollte man trotz der Schriftverschiedenheit annehmen, daß die Seiten 28—32ᵇ alle von einem und demselben Schreiber herrührten, so müßte man also auch noch weiter zu der noch unwahrscheinlicheren Annahme greifen, daß der Schreiber auf den ersten Seiten seine Mundart ganz konsequent unterdrückt habe.

Ein weiterer Schreiber, nach unserer Zählung der fünfte, hat, wie auch Grieshaber schon richtig feststellt, die Seite 33ª mit der letzten Fortsetzung der Chronik geschrieben.

Es ergibt sich also der Schluß: die Oberrheinische Chronik ist in ihrem Hauptteil eine Abschrift; sie ist dann verschiedentlich ergänzt und fortgesetzt worden. Die Fortsetzer gehörten ihrer Herkunft nach nicht alle demselben Sprachgebiet an.

II.

Über die Z e i t, wann die Niederschrift des Werkes erfolgte, hat der Herausgeber S. VI und XII bereits gehandelt und für den Hauptteil das Ende des Jahres 1334 oder den Anfang 1335, für die letzte Fortsetzung das Jahr 1349 angesetzt. Auch diese Aufstellungen sind zu ergänzen und zu berichtigen[1]. Die Hand des ersten Schreibers hat die Liste der Päpste geführt bis zu Benedict XIII., dessen Wahl an *Sant Thomas tage des apostolen*, also am 21. Dezember 1334, sie noch verzeichnet. Den Tod des Papstes im April 1337 hat bereits eine andere Hand beigefügt.

In der Darstellung der weltlichen Ereignisse ergibt sich eine ähnliche, aber doch nicht ganz übereinstimmende Grenze. Der erste Schreiber hat noch die Begebenheiten der Jahre 1334—1336 geschrieben: die Zerstörung des Schlosses Schwanau im Elsaß, die ins Jahr 1334 fällt[2], den Tod Herzog Heinrichs von Kärnten (1335) und die Kämpfe zwischen dessen Schwiegersohn und dem Kaiser um Kärnten im Jahre 1336. Außerdem aber auch noch die schweizerischen Ereignisse der dreißiger Jahre bis zum Gefecht bei Grünau zwischen den Zürichern und dem Grafen Johann von Habsburg. Dieser Kampf fand am 21. Sept. 1337 statt.

Die Grenze zwischen dem Hauptteil und der ersten Fortsetzung liegt also erst im Herbst 1337. Und wenn der in den April des Jahres fallende Tod des Papstes damals noch nicht berichtet wurde, so zeigt das nur, daß der erste Schreiber die Papstliste schon früher abschloß als seine weiteren Aufzeichnungen.

Die Datierung der Fortsetzungen ergibt sich leicht aus dem Inhalt: die erste Fortsetzung berichtet Ereignisse der Jahre 1338 bis 1339, die zweite, vom dritten Schreiber herrührend, Ereignisse der Jahre 1340—1348. Von 1348 berichtet auch ergänzend noch der vierte Schreiber, während der letzte Fortsetzer den Nachtrag für 1349 hinzufügt.

Die am Schlusse der Papstliste nachgetragene Ergänzung kann wegen des Datums von Clemens' VI. Wahl (1342) erst aus der Zeit

---

[1] Vgl. auch v. W y s s, a. a. O. S. 2.
[2] Vgl. darüber A. L ü t o l f, Die Zerstörung der Reichsveste Schwanau. Forschungen zur deutschen Geschichte 19 (1879), S. 449—454.

16

des zweiten Fortsetzers stammen; doch ist die Schrift nicht die dieses Fortsetzers. Der Tod Clemens' VI. (1352) fällt bereits zeitlich später als unser letzter Fortsetzer und wird infolgedessen auch nicht mehr berichtet.

III.

Die K o m p o s i t i o n der Chronik ist in ihren Grundzügen recht durchsichtig. Der Verfasser des Hauptteils hat ein doppeltes Ziel im Auge gehabt; er will einmal eine Summa der Weltgeschichte geben in den Listen der Päpste bis Benedict XIII. und der Kaiser bis auf Ludwig den Bayern. Diese Listen bleiben zum Teil ein ganz nacktes Gerippe, zum Teil werden sie — und damit tritt der zweite Gesichtspunkt des Chronisten in Erscheinung — umkleidet und ausgeschmückt durch Erzählungen von Einzelbegebenheiten, welche mitunter sehr merkwürdige Auswahl zeigen. Für ihre Aufnahme entscheidet nicht die weltgeschichtliche Bedeutung einer Tatsache, sondern lediglich eine Art von Liebhaberinteresse. Bezeichnend ist dafür etwa, was bei den großen Päpsten Gregor VII. und Innocenz III. gesagt wird: nichts von ihrer Stellung in dem weltbewegenden Kampf zwischen Papst- und Kaisertum, sondern zwei kurze Notizen; bei Gregor die Worte: *der wart gevangen in der nacht ze winnachten*, bei Innocenz: *under ime wurden bredier und barfussen.*

Die Einzelheiten, welche so verzeichnet werden, sind teils allgemeiner Art, Kuriositäten, Anekdoten usw., wie sie die Quellen mittelalterlicher Chronisten in bunter Auswahl bieten, zum größeren Teil sind es lokalgeschichtliche Notizen. Man sollte erwarten, daß gerade diese Details ein Mittel bieten müßten, Quellen und Heimat leicht und genau zu bestimmen; bis jetzt sind derartige Erwartungen aber getäuscht worden.

Die Vorlage der Papst- und Kaiserlisten ist noch nicht gefunden. Als Quelle der P a p s t l i s t e hat man das im Mittelalter viel benutzte Chronicon des Martin Polonus[1] (Martin von Troppau) vermutet, aber zu Unrecht. Wohl finden sich öfters enge, manchmal fast wörtliche Übereinstimmungen. Man vergleiche z. B. die Stellen bei Papst Clemens I.:

---

[1] Martini Oppaviensis Chronicon pontificum et imperatorum. Ed. Ludewicus W e i l a n d , Mon Germ., Script. XXII, 377—475.

Martin a. a. O. S. 410,14 ff.	Oberrhein. Chron. S. 4
Hic quamvis a beato Petro esset electus, tamen coegit Linum et Cletum ante se pontificari, et ita est ipse primus post Petrum per electionem, tertius vero per gradum.	er was erwelt von S. Peter und quang Linum und Cletum das si bebeste fou̯r im mûsten sin. alsus ist er der erste nach S. Peter und der dritte an der zalen.

Um ein geringes mehr differieren die beiden folgenden Stellen bei Papst Siricius:

Martin S. 417,23 ff.	Oberrh. Chron. S. 5 f.
Eodem tempore in Emaus castello natus est puer ab umbilico et sursum divisus, ita ut haberet duo pectora et duo capita, et quilibet proprios sensus, uno edente vel dormiente alter non comedebat nec dormiebat. Porro postquam duobus annis vixissent, unus mortuus est, altero usque in tertium diem supervivente. Eo tempore floruit Johannes Crisostomus primo presbiter Antiochenus, post archiepiscopus Constantinopolitanus.	In der zit wart geborn ein mensche, das was vom gürtel uf zwen corpor und zwei houbet und hat eweders sin eigen sinne. do eins as oder slief, do was das ander an essen und an slafen. Do es zwei jar gelebte, do starb eins und das ander tron̑g es unz an den dritten tag, daz es auch starb. Do lebte Johannes mit dem güldenen munde.

Solche und ähnliche übereinstimmende Stellen finden sich aber auch in vielen anderen mittelalterlichen Papstkatalogen, wie sich nach Weilands Ausgabe des Martin Polonus leicht feststellen läßt. Und anderseits weichen in anderen zahlreicheren Punkten beide Listen stark voneinander ab. Nicht besonders schwer mögen gewisse Verschiedenheiten in der Reihenfolge wiegen; so wird gegen Martin Polonus bei uns Papst Anicetus I. vor Pius I., Benedict VIII. vor Bonifacius VII., Innocenz II. vor Honorius II. gestellt. Anderes ist wichtiger. Zunächst die Stellung der Chronik gegenüber den nicht allgemein anerkannten Päpsten. Sie nimmt nach Poncianus I. den Cyriacus I. auf, immerhin mit dem Vermerk, daß er aus der Liste der Päpste gestrichen worden sei; aber ohne irgendwelche einschränkende Bemerkung zählt sie nach Papst Julius den Papst Leo I. mit, den Martinus (S. 416,22) als Häretiker ablehnt. Nach Benedict II. schiebt sie Paulus II. und einen Stephanus (IV.) ein. Umgekehrt scheidet die Chronik den bei Martin aufgeführten Gegenpapst Gregors VII., Alexander II, stillschweigend aus, ebenso Leo (III.) (nach Sergius I.), der wegen seiner nicht ordnungsgemäßen Ernennung[1] in vielen Listen nicht geführt wird, ohne erkennbaren

---

[1] Er wurde durch den Patricius Johannes als Papst eingesetzt.

16

Grund Hadrian III. (nach Martin II.) und verschiedene Johannes
(XV., XVI., XVIII.). Die Zählung der Päpste weicht vielfach von
der bei Martin ab, zum Teil als Folge des abweichenden Bestandes.
So führt die Aufnahme des Häretikers Leo (I.) natürlich zu einer
Änderung der Zählung; aber auch abgesehen davon werden die Leo
falsch gezählt: Leo II. begegnet doppelt, Leo III. fehlt, so daß sich
die Zahlen hier gegen Martin wieder verschieben, später fehlt dann
auch noch Leo VII. (vor Stephan VI.), so daß Leo VIII. schließlich
als Leo VI. gezählt wird. Ähnliche Differenzen entstehen, zum Teil
aus erkennbaren Ursachen zum Teil ohne solche, bei den Namen
Stephanus, Benedict, Johannes[1], Eugenius. Endlich decken sich
die bei den meisten Päpsten gemachten Angaben über ihre Amtsdauer nach Jahren, Monaten und Tagen nur ganz vereinzelt mit
den entsprechenden Zahlen bei Martin. So in überraschender Weise
gleich bei Papst Linus I., wo die Chronik mit Martin und dem Cata-
logus Cencii[2] gegen alle anderen mir bekannten Listen übereinstimmt. In weitaus den meisten Fällen herrscht aber größte Verschiedenheit. Es ist danach ganz zweifellos, daß Martin nicht als
Quelle der Ob. Chronik gelten darf; wenn unser Chronist, was bei
der großen Verbreitung der Handschriften von Martins Chronicon
nicht unwahrscheinlich ist, dieses gekannt hat, so muß er bewußt
auf Grund anderer Quellen davon abgewichen sein.

Leider versagen die Zahlenangaben über die Amtsdauer der einzelnen Päpste aber auch vollkommen bei weiterer Nachforschung
nach Quellen, die der Chronist benutzt haben könnte, da seine Zahlen
auch von denen in anderen Verzeichnissen außerordentlich abweichen. Ich habe für die ältere Zeit das ganze Material in Duchesnes
und Mommsens Ausgaben[3] des Liber Pontificalis verglichen; danach

---

[1] Hier gelten die folgenden Zahlenentsprechungen; Martin: Joh. XIV. =
O. Chr. XIV; Martin: Joh. XV. XVI. fehlen in der O. Chr.; Martin: Joh. XVII.
= O. Chr. XV.; Martin: Joh. XVIII. fehlt in der O. Chr., Joh. XIX.—XXI. =
O. Chr. XVI.—XVIII.

[2] hrsg. von L. Weiland, Archiv der Gesellschaft für ältere deutsche
Geschichtskunde 12,60—77.

[3] Le Liber pontificalis, texte, introduction et commentaire par l'Abbé
L. Duchesne (Bibliothèque des écoles françaises d'Athènes et de Rome,
2ᵉ série) 2 Bde., Paris 1886 und 1892. —Monumenta Germaniae, Gesta pontificum Romanorum Vol. I: Libri pontificalis pars I, ed. Theod. Mommsen,
Berlin 1898.

ist für diese Abschnitte kein einziger Kodex nachzuweisen, der mit unserer Chronik in diesen Zahlen übereinstimmt. Da mit einer freien Arbeit des Chronisten etwa auf Grund eigenen ausgedehnten Studiums verschiedener Quellen nicht gerechnet werden darf, bleibt die Quellenfrage bis zum Auffinden irgendeines weiteren verwandten mittelalterlichen Katalogs in der Schwebe.

Ganz ähnlich wie in der Papstliste stellt sich das Verhältnis der Chronik zu Martin in der K a i s e r l i s t e dar. Soweit die Liste der a l t e n römischen Kaiser reicht, decken sich beide Werke im wesentlichen, übrigens auch zugleich mit der historischen Folge, so daß sich aus dem größten Teil des Materials nichts ergibt. Immerhin finden sich einige merkwürdige Übereinstimmungen zwischen der Chronik und Martin: *Marc Aurel* (*M. Aurelius Antoninus*) heißt in der Chronik *Marcus A n t o n i n u s*, bei Martin *Marcus A n t o n i u s Verus:* hier wird hinzugesetzt *cum fratre Lucio Aurelio Commodo*, dort *mit sinem bruder Lucio und Aurelio und Commodo*. Kaiser *Geta* fehlt in beiden Werken, *Elagabal* (*M. Aurelius Antoninus E.*) heißt beidemal *Antoninus*, *Maximinus I.* heißt *Maximinianus;* bei Kaiser *Gallus* wird sein Sohn *Volusianus* mit erwähnt; der Nachfolger Justins II., *Tiberius II.*, wird *Liberius* genannt. Aber diese Übereinstimmungen sind wiederum nicht derart, daß sie auf Martin beschränkt sind; sie finden sich ähnlich oder ebenso auch wieder in anderen mittelalterlichen Listen. Weilands Ausgabe des Martin Polonus läßt dies auch hier wie bei der Papstliste erkennen.

Umgekehrt sind auch auffallende Differenzen zu verzeichnen. Es fehlen in der Chronik, gegen Martin, die Kaiser *Galba*, *Otho* und *Vitellius*, selbst *Hadrian!* dann der unbedeutende *Florianus*, der nur wenige Tage[1] Kaiser war, und die beiden letzten Kaiser in Martins Liste: *Nycephoros* (802—811) und *Michael I.* (811—813). Diese sind eigentlich überzählig, weil zu ihrer Zeit bereits das neue Kaisertum mit Karl dem Großen begonnen hatte; darf man annehmen, daß der Chronist dies gewußt hat und sie deshalb überging? Wahrscheinlicher ist doch wohl, daß sie in der für die Kaiserliste von ihm benutzten Quelle schon nicht mehr standen.

---

[1] Martin schreibt ihm zwei Jahre zu, sagt aber von ihm nur: *iste nihil dignum memoria egit.*

Allergrößte Verschiedenheit herrscht in dem, was von den einzelnen Kaisern erzählt wird. Bei den meisten beschränkt sich die Chronik auf die Nennung des Namens, übrigens ohne die bei Martin vorliegende Zählung. Wo mehr gesagt wird, ist es meist anekdotisches, legendarisches und solches, was sich auf die Geschichte des Christentums bezieht, unter Ausschluß dessen, was sich bei Martin an sonstigen historischen Angaben findet; und was der Chronist berichtet, steht nur zum Teil bei Martin, so die Angabe der römischen Zählung unter Augustus, die Erscheinung des Vogels Phönix unter Claudius und anderes, allgemeiner bekanntes. Dagegen fehlt bei Martin die aus der Legende bekannte Geschichte von der Krankheit und Heilung Vespasians, ebenso der Verkauf der Juden durch Titus. Theodosius III. (in Grieshabers Ausgabe S. 19 oben) wird mit Theodosius II. minor, dem Nachfolger des Arcadius, verwechselt, deshalb erzählt die Chronik hier die Erscheinung des Teufels auf Kreta in Gestalt des Moses und den Tod der Sieben Schläfer, was beides bei Martin an richtiger Stelle steht.

Die Liste der späteren Kaiser, von Karl dem Großen ab, deckt sich wieder größtenteils mit Martin und der historischen Folge; und zwar werden zunächst die Träger der Kaiserkrone bis auf Arnulf übereinstimmend aufgeführt. Des letztgenannten Sohn, Ludwig das Kind, der bei Martin nebenbei erwähnt ist, wird in der Chronik übergangen. Dann nennt die Chronik die *Langobardi*, was wohl eine zusammenfassende Bezeichnung der nun folgenden italienischen Kaiser und Könige sein soll. Martin nennt diese falsche Bezeichnung nicht; sie könnte veranlaßt sein durch flüchtiges Lesen eines bei ihm, aber auch in der Cronica Gilberti bei Kaiser Ludwig III. stehenden Satzes: *Exempto enim imperio a Francis, fertur ad Italicos secundum sententiam Romanorum, quia Francigene non adiuvabant Romam contra Langobardos rebellantes.* Im Einzelnen stimmt dann die Aufzählung überein von Ludwig III. († 905) von Arelat bis zu Berengar IV. und seinem Sohn Albrecht († 966), nur nennt Martin neben Berengar I. und II. auch die in Deutschland herrschenden Könige Konrad I. und Heinrich I., welche die Chronik verschweigt. Weiter werden dann genannt die deutschen Herrscher von Otto I. bis Friedrich II., wobei Martin lediglich die vom Papst gekrönten Kaiser zählt, so daß sich gegen die uns geläufige Zählung, welche auch die Könige aufnimmt, eine Differenz ergibt. Der Chronist ver-

fährt zunächst ebenso, zählt also Heinrich II. (1002—1024) als I.,
Konrad II. (1024—1039) als I. usf.; nach Heinrich II. (III.) 1039 bis
1056 schiebt er aber einen Heinrich III. ein, ohne irgend etwas von
ihm zu berichten, so daß er dann mit Heinrich IV. in die uns ge-
wohnte Zählung der Heinriche einmündet, im Gegensatz zu Martin.
Gegen diesen nennt er endlich Conradin als Sohn Friedrichs II. Was
sodann über die einzelnen Kaiser gesagt wird, weicht wiederum stark
von Martin ab, so wenn es von Otto II. heißt, er sei in Armenien
ertrunken, wenn bei Friedrich I. von dem Erscheinen der drei Monde
und der drei Sonnen erzählt wird und von den drei Körben voll
Ringen, die man den erschlagenen Römern abgenommen habe. Über
die bei Karl dem Großen und Ludwig dem Frommen berührten
Sagen, die Martin gleichfalls nicht kennt, siehe unten.

Aus allem wird auch hier klar, daß die Benutzung des Martin
Polonus durch den Chronisten sich nicht erweisen läßt, daß Martin
jedenfalls als einzige oder auch Hauptquelle nicht ausreicht, sondern
andere Quellen in großem Umfange benutzt sein müssen, deren Feststellung freilich den größten Schwierigkeiten begegnen wird.

Eine besonders merkwürdige Version bietet der Chronist über
die Herkunft der Ottonen, wenn er sie zu den Welfen zählt und bei
ihrer Einführung die Braunschweigische Löwensage kurz streift
(s. u.). Diese genealogische Angabe ist so auffallend, daß man kaum,
wie bei manchen anderen Fehlern, einfach ein Versehen des Chronisten
annehmen kann. Eine Verwechslung mit Otto IV., der selbst an
richtiger Stelle aufgeführt, aber nicht ausdrücklich als Welfe bezeichnet wird, genügt schwerlich zur Erklärung. Man muß hier gewiß an eine besondere, vielleicht mißverstandene Quelle denken.
Eine Möglichkeit — die gewiß nicht die einzige ist — kann ich wenigstens andeuten. Bei anderer Gelegenheit[1] habe ich bereits auf das
um 1300 von Heinrich Rosla verfaßte lateinische Gedicht *Herlingsberga* hingewiesen, das den Kampf des Heinrich mirabilis von Braun-
schweig-Wolffenbüttel um die Burg Herlingsberg a. d. Ocker besingt
und auch die Vorgänger Heinrichs aufzählt, darunter auch die
Ottones tres qui regni sublimia scandunt. Genannt werden diese
hier nur als frühere Regenten in den später Braunschweigischen

---

[1] Genealogisches zu Luder von Braunschweig, Zeitschr. f. d. Phil.
46,445—450. Herausgegeben ist das Gedicht von H. Meibom, Rerum
Germanicarum tomi tres, Bd. I, S. 775 ff. Helmstädt 1687.

Landen: es wäre aber sehr gut möglich, daß ein wenig unterrichteter
Leser diese Vorläufer als Vorfahren der Braunschweiger, mithin als
Welfen, auffaßte. Unserem Chronisten wäre ein solches Mißverständnis, wenn ihm die Stelle zu Gesicht kam, gut zuzutrauen. Dabei ist
zu beachten, daß er bereits zu Lebzeiten Luders von Braunschweig
schrieb. Wenn er, was freilich noch nicht feststeht, Beziehungen
zum Deutschen Orden hatte, so war ihm gewiß auch die kaiserliche
Herkunft dieses Hochmeisters bekannt, die der Verfasser des Daniel
V. 8306 f. hervorhebt, und das konnte ihn vielleicht noch besonders
zu falscher Deutung der Stelle verleiten.

IV.

Grieshaber nennt in der Einleitung seiner Ausgabe S. VII die
Chronik ein Zeugnis für „die damalige Verbreitung einer ziemlichen
Anzahl von, wie uns die Literaturgeschichte nachweist, episch behandelten Volkssagen": Pilatus, Rolant, andere Sagen aus dem
Kerlingerkreis, Schwanritter, Julians Tod, Silvester II. Es erhebt
sich die Frage, ob und wieweit der Chronist hier auf wirklich lebendiger
Tradition fußt oder auf literarischen Quellen. Die Angaben in der
Chronik sind großenteils so kurz, daß eine Entscheidung sehr erschwert ist; aber bei einigen ist diese doch möglich oder wenigstens
mit einiger Wahrscheinlichkeit zu treffen. Natürlich ist auch Zusammentreffen volkstümlicher und literarischer Quelle denkbar.

An wirklich volkstümliche Sage darf gewiß bei der Erwähnung
des Pilatus gedacht werden, da die Pilatussage ja in der Schweiz,
wo der Verfasser beheimatet ist, lokalisiert war.

Ein zweites Zeugnis für volkstümlich fortlebende Sage verbirgt sich wohl in einer auf Blatt 16 von dem Schreiber der ersten
Nachträge beigefügten Notiz (bei Grieshaber, S. XII f.): *Ouch lepte
der wunderlich herzog von Zeringen darnach* usw. Grieshaber hat
dies nicht erkannt und das Epitheton *wunderlich* lediglich als eine
Bezeichnung für die hervorragende Bedeutung des Mannes gefaßt.
Aber J. Bächtold[1] hat darauf aufmerksam gemacht, daß von
Herzog Berthold V. von Zähringen, der an der betreffenden Stelle
der Chronik gemeint ist, eine Sage über seinen Tod und seine Ver-
dammung existierte, die auch in den Dialogus miraculorum des

---

[1] Der letzte Zähringer, Anzeiger für schweizerische Geschichte, N. F. II
(1874—77), S. 296 f.

Cæsarius von Heisterbach XII., Kap. 3 Aufnahme fand. Sie ist bei Bächtold a. a. O. abgedruckt, ebendort auch eine auf dieselbe Sage bezügliche Notiz aus der Chronica des Alberich von Trois Fontaines. Wenn der Chronist den Herzog *wunderlich* nennt, so wird er es tun, weil er wußte, daß es jener Herzog war, *de cuius interitu et damnatione multa referebantur auditu mirabilia*, wie es bei Alberich[1] heißt. Und da Berthold gerade in der Schweiz mächtig war, ist anzunehmen, daß auch dort gerade die Sage von ihm im Volke weiterlebte.

Ferner ist eine von Grieshaber in seiner Aufzählung der Sagenstoffe nicht erwähnte Anspielung auf die Braunschweiger Löwensage zu beachten (S. 20 f.): *Do ein herre von Brunswig als ferre sich hatte verritten, daz er nit enwiste war er solte, do furte in ein wilder leuwe ze Brunswig in die stat.* Der Löwe wird also hier zum Führer, während er sonst nur der treue Begleiter ist. Von den verschiedenen literarischen Fassungen[2] der Löwensage kennt nur noch das schwedische Lied von *Hertig Hendrik* die Führerrolle des Löwen. Aber das deutsche Original, auf welches das schwedische Lied zusammen mit den zwei dänischen Liedern zurückgeht, hat nach Ausweis der dänischen Fassungen diese Wendung offenbar noch nicht gehabt, es ist eine selbständige Neuerung. Auch für unsere Chronik wird deshalb, da eine literarische Quelle für diesen Zug nicht nachweisbar ist, eine ungenaue Reminiszenz an eine volkstümliche Version angenommen werden müssen.

Dies sind die einzigen Fälle, in welchen wirklich volkstümliche Sage als Quelle unserer Chronik wahrscheinlich gemacht werden kann. Sonst scheint von vornherein stets die literarische Grundlage wahrscheinlicher. Für die Geschichte von Julians Tod verweist schon Grieshaber auf die Kaiserchronik oder die Legenda aurea als Quelle. Die Sage von Silvester II. († 1002) ist mehrfach literarisch behandelt; eine Version aus des Johannes Stella Buch *De vitis pontificum* druckt Grieshaber S. IX ab, auch bei Martin von Troppau findet sich die Sage[3], deren Weiterleben im Volke bis ins 14. Jahr-

[1] Mon. Germaniae, Scr. XXIII, 907.

[2] Vgl. Walther Seehausen, Michel Wyssenherres Gedicht 'Von dem edelen hern von Bruneczwigk, als er über mer fure' und die Sage von Heinrich dem Löwen (Germanistische Abhandlungen 43) Breslau 1913, S. 92—98 und über die nordischen Lieder S. 63—67 und 98.

[3] a. a. O. S. 432.

hundert recht wenig wahrscheinlich ist, so daß ich hier auch für unsere Chronik eine literarische Quelle annehme. Übrigens steht die Fassung bei Martin unserer Chronik um eine Kleinigkeit näher als die bei dem auch weit jüngeren Johannes Stella.

Die S c h w a n r i t t e r s a g e wird in einer Fassung erzählt, die bestimmter festzulegen ist. Es heißt, S. 23: *Man wil ouch daz die von Brabant abegangen weren untz an eine juncfrouwe und ir müter, und wolt man in daz lant han genomen. Do kam ein swane und zuch ein schif, darinne lag ein ritter, und wiste nieman wannant oder wer er were. der nam die juncfrouwe, und do stunt das geslechte wider uf.* Als selbstverständlich nehme ich an, daß diese niederrheinische Sage in der Heimat des Chronisten nicht im Volke lebte, haben doch auch die oberdeutschen Verfasser des Lohengrin und Lorengel nicht aus dem Volke geschöpft. Eine literarische Quelle scheint mir deshalb für die Chronik unabweisbar. Um sie festzustellen, ist zweierlei zu beachten. Die Verbindung der Schwanrittersage mit dem brabantischen Haus ist den französischen Darstellungen der Sage noch durchaus fremd[1], erst die deutsche Dichtung seit Wolfram[2] kennt diese Verknüpfung. Damit scheiden die französischen Dichtungen als Quelle des Chronisten aus. Ferner ist die Situation in den einzelnen Darstellungen verschieden. Die Chronik spricht von zwei Frauen, Mutter und Tochter, denen das Land geraubt werden soll. Diese beiden Frauen treten zwar in den französischen Fassungen der Sage auf[3], nicht aber in allen deutschen. Wolfram, die clevische Tradition, Lohengrin, Lorengel kennen nur e i n e Frau, die Tochter des verstorbenen Herzogs; der Schwanritter ist der ihr von Gott gesandte Gemahl. Lediglich in Konrads von Würzburg Schwanritter begegnet wieder das Frauenpaar, hier also die verwitwete Herzogin von Brabant mit ihrer Tochter (V. 64 ff. usw.). Dieses Gedicht muß mithin als Quelle unserer Chronik gelten. Es ist nicht uninteressant, daß wir hier auf ein Werk geführt werden, das in Basel[4] entstand, wohin einige ja auch die Entstehung der Chronik legen wollen.

---

[1] Sie ist dort bekanntlich mit der Familie Boulogne-Bouillon verbunden; vgl. B l ö t e , ZfdA. 42, S. 1. 20 f.

[2] B l ö t e , a. a. O. S. 1. 18 ff. 30 ff. 35 f.

[3] A. a. O. S. 15.

[4] Vgl. L a u d a n , Die Chronologie der Werke des Konrad von Würzburg (Göttingen 1906), S. 15—37. 69 f. 111 ff.; E. S c h r o e d e r , Studien

Aus der Anführung der R o l a n d geschichte (S. 29) ist als wichtig der Satz hervorzuheben: *und tet ouch ime* (dem Kaiser) *zeichen an der sunnen, die also lange stunt unz das er sich gerach an der bösen heidenschaft, do er Paligan ze tode sluog.* Der Zug, daß die Sonne still steht, ist allen Fassungen der Rolandsage gemeinsam, dem Pseudoturpin, dem altfranzösischen Rolandslied, Konrads Rolandslied (S. 242,17 ff. und 288,9 ff.) und Strickers Karl (v. 10085 ff.). Als Quelle kommen aber nur die deutschen Gedichte in Betracht, mit denen die Chronik die dort durch den Reim gesicherte Namensform *Paligan* gemeinsam hat, während der Name sonst stets mit *B-* anlautet und mit Dental schließt, Pseudoturpin: *Beligand*, franz. Rol.: *Baligant*, danach auch spätere französische und italienische Fassungen *Balligant, Belligant, Balugant.* Von den beiden deutschen Gedichten ist das des Pfaffen Konrad als Quelle natürlich weniger wahrscheinlich als das des Strickers; man wird sich deshalb, ohne daß ein zwingender Beweis möglich ist, für letzteres entscheiden[1].

Besonders wichtig ist die Erwähnung der W i l l e h a l m - geschichte bei Kaiser Ludwig dem Frommen (S. 20): *Ludewicus sin sun, der des Markins swester hatte, der in der heidenschaft gefangen lag, dem got half und Arabel die kunigen, die mit im für und lies sich toufen, darumbe ir fatter kuning Terremer, und ir brûder und kuning Thiebalt ir man, und fil andere kuninge kamen uf Aleschantz und da stritten, do er verlor Fifianz und Mile sinre swester kint und ander fil lutz, und half ime doch got und das riche und Rennuwart, das er Kiburg die kunigen, und Orens die burg und den sik behielt an den heiden.* Das Fortleben dieses Stoffes im Volke — wohlgemerkt mit allem Namenmaterial! — ist wenig wahrscheinlich. Als literarische Quelle läßt sich hier aber Wolframs Willchalm selbst mit Bestimmtheit erkennen. Die Namen zwar hätte der

zu Konrad von Würzburg III, Nachrichten d. K. Ges. d. Wiss. zu Göttingen, philol.-hist. Klasse 1912, S. 33 ff.; Rob. R i t t e r , Die metrische Brechung in den Werken Konrads von Würzburg und seiner Nachfolger (Diss. Erlangen 1916), S. 60—68.

[1] Doch will ich nicht unterlassen, darauf hinzuweisen, daß der Chronist die Form des Namens vielleicht auch aus irgend einer Willehalmhandschrift (s. u.) entnehmen konnte. Sehr wahrscheinlich ist es indessen nicht und die Hs. Cpg. 404, die mehrmals *Palygan* mit anlautendem *P* schreibt, dürfte etwas jünger sein als die Chronik.

Chronist auch aus Wolframs Fortsetzer kennen lernen können; immerhin ist zu beachten, daß er gerade solche Begebenheiten nennt, die bei Wolfram selbst in Buch I—VI erzählt oder doch angedeutet sind. Und ausschlaggebend sind die Worte: *er verlor Fifianz und M i l e s i n r e s w e s t e r k i n t.* *Mile* ist eine Gestalt, die in der Erzählung keine weitere Rolle spielt und in der französischen Sage noch nicht auftritt, sondern erst bei Wolfram (Wh. 93,10 und öfter). Es kann hier gleichgültig sein, auf welchem Wege Wolfram zur Schaffung dieses Helden gekommen ist und ob wirklich, wie man angenommen hat, eine Mißverständnis einer Quellenstelle vorliegt[1], — genug, er hat ihn geschaffen als Willehalms Neffen, und er allein erzählt seinen Tod. Hier fand der Chronist alles, was er von Mile aussagt, sogar die Form seiner Aussage: die auch bei Wolfram fast formelhaft stehende Verbindung mit Fifianz und die Art der Bezeichnung seiner Verwandtschaft mit Willehalm; vgl. Wh. 171,12 *Milen miner swester sun;* 151,12 f. *Vivianz und Mile miner swester kint.* Aber der Chronist konnte dies alles auch n u r hier finden; denn bei Ulrich von dem Türlin (hrsg. von S. Singer, 1893) wird Mile zwar dreimal in Verbindung mit Fifianz genannt (CCCXVIII, 19; CCCXXXI, 11; CCCXXXV, 15), sonst aber stets in Verbindung mit anderen, und die Verwandtschaft mit Willehalm selbst wird nirgends ausgedrückt.

V.

Für die Frage, ob der oder die Verfasser der oberrheinischen Chronik Beziehungen zum D e u t s c h e n O r d e n hatten, ergibt sich aus dem bisher Besprochenen nichts Greifbares. Wir lernen den Verfasser des Hauptteils kennen als einen Mann von offenbar nicht geringer Belesenheit, ohne daß aber die Art seiner literarischen Kenntnisse uns erlaubt, ihn in irgendeinen bestimmten Kreis einzuordnen. Es ist zwar durchaus denkbar, daß die ihm bekannten Gedichte im Orden gelesen wurden: in den Verzeichnissen der Ordensbibliotheken werden oft Exemplare eines Roland genannt[2], worunter gewiß des Strickers Karl zu verstehen ist; auch an dem Heiden-

---

[1] Vgl. S. A. B a c o n , The source of Wolframs Willehalm (Sprache und Dichtung, Heft 4), Tübingen 1910, S. 147 f.

[2] Vgl. E. S t e f f e n h a g e n , ZfdA. 13,569 ff.; W. Z i e s e m e r , Geistiges Leben im Deutschen Orden, Niederd. Jahrbuch 37, S. 137.

kämpfer Willehalm konnte der Orden wohl Geschmack finden[1], selbst am Schwanritter, dem Beistand der bedrängten Frauen. Aber gerade die Bekanntschaft mit dem letztgenannten Stoff erklärt sich vielleicht ganz anders, wie oben schon angedeutet wurde, und beweisend für Beziehungen des Verfassers zum Orden ist überhaupt keines der genannten Werke. Dasselbe gilt auch von der Bekanntschaft mit dem Gedicht Herlingsberga, falls diese wirklich angenommen werden darf.

Fragen wir also noch, ob das, was vom Orden erzählt wird, irgend etwas schließen läßt. Berichtet wird die Gründung zweimal, bei Papst Coelestin III. und bei Kaiser Heinrich VI., beidemale ohne besonderen Nachdruck. Und wenn nicht auch die Gründung des Johanniterordens und des Templerordens vermerkt wird, so genügen zur Erklärung der Bevorzugung des Deutschen Ordens die allgemeinen Beziehungen desselben zu Deutschland. Das Ende der Templer wird als ein weltgeschichtliches Ereignis notiert. Eine ähnliche Auswahl wie bei den Ritterorden trifft der Chronist bei den Mönchsorden: er verzeichnet die Gründung der Prediger, Barfüßer und Augustiner, aber übergeht Benediktiner und andere mit Stillschweigen. Jedenfalls zeigt sein Verfahren, daß über persönliche Beziehungen zu irgendeinem der Orden hier nichts zu erschließen ist.

Aus der Geschichte des Ordens erwähnt der Hauptteil der Chronik einige recht willkürlich ausgewählte Einzelheiten, als erste zum Jahre 1298 den großen Kampf gegen die Heiden *für der mûlen in Nüflant bi der stat Rige*, den die meisten Ordenschroniken als ein wichtiges Ereignis buchen[2]. Wer aber darauf besonderes Gewicht legen will, beachte doch auch das bunte Allerlei, in welches diese Notiz eingereiht ist: die Wahl Adolfs von Nassau, sein Verhältnis zu England und Meißen, die Judenverfolgung in Franken durch den

---

[1] Vgl. über den literarischen Geschmack des Ordens meine Makkabäerausgabe S. LXXVIII; ferner PBB. 35,328; ZfddU. 30,295.

[2] Vgl. z. B. Peter von Dusburg Cronica terrae Prussiae III, 269 (Scriptores rerum Prussicarum I, 163 f.); von Nicolaus von Jeroschin übergangen. Näheres über diesen Kampf in Strehlkes Fußnote zu der entsprechenden Stelle in Hermanns von Wartberge Chronicon Livoniae, Script. rer. Pruss. II, 54, Anm. 3.

kuning Rintfleisch[1], Tod Adolfs, Kampf vor Riga, Kampf des
Straßburger Bischofs Conrad von Lichtenberg mit Freiburg i. Br.
Man könnte mit ebenso gutem Recht aus dieser Stelle auf Beziehungen zu König Rintfleisch schließen, wie auf solche zum Deutschen
Orden. Nicht anders steht es mit der Erwähnung des Kampfes
vom Jahre 1334, bei welchem der König von Böhmen dem Orden
zu Hilfe zog; die Notiz ist überdies so sachlich und unpersönlich,
wie sie jeder Fernerstehende schreiben konnte.

Ganz anders liegt die Sache bei dem zweiten Fortsetzer. Außer
einer ganz unpersönlichen Notiz zum Jahre 1343 berichtet dieser
zum Jahre 1348 über einen Heereszug nach Littauen, von dem auch
andere Chroniken erzählen[2]; aber bei uns werden mit einigen wenigen
Worten die Schwierigkeiten in dem winterlichen feindlichen Lande
hervorgehoben, ebenso einige dem Kampf vorhergehende Umstände,
daß man nur annehmen kann, der Schreiber habe diesen Feldzug
selbst mitgemacht, oder er habe nach dem Bericht eines Teilnehmers
geschrieben. Und besonders wichtig ist dann, daß er gegen das Ende
des Berichts ganz plötzlich in die erste Person übergeht: *su wollent
unser sicher sin gesin; wanne unser bruder nie sich so ubele ge-
forhtent, wenne got allein do hat gevohten daz wir nut denne XL
hant verlorn, der worent VIII bruder*[3].

Für diesen Fortsetzer ist danach Zugehörigkeit zum Orden in
irgendeiner Eigenschaft unabweislich — und da es am annehmbarsten
wäre, daß er die Chronik, die er fortsetzte, von einem Ordensgenossen
erhielt, so mag doch auch für den Verfasser des Hauptteils die sonst
nicht sicher erkennbare Beziehung zum Deutschen Orden auch
weiterhin in Rechnung gestellt werden.

---

[1] Die von Röttingen in Franken ausgehenden Judenverfolgungen unter
Führung eines Edelmannes Namens Rindfleisch; vgl. H. G r a e t z , Geschichte
der Juden 7,268 ff. Die Bezeichnung R's als König hat der Chronist offenbar
gewählt nach dem Muster des Namens *König Armleder*, den sich im Jahre 1338
zwei Anführer solcher Pogrome beilegten; vgl. Chronik S. 33, Graetz a. a. O. 377 f.

[2] Hermann von Wartberge a. a. O. 14 (Scriptores rer. Pruss. II, 75 f.);
Wigand von Marburg, Cronica 38 (Scriptores rer. Pruss. II, 511 f.).

[3] Diese Verlustzahl weicht ab von den sonstigen Angaben älterer Quellen,
wo die Gesamtzahl 50 genannt wird; H. v. Wartberge: *de christianis autem
VIII fratres cum XLII bonis viris ceciderunt*. In jüngeren Werken jedoch
auch andere Zahlen: gelegentlich 9+42 wohl infolge irriger Auslegung der Stelle
bei Wigand; in Bornbachs Auszug aus Wigand (Scriptores II, 513) 7+60.

———————□———————

Ein Cento aus Freidank
bei Oswald von Wolkenstein.

Von Albert Leitzmann, Jena.

In der Vorrede zur zweiten Auflage seiner Freidankausgabe von
1860, die den Quellenbestand gegenüber der ersten von 1834 erheblich
vermehren konnte, stellt Wilhelm Grimm mit Siglen kleiner grie-
chischer Buchstaben gegenüber den lateinischen der eigentlichen
Handschriften die jüngeren Dichter zusammen, die die Bescheidenheit
benutzt haben und so indirekt für die Textgestaltung Bedeutung
beanspruchen können. Hier findet sich neben den Heidelberger
Spruchstrophen, dem Winsbecken, dem Renner und Boners Fabeln
unter andern auch unter η die Notiz (S. XII): „Ein Gedicht
Oswalds von Wolkenstein von fünf 26zeiligen Strophen (83—86),
in welches Sprüche aus dem Freidank eingemischt sind." Es handelt
sich um Nr. 22 in Beda Webers, jetzt Nr. 121 in Schatzens Ausgabe
der Gedichte des letzten ritterlichen Minnesängers. Dementsprechend
erscheinen dann auch im Lesartenapparat an sechzehn Stellen
(51,13. 58,10. 74,27. 82,14. 84,6. 85,17. 86,10. 90,25. 104,12. 106,12.
113,6. 119,6. 135,2. 137,9. 138,7. 139,13) die Abweichungen aus
Oswald. Bezzenberger hat von diesen sechzehn Stellen nur drei
(51,13. 135,2. 138,7) in seine Anmerkungen aufgenommen, dafür
aber drei weitere Parallelen (zu 39,22. 43,12. 61,9) verzeichnet und
in der Einleitung (S. 52) Grimms kurze Angabe ohne genauere
Prüfung wiederholt. Etwas weiter ging dann 1889 eine Notiz Zingerles,
der in seiner Rezension der Übersetzung der Lieder Oswalds von
Schrott (Zeitschrift für vergleichende Literaturgeschichte 2,377)
Freidank in unserm Gedichte „stark benutzt" nennt. Bei näherem
Zusehen erweist sich nun aber die Sachlage interessanter, als man
danach bisher annehmen durfte. Es handelt sich nicht um eine bloße
Einmischung oder starke Benutzung Freidanks durch Oswald:
das ganze Gedicht Nr. 121 ist vielmehr in seinem vollen Umfange
von Anfang bis zu Ende aus Freidankischen Sprüchen zusammengesetzt, ein Cento aus solchen. Die mannigfachen größeren und

kleineren Veränderungen, die sich die Sprüche des alten Dichters dabei gefallen lassen mußten, sind durch die von Oswald beliebte metrische Form seiner Strophen veranlaßt worden, die gekreuzte und übergehende Reime sowie Dreireime enthielt und sich dadurch von dem schlichten Schema der Freidankschen Verse weit entfernte, was auch den Ursprung mancher Sätze stark verdunkeln mußte. Ich stelle im folgenden die Paralleltexte einander gegenüber, in der linken Spalte Oswald, in der rechten Freidank.

Wer hie umb diser welte lust	1,7 (7)	Swer umbe dise kurze zît
sein ewig freud dort geben wil,		die ôwigen vreude gît,
zwar des gewerb, gewin noch flust		
ich halten wil auff kainem spil.		
5 secht, der betreugt sich selber zwar		der hât sich selbe gar betrogen
und paut auff ainen zweifel gar,		und zimbert ûf den regenbogen.
das sag ich euch für war.		
Auch wer die sel sein wil bewarn,	1,13 (11)	Swer die sêle wil bewarn,
damit si wol versorget sei,		
10 der lass die glüst hie irdisch varn		der muoz sich selben lâzen varn.
und hüet sich vor den sünden frei.		
wer m rken wolt sein missetat,	34,1 (17)	Swer merket sîne missetât,
der het der meinen vil guet rat		die mîne er ungemeldet lât.
zu melden frue und spat.		
15 Und wer zwain herren dienen sol,	50,6 (19)	Swer zwein herren dienen sol,
und die ungünstlich sein in ain,		
zwar der bedarff gelückes wol,		der bedarf gelückes wol.
das er sein dienst nutzlichen lain.		
von weu ain man hat eren grunt,	53,9 (25)	Swâ von ein man sîn êre hât,
20 der scham sich des zu kainer stunt,		schamt er sich des, deist missetât.
rat Wolkenstainers munt.		
Es wart kein fürste nie so reich,	115,20 (27)	Ezn wart nie keiser alsô rich,
gleich so wär ich im,		mit gedanken sî ich im gelîch.
nim, mit gedenken ich das main.		
25 Wer mit dem fride welle sein	72,10 (29)	Swer mit gemache gerne si (welle
und trachten nach der sele hail,		sin Thî),
mass sich der fürsten prot und wein,		der wone den vürsten selten bî.
wan ir gemüet ist voller mail.		
ich näm eins weisen mannes muet	80,16 (31)	Ich næme eins wîsen mannes muot
30 für vier törlcicher fürsten guet		vür zweier richer tôren guot.
und hielt mein sel in huet.		
Man vint noch vil der toren zal,	84,4 (33)	Ein tôre wolte niht sîn leben
si gäben nicht ir leben schon		vil lihte umb eines küneges geben.
umb allen schatz, der eren gral		

35 noch umb die wird, des kaisers kron.
secht, manger gvelt im selber wol, 84,6 (35) Wir gevallen alle uns selben wol,
des ist die welt der toren vol,[1]   des ist diu werlt der tôren vol.
seit man es reden sol.
Awe dem armen lemplin, das 137,11 (41) Swâ der wolf ze hirte wirt,
40 ain wolf zu ainem herren hat,   dâ mite sint diu schâf verirt.
auch ist dem wolf vil lützel pas,
so auch ain pün über in ergat.
vil manger wänt, er kenne mich, 106,12 (43) Maneger wænt erkennen (er
                                              kenne *viele*) mich,
und der nie recht erkante sich   der selbo nie erkande sich.
45 gleich als ain ander vich.
Auch wer nie liebes weib gewan, 104,12 (49) Swer ie liebez wîp gewan,
han   maint er die pest,   der wænt der besten eine hân.
vest   pleibt er darauff allain.

Wein, zoren, spil und schöne weib, 48,9 (53) Irriu (schœniu *E*) wîp, zorn unde
                                                spil,
50 die vier betoren mangen man.   diu machent tumber liute vil.
und der vil lobt sein aigen leib, 61,5 (703) Swer sich lobet aleine,
secht, der hat lützel er davon.   des êre ist leider kleine.
wer mag die pesten auss gelesen, 90,25 (67) Wer mac die besten ûz gelesen,
seit niemand wil der pöste wesen   wan (sit *P*) nieman wil der bœste
55 als klain neur umb ain vesen ?   wesen ?
Es wirt oft nach dem tod gerüemt 61,9 (69) Man lobet nâch tôde manegen
                                              man,
ain man, der lob hie nie gewan.   der lop zer werlde nie gewan.
vil red durch warhait niempt 80,14 (75) Wol im wart, der vil gereit,
entüemt,
gross tugent adelt weib und man.   und welz er rehte, waz er seit.
60 wes sich die jugent hat gewent, 53,18 (80) Sôst nieman edel âne tugent.
das alter sich darnach versent 52,2 (1207) Die alten senent sich nâch der
und wirt gar hart verklent.   jugent.
Dem wolf zimt nicht wol schaffes 137,9 (133) Dem wolfe enzimt niht schâfes
wat.   wât.
wer guet gewunnen hat mit not, 57,16 (141) Swer guot mit nôt gewunnen hât,
65 die geitikait nicht podems hat,
si lat es hart pis an den tot.   deist wunder, ob erz sanfte lât.
sich vint, das sanft gewunnen guet 56,21 (143) Sanfte gewunnen guot
macht hochvart und üppigen   machet üppigen muot.
                      muet
und dick ain sündigs pluet.

---

[1] Fast wörtlich gleichlautend findet sich dieser Spruch auch 59,73.

17

265

70 Zwar niemand stät peleiben mag
   tag   in aim gemüet
   guet,   übel, ein kärleicher schein.

Und wer aim lait sein liebes leben,
von freuden er in schaidet weit.
75 den armen ist nicht anders geben
wan guet geding und übel zeit.
wer ain andächtigs herze trait,

den kümbert weder lieb noch lait
in aller welte prait.
80 Die sünde, nagel und das har
wachst an dem menschen järlich
        fruet.
aim ieklichen dem liebet zwar
neur was er aller gernest tuet.
ich main wol, das ain milter man
85 zu geben nie genueg gewan,
als vil er möcht gehan.
Wer auff den leib gevangen haiss
leit, dem ist lang ain kurze weil.
und sagt ich alles, das ich waiss,
90 so müest ich raumen manig meil.

man höret selten, toren rat
vil grosser land betwungen hat,
wer sich darauff verstat.
Man sihet selten weissagen
95 tragen   schon die kron
dahaim,   neur in der fremde rain.

Und füer ain ochs durch alle lant,

so hiess man in doch neur ain rint.
auch wer sich selber wol erkant,
100 der hiess von recht ain weises kint.
stillen sol man fraidigen hunt,

das er nicht grein zu aller stunt:
das wär hübsch, wär es kunt.
Der mit im selbs zu aller frist
105 neur vicht, das ist ain herter streit.
gedingen freuet mangen crist,
und der nie herzenlieb gefreit.

58,10a (155) Gedenken, hœren unde sehen'
diu wellent nieman stæte jehen:
in einem muote niemen mac
geleben einen ganzen tac.
110,5 (167) Swer liep dem andern leidet,
von vreuden er in scheidet.
43,12 (171) Den armen ist niht mê gegeben
wan guot gedinge und übel leben.
112,17 (173) Dem schadet keiner slahte kleit
(leit Bghi),
der ein reinez herze treit.
39,22 (175) An mir wehset al daz jâr
sünde, nagel unde hâr.
108,19 (177) Ein iegelichen dunket guot,
swaz er aller gernest tuot.
86,10 (179) Ich weiz wol, daz ein milter man
genuoc ze gebenne nie gewan.
113,6 (181) Swer ûf den lîp gevangen lît,
den dunket lanc ein kurziu zît.
74,27 (183) Und seite ich allez, daz ich weiz,
sô müeste ich bûwen vremden
kreiz.
82,14 (193) Entlêhent sin und tôren rât
vil selten lant betwungen hât.
119,6 (195) Man siht vil selten wissagen
in sîme lande krône tragen.
139,13 (199) Kumt ein ohse in vremdiu
(durch alle fgh) lant,
er wirt doch vür ein rint erkant.
106,16 (200c) Swer sich selbe erkennen kan
ze rehte, derst ein wiser man.
138,7 (201) Man sol streichen vremden
(vreidigen hik) hunt,
daz er iht grîne zaller stunt.
113,10 (203) Swer mit im selbe zaller zît
vihtet, deist ein herter strît.
135,2 (205) Gedinge vreuwet manegen man,
der doch nie herzeliep gewan.

guet, reiche witz ist sälikait.
der dieb wirt selten ane lait
110 in aller cristenhait.
Und möcht ich freien willen han,
dem kaiser liess ich gar sein reich.
die weisen möchten nicht bestan,
und wären in die toren gleich.
115 wir wünschen alters alle tag
und wenn es kumpt, so ist ain
klag,
das ainer nimmer mag.
Ob mich ain freunt verzeihen tet
pet   unerlich,
120 gärlich   wär die schuld neur
mein ain.

85,17 (209)   Rehtiu witze ist sælekeit:
liep (der diep *DKg*) wirt selten
âne leit.
73,20 (221)   Möhte ich wol minen willen hân,
ich wolte dem keiserz rîche lân.
81,11 (223)   Die wisen möhten niht genesen,
soltens âne tôren wesen.
51,13 (233)   Wir wünschen alters alle tage:
swannez kumt, sô istz ein klage.

100,22 (235) Verzihen hœrt ie gegen bete,
dâ mans unredeliche tete.

Ich habe den Freidankzitaten neben der Grimmschen Zählung
in Klammern zugleich die Verszahlen von Pauls Abdruck der ursprünglichen Anordnung der Bescheidenheit beigefügt. Ein Blick
auf diese letzteren Zahlen lehrt sofort die merkwürdige Tatsache,
daß Oswald das alte Spruchgedicht von vornherein (mit Goethe zu
reden) zu verarbeiten begonnen hat und bis Vers 236 vorgedrungen
ist, ein Experiment, das beliebig lange hätte fortgesetzt werden
können, da es mit künstlerischer Tätigkeit nicht das mindeste zu
tun hat. Etwas mehr als ein Drittel der Verse hat er auswählend
umgeformt und sich dabei streng an die Reihenfolge gehalten, in
der er die Sprüche bei Freidank vorfand, mit nur zwei Ausnahmen:
an 61,5 (703) fühlte er sich durch den inhaltlich verwandten, zwischen
(53) und (67) stehenden Spruch 60,23 (61) erinnert; für die Einfügung von 52,2 (1207), vorausgesetzt, daß ich den Ursprung richtig
vermutet habe, weiß ich allerdings kein Motiv. Für 41.42 ist es mir
nicht gelungen, die entsprechende Freidankstelle aufzufinden: der
Sinn der beiden Verse ist übrigens an sich unklar, da man nicht weiß,
was *pün* bedeuten soll (Webers Deutung S. 405 „poena, Strafe‟
ist unmöglich); 137,21 (1413) klingt ähnlich, man müßte dann *poc*
lesen oder ist an einen 137,19 (1203) dem Sinne nach verwandten
Spruch zu denken? Der Einschub von 65 in 57,16 (141) erklärt sich
leicht aus der Nachbarschaft von 112,9 (137).

17*

Die Chronologie von Murners Narren-beschwörung und Schelmenzunft.

Von M. Spanier, Berlin.

In den Beiträgen, Band 18, 1—71, habe ich das Verhältnis charakterisiert, in dem die beiden ersten moral-satirischen Schriften Murners zueinander stehen. Ich werde im folgenden auf diese Ausführungen nur durch Angabe der Seite hinweisen. Murner schließt seine NB[1] ausdrücklich an Brants Narrenschiff an. Wenn man beide Werke in dem Hupfuffschen Drucke von 1512 nebeneinander sieht — ein zusammengebundenes Exemplar dieser Werke hat die Berliner Bibliothek —, so ist man ohne weiteres geneigt, die NB mit Kaiser Maximilian als „das ander Narrenschiff" anzusehen. M. benutzt die Holzschnitte des NS's und verwendet ihre Schwächen zu scherzhafter Umdeutung. Wenn er die gleiche volkstümliche Wendung in der NB und SZ behandelt, so weist der Text der NB Ähnlichkeiten mit dem des NS's auf; die SZ hingegen zeigt dann keine Verwandtschaft mit dem NS, sondern nur mit der NB (S. 6 ff.). Auch sonst offenbart sich inhaltlich zumeist gewollte Abhängigkeit der NB vom NS, während die SZ dem NS selbständig gegenübersteht (S. 13 ff.). Als M. die NB dichtete, hatte er vermutlich ein Exemplar des NS's vor sich liegen, wahrscheinlich den interpolierten Straßburger Nachdruck, Ausgabe N (vgl. Th. Maus, Brant, Geiler, Murner [Marburg 1914], S. 65 ff.), fast möchte ich annehmen, daß M. selbst als Straßburger Klosterbruder Stücke der Interpolation, seine erste literarische Jugendsünde, verfaßt hat. Die SZ setzt zuweilen inhaltlich die Behandlung des ähnlichen Stoffes in der NB voraus, oft gibt sie ihrer Tendenz entsprechend eine noch derbere Fassung des Themas, zuweilen auch die weitere Ausführung eines Gedankens der NB (S. 18 ff., 40). Die NB war von vornherein für den Straßburger Leserkreis geplant (S. 29). Sie ist vielleicht 1509 begonnen — Kap. 11 ist in der zweiten

---

[1] NB = Narrenbeschwörung, SZ = Schelmenzunft, NS = Brants Narrenschiff.

Hälfte des Jahres 1509 gedichtet (S. 66). Die kürzere SZ, einheitlicher und straffer komponiert als irgendeine Dichtung Murners, war zunächst für Frankfurt bestimmt, wo sie M's Bruder als eine Glanzleistung seiner kleinen Druckerei 1512 herausbrachte. Nichts läßt darauf schließen, daß sie vor 1512 gedichtet ist. M., dem Brant und Geiler verehrte Vorbilder waren — nach 1510 erschienen die Geilerschen lateinischen Predigtskizzen zum NS —, hat nach seiner eigenen Angabe über die NB und auch über die SZ in Frankfurt gepredigt. Vermutlich hat M. den Kapiteln der NB, die auf Zuwachs angelegt scheint, manche Stücke hinzugefügt (S. 68), einige Kapitel mag er auch später eingeschoben haben, z. B. NB 67 (S. 68), 31 (ZfdPh., 26,293). Vielleicht hat er auch ein Stück aus der NB nachträglich in die SZ gesetzt (S. 54). Aber der Grundstock der NB ist älter als die SZ. Die NB hat nach ihrem stilistischen Gepräge als die erste moral-satirische Dichtung M's zu gelten. Selbstzeugnisse M's widerstreiten dieser Auffassung nicht (S. 60 f.), bestätigen sie vielmehr (S. 68 f.).

Diese Ansicht über das Verhältnis von NB und SZ wird nicht allgemein geteilt. John Meier hat in seiner Besprechung meiner Ausgabe der NB (ZfdPh. 27,548) eine abweichende Meinung geäußert, die er bis jetzt leider nicht begründet hat. „Mag die Idee zur NB früher gefaßt sein, was sich jedoch nicht erweisen läßt, so sind doch wohl nur einzelne Kapitel vor der ersten Konzeption der SZ geschrieben. Bei dem größten Teile hat er, wie auch sonst später, an beiden Werken nebeneinander gedichtet." Es ist mir nicht bekannt, daß M. „auch sonst" an zwei Werken nebeneinander gedichtet, also gewissermaßen zweihändig poetisch gespielt habe; jedenfalls meint doch wohl auch John Meier nicht, daß M. abwechselnd den Faden der NB und der SZ, wie es eben traf, weitergesponnen habe. Da beide Werke 1512 gedruckt wurden — die SZ in Frankfurt, wo M. während dieses Jahres wirkte, die NB in Straßburg —, mag es wohl eine Zeit gegeben haben, in der NB und SZ im Manuskript M. vorlagen und Übertragungen, Erweiterungen und Änderungen an beiden Werken vorgenommen werden konnten. Man wird verschiedener Meinung sein dürfen über die Größe der Stücke, die aus der Zeit des „Nebeneinanderdichtens" stammen mögen. Die NB ist viel breiter angelegt als die SZ. Der predigtartige Aufbau man-

cher Kapitel (s. S. 55) und die Druckeinrichtung (s. S. 68) lassen
ein Ansetzen von Stücken durchaus zu. Die größere Abhängigkeit
vom NS, ja der gewollte Anschluß an Brants Werk spricht doch
wohl ohne weiteres für das höhere Alter der NB, wie ich es für einzelne Kapitel bestimmt erweisen konnte. Die SZ in ihrer Kürze,
Selbständigkeit, strafferen und einheitlichen Zusammensetzung läßt
bei der großen Reimgewandtheit M's und seiner Neigung, lagernde
Manuskripte anschwellen zu lassen, nur eine kurze Entstehungszeit voraussetzen. Daher bin ich noch immer der Meinung, daß
die NB in ihren Grundbestandteilen vor der SZ entstanden ist.

Peter Zylmann stützt in seinen Ausführungen (Beiträge 38,567 ff.)
in allem Wesentlichen meine Charakteristik der beiden Werke. Doch
äußert er einige Bedenken über die Chronologie. 1. Aus einigen meiner
Ansetzungen ginge hervor, daß M. bereits an der SZ arbeitete, als
die endgültige Redaktion der NB noch nicht erfolgt war. Das ist
durchaus zuzugeben. 2. Die Selbstzeugnisse M's könnten sowohl
für die zeitliche Priorität der NB als der SZ sprechen. „Die einfachste
Lösung dieses Widerspruchs ist (wie auch John Meier bereits andeutet), die *gleichzeitige* Entstehung beider Werke anzunehmen."
Wenn man einen solchen Widerspruch überhaupt anerkennen will
(vgl. oben), so erklärt er sich schon aus dem ungefähr gleichzeitigen
Druck beider Bücher. 3. Murner erwähnt in der SZ 31,15 zwei
elsässische Örtlichkeiten. M. entrüstet sich nämlich über die Beich-
tenden, die nicht von selbst bekennen, sondern den Beichtiger
fragen lassen wollen, und zornig meint er:

> Wen ich den schelmen fragen solt,
> Und er nüt selber sagen wolt,
> Ich wolt in fragen, wie weyt were
> Zwischen schnerßheym gon ferrere
> Und widerum zum kochersperg,
> Was dorffer legen vberzwerg!

Warum sollte M. in einem für Frankfurter bestimmten Buche
in dieser absichtlich törichten Frage nicht Ortschaften seiner Heimat,
wie sie ihm gerade in den Mund kamen, nennen? Die Augsburger
Ausgabe von 1513, die sonst Ortsbezeichnungen ändert, behält diese
Stelle bei, auch der *Frankfurter* Nachdruck von 1571 und 1618.
Es handelt sich hier eben nicht, wie Zylmann meint, um ein „lokal
begrenztes Sprichwort", und es geht doch zu weit, wenn er sagt:
„Jedenfalls läßt sich zwanglos annehmen, daß M. das Kap. in Straß-

burg verfaßt hat, wo er nachweislich (? Sp.) noch an der NB arbeitete."
Er fährt fort: „Ich möchte deshalb (! Sp.) die Ansicht Spaniers ab-
lehnen, daß die SZ *nach* der Vollendung der NB entstanden sei,
und dagegen für *gleichzeitige* Abfassung beider Werke eintreten.
Es würden dann der größte Teil der NB und die Anfänge der SZ
in die Straßburger Zeit zu setzen sein, während M. in Frankfurt die
letzte Hand an die NB legte, und den Hauptteil der SZ dichtete."
Murner war vor seinem Wirken in Frankfurt nicht in Straßburg, sondern in Bern, Freiburg und Speyer tätig. Daß die SZ nach
Vollendung der NB, nach ihrem völligen Abschluß, verfaßt sei,
will ich nicht behaupten, wohl aber, daß sie *nach* der NB konzipiert
und ausgearbeitet wurde. Aus jener zornig spottenden Frage des
Beichtigers nach der Entfernung und den Dörfern zwischen Schners-
heim, Ferrara und Kochersberg hätte Z. eine so frühe Abfassung
des Beichtkapitels der SZ, das ähnlich wie in der NB (vgl. S. 43) aus
gutem Grunde fast *ans Ende* des Buches gestellt ist, nicht anzusetzen
brauchen. Damit verlieren auch seine Folgerungen ihren Grund.

Gustav Bebermeyer hofft nach seinen Darlegungen in der
Dissertation Murnerus pseudepigraphus, Göttingen 1913, das chronologische Verhältnis von NB, SZ Ausg. A und SZ Ausg. B „endgültig festzustellen".

Welches ist das Resultat seiner Untersuchung?

„K. (die Ketzer-Schrift) entstand vor 1509, auf jeden Fall
längere Zeit vor SZ und NB. An der ersten Fassung der SZ und
an der NB arbeitete Murner gleichzeitig bald nach 1509, doch sind
große Partien der NB erst kurz vor der Drucklegung fertig geworden,
also später als die SZ, die den ursprünglichen Plan des Dichters darstellt, während die NB uns eine bei der Arbeit an der SZ entstandene Erweiterung dazu ist, 1512 waren beide vollendet, unmittelbar darauf ging M. an die zweite Redaktion der SZ."

Wie kommt B. zu diesem Resultat? Nur — dieses „nur" muß
betont werden — nur aus der Beurteilung der Dreireimtechnik bei
Murner.

Ich hatte auf M's Neigung zum Dreireim, ein Zeichen seiner
Reimgewandtheit, auf S. 62 ff. hingewiesen und gezeigt, wie seine
Kunst durch die Übung auf diesem Gebiete wachse. Die Ergebnisse
hatte ich zum Beweise verwertet, daß jedenfalls NB und SZ *nach*
der 1509 veröffentlichten Ketzer-Schrift entstanden seien. Ich be-

fürchtete damals schon, daß man nun die Kenntnis der Dreireimtechnik in ähnlicher Weise verwerten könnte wie die Assonanzentheorie Scherers zur Zeitbestimmung der Gedichte des 12. Jahrhunderts, und hob deshalb ausdrücklich hervor (S. 63), daß es unberechtigt und verkehrt sei, wenn man auf Grund des Dreireims die Chronologie einzelner Kapitel bestimmen wolle. Ich zeigte an dem Beispiele der Gäuchmatt M's, wie ungleichmäßig die verschiedenen Kapitel mit Dreireimen bedacht seien. Nur die aus einer *großen Summe* gewonnenen Prozentzahlen könnten etwas beweisen. Die geringfügige Abnahme der Dreireime in SZ A stellte ich bereits fest (S. 62 Anm.) und erklärte sie aus dem Umstande, daß M. hier durch das strenge Einhalten der verhältnismäßig kleinen und geraden Verszahl (40!) der Kapitel an der freien Entfaltung seiner Reimkunst gehindert war. (Ich hätte statt 40 sogar nur 34 angeben können; denn in den 6 Versen der Überschrift mußte M. den Dreireim meiden, wenn er ihn nicht als Doppel-Dreireim anwenden wollte.) „In der SZ B, wo er sich schon zum Teil dieser Fessel entledigt — die neuen Kap. haben einmal 37, zehnmal 38, dreimal 39 und zweimal 40 Verse —, wächst auch die Prozentzahl der Dreireime."

B. hält diese Erklärung nicht für stichhaltig. „Wennschon M. sich an die gerade Kapitelzahl 40 gebunden fühlte, so brauchte er ja nur je zwei Dreireime zu setzen." Als ob man die Reime nur so kommandieren könnte! „Daß es unterbleibt, daran ist nicht die Rücksicht auf die gerade Kapitelzahl, sondern noch nicht genügend entwickelte Technik schuld — kurz SZ A ist bedeutend früher anzusetzen als SZ B und als Spanier es will. Nach seiner Theorie dürfte man auch in der zweiten Fassung der SZ nicht soviel Dreireime erwarten; denn auch hier hielt sich M. im ganzen an die gerade Kapitelzahl 38, mit den wenigen Ausnahmen (6 unter 16! Sp.) das starke Anschwellen der Dreireime erklären zu wollen, scheint mir recht gezwungen." (B., a. a. O., 91.) Um ganz exakt in seiner Forschung zu sein, hat B. „das wirklich *Neue*, d. h. *Spätere*" in der SZ B untersucht. „Das Resultat ist überraschend: die neuen Abschnitte (9a 33—48, Entschuldigung des Zunftmeisters) umfassen 894 Verse mit .... 20 Dreireimen, ... also *reichlich anderthalbmal soviel als in der ersten Fassung."* Also diese 20 Dreireime in den 894 neuen Versen berechtigen B. zur „endgültigen Feststellung" des chronologischen Verhältnisses!

Wie sehr die Rücksichtnahme auf eine bestimmte Ordnung des Drucks die freie Entfaltung der Reimkunst hindert, ist leicht nachzuweisen. Sind doch, wie B. selbst zählt, 11 Dreireime bei der Redaktion der Stücke der SZ A, die in B wieder abgedruckt sind, der neuen Druckeinrichtung zum Opfer gefallen — trotz der von Bebermeyer vermeintlich konstatierten Zunahme der Reimgeschicklichkeit Murners im Jahre 1512. Glaubt Bebermeyer, daß Murner für SZ A die sechs Verse der Überschrift und die 34 Verse des weiteren Textes stets abgezählt vor dem Drucke bereit hatte? Eine so mathematisch wirksame Muse wird selbst Murner, dem Reimgewandten, nicht gedient haben. Man wird vielmehr auch für A einen an Dreireimen reicheren Text voraussetzen dürfen, der dann für das Prokrustesbett der strengen Druckeinrichtung in A zugeschnitten wurde. Das hätte Bebermeyer sogar an den 16 neuen Kapiteln der SZ B, deren Reimtechnik ihn zu so gewagten Schlüssen veranlaßt, bemerken können. *Acht* von diesen sechzehn *haben überhaupt keinen Dreireim*, und unter *diesen acht* sind gerade die fünf Kapitel, die sich an die bestimmte Druckeinrichtung halten (Bild, Kapitelschluß auf der zweiten Seite). Die übrigen 8 Kapitel, die keine Bilder und von denen drei 39, eins 40 und eins 37 Verse haben, die also nicht so strenge Formforderungen erfüllen, weisen einen Dreireim (2 mal), zwei (4 mal) oder drei Dreireime (2 mal) auf. Nein, aus Eigentümlichkeiten von Versgruppen so geringfügiger Zahl lassen sich Schlüsse solcher Art nicht ziehen. Der Dreireim-Typus in SZ A *vnd* B ist vielmehr im Grunde genommen der Technik in der NB im allgemeinen entsprechend. Auch in der NB sind von 97 Kapiteln, die hier ja von ungleicher Länge und jedenfalls weit umfänglicher sind, 33 ohne Dreireim. Diese Stücke verteilen sich über das ganze Buch, und auch B. wird wohl nicht behaupten wollen, daß es gerade die älteren sind. Wenn NB 83 unter 66 Versen keinen Dreireim und NB 84 bei gleicher Verszahl 6 Dreireime hat, so können trotzdem beide Kapitel um die gleiche Zeit entstanden sein. Und wenn B. nur aus der Reimtechnik Schlüsse auf die Chronologie zieht, warum verwertet er nur die Zahl der Dreireime, weshalb achtet er nicht auf die sonstigen Eigentümlichkeiten in der Entwicklung der Reimkunst Murners? Daß „Medienreime, *abgesehen von der NB*, bei Murner ziemlich selten sind", stellt B. in einem andern Zu-

sammenhange S. 94 selbst fest[1] (vgl. S. 77 seiner Schrift). Wenn
nun M. in der SZ eine auffällige Vervollkommnung seiner Reimtechnik zeigt, so hätte B. aus dieser Tatsache den seinen Behauptungen entgegengesetzten Schluß auf die Chronologie ziehen
können.

Über dem bequem Zählbaren darf man das mit Zahlen gar
nicht Meß- und Wägbare nicht vergessen: die Schaffenslaune des
Dichters, die Abneigung gegen diese Reimklänge in bestimmten
Stoff- und Gefühlsgebieten, die Tatsache, daß gewisse Gedanken
in ihrer Formgebung keine Dreireimmöglichkeiten gewähren. Dazu
kommen nun auch Hindernisse, die durch die Druckeinrichtung des
Werkes gegeben sind. Auf jeden Fall ist es methodisch unberechtigt,
aus einer so äußerlich beurteilten Dreireimkunst Schlüsse auf die
Chronologie von Schriften zu ziehen, deren innerliche Eigenart und
charakteristisches Gepräge man *völlig ignoriert*. Denn dadurch,
daß man *behauptet*, die SZ stelle den ursprünglichen Plan des Dichters dar und die NB sei eine bei der Arbeit an der SZ entstandene
Erweiterung dazu, hat man doch die triftigen literarischen Gegen-
gründe, die sich aus eingehender Prüfung der Dichtungen ergeben
(vgl. S. 49 ff. m. Ausf. und Zylmann, S. 569), nicht aus der Welt
geschafft. Daher haben die Ausführungen Bebermeyers in seiner
sonst vortrefflichen Schrift unser Problem keineswegs endgültig
gelöst.

---

[1] Vergl. auch Th. Maus, a. a. O., S. 61: „Brants Reimgebrauch hat von
den Werken Murners am stärksten die NB beeinflußt; je mehr sich Murner
von seiner Vorlage, dem NS entfernt, desto unabhängiger und abwechselungs-
reicher werden auch seine Verse und Reime.“

Die Zeitwortpartikeln im Mittelniederdeutschen.

Von Ludwig Sütterlin, Freiburg i. Br.

Der Geschichte der Zeitwortpartikeln, besonders nach der bedeutlichen Seite, hat sich die Forschung noch verhältnismäßig wenig zugewandt. Arbeiten wie die Hittmairs über *be-* (1882) oder Leopolds über *ver-* (1907) sind selten; noch seltener aber zusammenfassende Querschnitte wie die, die H. Paul kurz und bündig von den einzelnen Partikeln in seinem Deutschen Wörterbuche gibt (1896). Über die Mundarten wissen wir überhaupt noch fast gar nichts.

Deshalb wird eine möglichst knappe, aber erschöpfende Schilderung der Verhältnisse des Mittelniederdeutschen nicht überflüssig sein; sie beleuchtet in manchem den Gebrauch des heutigen Niederdeutschen.

A. Einfache Ableitungen.

I. Die alten Partikeln.

1. *af* bezeichnet a) die rein ö r t l i c h e Anschauung in *af-gan*, —*scheten* 'herabfallen', —*vallen* 'herunterfallen', auch —*sterven* 'wegsterben', dann in —*gripen* 'gefangennehmen', —*huren* 'abheuern, —mieten', —*meten* 'ab—, er-messen', —*rekenen* 'abrechnen' (einer Sache etwas), ebenso in —*schumen* 'abschäumen', —*villen* 'die Haut abziehen', aber auch —*tunen* 'abzäunen', endlich —*busemen* 'aus der Familienzugehörigkeit entlassen', ganz zuletzt auch noch —*seggen* 'den Krieg erklären' und —*tihten* 'verzichten' (as. *aftîhan* 'versagen', mhd. *abeziht* f. 'Verzicht'); betont dagegen schon eher b) den G e g e n s a t z in —*kesen* 'abdanken, sich zurückziehen', —*loven* 'abgeloben', —*sogen* 'ent-säugen, —wöhnen', —*wassen* 'abnehmen im Wuchs', —*wien* 'der priesterlichen Weihe berauben'; c) den V e r l a u f der Handlung, und zwar die E r s t r e c k u n g in —*beiden* 'abwarten', —*meten* 'ermessen', —*sen* 'ins Auge fassen', —*wachten* 'abwarten', —*wegen* 'erwägen', mehr das a b s c h l i e-

275

Bende Ergebnis in —*ogen* 'bemerken', —*richten* 'durch Richterspruch erledigen, aberkennen, hinrichten', —*riden* 'reitend erreichen' (*de rovers*), dazu endlich eine Verstärkung in —*bloten* 'ab-blößen', —*drogen* 'ab—, aus-trocknen', —*korten* 'abkürzen', —*kundigen* 'öffentl. bekannt m.', —*ledigen* 'ablösen', —*losen* 'ablösen', —*stuven* 'abhauen' (: *stuf* 'stumpf'), —*sunderen* 'absondern'. Dabei werden d) z. B. wieder t r a n s i t i v die zuerst örtlich gedachten — *degedingen* 'erpressen', —*denen* 'durch Dienst wieder vergüten', —*drouwen* 'durch Drohung nehmen', —*handelen*, —*rennen* 'niederrennen', —*riden* 'reitend erreichen', —*spannen* 'wegnehmen' (mhd. *spanen* 'locken'), —*sliken* 'abschleichen', —*wokern* 'abwuchern', ebenso die mehr übertragenen —*beiden*, —*leben* 'erleben' und —*wachten*.

2. *an* kennt das Mnd. Wb. in etwas über 100 Verbindungen. Davon gehen aber höchstens 30 der heutigen deutschen Schriftsprache ab, darunter ungefähr folgende, in dieser oder jener Hinsicht bemerkenswerte: a) (rein örtlich) *an- er-nalen* 'sich nähern', —*gan* 'angehn, anfangen zu gehn, (jem. angehn)', —*risen* 'zuwachsen', —*scheten* 'angrenzen' ('anschießen'); b) (von Transitiven) —*boten* 'anzünden', —*herden* 'anspornen', —*reden* 'anrichten', —*rumen* 'einräumen', —*stedigen* 'festsetzen', —*togen* 'anzeigen, melden', —*wedden* 'in Pfandschaft nehmen', —*weden* 'anbinden'; c) (von alten Intransitiven) —*denken* 'denken an', —*gelden* 'betreffen, angehn' (= *gelden* mit Dat. d. Pers.), —*kiven* 'angreifen' (: *kiven* 'keifen'), —*krejeren* 'anschreien' (: *kr.* 'schr., zanken)', —*kreten* 'angreifen' (: *kr.* 'zanken)', —*moten* 'zumuten', —*saken* 'Klage führen', —*veiden* 'befehden', —*vratemen* 'anhauchen' (: *vratemen* 'atmen'), —*werden* 'angehn, eine Zumutung machen'; d) (mit anderem Richtungssinn des *an*) —*degedingen* 'durch Verhandlung zu etwas nötigen', —*stemmen* 'bestimmen'. Dazu *an-geoldert* 'von den Eltern überkommen'.

3. *be—*. Die Vorsilbe *be—* ist im Mnd. noch belegbar durch gut über 600 Beispiele. Die meisten decken sich aber mit Ausdrücken unserer heutigen Schriftsprache (*be-decken*, —*doven* '—täuben', —*dregen* '—trügen', —*driven* '— treiben', —*dropen* '—tropfen', —*droven* '—trüben', —*duren* '—teuern', —*dwingen* '—zwingen', —*gripen* '—greifen', —*klagen* '—klagen' usw.), wenn sie auch manchmal nicht ganz das gleiche bedeuten (—*buwen* 'durch einen Bau js. Eigen-

tum benachteiligen, mit Heeresmacht umschließen', —*danken*
auch 'zu Dank verpflichten', —*drinken* 'mit einem Trinkgelage be-
siegeln', —*handelen* 'einhändigen', —*herbergen* m. Akk. auch 'bei j.
Herberge nehmen', —*hulden* 'die Huldigung leisten, beschwören',
—*kreftigen* auch 'mit Gewalt nehmen', —*mechtigen* 'ermächtigen',
—*nachten* 'über Nacht bleiben' usw.), und nur die Minderzahl ist
durch Eigenart bemerkenswert (—*astraken* '—pflastern', —*bosemen*
'die Verwandtschaft [*bosem* m. 'Busen'] bestimmen', —*dedingen*
'gerichtlich belangen', —*dien* 'gedeihen', —*dinkpalen* r. 'sich verwahren', — *dinkstadelen* [m. Akk.] 'vor Gericht laden', —*drangsaligen*
'—drängen', —*driten* 'mit Kot [*driet*] besudeln', —*drusemen* 'er-
sticken' [*dr.* 'erdrosseln'],— *dunkeren* 'dunkel machen, = werden',
—*durwerken* 'besticken', —*dwernachten* 'über die Quernacht [Nacht
mit der beiderseitig anschließenden hellen Zeit] behalten', —*gaddern*
'sammeln', —*gasten* '—wirten', —*gissen* 'Verdacht auf j. haben'
[*g.* 'raten'], —*glinden* 'mit einem *glint* [Geländer] versehen', —*heil-
samen* 'sein eigenes Heil im Auge haben', —*hilliken* 'verheiraten'
[mhd. *hileich* m. 'Heirat'], —*hulvern* 'laut —weinen' [*hulvern* 'weinen'],
—*jarscharen* 'eine Jahresfrist lang benützen', —*kroden* 'hindern'
[*krot* 'Hindernis'], —*leitsagen* 'geleiten', —*lifdingen* 'Leibgedinge
geben', —*nesten* 'sich einnisten', —*nouwen* 'einengen', —*okennamen*
'Beinamen geben' [*okelname* m. 'Beiname'], —*poten* 'mit Pflänzchen
besetzen' [*potte*], —*reroven* '—rauben' [: *reroven*] usw.).

Im allgemeinen ist *be*— auch schon stark überaltert, wenn auch
nicht so stark wie die Vorsilbe *ge*—. Eine örtliche Bedeutung ist
bei ihr kaum mehr wahrnehmbar, wichtige neue Seiten des Gebrauchs fast ebensowenig, bis auf die einzige der stärkeren Ausprä-
gung der Transitivierung (—*rennen*). Darnach gliedert sich der Stoff
in verschiedene ungleiche Gruppen, von denen hier nur die kleineren
erschöpft werden können.

A. 1. Manchmal meint man wirklich, *be*— bezeichne als Verwandter
von *bei* noch örtlich a) 'h e r z u', 'h e r a n'; so in *be-boden* 'durch
Boten zusammenrufen', —*breven* 'briefl. vorladen', —*dedingen*
'gerichtlich belangen', —*keren* 'bekehren', —*komen* (*einem*) 'gereichen,
zu etwas kommen', —*landen* 'anl.', —*manen* 'einfordern', —*moten*
'begegnen' (*de er bemotet*), —*nahen* 'nahekommen', —*nesten* 'sich
einnisten', —*scheden* 'sich vereinigen', —*schriven* 'durch Schreiben
einberufen' (*hulpe*), —*senden* 'zu j. Boten senden', —*snellen* 'einholen',

—*sparen* 'aufsparen' (*dat golt*), —*sterven* 'anheimfallen', —*varen* 'einziehen in ein Haus', —*vronen* 'durch den Frohnen vorladen'; b) umgekehrt aber auch 'h i n z u, w e g': —*geven* 'verlassen', r. 'sich wohin begeben', —*graven* 'unter die Erde bringen', —*handelen* 'einhändigen' (*etwas einem*), —*helpen* 1) (mit Gen.) 'verhelfen zu', 2) (*van*) 'befreien', —*saken* 'einsacken', —*scheren* 'zuteilen', —*sterven* 'absterben', —*telgen* 'die Zweige abhauen', —*tellen* 'zusprechen' (*einem etwas*), —*vallen* 'entfallen', —*velen* 'empfehlen', —*vogen* r. 'sich wohin verfügen', —*willen* (Dat.) 'einwilligen, j. etwas zugestehn'; daher auch c) geradezu 'g e g e n' in feindlichem Sinne: —*buwen* 'durch einen Bau js. Eigentum benachteiligen', —*denken* (Akk.) 'in Verdacht haben', — *dragen* (Akk.) 'anklagen', —*gan* 'überfallen', —*gissen* 'Verdacht haben gegen' (Akk.), —*kiven* 'ausschelten', —*klagen* 'anklagen', —*kloken* 'überlisten', —*kopen* 'durch Kauf betrügen', —*kreften* 'mit Gewalt nehmen', —*krenken* 'schwächen', —*legen* '—lügen', —*listigen* 'überlisten', —*luden* 'verleumden', —*maken* '—schmutzen', —*migen* '—pissen', —*nemen* (Akk.) '—rauben', —*reden* 'Anklage erheben', —*ropen* 'in bösen Ruf bringen', —*ruchten* dass., —*schalken* '—trügen', —*schinden* 'martern, betrügen', —*schrien* '—schreien', —*seggen* 'anklagen', —*smachten* 'aushungern', —*tuschen* 'im Tausch übervorteilen', —*unkostigen* 'in Unkosten setzen', —*vischen* 'ausfischen'.

2. Ansätze zu einem neuen Gebrauch könnten auch Gruppen von Ausdrücken bilden, die anschaulich bedeuten: a) ein B e - d e c k e n, Hindecken über etwas: *be-don* 'bedecken', —*duven* st. 'überschüttet werden' (*vom blode*), —*mantelen* 'mit e. Mantel verhehlen', —*spreden* 'überdecken', —*storten* 'stürzend bedecken'; b) ein U m s c h l i e ß e n : *be-buwen* 'mit Heeresmacht umschließen', —*gripen* 'umfassen', —*halven* 'umringen' (*halve* 'Seite'), —*helsen* 'umhalsen', —*klemmen*, —*knicken* 'durch geknickte Bäume einschließen', —*kreften* 'beschützen', —*ringen* 'umringen', —*sloten* 'mit einem Graben umziehen', —*timmeren* 'mit hölzernen Befestigungen umgeben', —*vangen* 'umfangen', —*vaten* '—fassen, einschränken', —*wallen* 'umwallen', —*werken* 'umgeben, einschließen'.

B. I n t e n s i v e. 1. Neben I n t r a n s i t i v e n, wo man in *be*— manchmal noch örtlichen Sinn hineindeuten könnte, wo man es aber eher schon als V e r s t ä r k u n g fühlt, belegt das Mnd. Wb. die Vorsilbe noch in etwa zwei Dutzend Beispielen: —*drunten* 'geschwollen' (*drinten*), —*dulden* 'ged.', —*dwelen* 'sich verirren', —*hangen* 'hängen bleiben', —*herden* 'ausdauern', —*horen* 'zu(ge)-hören', —*husen* 'wohnen', —*kliven* 'kleben' (*de hut blef bekleven*), —*leven* 'leben bleiben', —*leven* 'lieb sein', —*liggen* 'liegen' (*belegen sin*), —*moten* 'begegnen', —*nachten* 'über Nacht bleiben', —*nesten* 'sich einnisten' (*to Helmstidde*), —*rasten* (—*resten*) 'ruhen', —*rumen* 'Raum finden' (*da*), —*rusten* '(be)ruhen' (*dat b. laten*), —*schen* 'geschehen', —*schrien* 'schreien' (*over Saul*), —*spen* (*darnach*) 'spähen (nach etw.)', —*stan* 'stehn (Sieger) bleiben', —*sticken* 'stecken bleiben', —*sweigen* 'ohnmächtig werden', —*swimelen* dass., —*temen* 'ziemen' (m. Dat.), —*vallen* 'niederfallen', —*vresen* 'zufrieren'.

2. Viel häufiger ist es neben T r a n s i t i v e n , bei denen das zugrundeliegende einfache Zeitwort schon transitiv ist. Auch hier macht die Vorsilbe am ehesten den Eindruck der Verstärkung; so bei *be-billigen*, —*binden* (*dat vat*), —*breken* 'abbrechen', —*driven* '—treiben, —wirtschaften', —*droven*'—trüben',—*drucken*'—drücken', —*drusemen*, —*duden* '(be)deuten, auslegen', —*dwingen* 'zwingen, unterwerfen', —*gaddern* 'sammeln', —*geten* 'eingießen', —*geven* 'verlassen', —*gichten* 'bekennen', —*gorden* '—gürten', —*gripen* 'ergreifen', —*handen* 'in die Hände bekommen', —*haten* 'hassen', —*haven* 'in Gewalt haben', —*hebben* = *hebben* 'haben', —*helpen* 'helfen' (*deme is mit einem spele beholpen*), —*helsen* 'umhalsen', —*hemmen* 'hindern', —*herden* 'behaupten, sichern', —*hessen* '—hetzen', — *hindern* 'verhindern, hemmen', —*hoden* '—hüten', —*holden* 'festhalten', —*honen* 'verhöhnen', —*kennen* 'kennen', —*kleden* '—kleiden', —*klemmen*, —*knipen* 'kneifen, peinigen', —*kopen* 'erkaufen', —*koren* 'versuchen, untersuchen', —*krenken* 'schwächen', —*laden* 'einladen', —*laten* 'ver—, zurücklassen', —*leiden* 'begleiten', —*lemen* 'lähmen', —*letten* 'hindern', —*leven* 'lieb haben', —*lonen* 'lohnen' (*einen*), —*loven* 'geloben', — *luken* 'schließen', —*luttern* 'deklarieren', —*mechtigen* 'ermächtigen', — *nemen* (*einem etwas*) 'wegnehmen', — *nomen* 'mit Namen nennen', —*nouwen* 'einengen', —*orleven* 'erlauben' (*etwas*), —*plucken* 'pflücken', —*richten* 'belehren' (r. 'sich rüsten'), —*riken* 'reich machen', —*riten* 'zerreißen', —*roden* 'behacken', —*romen* r. 'sich (be)rühmen', —*sammeln* 'vers.', —*schermen* 'beschützen', —*schinden* 'enthäuten' ('martern, betrügen'), —*schonen* 'versch.', —*schriven* '(auf)schreiben', (*dusse ordele*), —*schudden* '—schützen', —*schunden* 'anraten' (*dat*

beschunden se ander lude an), —*seggen* 'aussprechen, verkündigen', —*sen* '(be)sehen', —*sichten* '—sieben', —*sluten* '—schließen', —*sniden* '—schneiden', —*soufen* 'ertränken', —*speren* 'hindern' (*den weg*), —*stillen* 'stillen, niederwerfen' (*de stratenrovere*), —*sweken* 'schwächen', —*tien* '—zeihen, anklagen', —*vesten* '—festigen', —*vinden* 'auff.', —*vreschen* 'ausforschen', —*vrouwen* 'erfreuen', —*wegen* 'bewegen', —*weken* 'erweichen', —*wermen* 'erwärmen'.

C. Inchoative und Resultative. Das wären Intensive. Daneben könnte man zur Not noch zwei kleinere Gruppen als Bezeichnungen für die Eröffnung und für das Ergebnis der Handlung zusammenfassen.

Inchoative wären dann Verwandte von Substantiven und Adjektiven wie —*dagen* 'Tag werden', —*schemeren* 'Abend w.', —*schilmen* 'schimmelig w.', —*dunkeren* 'dunkel w.', —*kolden* 'kalt w.', —*olden* 'alt w.', auch —*sundigen* 'sündig w.', dazu —*kennen* 'erkennen, erfahren', —*sweigen* 'ohnmächtig w.', —*vresen* 'zufrieren' (*: gefroren sein*); Resultative wären dagegen *bi-denken* 'erd.', —*hilliken* 'erheiraten', —*jagen* 'erj.', —*kiven* 'erstreiten', —*leven* 'erleben', —*scheten* 'durch Schießen erproben' (*de bussen*). Doch das sind alles Keime, die nicht aufgegangen sind.

D. Transitivierung. Wichtiger sind die Fälle, wo die Vorsilbe *be*— ein Grundzeitwort erst befähigt, einen Akkusativ zu sich zu nehmen, sei es, daß es überhaupt nicht transitiv ist (*be-sitzen*), oder daß bei ihm der Akkusativ eine andere Art des Objekts bezeichnet (*be-legen*), die Vorsilbe also äußerlich einen Objektstausch begleitet: *be-ambachten* 'verwalten', —*arbeiden*, —*barmen* (*dat*), —*binden* (*dat vat*), —*boden* 'durch Boten zusammenrufen', —*borgen* 'durch Bürgen Sicherheit stellen', —*denken*, —*dichten* 'in einem Gedicht verspotten', —*dingen* 'durch Verhandlung bestimmen', —*don* '—decken', —*drangen* 'in Not bringen', —*dregen* '—trügen', —*drinken* (s. o.), —*driven* '—treiben' (: 'treiben an etwas'), —*dropen* '—tropfen', —*drucken* '—drücken' (: 'drücken auf etw.'), —*duken* r. 'eintauchen', —*gan* '—gehn', —*geten* '—gießen', —*gichten* 'bekennen', —*gnaden* '—gnadigen', —*graven* st. 'mit Graben durchziehn', —*hechten* '—heften', —*helpen* r. 'sich Hülfe verschaffen, sich verteidigen', —*heren* 'als Herr regieren, behüten', —*hoden* 'mit Vieh beweiden' (eine Wiese), —*horen* 'verführen', —*houwen* '—hauen', —*hucheln* '—lächeln', —*hulen* '—jammern', —*hulvern* 'laut beweinen'

(: *hulvern*), —*jagen* 'jagend verfolgen, erjagen', —*kallen* '—sprechen', —*kargen* '—knausern', —*karmen* '—jammern', —*kiken* '—gucken', —*kiven* '—streiten, ausschelten', —*klagen*, —*klappen* 'anklagen', —*klicken* '—schmutzen', —*knuppen* 'verknüpfen', —*kochelen* 'gaukeln', —*lachen*, —*laden* '—lasten', — *lastern* 'lästern', —*legen* '—lügen', —*legen* '—setzen, —schlafen', —*leitsagen* 'geleiten, verl.', —*lenen* '—lehnen', —*lesen* '(Münzen) auslesen, (einen Altar) mit Meßlesung versehen', —*liggen* '—lagern', —*lonen* 'lohnen', —*lopen* '—laufen, —netzen', —*luden* '—läuten', —*maken* '—schmutzen', —*migen* '—pissen', —*negen* '—nähen', —*reden* '—reden', —*rennen* 'überfallen', —*riden* 'bereiten (Wege), —reisen', —*roven* '—rauben', —*schaden* '—schädigen', —*schenken* 'trunken machen', —*scheten* 'durch Schießen erproben, betäfeln', —*schinen* '—scheinen', —*schiten* '—scheißen', —*schouwen* '—schauen', —*schriven* '—schreiben', —*schudden* 'aufschüttend —decken', —*seden* '—sieden' (*de pannen*), —*seggen* '—reden' (*den rat*), —*seichen* '—pissen', —*seien* '—säen', —*sen* '—sehn', —*setten* '—setzen', —*singen* 'die Messe halten' (*eine Kapelle*), —*sitten* '—sitzen' (—*seten* 'besessen v. Teufel'), —*slabbern* '—sudeln', —*slan* '—schlagen, bearbeiten (*den kallik*)', —*slapen* '—schlafen', —*sliken* 'schleichen', —*slingen* 'rings umgeben' (*fenstere*), —*smecken* (*beer*) 'schmecken, kosten', —*smeden* 'mit Eisen —schlagen, festschmieden', —*smeken* '—schmeicheln', —*smitten* '—werfen', —*sniden* '—schneiden', —*snuffelen* 'beriechen', —*soken* 'untersuchen' (*ere budele*), —*spannen* 'in Fesseln legen', —*spelen* '—spielen, zum besten haben', —*spien* '—speien', —*spreden* (*den weg*) '—spreiten, überdecken', —*spreken* 'verabreden', —*sprenken* '—träufeln', —*stan* 'angreifen; bestätigen', —*steken* '—stecken', —*stellen* '—setzen' (*den vort*), —*sticken* 'festsetzen, behindern', —*stiften* 'mit Stiftungen ausstatten', —*stigen* '—steigen', —*stoten* '(an)stoßen, vollstoßen, füllen' (*solttunnen, solt*), —*stouwen* 'durch Stauung unter Wasser setzen' (*dat velt*), —*stricken*, —*striden* '—schreiten' (*ein ros*), —*striden* '—kämpfen' (*de stad*), —*striken* '—streichen', —*strouwen* '—streuen', —*sturen* 'steuern' (*de overdat*), —*subbeln* '—flecken', —*suchten* '—seufzen', —*sweren* '—lasten', —*sweren* '—schwören', —*swigen* 'verschweigen', —*talen* '—zahlen', —*tasten* 'angreifen', —*ten* '—ziehn', —*trachten* 'in Betracht ziehn', —*treden* '—treten, antreffen', —*tugen* '—zeugen', —*vallen* '—fallen', —*varen* 'erreichen, einziehn in ein Haus', —*vech-*

18

ten 'angreifen', —*vleten* '—fließen' (*een* —*vloten elant*), —*vragen* r.
'sich Rats erholen', —*vromen* '—fremden', —*wandern* '—treten'
(*stat un dorpe*), —*waschen* 'Geschwätz treiben über', —*weien* '—wehen', —*wenen* '—weinen', —*werven* 'ins Werk setzen, unternehmen'
(r. 'sich durch Werbung mit Truppen versehn'), —*wien* 'weihen'
(*sin korn*), —*wigen* '—kämpfen', —*winden* 'umw.', —*wrogen* 'anklagen', —*zwacken* 'Abbruch tun'.

Natürlich ist die Grenze, wie bei allen Gruppen, so auch hier
zwischen den Ableitungen von alten Intransitiven und denen von
alten Transitiven nicht scharf zu ziehen, zumal da, wo Dativ und
Akkusativ sprachlich zusammenfallen oder die Überlieferung sonst
versagt.

E. Nominalableitungen. Zugrunde liegt diesen
be-Bildungen zunächst natürlich immer ein Zeitwort. Doch wird
diese Beziehung überall da lockerer, wo neben diesem Grundzeitwort
selbst ein Substantiv oder Adjektiv steht oder stehn könnte. Solche
Fälle prägen sich dem Betrachter von selbst ein; weniger die Bildungen, die neben einem A d j e k t i v hergehn und die Hervor-
rufung eines Zustands bezeichnen wie —*doren* '—tören', —*doven*
—'täuben', —*droven* '—trüben', —*dunkeren* 'dunkel machen',
—*egenen* 'als Eigentum überweisen', —*krenken* 'schwächen', —*kun-*
digen 'Kunde einziehen' (*die grenze*), —*leden* 'verleiden', —*leidigen*
'betrauern', —*lemen* 'lähmen', —*leven* 'lieb haben,' —*lutteren*
'deklarieren', —*mechtigen* 'ermächtigen', —*moden* 'ermüden, quälen',
—*nouwen* 'einengen', —*plichtigen* 'zur Pflicht machen', —*reden*
'—reiten', —*richten* '—lehren', —*riken* '—reichern', —*ruchtigen*
'in guten (bösen) Ruf bringen', — *sadigen* 'zur Ruhe bringen',
—*serigen* 'verletzen', —*sundigen* 'mit Sünde beflecken', —*waren*
'als wahr dartun', desgleichen ähnlich dastehende, die den Eintritt
eines Zustands, weniger den Zustand selbst bezeichnen wie —*dunkeren*
'dunkel werden', —*kolden* kalt w.', —*leven* 'lieb sein', —*olden* 'alt w.',
—*sundigen* 'Sünde tun'; viel mehr Ausdrücke, die neben einem
H a u p t w o r t hergehn; denn diese sind nicht nur wie die Ad-
jektivverwandten Bewirkungswörter wie *be-gasten* '—wirten',
—*gecken* 'zum Narren halten',—*worden* 'zur Wohrt machen', oder
Zustandsbezeichnungen wie —*dagen* 'tagen', —*leitsagen* 'geleiten',
—*schalken* '—trügen', sondern viel häufiger noch bezeichnen sie
—als Grundverben wie als Nominalableitungen — ein V e r s e h e n

mit dem, was das Hauptwort ausdrückt: —*anxten* 'in Angst bringen',
—*astraken* 'pflastern' (ml. *astracum* 'Pflaster'), —*ballasten*, —*beden*
'Bede auferlegen', —*bloden* 'mit Blut überdecken', —*bolwerken* 'mit
Bohlen versehen', —*borgen* 'durch Bürgen Sicherheit stellen', —*bosemen* 'die Verwandtschaft bestimmen', —*breven* 'verbriefen', —*cruci-
gen* 'das Kreuz auf das Haus stecken', —*dagen* 'einen Tag festsetzen,
befristen', —*dammen* 'mit e. Damm vers.', —*danken* 'zu Dank verpflichten', —*decken* 'mit einer Decke vers.', —*dedingen* 'gerichtlich
belangen', —*delen* '—gaben', —*dinkpalen* r. 'sich verwahren',
—*dinkstadelen* 'vor Gericht laden', —*doveken* 'mit Faßdauben
vers.', —*drangsaligen* '—drängen', —*drangen* 'in Not bringen',
—*driten* 'mit Kot (*driet*) besudeln', —*durwerken* '—stricken', —*dwernachten* 'über die Quernacht behalten', —*eiden* 'einen Eid worauf
leisten', —*erven* 'mit Erbe vers., einen Erben bestellen' (Akk.),
—*gaden* 'verheiraten' (*gade* 'Gatte'), —*gaven* '—schenken', *giften*
dass., —*glinden* 'mit e. Geländer vers.', —*gnaden* (Akk.) '—gnadigen',
—*gordelen* '—gürten', —*guden* 'mit Gütern vers.', —*gulden* 'mit
einer Gülte vers.', —*hagen* 'mit e. Hag vers.', —*hanthaven* 'schützen,
verteidigen', —*heimen* 'Heimat geben', —*herbergen* (Akk.) 'bei j.
Herberge nehmen; in eine Herb. bringen', —*hilliken* 'verheiraten',
—*honen* 'verhöhnen', —*hulden* 'die Huldigung leisten, beschwören',
—*husen* '—herbergen', —*jarscharen* 'eine Jahresfrist lang benutzen',
(*jarschar* f. 'Zeitraum e. Jahres'), —*insegelen* '—siegeln', —*keden*
'mit Ketten vers.', —*kilen* 'mit Keilen befestigen', —*kinden* 'mit
Kindern vers.', —*kleden* '—kleiden', —*knien* 'das Knie, den Grad
der Verwandtschaft berechnen', —*kosten* 'die Kosten tragen',
—*kreften* 'mit Gewalt nehmen, —schützen', —*kroden* 'hindern',
—*kumeren* '—lasten', —*leden* '—trauern', —*legern* r. 'sich lagern',
—*lifdingen* und —*liftuchten* 'Leibgedinge zahlen', —*linigen* 'mit
Linien —ziehen', —*list-igen* 'überlisten', —*loyen* 'Tücher mit e.
Stempel (*loye*) vers.', —*lonen* '—lohnen', —*lumen* '—leumunden',
—*lusten* '—lustigen', —*mannen* 'mit Mannschaft besetzen', —*mantelen* 'mit e. Mantel verhehlen', —*meiern* 'mit Meiern besetzen',
—*moien* 'Mühe schaffen, quälen', —*morgengaven* 'mit einer Morgen-
gabe ausstatten', —*muren* 'mit e. Mauer umgeben', —*nenen* 'ab-
leugnen', —*noden* 'nötigen', —*nutteln* 'urkunden' (*notula*), —*okennamen* 'Beinamen geben', —*ordelen* 'über j. ein Urteil sprechen',
—*orleven* 'erlauben', —*orsaken* 'verursachen', —*palen* 'mit Pfählen

18*

vers.', —*planken* 'mit Planken vers.', —*poten* 'm. Pflänzchen v.'
(*potte*), —*quellern* 'mit Queller (einer Wurzel) bedecken', —*raden*
'—gaben, verheiraten', —*ramen* 'anberaumen' (*ram* 'Ziel'), —*re-
cessen* '—schließen', —*rechten* 'mit Rechten vers.', —*renten* 'mit
jährl. Einkommen versorgen', —*reroven* '—rauben', —*reveln* 'mit
Reifen vers.', —*rigen* 'mit einem Rick (Geländer) vers.', —*ringen*
'umr.', —*romen* r. 'sich rühmen', —*ruchten* 'verleumden', —*saken*
'einsacken', —*saten* 'zur Ruhe bringen' (*sate* 'Beruhigung'), —*schacken*
(—*o*—) 'besteuern in Schockanschlag', —*schaden* 'schädigen',
—*schanden* 'schänden', —*schansen* 'verschanzen', —*schatten* 'von j.
Steuer fordern', —*schemen* '—schatten', —*schermen* '—schirmen',
—*schoien* '—schuhen' (Nd. Jb. 43,67), —*schorpen* 'mit Schorf überziehen', —*schrank(el)en* 'mit Schranken vers.', —*schudden* 'aufschüttend —decken', —*schuren* '—decken', —*segeln* 'mit Segeln vers.',
—*segelen* '—siegeln', —*senen* 'mit e. Sehne beziehen' (Jb. ebd.),
—*severen* '—geifern', —*slimen* 'verschleimen' (*den magen*), —*sloten*
'mit e. Schlosse vers.', —*sloten* 'mit einem *slote* (Graben) umziehen',
—*smiden* 'mit Geschmeide vers.', —*snottern* 'm. Rotz besudeln',
—*sonen* 'versöhnen', —*spisen* 'm. Speise vers.', —*staken* 'mit
Palissaden besetzen' (*stake*), —*stapelen* 'm. Grenzpfählen vers.',
—*steden* 'eine Wohnstätte geben', —*stockeln* '—treiben' (*stock*
'Stock'), —*struken* 'mit Strauchwerk vers.', —*swerken* 'm. Wolken
(*swerke*) —decken', —*tegeden* 'mit Zehnten — legen', —*tekenen*
'—zeichnen', —*timmeren* 'mit Festungswerken umgeben', —*tinsen*
(Akk.) 'Zinsen auflegen', —*toveren* '—zaubern', —*tuchtigen* 'Leibzucht geben', —*tunen* 'm. einem Zaun vers.', —*tunnen* 'in Tonnen
bringen' (*solt*), —*vamen* 'umschließen' (*vam* 'Faden'), —*vitalien*
'verproviantieren', —*vorworden* 'bedingen ('*vorworde* machen'), sich
durch Verhandlung sichern (*cinen*), —*vreden* '—friedigen, einhegen,
beschützen', —*vrunden* r. 'sich Freunde erwerben' (*mit guden vorsten*),
—*vruntschoppen* '—freunden', —*vullborden* 'zustimmen' (Akk.),
—*vur(werk)en* 'Feuerung geben', —*wallen* 'umwallen', —*wanen*
'in Verdacht haben', —*watern* '—wässern', —*wedemen* '—widmen',
—*werken* 'einhegen', —*wikhusen* 'm. *wighusen* (Befestigungen) vers.',
—*wilkoren* 'geloben', —*willen* r. 'einwilligen', —*wimpelen* 'ver-
schleiern', —*wist-igen* 'mit Tagelohn Vorschuß geben' (*wist*),
—*worden* 'mit Worten aussprechen'.

Hierhin gehören auch B e i w o r t s g e b i l d e wie *be-ebbt(sīn)* 'von der Ebbe überrascht (werden)', —*ervet* 'mit Erbteil bedacht', —*kappet* 'mit e. Klostergewand vers.', —*sibbet* 'verwandt', —*slechtet* 'einer vornehmen Familie angehörig', —*suket* 'mit Seuche behaftet', —*vrundet* 'der viel Freunde hat'.

F. Der Ausgang -*igen*, der sonst sehr üblich geworden ist, hält sich neben *be-* im Mnd. in engen Grenzen: *be-cruc-igen* 'das Kreuz auf das Haus stecken', —*drangsal-igen* 'bedrängen', —*gast*— '—wirten', —*gift*— '—schenken', —*kost*— 'die Kosten tragen', —*kreft*— 'mit Gewalt nehmen, beschützen', —*kund*— 'Kunde einziehen' (*die grenze*), —*leid*— (Akk.) 'betrauern', 'Leid zufügen', —*liftucht*— 'Leibgedinge geben', —*list*— 'überlisten', —*nod*— 'nötigen', —*plicht*— 'zur Pflicht machen', —*rucht*— 'Gerüchte, Hilfsgeschrei erheben, in guten oder bösen Ruf bringen', —*sad*— 'zur Ruhe bringen', —*ser*— 'verletzen', —*sicht*— 'sehen', —*smitt*— '—werfen', —*sted*— 'eine Stätte geben', —*sund*— 'Sünde tun, mit S. beflecken' (*de sele*), —*ticht*— '—zicht—', —*tucht*— 'Leibzucht geben', —*unkost*— r. 'sich in Unkosten setzen', —*unrechtfertigen* 'im Rechte kränken', —*ved*— '—fehden', —*vlit*— 'mit Fleiß erreichen', —*vrucht*— 'in Furcht sein', —*will*— 'belieben, einwilligen', —*wist*— 'auf Tagelohn Vorschuß geben', —*wold*— '—wält—' (*fremde beddestede*); dazu —*slecht-iget* 'aus gutem Hause'.

4. *bi.* Hier teilt das Mnd. seine 23 Beispiele in zwei ungleiche Hälften; a) die größere mit 14 Fällen bezeichnet die **Nähe**, teils neben Ausdrücken der **Ruhe** (*bi-liggen*, —*slapen*, —[*be*]*stan*, —*wesen* 'dabei sein', —*belegen* 'beiliegend', —*beseten* 'in der Nähe ansässig'), teils neben Ausdrücken der **Bewegung**, sowohl intransitiven (—*gan* 'daran gehen, übernehmen', —*komen* 'beikommen, zusprechen', —*einkomen* 'zusammenk.', —*vallen* 'auf js. Seite treten, beistehn') wie transitiven (—*bringen* 'zu Stand bringen, beweisen, melden', —*ge-br.* 'dartun', —*setten* 'als Pfand einsetzen', —*strecken* 'helfen, unterstützen', —*vligen* '—ordnen, bestellen'); b) die kleinere Hälfte (9 Fälle, darunter 2 sich mit Beispielen der ersten Hälfte deckende) bezeichnet ein **bei Seite, weg**'; nämlich *bi-breken* 'abbrechen', —*bringen* 'bei Seite br.', —*don* 'bei S. schaffen', —*leggen* 'beseitigen', —*nemen* dass., —*setten* 'bei S. setzen', —*wisen* 'zur Seite weisen', —*geweken* 'jüngstvergangen', dazu wohl das erst nachträglich so transitiv gewordene —*spreken* (*den bref*) 'Einrede erheben gegen'.

5. *dorch* ist zwar nur 23mal vertreten, immerhin aber doppelt verwendbar; denn a) 13mal ist es u n g e t r e n n t belegt: *dorch-áchten* 'verfolgen', —*bérnen* 'verbrennen' (*dorbrande*), —*gráven* '—graben, mit eingelegter Arbeit verzieren', —*héren* 'mit Heeresmacht durchziehen', —*hówen* '—hauen, mit künstl. Arbeit auslegen', —*lúchtet* 'durchlaucht', —*slán* '(mit Metall) —schlagen; bestätigen', —*sníden* '—schneiden', —*stricken* 'vereinigen', —*váren* '—wandern', —*wássen* '—wachsen', —*wérken* '—wirken', —*wiren* '—flechten'; b) 6mal dagegen sicher als t r e n n b a r : *dór—e—backen* 'durchgebacken', —*boren* '—bohren' (*dor—e—boret*), —*drennen* '—trennen', —*driven* '—treiben' (*dorch hebben dreven*), —*holen* '—holen', —*tien* '—ziehen', während —*kloven* (*dat herte*) 'zerspalten' zweifelhaft bleiben muß.

6. *ent-* hat 1) noch häufig den Sinn von 'e n t g e g e n , g e g e n ü b e r', so in *ent-barmen* (—*vermen*, m. Dat.) 'Mitleid einflößen', —*beden* 'entbieten', —*beiden* 'erwarten', —*gelden* 'büßen', —*heten* 'verheißen', —*holden* intr. 'still halten', —*kennen* 'bezeugen' (: *kennen* 'bekennen'), —*leggen* 'erlegen, erstatten', —*moten* 'begegnen', —*schen* 'geschehen, begegnen', —*schaffen* 'verschaffen', —*schicken* 'in Ordnung bringen', —*sen* 'ansehen, behexen', —*stan* 'widerstehn', —*sticken* (—*steken*) 'anzünden', —*togen* 'vor Augen stellen' (: *togen* 'zeigen'), —*twiden* 'erhören, willfahren' (: *twiden* sw. 'erhören'), —*vangen* 'empfangen', —*velen* 'übertragen' (= md. *enpfelen* 'empfehlen'), —*vengen* 'anzünden' (: mhd. *vengen venken* 'zünden'), —*vruhten* intr. u. r. 'sich fürchten', —*vunken* 'entzünden' (: *vunken* 'Funken sprühen', mhd. *vunken* 'Funken sprühen, anzünden'), —*wegen* 'an etwas denken' (: *wegen* st. 'wägen, erwägen'), —*weigeren* 'verweigern', —*weren* r. 'sich verteidigen', —*werpen* intr. u. r. 'zu sich kommen, sich bewegen' (as. *antwerpan* st. 'sich bewegen'), —*weldigen* 'Gewalt antun, überwältigen'; 2) den Sinn von 'h i n w e g' bei den I n t r a n s i t i v e n *ent-bissen* 'entlaufen' (: *bissen* 'laufen'), —*bliven* 'zurückbleiben', —*breken* 'losbrechen, fehlen', —*gan* 'entlaufen', —*krimpen* 'einschrumpfen', —*liggen* 'sich niederlegen', —*lopen*, —*rennen*, —*riden* 'wegreiten', —*scheten* 'entschießen, entfallen', —*segeln* 'wegsegeln', —*seggen* 'absagen', —*sen* 'scheuen, fürchten', —*sinken* 'wegsinken', —*sitten* 'entweichen', —*sliken* 'wegschleichen', —*spreten* 'entsprießen', —*springen* 'auf-, ent-

springen', —*sterven* 'dahinsterben', —*ten* 'wegziehen, sich entfernen',
—*vallen* 'entfallen, abfallen', —*varen* 'davon laufen', —*vlen* 'ent-
fliehen', —*vleten* 'entfließen', —*wanderen*, —*wiken* 'entweichen',
—*wischern* 'entwischen', auch vielleicht *ent-achtern* 'hinten [weg-]
bleiben'; ebenso bei den T r a n s i t i v e n *ent-bringen* 'forthelfen',
—*dregen* 'wegtragen', —*driven* 'wegtreiben', —*geten* r. 'sich ergießen',
—*halden* 'zurückhalten', —*heven* 'entheben, —schuldigen', —*halen*
'wegholen', —*hengen* 'erlauben, befreien' (Akk.), —*huden* 'bei Seite
legen' (: *huden* 'verstecken'), —*keren* 'abwendig machen', —*lenen*
'ausleihen', —*leggen* 'bei Seite legen', —*leiden* 'entführen', —*meigen*
'abmähen' (einem etwas), —*ropen* 'wegrufen', —*rucken* 'entreißen',
—*scheden* 'ausscheiden, trennen', —*schrecken* 'erschrecken', —*setten*
'entsetzen', —*slagen* 'weggeben', —*sweren* 'abschwören' (einem etwas),
—*ten* 'entzichen', —*trecken* 'entziehen', —*vechten* r. (*strides*) 'aus-
fechten', —*voren* 'entführen', —*werken* 'wegschaffen' (*sekveler vrunde*),
—*wenden* 'j. abwenden', —*weldigen* (einem etwas, einen eines Dings)
'berauben'; auch — mehr übertragen gedacht — —*rekenen*, —*schriven* 'durch falsches Rechnen (Schreiben) einem etwas wegnehmen';
mit beinahe bedeutungslosem und schon eher als eine Art V e r -
s t ä r k u n g gefülltem *ent-* in *ent-huden* 'bei Seite legen'
(*huden* 'verstecken'), —*roven* 'wegrauben', —*schaken* 'entführen'
(*schaken* 'rauben'), —*stelen* 'wegstehlen', —*trennen* 'trennen', —*wan-
delen* r. 'sich verwandeln', dann —*schulen* 'sich verstecken' (*schulen*
dass.); eher wieder, aber gleichzeitig an die gegensätzliche Bedeutung
anknüpfend, in *ent-dingen*, —*huren*, —*meden*, —*kopen*, —*winnen*
'einem einen (etwas) wegmieten, —kaufen, einen im Mieten oder
Kaufen überbieten'; mit t r a n s i t i v i e r e n d e m *ent-* in Ableitungen
von intransitiven Zeitwörtern wie —*reden* 'wegreden' (*die schuld*),
—*sitten* (etwas) 'versäumen', —*segeln* 'segelnd entführen', —*winken*
'durch einen Wink entfernen'. 3) Eher die G e g e n s ä t z l i c h k e i t
betont *ent-*, wenn nicht so scharf in *ent-arbeiten* 'die Arbeit in
Unordnung bringen', so doch in —*helpen* 'schaden', —*horen* 'ungehört
lassen', —*knopen* 'entknöpfen', —*laden* 'befreien', —*luken* 'auf-
schließen', —*moten* 'entschwinden' (: *moten* 'begegnen'), —*neien*
'aufschnüren', —*sin* 'mangeln', —*sluten* 'öffnen', —*volden* 'entfalten',
—*wassen* 'abnehmen', —*werden* 'vergehn'. Bei Anlehnung an ein
Nomen geht diese Gegensätzlichkeit leicht über in 4) die B e r a u b u n g,
so erstens bei *ent-delen* 'aberkennen', —*kroden* 'von Belästigungen

287

befreien', —*kummeren* 'entlasten', —*lasten* (—*e*—), —*leden* 'ent-
gliedern' (: *leden* 'zergliedern'), —*schichten* 'einen Teil herausnehmen',
—*schoien* 'entschuhen', —*schulden* 'entschuldigen' (: *schulden* 'beschuldigen'), —*spisen* 'die Speise wegnehmen', —*verwen* 'die Farbe
wechseln'; dann in den unmittelbaren Ableitungen von Substantiven
ent-gesten 'entgeisten', —*gilden* 'aus der Gilde stoßen', —*liven*
'hinrichten', —*rechten* 'aus dem Rechte setzen', —*ruchten* 'in bösen
Ruf bringen' (: *ruchte* n. 'Ruf'), —*rumen* 'den Raum benehmen',
—*scheiden* '(das Schwert) aus der Scheide ziehen', —*schonen* 'die Schönheit benehmen' (: *schone* f.), —*wedemen* 'entweihen' (eig. 'berauben'
: *wedeme* 'Geschenk'), ebenso wohl in *ent-handen* 'aus den Händen
reißen' (vgl. nhd. *entarmen* u. dgl.); ferner —*ridderen* 'der Ritterschaft
berauben', endlich — mit einem weiteren Schritt vom persönlichen
Hauptwort zum Beiwort — zunächst neben einer *ent*-losen Beiworts-
ableitung bei *ent-gerewen* 'die Kleider ausziehen' (*gerwen* 'gar
machen, anziehen') und —*renen* 'verunreinigen'. In *ent-gesten*
'bewirten, entkleiden' ('die Eigenschaft des Gastes nehmen durch
Änderung seiner Kleidung') und — *hoveden* 'enthaupten' verleiht das
Dasein der einfachen, beinahe gleichbedeutenden Formen *gesten*
'bewirten' u. *hoveden* 'enthaupten' der Vorsilbe beinahe wieder
(s. unter 2) den Sinn einer Verstärkung. 5) Die E r ö f f n u n g
der Tätigkeit zeigt *ent*- etwa an in *ent-lachen* 'anfangen zu
lachen', —*laten* 'weich werden' ('nachlassen'), —*risen* 'steigen,
fallen', —*rouwen* 'zur Ruhe kommen', —*schinen* 'erscheinen',
—*schulden* 'verschulden', —*slapen* 'einschl.', —*slummern* 'einschlafen (machen)', —*spinnen* 'anstiften', —*stan* 'stehn bleiben',
—*swigen* 'zu schweigen beginnen', —*velen* 'fehlschlagen', —*waken*
'erwachen', —*wecken* 'aufwecken', —*wenen* 'anfangen zu weinen';
neben A d j e k t i v e n bei den Intransitiven *ent-armen* 'ver-
armen', —*losen* 'entkommen, los werden', —*sachten* 'sanft
werden', —*wreden* 'zornig (*wret*) werden'; häufiger, wenn auch weniger ausgeprägt, bei Transitiven wie *ent-bloten* 'entblößen',
—*engen* 'einengen', —*langen* 'entfernen' (—*lengen* 'fern halten'),
—*ledegen*, —*lichten* 'erleichtern', —*losen* '(auf)lösen', —*luttern*
'reinigen', —*openen* 'öffnen', —*richten* 'ordnen', —*rumen* 'geräumig
machen' (*rum* 'geräumig'), —*sachten* 'sanft machen', —*sekeren* 'sich
reinigen von einer Beschuldigung', —*sundern* 'absondern', —*verdigen* 'entfernen', —*ver(n)en*, —*vrigen* 'befreien', —*vromeden* 'ver-

äußern', —*wilden* 'fremd machen'. 6) Doch führt auch hier, wie schon früher, so manches hinüber zu der Vorstellung des E r f o l g s (*ent-raden* 'erraten') oder der V e r s t ä r k u n g (*ent-bloten*). **7.** *er* —. Von *er-* macht das Mnd. nur einen mäßigen Gebrauch, jedenfalls einen etwas mäßigeren als das Mhd. Einige Schriftsteller vermeiden es ganz, andere wechseln. Im einzelnen lassen sich auch hier die Entwicklungsstufen — von der rein örtlichen Verwendung bis zur Bezeichnung des Ergebnisses — noch hübsch verfolgen.

1) Noch ö r t l i c h sind begreiflich, und zwar zunächst eher mit dem Sinn von 'h i n a u f' : *er-kommen* 'auffahren, erschrecken', —*risen* 'sich erheben', —*spreten* 'aufsprießen', —*stan* 'aufstehn'; —*heven* 'erheben', —*holden* r. 'sich verteidigen, aufrecht halten', —*lichten* 'aufheben', —*ogen* 'zeigen', —*rogen* 'aufregen, anregen' (*rogen* 'rühren, regen'), —*steigern* 'steigern, vermehren', —*swingen* 'schwingen' (*die vlogel*), —*togen* (—*tonen*) '(auf)zeigen', —*verden* 'erschrecken' (: [*ge-*]*verde* n. 'Hinterlist, Gefahr'), —*wecken*, —*wisen* 'vorzeigen', wohl auch —*halen* 'wiederholen, wieder gutmachen' (wohl 'etwas erst Fallengelassenes a u f nehmen'); dagegen mehr mit dem Sinn von '(h e r —, h i n)a u s': *er-gan* 'ergehn, geschehen', —*volgen* 'folgen, die Folge sein', —*winden* 'aufhören' ('sich wieder auswärts wenden, ablassen'); —*beden* 'erbieten, darreichen', —*delen* 'durch Urteil zusprechen', —*kesen* 'erkiesen', —*krigen* '(heraus)bekommen', —*legeren* 'ersetzen', —*leygen* 'ersetzen, bezahlen', —*loven* 'entlassen, urlauben', —*maken* 'zusammenbringen', —*nennen*, —*neren* 'erretten' (*neren* 'retten'), —*osen* 'ausschöpfen, verwüsten' (*osen* 'schöpfen'), —*saten* 'ersetzen' (*saten* 'festsetzen, beruhigen'), —*scheden* 'richterlich entscheiden, schlichten' (wohl 'das Richtige ausscheiden'), —*staden* 'erstatten, gestatten', —*strecken* 'hinausschieben', —*togeren* 'verzögern', —*orloven* 'gestatten' (:*orloven* dass.), —*orsaten* 'ersetzen' (*orsate* 'Ersatz'), —*varen* 'durchwandern', —*vinden* r. 'sich finden, zeigen', —*vogen* r. 'sich wohin verfügen, kommen', —*vorderen* 'fordern', —*wegen* 'fortbewegen', ursprünglich wohl auch —*boren* 'gebühren' (eig. 'sich erheben': *boren* 'gebühren').

2) I n c h o a t i v e. Den Beginn der Handlung bezeichnen dagegen aber schon —*klingen*, —*quacken* 'Leben zeigen', —*schellen* a) 'erschallen', b) trans. 'erschallen lassen', —*schinen* 'erscheinen',

—schrigen 'aufschreien', *—wassen* 'erwachsen, zufallen'; *—tornen* 'erzürnen' (intr.), und wohl auch—*barmen* (*—varmen*) intr. u. r. 'erbarmen'; dann aber *—kennen*, sowie *—narren* 'närrisch werden', *—dagen* 'Tag werden', *—losigen* intr. 'ermatten' (*losich* 'matt'), *—luchten* 'bekannt werden, ans Licht kommen' (as. *lioht* 'licht'); in gewissem Sinn auch noch die entsprechenden, von Adjektiven ausgegangenen Bewirkungswörter wie *—doden* 'töten', *—enen* 'vereinigen', *—follen* 'erfüllen', *—frischen*, *—hogen* '(erhöhen), erfreuen', *—klaren* 'kund tun', *—krenken* 'schwächen', *—lichten* 'aufheben', *—luchten* 'erleuchten', *—lutteren* 'erläutern', *—quicken*(*—e—*), *—soten* 'versüßen', *—suren* 'säuern', *—vrawen* 'erfreuen', *—vullen* 'ersetzen', *—waren* 'bewahrheiten', *—weren* 'wahr machen', schließlich vielleicht auch *—inn(er)en* 'erinnern', *—nahen* (*—nalen*) r. 'sich nähern', u. sogar *—krechtigen* 'mit Gewalt nehmen' (: *kreftich* 'kräftig') und *—overen* 'gewinnen'.

3) I n t e n s i v e. Die Ausdehnung der Handlung bis zu ihrem Ende und damit die Verstärkung bezeichnen etwa *er-beiden* 'erwarten', *—bruken* 'gebrauchen', *—drengen* 'drängen', *—froschen* 'erforschen', *—lesen* 'durchlesen', *—neren* 'ernähren', *—sniden* 'durchschneiden', *—tellen* 'erzählen', *—varen* 'erfahren, erforschen', *—voden* 'ernähren, erhalten' (*voden* 'füttern'), *—volgen* 'verfolgen', *—wachten* 'erwarten', *—weren* 'schützen'.

4) P e r f e k t i v e. Mehr dieses eigentliche Ende der Handlung, ihren Abschluß heben hervor: *er-beren* 'gebären', *—eschen* 'erkunden', *—hören* 'anhören', *—kesen* 'sehen', *—merken* 'einsehen', *—reken* 'erreichen', *—sen* 'ersehen', *—spen* 'erspähen', *—trosten* r. 'sich trösten, hinwegsetzen über', *—tugen* 'bezeugen', *—varen* 'widerfahren, zu Teil werden', *—wassen* 'erwachsen, zufallen', *—weren* r. 'sich erwehren', *—winnen* 'erweisen, überführen', doch wohl auch *—sticken* 'anstecken, anzünden'. — Dieses Ende kommt dabei der V e r n i c h t u n g gleich oder nahe bei *er-gan* 'vergehn', *—sterben* 'sterben, aussterben', *—sliten* 'verschleißen, aufgerieben werden', *—vallen* 'verfallen'; *—biten* 'tot beißen', *—doden* 'töten', *—legeren* r. 'sich legen' (vom Wind), *—steken* 'erstechen', *—worgen* 'erwürgen'. Zur Bezeichnung des G e g e n t e i l s wird geradezu *—getten* st. 'vergessen' (an. *geta* 'erreichen').

5) R e s u l t a t i v e. Schließlich tritt das E r g e b n i s, der Erfolg der Handlung mehr oder weniger hervor bei einigen auf diese

Weise erst Transitivierten, wie *er-dedingen* 'durch Unterhandlung bekommen' (*dedingen* 'Gericht halten, verhandeln'), —*frien* 'erheiraten', —*gan* 'gehend erreichen, einholen', —*schnuven* 'erschnauben, wittern', —*stan* 'eine Klage durch Stehn vor Gericht gewinnen', —*volgen* 'erlangen, erreichen', —*werven* 'erwerben', desgleichen wohl auch —*bidden* 'Fürbitte bei j. tun' (*dat he se by em erbiede*), 'erbitten' (*gnade*), —*denken* 'auffinden', —*dichten* 'erdenken', —*dingen* 'ausbitten', —*gnappen* 'erschnappen', —*schulden* 'versch.', —*tugen* 'bezeugen'. — Undeutlich bleiben gegenüber dieser ganzen Reihe von gut 110 leicht deutbaren Formen nur kaum ein halbes Dutzend Bildungen, vorwiegend uralte Ausdrücke wie *ermanen* 'ermahnen'. — Von einem Nomen unmittelbar scheinen unter allen Ableitungen nur zwei Formen zu kommen, *er-krechtigen* und *er-orsaten*, kaum *er-orloven*.

8. ge —. a) Mit der Vorsilbe *ge—* verzeichnet das Mnd. Wb. annähernd 150 Zeitwörter. Darunter ist aber etwa die Hälfte nur in der Verbindung mit *können* und *mögen* belegt, an die *ge—* auch in der älteren Zeit schon genau so wird gebunden gewesen sein, wie heutigentags in gewissen Mundarten (Grimm, Gr. 2,834 Neudr.). Dazu gehören u. a.: *ge-achten* 'überschlagen, zählen', —*archwilligen* 'argen Willen hegen gegen j.', —*breken* 'brechen', —*don* 'tun', —*lachen* (*men kan dar altydt nicht g.*), —*riken* 'reich werden', —*rouwen* 'ruhen', —*sadigen* 'sättigen', —*schaden*, —*sen* 'sehen'.

Nur bei den andern ist *ge—* auch sonst üblich, u. zwar bald neben der *ge*-losen Form, bald aber auch überhaupt ohne sie. So findet sich: *ge-andworden* 'überliefern', —*beden* st. 'gebieten' (r. 'sich erb.'), —*beren* st. 'gebären', —*beren* sw. intr. 'sich geberden', —*bernen* intr. 'brennen', —*bogen* 'biegen', —*borden* 'scherzen, höhnen' (: *bört* 'Scherz'), —*boren* intr. r. 'gebühren', —*breken* st. 'gebrechen, mangeln', —*bruken* '—brauchen', —*busemen* 'die Verwandtschaft nachweisen', (*busem* m. 'Busen, Verwandtschaft', *gebuseme* n. 'Verwandtschaft'), —*buten* 'Buße zahlen', —*denken* '—denken', —*dien* st. 'gedeihen', —*dingen* 'einen Vertrag schließen', —*dregen* st. 'tragen', —*dulden* 'dulden, leiden', —*duren* 'ausharren', —*gunnen* 'gönnen', —*hebben* 'haben' (*ok gehebben de graven dre brodere*), —*hellen* 'übereinstimmen' (*in solchs*), —*hengen* 'erlauben', —*herden* 'ausdauern', —*higen* 'äffen', —*hilligen* 'heiligen', —*jaren* r. 'zu Jahren kommen', —*leiden* '—leiten', —*lenken* 'lenken', —*leven* 'erleben' (*so leiden dach*),

— *leven* 'belieben', —*limpen* 'glimpflich behandeln', —*losen* (m. Gen.) 'los werden', —*loven* 'geloben', —*mechtigen* 'ermächt.', —*moten* 'begegnen', —*moten* 'müssen, dürfen' (*uppe dat der jodden nein gemote an ome sich mer versoken*), —*nagen* 'nahen' —*naken* (—*neken*) intr. r. 'sich nähern', —*nalen* (intr. r.) dass., —*nenden* 'wagen' (mit *wel* 'will'), —*neren* 'ernähren', —*nesen* st. 'genesen', —*neten* st. '—niessen', —*ordelen* 'beurteilen', —*quemen* 'kommen' (*off ik sint an de werlt gequam*), —*raden* st. '—raten', —*raken* stsw. 'treffen, sich ereignen', —*reden* 'versprechen', —*reken* '(reichen), sich ereignen', —*richten* 'richten', —*risen* st. 'entstehn', —*schapen* st. 'schaffen' (*du bist de hilgheste creature, de de hilge drevoldicheit geschop*), —*schen* st. '—schehen', —*segelen* 'segeln' (*de konink quam gesegelende*), —*sinnen* st. 'verlangen', —*sparen* 'sparen, schonen', —*starken* 'verstärken', —*sterven* st. (*wen de mensche gesterft*), —*swigen* st. '—schweigen', —*truwen* 'trauen', —*vallen* st. 'sich ereignen', —*van* 'fangen' (*wi hadden solk geval, dat wi enen ossen gevengen*), —*vernen* 'entfremden', —*vesten(en)* 'befestigen', —*vinden* 'finden' (*unde wachtede . . . wor dat ik den schat gevunde*), —*vogen* 'fügen', —*volen* 'fühlen' (*als se mit der hant tastede unde gevolde*), —*vroden* 'einsehen', —*wachten* 'erwarten', —*wagen* st. 'gedenken', —*waren* 'versichern, Bürge sein', —*warten* 'beobachten', —*welden* (—*wolden*) 'walten', —*wenden* 'wenden', —*werden* st. 'werden' (*die sundach was die irste dach, die ie gewart*), —*wenen* '—wöhnen', —*werdigen* 'für wert halten', —*weren* '—währen', —*weren* 'Gewährsmann sein, dartun', —*winnen* st.

b) Bemerkenswert ist an dieser Sammlung mehreres.

1) Einmal treffen wir verschiedene Bekannte aus unserer Schriftsprache darin wieder: *ge-bieten*, —*bären*, —*baren*, —*bühren*, —*brechen*, —*brauchen*, —*denken*, —*deihen*, —*leiten*, —*loben*, —*nesen*, —*nießen*, —*geraten*, —*schehen*, —*schweigen*, —*fallen*, —*winnen*.

2) Sodann ist *ge*— auch bei Zeitwörtern möglich, die selbst schon eine Augenblickshandlung bezeichnen und desbalb kein Freund von *ge*— sind, auch im Mittelwort der Vergangenheit, so bei *werden*, *kommen* und *finden*.

3) Ebenso erscheint *ge*— neben Ausdrücken mit allgemeiner Bedeutung, neben denen es J. Grimm anfänglich nicht suchte, wie *sin*, *wesen* und *werden* (Gram. 2,834 a. 1 [Neudr.]); und zwar gilt das für den Gebrauch mit und ohne *können* und *mögen*. — Beachtenswert ist auch *ge-moten* 'müssen'.

4) Die Auffassung der A u g e n b l i c k l i c h k e i t schimmert
noch aus manchen Fällen des Gebrauchs heraus, so bei den Neben-
sätzen (*off ik gequam*; *dat wi gevengen*; *als se gevolde*; *de creature,
de de drevoldicheit geschöp*), aber auch vielfach in der Verbindung
mit *können* und *mögen*. Indessen stehen einerseits Bildungen mit
und ohne *ge*— unmittelbar nebeneinander (*machstu den maen*
['Mohn'] *tellen, so machst du ok getellen mine gewalt*; *als se
mit der hant tastede unde gevolde*); und anderseits schließt
ge— manchmal die Auffassung der Dauer einer Handlung auch nicht
aus (*ok gehebben de graven dre brodere*).

9. *in*. Die 120 mnd. Beispiele mit *in* zeigen im allgemeinen noch
einfache Verhältnisse, indem sie noch überwiegend auf Örtliches,
wenig auf Nichtörtliches und nur in Spuren auf neue Nebengedanken
hinweisen. Über $^1/_3$ davon (52) ist dem nhd. Sprachgefühl neu, das
meiste davon auch wieder dem der ndd. Mundarten, mit Ausnahme
etwa von *in-boren* 'einnehmen, erheben', —*boten* 'einheizen',
—*vligen* 'ordnen'.

I. a) Das S u b j e k t mit seiner Umgebung, besonders seinem
Hauswesen, ist das Umhüllende bei —*draven* 'hereintraben', —*komen*
'heimkommen', —*krimpen* 'einschrumpfen', —*wonen* 'bewohnen'
(daher nhd. *Einwohner* eig. 'Hausgenosse'), dann —*boren* 'erheben,
einnehmen' (*boren* 'heben'), —*degedingen* 'gerichtlich einziehen',
—*dingen* dass., —*eschen* 'vorladen', —*gripen* (Akk.) 'ergreifen',
—*hoden* 'hüten im Innern', —*huren* 'heuern', —*losen* '—lösen'
(Nd. Jb. 43,73), —*manen*, —*wedden* 'als Pfand nehmen', —*werven*
'herbeischaffen', —*wokern* 'durch Wucher an sich bringen', —*wrogen*
'zur Strafe ziehen, rügen'.

b) Umgekehrt weisen nach a u s w ä r t s , auf ein fremdes Ziel
—*antwerden* 'überantworten', —*geven* 'einräumen', —*klackern* 'hin-
einklecksen', —*kleiven* 'hineinschmieren', —*opperen* '—opfern,
unter Feierlichkeit in ein Kloster geben', während

c) eher schon d o p p e l d e u t i g sind: —*schroden* 'Wein-
fässer in den Keller rollen', —*trecken* 'einziehen, einführen', —*weldigen*
'in Besitz bringen, einsetzen'.

d) Schon w e n i g e r ö r t l i c h sind der Reihe nach: —*hacken*
'einhacken, Einwendungen machen', —*tasten* 'hineintasten, gewalt-
tätig s.'; —*soken* 'angreifen', —*stocken* 'anstacheln', —*meten* 'ein-
messen', —*tellen* '—zählen', —*vligen* 'einordnen', —*volgen* 'beistim-

men', —*voren* 'anführen' (in e. Schrift); —*evenen* 'einebnen', —*korten* 'kürzen', —*boten* '—heizen'; —*schowen* (Akk.) 'einschauen, einen Gesellen beim Meister in die Arbeit einweisen'; —*langen* 'ausreichen'; —*gelevet* 'beliebt' (*sik inleven 'sich einlieben, beliebt machen'); —*dingen* 'das Gericht konstituieren'; —*denken* 'eingedenken', —*loven* 'eingeloben', —*sweren* 'beschwören', —*tugen* 'bezeugen'.

e) Das Umhüllende nennt der Z e i t w o r t s t a m m nur bei —*blien* 'ein-bleien', —*diken* '—deichen', —*geisten* 'mit einem Geist versehen, inspirieren', —*liven* 'einverleiben', —*plichten* 'einpflichten, einem die Leistung einer Sache auflegen', —*rumen* 'Raum gewähren', —*schuren* 'einscheuern', —*solten* '—salzen' (Nd. Jb. a. a. O.); —*staden* '(den Eingang) gestatten', auch wohl —*eschen* 'einäschern'.

II. f) Den V e r l u s t dentet — in übertragener Weise — nur an —*krimpen* 'einschrumpfen', umgekehrt

g) die V e r g e l t u n g auch nur — *denen* 'durch Dienst vergelten', und ebenso — nur mit Anschluß an die andere Richtungsmöglichkeit —

h) die V e r n i c h t u n g nur —*pedden* 'mit den Füßen einstampfen' und —*tredden* 'niedertreten', ähnlich wie mhd. *in-vallen* 'zusammenfallen' und —*trёten* 'zertreten'.

III. Wegen der durch *in* bewirkten Transitivierung beachte man besonders Fälle wie —*denen*.

10. mede. Mit *mede* 'mit' sind nur vier Formen wirklich belegt: vor allem *mede-hellen* 'übereinstimmen', —*plichten*' Gemeinschaft eingehen, sich verbinden', —*weten* '—wissen', dann aber auch *mede-buten* 'umtauschen' (*buten* 'tauschen'). Aber abgeleitete Substantive lassen das Dasein noch einiger wenigen, zufällig nicht bezeugten *mede*-Verba sicher erschließen (*mede-helpen*, —*komen*, —*liden*).

11. miss(e). In den 29 Beispielen hat *miss(e)*, das immer vortonig und untrennbar zu sein scheint, a) nur einmal die Bedeutung 'a n d e r s' (in *mis-donen* 'nicht einhellig sein'), b) 19mal dagegen die Bedeutung 'f a l s c h, v e r k e h r t' (—*beden* 'ungebührlich behandeln', —*beren* 'sich ungeberdig benehmen', —*breken* 'verletzen', —*danken*, —*don* 'einen Fehler begehn', —*dragen* 'eine Fehlgeburt tun', —*dunken* 'nicht recht dünken', —*gan* unpers. 'fehlgehn', —*holden* 'auf fehlerhafte Weise halten', — *komen* 'schlecht bek.', —*kopslan* 'einen falschen Handel schließen', —*maken* 'entstellen',

—*spreken* 'schlecht spr.', — *treden* 'fehl treten', —*vallen* 'fehlschlagen', —*varen* 'e. falschen Weg einschlagen', —*voren* 'in e. übeln Zustand versetzen'). c) Etwa 9mal bezeichnet es am ehesten das begriffliche Gegenteil (—*gedien* 'mißraten, nicht gedeihen', —*hagen* '—fallen', [vgl. an. *haga* 'passen'], —*hopen* 'die Hoffnung aufgeben', —*loven* 'nicht glauben', —*prisen* 'tadeln', —*raden* 'abraten', —*raken* 'sein Ziel verfehlen' [: *r*. 'treffen'], —*saken* 'verleugnen' [*saken* 'verursachen'], — *trosten* 'in Verzweiflung bringen; verzweifeln').

12. *na* 'nach'. Die 22 Beispiele mit *na* entsprechen im großen ganzen genau heutigen Formen der Schriftsprache (*na-beden* 'nachbeten', —*gan*, —*jagen*, —*komen*); ausgenommen sind — teilweise allein wegen der Bedeutung — nur wenige Bildungen; nämlich a) mit örtlichem *na*: *na-juchen* 'hinter j. herjauchzen', und wohl auch —*bringen* 'dartun'; b) mit einer daraus entwickelten halben Art von Verneinung : —*bliven* 'aus—, unterbleiben', —*stande* Adj. 'rückständig'; c) mit dem Nebenbegriff des S c h a d e n s : —*bringen* 'in Not br.', —*leggen* (*it eneme*) dass., —*stappen* 'hintergehn', —*treden* 'verfolgen'; d) mit z e i t l i c h e m Sinn: —*manen* 'nachher Klage erheben', —*schuldigen* dass., auch wohl —*don* 1) 'nachtun', 2) 'vergüten', vielleicht auch —*ramen* 'mutmaßen' (*ramen* sw. 'ins Auge fassen').

13. *nedder* ist nur mäßig verbreitet. Unter 12 Gebilden im ganzen darf man herausheben: *nedder-dalen* 'niedersteigen' (:*dalen* 'fallen'), —*don* 'niedrig machen', —*klemmen* '—steigen', —*schepen* intr. 'hinunterschiffen', —*sigen* '—sinken', —*ten* 'niederziehen (vom Pferde), besiegen'.

14. *over*. I. In den etwa 100, meist eigenartigen Beispielen mit *over* springt zunächst in die Augen die freie B e w e g l i c h k e i t der Partikel. Es wechselt nicht nur unserer Erwartung gemäß *óver-komen* 'ankommen': —*kómen* 'erreichen', *óver-lopen* 'vorübergehn, verlaufen; übrig bleiben': —*lópen* 'überfallen', *óvertreden* 'übergehn': —*tréden* 'übertreffen', vielleicht auch *óver-kopen* 'die Anweisung gegen Wechsel übermachen': —*kópen* 'überbieten', sondern auch *óver-spreken* (Akk.) 'besprechen': —*spréken* (*einem etwas*) 'nachsagen', *óver-ten* 'hinüberziehen', (m. Akk.) 'überreden': —*tén* 'überziehen', und fast ohne Bedeutungsunterschied *óver-gan* : —*gán* 'über etwas hingehn' (*to gande over de hilligen wege: einen wech overgan*); und noch schärfer zeigt sich dieser Wechsel in *over-holen* 'überwinden, tadeln' (*de over to halende* : *worde he overhalet*), *over-palen* 'überpfählen' (*he palede de Weser over* : *die Kölner hant den Ryn overpelet*), —*trachten* (*Maria trachtede do over, wo grot se was: alse de articule overdrachtet worden*), —*wegen* 'betrachten, erwägen', (Part. *óver-ge-wegen* = *overwégen*), ja selbst bei dem schon erwähnten *over-treden* im Sinne von 'übertréten' (*overgetreden* : *do Adam overtrad dat gebot*) und 'übertreffen' (*unse [kunst] trit alle swarte kunst over* : *de overtred alle roeke der wollust*). Sonst weichen in sicheren Belegen ähnlich ab die lose verbundenen *óver-dichten* (*eme*) 'andichten' (: *over-schríven* 'zuschreiben', —*seggen* 'verleumden'), —*ropen* 'j. Schuld geben', —*proven* 'durchprüfen', —*rugen* 'überrauhen (Tücher)', —*setten* 'übersetzen (in e. Sprache)' (*overgesat*), —*slagen* 'über etw. hinschlagen, beschlagen' (*is dat deep avergeslagen* 'ein Deich durchgelegt'), —*vallen* 'überfallen' (*do vellen se en over*), vielleicht auch *over-seilen* 'hinübersegeln' (*unsen boden over to selende*). Natürlich heißt es *óver-rumpelen* 'etw. her-rumpeln, her-rappeln (Gesänge)'.

II. Wenn die B e d e u t u n g im allgemeinen auch nichts Ungewöhnliches bringt, gehen doch die einzelnen Beispiele hier ausnahmsweise ihren eigenen Weg.

a) Ö r t l i c h e n Sinn haben in dieser oder jener mehr oder weniger ausgesprochenen Beziehung: ('über die Grenze', 'darüber hinaus') *over-scharven* 'über-schlagen, —greifen' (: *scharven* 'in kleine blätterige, scherbenartige Stücke zerschneiden', *scherve* f. 'Scherbe, Metallstück des Plattenpanzers'), —*scheten* '—schießen, —wallen', —*vlodigen* —*vloien* '—fließen, Überfluß h.'; —*schelken* 'ein Stockwerk über das andere hervorbauen' (: *schalk* 'hervorragender Balkenkopf'); ('darüber', als Bedeckung) : —*heren* 'bekriegen, verheeren', —*palen* '—pfählen', —*rugen* ' —rauhen', —*schemen* '—schatten', —*sniden* '—schneiden', — *trecken* '—ziehen'; (im Sinn einer Erstreckung : 'darüber hin') —*dulden*, —*horen* 'anhören', —*pinsen* '—denken' (: *p.* 'denken', fr. *penser*), —*schatten* 'abschätzen, erwägen', —*trachten* 'betr.', —*wegen* 'erwägen'; vielleicht auch —*wisen* (einem etwas) 'beweisen' (vgl. Mnd. Wb.); ('hinüber an ein jenseitiges Ziel'): —*komen* 'ankommen', —*gan*, —*liden* 'vergehn', —*ten* 'hinübergehn', —*bringen* 'hinbringen' (eine Zeit), —*don* r. 'sich auf d. Seite d. Gegners stellen'; —*beden* 'er—, ver-bieten', —*betalen* 'auszahlen', —*kopen* 'die Anweisung übermachen', —*langen* 'überreichen', —(hant)reken dass., —schatten 'vergelten', —schepen 'von einem Schiff ins andere laden', —schriven 'schreibend mitteilen', (Less. überschreiben), —setten '—lassen', —stellen '—geben', aber auch —scheppen r. 'sich verwandeln, (hinüberschaffen)'.

b) Ein Übertreffen u. dgl. bezeichnen: —bulderen '—poltern', —gan, —holen 'besiegen', —humpeln '—rumpeln', —ilen '—raschen', —legen 'belügen', —mechten 'an Macht übertr.', —mengen 'an Menge übertr.', —mogen 'die Oberhand haben', —snellen 'rascher als ein andrer etw. erreichen', —striden '—treffen', —teren 'länger leben, —zehren', —treden '—treffen', —tugen 'durch Zeugen überwinden', —welden '—wältigen', —winnen 'besiegen'.

c) Der Gedanke des Übermaßes erscheint in neuem Gewande nur in —kommern '—lasten' (mhd. kumber m. 'Schutt, Belastung, Kummer').

d) Nachteiliges in verschiedener Hinsicht bezeichnen: α) —dichten 'andichten', —leggen 'zur Last legen', —ropen 'j. Schuld geben', —schriven 'Böses zuschreiben', —seggen 'beschuldigen'. —spreken 'nachsagen'; β) —buwen 'verbauen'; γ) —sitten 'versäumen', —sumen dass.; δ) —spelen 'Ehebruch treiben' (: spelen 'spielen, Minnespiel treiben'); —bringen 'um etw. br., berauben'; ε) fast mit dem Sinn einer Verneinung: —achten 'verachten', —gissen 'flüchtig, obenhin raten', —horen 'mißachten', —sen 'verzeihen', —tien (Dat.) 'verzichten, verzeihen' (he overtech der papheit).

e) Eine Nachprüfung drücken aus —proven 'durchprüfen', —rekenen '—rechnen' und —sen 'nachsehen, prüfen'.

f) Einer Verstärkung des Begriffs kommt die Vorsilbe vielleicht gleich in —dusteren 'verdunkeln', —evenen 'vereinigen', —storen 'zerstören und —vesten 'verf.';

g) dagegen dem Begriff 'übrig' in —bliven, —lopen 'übrig bleiben' (von einer Summe);

h) den Begriffen 'überhoben' und 'in Sicherheit' in over sin.

15. *to* 'zu'. Von rund 160 Beispielen mit trennbarem *to* bezeichnet

a) annähernd die Hälfte das räumliche Verhältnis, darunter etwa 30 intransitive und nahezu 50 transitive, so z. B. to-(ge)boren 'gebühren', —gan, —hangen, —(be)horen 'zugehören', —komen, —langen, —lopen, —luden 'zulauten, lauten auf einen', —platzen 'hastig

19

ufahren', —*plichten* 'es mit j. halten', —*raken* 'wohin gelangen',
—*ramen* 'das Ziel erreichen', —*reken* 'genügen', —*riden* 'eilig zureiten',
—*risen* '—fallen', —*rogen* 'lärmend herbeieilen', —*sen* '—sehen',
—*slumpen* 'durch Glück zu Teil w.', —*soken* 'besuchen', —*striken*
'mit den Netzen auf das Land gehn', —*tasten* 'zutasten', —*treden*
'hinzutreten', —(*be*)*truwen* '—trauen', —*vallen*, —*vleten* 'hinfließen';
—*geboren* 'zugeboren, angehörig'; —*achten* 'gerichtl. überweisen',
—(*ent*)*beden* 'entbieten', —*bringen* 'herzubr.', —*delen* '—teilen',
—*domen* 'zuerkennen', —*dragen* 'herbeitragen', —*drinken*, —*driven*
'zutreiben', —*eschen* 'fordern', —*geven* 'gestatten', —*holden* 'hin-
halten', —*keren* '—kehren', —*laten*, —*leggen* 'hinzulegen', —*leiden*
'zuführen', —*lieben* refl. 'sich einschmeicheln', —*loven* '—trauen',
—*maken* 'vermachen', —*meten*, —*negen* '—neigen', —*ordeln* 'd. Urteil zusprechen', —*richten* 'richterl. —sprechen', —*ropen* '—rufen',
—*scheden* 'zuweisen', —*schivelen* 'betrügerisch —wenden', —*schriven* 'd. Zuschrift wissen lassen', —*schuppen* '—werfen', —*seggen*
(*dat einem*) '—sagen, —lassen, aufkündigen, versprechen', —*setten*
'—weisen', —*steden* 'gestatten', —*sweren* '—schwören', —*tekenen*
'—wenden', —*ten* 'hinzuziehen, verleiten', —*tichten* '—schreiben',
—*tucken* '—ziehen', —*tugen* (einem etw.) 'd. Zeugnis beweisen',
—*voren* '—führen'; dann mehrere Ausdrücke für 'anreizen', *to-herden*,
—*hissen*, —*reisen*, —*schunden*, —*stoken* 'anschüren'.

b) Nur etwas über 20 Fälle gelten der Anschauung des S c h l i e -
ß e n s (2 Intr. u. 20 trans.: —*lopen* '—laufen, sich schließen',
—*swillen* '—schwellen'; —*boten* 'flicken', —*dammen* '—dämmen',
—*demp*(*m*)*en* dass., —*don* 'schließen', —*dreien* '—drehen', —*graven*
'd. einen Graben absperren', —*klemen* '—schmieren', —*leggen* 'versperren', —*knopen* '—knöpfen', —*luken* '—schließen', —*maken*,
—*palen* '—pfählen', —*planken* 'mit Planken versperren', —*plocken*
'—pflöcken', —*raken* '—scharren', —*schudden* '—schütten', —*slan*
'—schlagen', —*spunden* '—spünden', —*stecken*, —*stoppen*).

c) Nur etwas über ein Dutzend Beispiele drücken ein Z u -
r ü s t e n aus: —*brouwen* 'zusammenbrauen, anstiften', —*evenen*
'ausfüllen', —*maken* 'rüsten', —*reden* '—bereiten', —*richten*, —*rusten*,
—*schicken* 'zurüsten', —*sniden* , —*staven* 'zustaben, vereidigen',
—*verdigen* 'ausrüsten', —*vli*(*g*)*en* 'ordnen', —*wegen* '—wägen',
—*worden* 'zur Wort—, Wohnstätte machen'; von Intransitiven noch
in gewissem Sinne —*slapen* 'einschlafen' und —*sten* 'entstehn'; bei

to-bringen 'vernichten' (Part. *to[ge]bracht*) kommt diese 'Zurüstung' einem S c h a d e n gleich;

d) nur 5 bezeichnen die H i n z u f ü g u n g v o n G l e i c h - a r t i g e m: —*nemen* 'wachsen', —*wassen* dass.; —*boten* 'nach- heizen', —*namen* 'e. Beinamengeben', —*vogen* '—fügen', —*werpen* dass.

16. *to*— 'zer—'. Das dem ahd. *zi* mhd. *ze* wohl genau ent- sprechende untrennbare *to* war im Mnd. auch noch sehr mächtig; das Mnd. Wb. belegt es in etwas über 40 Beispielen, wovon gut ein halbes Dutzend intransitiv, der Rest transitiv ist; z. B. in *to- bers(t)en* 'zer-brechen', —*drinten* 'aufschwellen', —*gan* 'zergehn', —*gliden* '—gleiten', —*smelten* '—schmelzen', —*springen*, —*varen* 'zerstört w.'; —*brechen* '—brechen' tr. intr.; —*biten* '—beißen', —*blasen* Adj. 'aufgeblasen', —*denen* '—dehnen', —*graven* '—graben', —*grusen* 'zu Grus m.', —*houwen*, —*kleien* '—kratzen', —*knirschen*, —*knisteren* ,—*kno(r)sen*, —*krosten* '—brechen', —*leden* '—gliedern', —*leggen*, —*persen* '—pressen', —*quessen* (—*quetteren*) '—quetschen', —*renden* '—reißen', —*riten* dass., —*ropen* '—raufen', —*rucken* '—reißen', —*scholen* 'wegspülen', —*schoren* '—reißen', —*schroten* '—schneiden', —*schuchtern* 'zerstreuen', —*schudd(er)en* 'erschüttern', —*slan*, —*slepen* '—schleifen', —*sniden*, —*spliten*, —*storen* '—stören', —*stoten* '—stoßen', —*strouwen* '—streuen', —*ten* 'auseinanderziehen', —*villen* 'schinden', —*voren* '—führen', —stören', —*werpen* '—stören', —*wriven* '—reiben'; (mit Transitivierung) —*pedden* '—treten', —*riden* '—reiten', —*scheten* '—schießen', —*treden* '—treten', —*weien* '—wehen'. Von all diesem hat das Gött. einen Überrest erhalten in *tau-breken* 'zerbrechen'.

17. I. *umme* hat in den rund 50 Beispielen a) besonders den Sinn von 'u m h e r', so in *umme-beden* 'ringsumher entbieten', —*delen* 'herumteilen, —reichen', —*kuselen* 'herumwerfen' (k. 'im Kreis drehen'), —*riden* 'den Umritt halten', —*seggen* 'der Reihe nach ansagen', —*tellen* 'der Reihe nach zählen', dann —*striden* 'ringsumher bestreiten', schließlich auch — *schowen* (*den gesellen*) 'für den Gesellen nach Arbeit herumfragen'; alles Bildungen, die sich mhd. *umbe sagen*, —*slahen* 'austrommeln, öffentlich verkünden lassen', —*teilen* an die Seite stellen; dann aber b) auch ab und zu — als jüngere Entwicklung — den Sinn der Ä n d e r u n g , so zunächst schon in —*bringen* 'anderswohin bringen' und —*voren* 'verleiten', dann aber auch in *umme-buten* 'wechseln' (=*buten*

19*

'tauschen'), —*don* 'überreden', —*kopen* 'umkaufen, bestechen', —*maken* 'ändern', ferner —*dedingen* 'durch Verhandlung umstimmen', —*spreken* 'durch Sprechen umstimmen'; endlich bezeichnet die Vorsilbe noch c) den Ü b e r g a n g v o m S t e h n z u m L i e g e n in —*scheten* 'umschließen, sich überschlagen', —*treden* 'tretend —stürzen', —*werpen* 'um, vom Pferde werfen', vielleicht auch in —*bringen* 'umbringen, töten', wenn das ursprünglich 'niederschlagen' bedeutete und nicht etwa 'bei Seite schaffen'.

II. Die V e r b i n d u n g mit dem Zeitwort ist hier noch schwankend, bald fest, bald lose (*wepener, dar me alle de werld mochte mede ummestridet hebben undc dorghetoghen. He gingk kriges umme*).

18. *up.* Unter den nahezu 140 Formen mit *up* haben nur wenige eine auffällige Eigenart; so z. B. A.) mit dem Sinn 'i n d i e H ö h e': *up-blokeren* 'auf-flackern', —*breken* (v. Tag) 'anbrechen', —*bulgen* '—wallen', —*drengen* 'hinaufdrängen', —*drinten* '—schwellen', —*quesen* '—schwellen, Blasen aufwerfen', —*riden* 'hinreiten', —*risen* 'sich erheben', —*rispen* 'aufrülpsen', —*seden* 'aufsieden' (v. Sodbrennen); —*bringen* 'in die Höhe ziehen', —*dragen* 'übergeben', —*driven* 'wegtreiben', —*ebben* 'durch d. Meeresbewegung emporbringen', —*holden* 'emporhalten', —*lichten* 'emporheben', —*reken* 'überreichen', —*ròpen* 'herausrupfen', —*ròpen* 'berufen', —*schepen* 'aus dem Schiff laden', —*sprengen* 'das Pferd springen lassen, sich wohin begeben', im Grund schließlich auch —*trummitten* '—trompeten'; b) mit dem Sinn des 'Ö f f n e n s': —*binden* 'losb.', —*dingen* 'das Gericht eröffnen', —*diriken* 'mit einem Dietrich öffnen', —*eren* '—pflügen', —*eschen* 'auffordern, die Tore zu öffnen', —*howen* 'd. Hauen öffnen', —*kleiden* 'entblößen', —*kloven* '—spalten', —*luken* 'öffnen', —*roden* '—graben', —*slan* 'aufschlagen, öffnen', —*sliten* 'aufschleißen', —*stoten* 'einstoßen, gewaltsam erbrechen', aber wohl auch —*raden* 'mutmaßen' (wohl 'Unklares durch Raten erschließen') und —*vragen* 'erfragen'; c) mit dem Nebengedanken der T ä t i g k e i t s e r ö f f n u n g : —*bernen* 'anzünden', vielleicht auch —*dingen* (s. o.). und intr. —*klaren* 'hell werden'; — mit dem Hinblick auf den E r f o l g einerseits nach der s c h l e c h t e n Seite (der Vernichtung) —*bringen* 'zerstören', —*howen* 'abhauen', —*sliten* 'verbrauchen', —*sluken* 'hinunterschlucken', vielleicht auch —*raden* und —*vragen*; ja — sogar mit Annäherung an den Begriff des G e g e n -

teils: —*ropen* 'widerrufen', —*schriven* 'aufkündigen', vielleicht auch —*senden* (etwas) 'verzichten'; andrerseits nach der guten Seite — außer dem schon genannten —*klaren* — sicherlich —*keren* 'ersetzen', —*krigen* 'bekommen als Ersatz', —*luchten* 'die Farbe wieder aufhellen', —*noppen* 'putzen' ('die 'Noppen', Wollknötchen wieder aufzupfen'), —*rekenen* 'abrechnen', vielleicht auch —*glarpungen* 'sich aufputzen', —*maken* 'zurecht m.', —*kolden* 'kalt w. lassen', —*kulen* 'mit kühlem Wasser begießen', —*schorten* 'verkürzen', —*suveren* 'reinigen', —*wurten* 'zur *Wurt* (f. 'Wohnstätte') machen'; B. im Anschluß an den Gebrauch der Präposition, also im Sinne von 'darauf': —*antworden* 'überantworten', —*geten* 'aufschütten', —*kloppen* 'aufklopfen, um Stille zu gebieten', —*stippen* 'mit den Fingern auftippen, zur Bekräftigung', —*striden* 'aufstreiten, im Streite zuschreiben'.

19. *ut.* Mit seinen gut 200 Beispielen bietet das Mnd. zwar noch einfachere Verhältnisse, enthält aber schon die Keime zu allem dem, was uns die spätere Zeit und die Maa. vorlegen. So sind, — wenn wir mit Ausschluß aller schon aus der heutigen Schriftsprache bekannten Formen nur die einigermaßen Neues enthaltenden Beispiele berücksichtigen (es sind 80),

a) örtlich (im Sinne von 'hinaus, heraus, auseinander') zu fassen die Intransitiven *ut-dwalen* 'irre gehn', —*jagen* 'eine Jagd nach auswärts veranstalten', —*knuppen* 'ausknospen', —*sigen* 'herausfallen', —*soken* 'herausgehn' (*soken* 'suchen'), —*spisen* 'außerhalb des Hauses speisen', —*spruten* '—sprießen', —*stan* 'ausstehn, Waren verkaufen', —*swademen* '—dünsten', —*tasten* 'Hand anlegen zum Arbeiten', —*volgen* 'Folge leisten', —*wanken* 'herausgehn', —*weiden* 'ausschweifend leben', —*wiken* 'weichen, die Stadt verlassen', —*worte(le)n* 'aus der Wurzel heraussprießen, entstammen'; ebenso von den Transitiven einerseits (im Sinn eines 'hinaus') *ut-andworden* '—händigen', —*hok(er)en* 'verkaufen', —*laden* 'vor ein fremdes Gericht laden', —*luden* '—sprechen', —*reken* 'herausreichen, bezahlen', —*sliten* 'klein verkaufen', —*spekelen* 'Speichel —werfen', —*spenden* 'zuteilen', —*staden* '—händigen', —*stellen* 'verschieben, verlängern', —*stemmen* 'bestimmen', —*striken* 'auspeitschen', —*sundern* 'aussteuern', und wohl auch —*vechten* 'anfechten' ('durch Kampf hinausbringen', *mi*), und —*wesselen* '—wechseln'; anderseits (als 'heraus') —*boden* 'durch e. Boten kommen lassen', —*degedingen* '—machen', —*drenken* 'durch Abschneiden des Wassers zur Ergebung nötigen', —*droten* 'durch Drohung herausnötigen' (*dr.* 'drohen'), —*dunen* 'aufschwellen', —*eschen* 'die Auslieferung verlangen', —*grunden* 'ergründen', —*kennen* '—kennen, aus andern auswählen', —*knutten* 'ausknoten, herausziehen', —*manen* 'beitreiben', —*nomen* 'benennen', —*osen* '—schöpfen', —*riffen* '—zupfen', —*rucken* 'rasch herausziehen', —*rumen* 'wegräumen', —*schepen* '—schiffen', —*scheren* 'absondern', —*schriven* 'abschreiben; aus der Liste streichen', —*sitten* '—sitzen, —brüten', —*smachten* '—hungern', —*spliten* 'auseinanderspleißen, zerstören', —*spunden* 'in Fässer abfüllen', —*steken* 'aus—, durchstechen' (*dīk*), —*sticken* 'festsetzen', —*tolken* 'übersetzen', —*werken* r. 'sich befreien', —*winnen* 'herausbekommen', —*wippen* '—wippen, das Schwerere beim Wägen aussondern', —*wischen* 'abwischen', —*wortl(el)en* 'mit d. Wurzel ausrotten'.

Unter diesen sind aber auch noch Substantivableitungen, die ein Versehen zu bezeichnen scheinen, wie —*bodelen* (—*bolschatten*) 'mit dem Bodele (Brautschatz) aussteuern', —*pelen* 'durch Pfähle abstecken', —*raden* 'aussteuern', —*stapelen* 'abpfählen', —*vitallien* 'mit Lebensmitteln versehen'; dagegen eine Beraubung: —*lasten* 'auslasten, —laden' (ein Schiff), —*menschuppen* 'aus der Gemeinschaft ausstoßen', —*schogen* r. 'die Schuhe ablegen', —*stubben* 'den Staub ausfegen', —*weden* 'ausjäten' (as. *wiod* m. 'Unkraut'), und wohl auch —*pochen* 'ausplündern', —*schatten* '(den Zehnten) als Schatzung ausschreiben', sowie —*stormen* 'erstürmen' ('aus—, leer stürmen').

b) Als Verstärkung kann aber auch *ut* schon gedeutet werden in *ut-dunen* 'aufschwellen', —*evenen* 'schlichten', —*reden* 'bereiten, zahlen', und noch mehr in —*schicken* 'in Ordnung bringen', —*stormen, —striken, —helligen* 'müde machen, behelligen', —*witten* 'weißen, ankalken'; aber auch — in Fällen einer Dauerhandlung — bei —*harden* '—halten', —*luren* 'abwarten', —*suren* 'unter Schmerz lange Zeit ertragen', —*warten* 'aushalten bei d. Arbeit'.

c) Erst durch *ut* in der vorliegenden Bedeutung transitiv geworden sind *ut-drenken*, —*harden*, —*luren*, —*sitten*, —*smachten*, —*suren*, —*vechten*, —*warten*.

d) Vertauschung des Objekts liegt vielleicht vor in —*pochen* 'einen ausplündern' (eig. 'seine Wertsachen aus ihm herausklopfen').

20. *under.* I. S t e l l u n g. Sein *under* behandelt das Mnd. zuweilen noch überraschend frei. So w e c h s e l n beide Stellungen nicht nur bei *under holden* 'unter sich halten': *underholden* 'ernähren', sondern offenbar auch bei *under-breken* 'unterwerfen' (*under*[*ge*]*broken* Part.), —*richten* 'zurechtweisen' (*under to richtende*), —*stutten* 'eine Stütze untersetzen' (*unde stutteten dat under myt holte* Korner), —*wisen* 'zurecht weisen' (*under to wisende*). F e s t zusammengefügt sind dagegen schon nicht nur *under-gan* 'übernehmen, hindern', —*riden* 'durch Reiten hindern', —*stan* 'übernehmen, hindern', —*tasten* 'untersuchen', sondern —entsprechend as. *undar-grīpan* 'erfassen', —*huggian* 'einsehen' — auch —*denken* 'erdenken' (as. *undarthenkian*), —*nemen* 'abschneiden', —*schicken* 'anstiften', —*setten* 'stützen', —*sluten* 'verschließen', —*spreken* 'widersprechen', r. 'miteinander besprechen', —*ten* 'unterziehen, mit Zeug füttern', —*vangen* 'hindern', ebenso dativisches —*steken* 'darunter stecken'.

Doch mögen ähnlich gedacht sein die teilweise schon im Heliand vorhandenen —*dwingen* 'unter sich werfen, sich unterwerfen', —*halen* 'wegholen' ('eine Menge durch Holen daraus oder darunter vermindern'), —*manen* 'ermahnen' (vgl. *unterweisen*), —*maten* r. 'sich anmaßen' ('unter [zwischen] sich ein Maß anfügen'), —*proven* 'erproben' (vgl. *untersuchen*), —*reden* 'bereden' (*de dinge*, 'durch Dazwischenreden ändern'), —*slan* (einem etwas) 'bei Seite schaffen' ('etwas unter einen schlagen, es ihm unterschlagen'), —*treden* 'niedertreten' ('durch Darunter- oder Dazwischentreten vernichten'), —*truwen* (Akk.) 'sich verloben' ('durch Trauen binden'), —*vinden* '—suchen, erfahren' (as. *undarfindan*), —*vragen* 'ausfragen, erfragen' (*de wechgengers*, dann *rat*). Ja, selbst das untrennbare *underkomen* 'zusammenfahren, erschrecken' beruht vielleicht auf einer Anschauung wie nhd. *unterliegen*.

2. B e d e u t u n g. Von den 57 Beispielen geben a) 10 der Partikel den Sinn 'u n t e r, h i n u n t e r' (*under-bogen* '—beugen, —werfen', —*breken* '—werfen', —*don* dass., r. 'sich anmaßen', —*duken* '—tauchen', —*dwingen*, —*holden* 'unter sich halten, festhalten, ernähren', —*setten* 'stützen', —*stedigen* 'bestätigen', —*steken* 'darunter stecken, verst.', —*stutten* '—stützen', —*ten* 'unterziehen, mit Zeug füttern, entziehen'); b) 15 den Sinn '(d a) z w i s c h e n' (—*degedingen* 'durch Verhandlungen schlichten, verhandeln', —*komen* 'dazwischen k., unterbleiben', —*kopen* 'vorweg kaufen', —*legen*

Adj. 'verschieden', —*lopen* 'versperren, einem den Weg', —*reden*
'bereden', —*riden* 'durch Reiten hindern, hin- und herreiten', —*schei-*
den '—scheiden, bestimmen', —*scheren* 'dazwischen auskratzen',
—*scheten* st. 'dazwischenschießen = absondern', —*seggen* 'ansagen',
—*sniden* 'abschneiden', —*spreken* 'widersprechen', r. 'miteinander
spr.', —*weldigen* r. 'sich die Gewalt anmaßen', —*wisen* 'zurechtweisen'), während bei weiteren 25 ein vorsichtiger Urteiler am besten
keine Entscheidung fällt (—*beholden* 'im Besitz, zurückhalten',
—*berichten* '—richten', —*denken* 'erd.', —*gan* 'übernehmen, hindern,
befallen', —*halen*, —*hebben* 'im Besitz haben', —*laten* 'überlassen',
—*machten* r. 'sich anmaßen', —*manen*, —*maten* r. 'sich anmaßen',
—*nemen* 'abschneiden, weg—, unter-nehmen', —*proven*, —*richten*,
—*schicken*, —*slan*, —*sluten*, —*soken* 'versuchen', —*stan* 'übernehmen, hindern, verstehn', —*stouwen* 'unterbringen', —*tasten*,
—*treden*, —*vangen*, —*varen*, —*vinden*, —*vragen*, —*winden* r. 'angreifen, übernehmen'). c) Die G e g e n s e i t i g k e i t, die im
Mhd. öfter bezeugt ist (*underbāgen* r. 'sich gegenseitig schelten',
—*bīzen*, —*grüezen*, —*houwen*, —*küssen*, —*minnen*, —*reden*, —*reizen*,
—*rennen*, —*slahen*, —*sprechen*, —*stechen*, aber auch nicht reflexiv
—*lachen* 'unter einander l.'), drückt das Reflexiv nur 3—4mal aus
(*sik under-geven* 'sich gegens. geben', — — *kussen* '— — küssen',
— —*licken* '— — lecken', altköln. — —*hassen* '— —hassen'); d)
die H e i m l i c h k e i t der Handlung nur 1mal (—*huren* 'heimlich
heuern'); e) allein steht auch —*segelen* 'zu nahe (unter dem Lande?
dazwischen?) segeln'.

21. vor. Hier ist das Mnd. überraschend arm mit seinen
knapp 25 Formen, von denen höchstens ein paar eigentümlich sind:
vor-bededingen 'ausbedingen', —*beden* 'vorladen vor Gericht',
—*schermen* 'vorkämpfen', —*schoigen* '—schuhen, einen neuen Boden
in den Topf einsetzen', —*spreken* st. (*einen*) 'entschuldigen', und
daneben —*sproken* 'vorgenannt'. Alles übrige ist schon so zur Genüge bekannt, wie *vor-beholden*, —*bilden*, —*bringen* 'vorsetzen',
—*bugen* '—beugen', —*dregen* '—tragen', *vor(e)-gan*, —*gewen*,
—*hebben*, —*komen*, —*kopen*, — *legen*, —*liggen*, —*lopen*, —*nemen*,
—*setten* '—setzen', —*fordern', —*sniden*, —*stan*, —*tellen*, —*ten*
'emporheben'.

22. wedder. I. Das mnd. *wedder* ist noch f r e i b e w e g -
l i c h in den dativischen —*kurren* 'entgegenmurren' (*de wise man*

curret nicht wedder und *heffstu cm wedder kurret?*), —*seggen (juw sy wedder gesagel*), —*spreken (se spreken w.*), —*stan (se stunden deme greven w.*) und in den akkusativischen --*beden* 'zurückmelden' (*de koninghe boden w.* : *dat wedderbaden se den vyenden*), —*ropen* (*dat rope wy alle w.*), —*schicken* 'wieder in Ordnung bringen', —*werpen* 'zurückwerfen'; ebenso ist es lose in —*geven* 'zurückgeben' und —*keren* tr. 'zurückwenden', intr. 'zurückkehren', dagegen fest in den dativischen —*kratzen* 'dagegen kratzen, widersprechen', —*riden* 'entgegenreiten', —*setten* r., —*struven* r. 'sich dagegen sträuben', —*temen* 'nicht geziemen, zuwider sein', —*varen*, ferner in —*krigen (teghen)* 'widerstreiten, —sprechen', endlich in den akkusativischen —*achten* 'dagegen erklären, anfechten' ('achten gegen etwas'), —*breideln* 'zügeln', —*bringen* 'ersetzen' ('bringen für'), —*don* '—geben, ersetzen', —*driven* 'zurücktreiben, —weisen', —*gelden* 'verg.', —*leggen* 'vergüten', —*proven* 'verwerfen', —*reden* 'Einspruch erheben' (*de klaghe*), —*vechten* 'anf.'.

II. Die Bedeutung des Vorsatzes ist a) meist 'gegen' (in 17 von 57 Fällen), so in —*dedingen* (Akk.) 'Widerspruch erheben', —*kibbelen (wedder)* 'dagegenkeifen', —*kiven* 'dagegenstreiten, widerkeifen', —*kratzen* (Dat.) 'dag. kratzen, widersprechen', —*snacken* 'widersprechen', —*spreken* 'antworten, widersprechen'; b) 'zurück' in 8 Fällen: —*komen* (Gen.) 'zurücktreten von etw.', —*treden* dass.; —*beden* 'zurückmelden', —*driven* 'z. treiben', —*geven*, —*keren*, —*werpen* 'z. werfen'. c) Die Wiederherstellung eines früheren Verhältnisses bezeichnet es über 10mal, in —*buwen* 'wieder aufbauen', —*schicken* 'w. herstellen', —*bringen* 'ersetzen', —*don* dass., —*gélden* 'verg.', —*leggen* 'vergüten', —*richten* 'ersetzen'; —*ropen*, —*seggen*, —*spreken* (Akk.) 'widerrufen', —*wenden* 'rückgängig machen'; d) die Umkehrung des Begriffs nur 4 mal, in —*achten* 'dagegen erklären, verwerfen', —*beden* 'absagen', —*proven* 'verwerfen', —*temen* 'nicht geziemen'.

II. Jüngere Partikeln.

Andere, meist nur lose, gewöhnlich auch jüngere Partikeln oder partikelartige Verbindungen sind nicht nur weniger häufig, sondern vor allem viel weniger vieldeutig: *jegen sin* 'dagegen sein' (*hevet jeghen wesen*); **heim** *geven* 'anheimgeben', —*soken* 'heimsuchen'; **inne** *hebben*, —*sitten* 'darin sitzen, Hausarrest haben'; **los**

driven 'sich (lose) herumtreiben'; *over ein dragen* 'übereinstimmen';
to rugge gan 'zurückgehn', —*utkrupen* '—auskriechen', —*spreken* 'Rücksprache nehmen', —*treden,* —*erkennen,* —*leggen,* —*setten*
'beseitigen, beilegen, mißachten'; *fort varen* 'vorwärts kommen',
—*bringen,* —*setten* 'vorwärtsbringen', —*staden* dass.; dann *wol
nemen* 'wohl aufnehmen', dazu Partizipialformen wie —*gedegen*
'—geraten', —*gelaten* '—aussehend', —*komen* 'vollk.', —*latende*
'anständig', —*schinende* 'glänzend', —*sprekende* 'beredt', —*varende*
'glücklich', und endlich — festverbunden — *vul(len) breiden*
'nach allen Seiten ausbreiten', —*buten* 'volle Buße tun', —*buwen*
'zu Ende bauen', —*denen* 'z. Ende dienen', —*don* 'das Schuldige
leisten, genügen', —*drinken* (Inf.) 'sich völlig betrinken', —*maken*
'vollkommen machen', (*vul*—, *vol*—)*richten* 'das Endurteil sprechen',
—*schen* 'völlig geschehen', —*trecken* 'vollziehen' usw.; so heißt es
auch schon im Heliand *fulgangan* 'folgen, sorgen für j.'.

Ganz vereinzelt steht im Mnd. *un-vorrechten* 'im Rechte
kränken', während dem Mhd. Fälle wie *unèren* 'entehren' weniger
fremd sind.

B. Doppelableitungen.

Auch Doppelableitungen sind möglich. Dann tritt a) meist eine
lose Partikel neben eine schon festverbundene: *af-beraden* 'ab-
finden', —*ermanen,* —*erwinnen* 'abgewinnen' (vgl. gött. *aferlewen*
'erleben'); *an-beginnen,* —*ernalen* 'sich nähern', *bi-belegen*
'beiliegend', —*beseten* 'nahe ansässig', —*bestan* 'beistehn', —*ge-
bringen* 'dartun'; *misse-ge—dien* 'nicht gedeihen', *to-behoren*
'zugehören', —*betruwen* 'zutrauen', —*en(t)beden* 'entbieten', —*geboren* 'gebühren'; *torugge erkennen*; *umme-behalven* 'umringen'; *under-beholden* 'im Besitz behalten', —*berichten*
'unterrichten'; *ut-benomen* 'ausnehmen', —*beraden* '—steuern',
—*berichten* dass.; —*bescheden* '—genommen', —*besunderen* 'aussondern' (vgl. ndd. *utbeholden*), —*entrichten* 'bezahlen', —*vorkesen*
'auswählen', —*vorschriven* 'steckbrieflich verfolgen', —*vorsen* 'aus-
ersehen', —*vorsetten* 'verpfänden', —*vorwelen* 'auserwählen'; *vor-
bededingen* '—bedingen', —*beholden* 'vorenthalten'; b) vereinzelt
stehen zwei lose Partikeln beieinander: *bi-ein-komen* 'zusammen-
kommen', *torugge utkrupen*; c) sonst vgl. *be-vr-eschen* 'ausforschen'.

Die Mundart in den nord-niedersächsischen Zwischenspielen des 17. Jahrhunderts.

Von Agathe Lasch, Hamburg.

Im Laufe des 16. Jahrhunderts beginnt die neuhochdeutsche Schriftsprache ihren Siegeszug auch durch Niederdeutschland. Im 16. Jahrhundert und bis tief in das 17. Jahrhundert hinein spielen sich die Kämpfe ab, in deren Folge die niederdeutsche Sprache im offiziellen Verkehr dem Hochdeutschen weichen muß. Aber sie lebt zunächst nicht nur als gesprochene Sprache weiter, sondern sie ist auch aus der Literatur noch nicht ganz verdrängt. Noch ist die Zeit der nd. Alleinherrschaft in Norddeutschland nicht weit genug ent-fernt, als daß man nicht noch verstände, sie in überkommener schrift-sprachlicher Form zu handhaben. Eine Reihe geistlicher und welt-licher Drucke bis über die Mitte des 17. Jahrhunderts hinaus zeigt noch völlig den Charakter der mnd. Schriftsprache, natürlich mit der Fortentwicklung, namentlich in orthographischer Hinsicht, die im 16. Jahrhundert schon angebahnt war. Daneben aber lebt eine andere, weniger formelle Literaturgattung, in der die Sprache freier gehandhabt wird, in der dialektische Formen stärker hervortreten, die man daher, über die Schriftsprache hinaus zur gesprochenen Sprache vordringend, für die Dialektforschung nutzbar zu machen suchen wird. Ich habe Nd. Jb. 44,1 ff.[1] die Hamburgischen Gelegen-heitsdichtungen des 17. und 18. Jhds. für diesen Zweck — mit Be-schränkung auf Hamburg — ausgeschöpft, und ich möchte hier die Frage aufwerfen, wie weit auch die in hd. Dramen eingefügten pd. Zwischenspiele des ausgehenden 16. und des 17. Jhds. als Sprachquellen

---

[1] Ich darf wohl auf diesen Aufsatz verweisen, in dem manche von den hier nur angedeuteten Punkten etwas näher ausgeführt sind, und zu dem die vorliegende Arbeit insofern in enger Beziehung steht, als beide sich die Auf-gabe stellen, die mundartliche Entwicklung in der Übergangszeit vom Mnd. zum Nnd. zu untersuchen. In einem Idiotikon des 17. Jhds., das eine vergleichende Übersicht über den Wortschatz gibt, werden diese Arbeiten zur Geschichte der Übergangszeit eine Ergänzung nach der lexikalischen Seite hin erhalten.

verwertbar sind. Auf den ersten Blick scheinen sie ein wildes Gemisch von mnd. schriftsprachlichen Elementen mit mundartlichen Zügen, unter denen sich dem flüchtigen Leser die nicht heimischen Bestandteile besonders aufdrängen.

„Scriba", „Vitulus", „Hanenreyerey", „Teweschen Hochtit" und „Kindelbeer" sind, obwohl nicht eigentlich Zwischenspiele, in die Betrachtung mit eingestellt, weil dem ganzen Charakter nach zwischen ihnen und der Zwischenspielgruppe kein Unterschied ist. Es sind dieselben Motive[1], dieselbe Behandlung hier wie dort. Auch sonst ist der Begriff Zwischenspiel überschritten, wenn ein Stück wie Schlus „Comoedia von dem frommen . . Isaac" herangezogen ist, in dem auch die Träger der Handlung, Abraham und die Seinen, nd. sprechen, oder wie Hollonius' Somnium vitae humanae, wo die pd. Teile nicht von den hd. loszulösen sind. — Leider muß ich mich, um den mir zur Verfügung stehenden Raum nicht zu sehr zu überschreiten, hier auf e i n Dialektgebiet, das Nordniedersächsische, beschränken, und selbst in diesem Gebiete habe ich z. B. die fernerstehenden Königsberger Zwischenspiele (Apreuß. Mon. 27) nicht mehr mit einbeziehen können.

Die Frage nach der Bedeutung für die Geschichte der Mundart läßt sich nicht gesondert für ein einzelnes Stück entscheiden; denn wir haben es hier mit einer ganz bestimmten Stilgattung zu tun. Daher muß jede Beurteilung ohne Vergleichung des weiteren Materials[2] zu schiefen Ergebnissen führen. Wenn z. B. Gaedertz, Nd. Jb. 7,172, Hansens[3] Äußerung über Rists „Friedejauchzendes Teutschland" zustimmend wiederholt: „Wer die pd. Sprache jener Zeit kennen lernen will, dem bieten sich diese beiden Bauern mit ihrer Alltagssprache als passende Lehrmeister an", so wird sich unten zeigen, mit welchen Einschränkungen das zu verstehen ist. Hat doch sogar Rists Niederdeutsch in jedem der vier hier einschlägigen Stücke eine andere Färbung. Andrerseits verkennt Jellinghaus[4] die

---

[1] Vgl. Lowack, Die Mundarten im hochdeutschen Drama. Leipzig 1905. S. 22 ff.

[2] Ebenso alle Schlüsse aus einer unkritischen Zusammenstellung der Formen wie in Tümpels Nd. Studien, wo ja auch ein Teil dieser Stücke ausgezogen sind.

[3] Johann Rist und seine Zeit. Halle 1872. S. 120.

[4] Niederdeutsche Bauernkomödien im 17. Jhd. (Bibl. d. Stuttg. Lit. Vereins 147) S. 206.

Verhältnisse völlig, wenn er „Teweschen Hochtit" zwar für Hamburger geschrieben glaubt, aber der Sprache nach vom Hamburgischen abrückt und in eine Landschaft weist, „deren Sprache hd. Einflüssen zugänglicher ist und jenseits der Grenze Altsachsens liegt. Scheller . . . meint, die Sprache von T. H. zeige deutlich nach der Altmark". Ganz anders beurteilen natürlich Bolte und Seelmann mit weiter ausschauendem Blick bei umfassender Kenntnis des Materials die Sachlage („Nd. Schauspiele älterer Zeit" S.*4 f.). Aber es wird sich ergeben, daß die zusammenhängende Betrachtung des Sprachstils uns auch hier noch weiterführen kann (s. z. B. die Behandlung des *a* in *hafft* a. a. O. S. 152, oder wenn wir z. B. „Vitulus" und „Scriba" sicherer einordnen, vom Mecklenburgischen fortrücken können, als dies a. a. O. S. * 23 f. geschehen konnte). —

Unsere Ansicht über die Zwischenspiele hat sich wohl im allgemeinen nach den Erscheinungen aus der Mitte des 17. Jhds. gebildet. Rist, Lauremberg, Scheer u. a. wollen trotz des Ernstes, der doch — wenigstens für uns — gerade durch Rists Zeitschilderungen durchklingt, belustigen. Rist, der aber dabei auch das realistische Moment betont[1], berichtet in der „Alleredelsten Belustigung kunstliebender Gemüter[2]", daß er durch das Verlangen nach „Pickelherings-Possen" „genöhtiget ward zu einer jedweden tragischen oder traurigen Handlung, derer insgemein drey, ein lustiges Zwischen-Spiel, sonst Interscenium genandt (die gleichwol mit dem rechten Haubtwercke eigendlich nichtes zu schaffen hatten) zu setzen . . ." Aber schon Lowack hat a. a. O. S. 9 ff. energisch darauf hingewiesen, daß die gewöhnliche Ansicht, die die Zwischenspiele, von den genannten Stücken ausgehend, einfach als Rüpelszenen charakterisiert, nicht ausreicht. Mindestens sind zwei große Gesichtspunkte für die Wahl des Nd. ausschlaggebend: neben dem Wunsche zu amüsieren steht das realistische Bestreben. Der Knecht, die Magd (z. B. in „Amantes amentes" in Vises und Rists Depositionsspielen), die Hirten, die Bauern, die an der Handlung teilnehmen (z. B. in Hollonius' „Somnium vitae humanae"), sprechen ohne Nebengedanken des Belustigenden nd.

---

[1] Vgl. die Begründung des Gebrauchs der nd. Bauernsprache in der Vorrede zum „Friedej. Teutschl.", die Nd. Jb. 7,103 ausgehoben ist.

[2] S. 121 in d. Ausgabe v. 1703. Vgl. auch Nd. Jb. 7,103. S. ferner die bei Lowack S. 12 erwähnte Stelle aus der Vorrede des „Perseus".

mit den hd. sprechenden Herren, weil eben ein Knecht, ein Bauer nicht anders spricht. Auch der pommersche Junker in Ringwalds „Speculum mundi" wird den übrigen Junkern gegenüber durch das (übrigens brandenburgische) Niederdeutsche charakterisiert, ebenso der niederländische Junker in Kobers „Idea militis vere christiani".

Dieser Realismus zeigt sich nun auch in der Abstufung des Plattdeutschen. Ich werde im folgenden mehrfach Gelegenheit haben, darauf hinzuweisen, daß die verschiedenen sozialen Stände[1], Herren und Knechte, Städter und Bauern, durch verschiedenes Platt gekennzeichnet werden. Loccius macht sogar (s. S. 336) einen Versuch, lokale Unterschiede darzustellen[2]. Daß diese Tatsache für die sprachliche Kritik richtig ist, liegt auf der Hand. —

Wenn auch Rist in der obenangeführten Stelle[3] die Zwischenspiele von der Haupthandlung abtrennt, so läßt sich doch vielfach ein ganz bestimmtes Verhältnis zum Hauptstück nachweisen[4], wie Bütow in der Vorrede zur „Comoedia de nuptiali contractu Isaaci" (Stettin 1600) darlegt, daß er neben der Haupthandlung „ein Pawrspiel mit eingeführt habe, daraus quasi ex antithesi[5] zu ersehend woher es offtmals kome das der Eheliche stand vbel gerathe". Omichius setzt die Untreue der Witwe, die so schnell den zweiten Mann nimmt, den Undank des Vetters der Treue Damons und Pythias' im Hauptstück entgegen. Stärker und tendenziöser stellt Herlicius' „Musicomastix" den bäuerlichen Fiedler den Künstlern gegenüber. Scheer stellt neben die romantische Schäferei die ohne jede Romantik trefflich erschaute Figur des diebischen Schafmeisters.

---

[1] In Schlus ‚Isaac' spricht die Familie Abrahams ein stärker schriftsprachlich gefärbtes Nd. als die Knechte. In Tew. Hocht. unterscheidet sich die Städterin Drüecke S. 228 ff. in einer Reihe von Formen von dem Bauern. In Vitulus und Scriba sprechen der Beschwörer und der Schreiber ein gewähltcres Pd. als die Bauern (s. S. 314).

[2] Ein Ausfluß dieses Realismus ist es auch, wenn der Autor z. B. Zwischenszenen einführt, damit die handelnden Personen Zeit haben, irgendetwas, eine Mahlzeit, eine Reise, zu vollenden.

[3] Aber z. B. in „Irenaromachia" bezieht sich die Haupthandlung auf den Krieg, dessen Folgen auf den Dörfern das Zwischenspiel zeigt.

[4] Vgl. auch Lowack S. 25.

[5] Im Hauptspiel wird „allen Gesellen vnd Jungfrawen, so da heyrathen wollen, gezeiget ..., wie sie von Jugend auff zu einem Gottseligen Ehestande sich bereiten, vnd hernach, beyde für vnd in der Ehe, schicken vnd verhalten sollen ...

Diese Gegensetzung freilich trägt schon den Kern zu einer stärkeren Verzerrung in sich und führt schließlich gerade wie „Pickelhering", wie die Beziehungen, die die Zwischenspiele von jeher mit den Fastnachtspielen verbinden, zum Possenhaften, und so tritt schon früh der belustigende Zweck daneben hervor. Schon bei Omichius wird die Gegenüberstellung zum Hauptstück nur im Anfang durchgeführt, dann geht O. zu den üblichen Fastnachtscherzen über. Herlicius gibt 1601 im Argument zum 5. Akt der Versbearbeitung von Heinrich Julius' „Vincentius Ladislaus" für den Träger der nd. Zwischenspielszene die Anweisung[1]: „Vnd bringt etlich der Bossen viel Damit er frölich macht diß Spiel".

Ergab sich oben, daß sich die realistischen Tendenzen in bestimmten sprachlichen Wirkungen spiegeln, so wird andrerseits, sobald die Szenen vornehmlich belustigen sollen, die grobe Darstellung der Bauern unterstrichen durch das Auftragen effektvoll vergröberter Sprachformen. Dazu kommt für die späteren Stücke der Ton des in den Wirren des Dreißigjährigen Krieges verrohten Bauern[2], wodurch diese Neigung auch vom realistischen Standpunkte aus verstärkt wird.

Für die Beurteilung der Sprachverhältnisse ist auch nicht zu übersehen, wie sehr die einzelnen Zwischenspiele und Stücke dieser Gruppe einander ausschreiben[3]. Dabei werden natürlich leicht fremde Formen übernommen. Z. B. häuft Tew. Hocht. die seiner Mundart nicht angehörenden a für e in dem aus Scriba entlehnten Stück. Die starke Abhängigkeit der einzelnen Verfasser voneinander bleibt natürlich auch nicht ohne Einfluß auf die Entwicklung des Stilcharakters der Gruppe.

Dagegen zeigt sich nicht, daß der Aufenthalt des Verfassers in einem fremden Dialektgebiet die M i s c h sprache fördert. Burmeister schreibt auch in Rostock sein Lüneburger Platt. In einem Danziger Zwischenspiel (Altpreuß. Monatsschr. 28,26) des Berliners Joh. Raue spricht der senex plebeius märkisch. Friderici hat trotz seines Rostocker Aufenthalts das halbe Missingsch seiner Eislebischen Heimat

---

[1] Bibl. d. Stuttg. Lit. V. Bd. 36 S. 677.

[2] Vgl. Rists Charakteristik der Bauern Nd. Jb. 7,103.

[3] Aber das Verhältnis des Gebenden und Nehmenden ist nicht immer richtig dargestellt. Gaedertz und alle, die auf ihm fußen, überschätzen m. E. den Einfluß von Amantes amentes stark.

bewahrt. Nur im Wortschatz scheint bei Friderici (dagegen s. Scheer S. 343) der Einfluß der neuen Umgebung etwas mehr zu spüren. Auf derartige Nachweise muß ich an dieser Stelle verzichten. Scheer wiederum paßt sich den Niederelbiern so weit an, daß auch hier eine ofries.-ndelb. Dialekt m i s c h u n g nicht entsteht.

Besonders bemerkenswert ist ferner, daß die Männer hochdeutscher Abstammung, die, wie man annehmen würde, ihr Plattdeutsch im lebenden Verkehr mit der Bevölkerung der neuen Heimat gelernt haben, durchaus nicht rein die umgebende Mundart wiedergeben; sie scheinen mehr allgemeine Formen zu bevorzugen. So brauchte schon Chyträus im „Nomenclator latino-saxonicus", der doch (vgl. die Vorrede) den Wortschatz allen Ständen abgelauscht hat, schriftsprachliche Formen (*aw*, nicht *ag*: *graw* s. S. 328; —*er*—, nicht —*ar*—: *herte* usw.). Bei Herlicius könnte man daran denken, *mik* und *dik* neben *my* aus der hd. Unterscheidung zu erklären, aber der Gebrauch von *vse* in einer Umgebung, die stets *vns*, *vnse* schreibt und spricht, erweist, daß hier das Streben wirksam ist, die für ihn anscheinend strenger nd. Formen des westlichen Gebietes zu brauchen.

* * *

Ich teile für die folgende Darstellung das Gebiet ein in das Westfälische, das Ostfälische, das Nordniedersächsische, das Brandenburgische. Wegen der starken Beziehungen, die zwischen dem Ostfälischen und dem Nordnds. bestehen, wird das Ostfälische hier mehrfach herangezogen werden. Es genügt für unsere Zwecke, ofäl. trotz der deutlichen Übergänge hier als e i n e Gruppe zusammenzufassen.

Von o s t f ä l i s c h e n Texten ziehen wir gelegentlich in unsere Betrachtung: Heinrich Julius' Dramen (Bibl. d. Stuttg. Lit. V. Bd. 36). — Tragoedia von einem ungerechten Richter, Heinrichstadt 1592 (benutzt 2. Auflage Magdeburg o. J., Exempl. in Berlin), — (Dedekind)-Bechmann, Miles Christianus, Brschw. 1604 (Exempl. in Wolfenbüttel). — Rollenhagen, Amantes amentes (benutzt ist die Auflage Magdebg. 1614, Ex. in Berlin), — Joach. Leseberg, Jesus duodecennis, Helmstedt 1610 (Ex. Wolfenbüttel). — M. Pfeffer, Esther, Wolfenb. 1621 (Ex. Berlin). — Schottel, Friedens Sieg. (Hall. Neudr. Nr. 175). — Hans unter den Soldaten, Nd. Jb. 12,34 ff.[1].

_____

[1] Nendorfs „Asotus" konnte ich leider nicht einsehen, da die Wolfenbüttler Bibliothek seit November 1918 derartige Bücher nicht versendet. Ein Versuch, den ich während der Osterferien machte, dies und einige andere Werke in W. selbst zu benutzen, endete wegen des Braunschweiger Generalstreiks schon in Lehrte. — Die Bibliothekangaben beziehen sich nur auf die von mir benutzten Exemplare.

Im Anschluß an die Ostfalen[1] erwähne ich auch die beiden Eislebener Georg Pondo[2], der nachmals in Berlin wirkte, und Daniel Friderici, der ein halbes Jahrhundert später („Tobias" Rostock 1637) in Rostock tätig war. Die Übereinstimmung der beiden trotz des längeren Zeitraums, der sie trennt, trotz der Verschiedenheit ihrer späteren Umgebung, kann doch wohl nur als Sprachform des niederdeutschen Landgebietes nahe Eisleben gedeutet werden. Wenngleich dem hier behandelten Gebiete ferner liegend, will ich doch einige der hervorstechendsten Eigenheiten erwähnen, da es sich wohl um weniger bekannte Züge handelt. Beide zeigen natürlich stark hochdeutsche Beeinflussung, daneben auch eine gewisse Unsicherheit in den niederdeutschen Formen, die auf ungenügender Kenntnis des Dialektes und theoretischer Umsetzung beruhen mag, vielleicht auch, da sie sich bei beiden findet, in der Auflösung des Dialektes begründet sein könnte[3].

Diphthongierung, wie sie der jüngere Friderici vielfach durchgeführt hat (*gown* < *goden gaut, grauten, Gowß Gouß* und *Gos, saw, Moyme* und *Mohme, hoirst, föirt, moyde, heir, veir, Beir*), scheint Ps. Schreibung *ohu* < *ó, ehi* < *é* schon anzudeuten: *Brohur* und *Brouhr, Kouh, Kroug, lohun, sohu*. Also alle 3 *ó! deih, weih, heih* und *hehi* „er", (daneben auch *ie* in *diep, rieth, hiet*). *wennehir*, auch vielleicht *nehin* „kein", könnte freilich auch mit *lehist* „läßt" im Werderbuch S. 48, mit *mehir* mehr, *sehin* sehen (mehrfach im Urkundenbuch der Klöster von Mansfeld) verglichen werden, aber *hehi, deih, weih, meih, brohur, sohu* sind doch kaum anders als diphthongisch aufzufassen.

Anlautendes *t* wird vielfach durch *d* ersetzt, umgekehrt *d* öfter durch *t*. Pondo: *theit thei thede* „tut, tat," *tischtouck, trepen, Torntze* usw., *Diß wahr, Döfft* < *tövt*. Bei F. sehr zahlreiche Beispiele. — Inlautendes *d* ist bei P. ausgefallen, zuweilen dafür *h* (*bey beihe, Heihe*) oder der spirantische Übergangslaut: *Schniger*. F. hat archaisierend vielfach *d* bewahrt, aber auch *gown* „guten". —*nd*— > gutt. Nasal (*y*) *ng*. Pondo: *Süngrlick, angern, Hung, küng* „könnte" usw. sogar *kingt* (Speculum puerorum). Bei Friderici häufig in der Schreibung *Huing* usw. Übergang von *nd* > *ng* zeigt (Firmenich III

---

[1] Der Thüringer Joh. Cuno (geb. Mühlhausen in Th., später in Eisleben, zur Zeit der Abfassung der „Action von der Geburt und Offenbarung vnsers Herrn" [Ex. in Weimar] Diakonus in Calbe a. S.) stellt sich in dem Pd. der bösen Hirten (die guten sprechen thüringisch) noch am ersten zu den Ostfalen. Er braucht in der Tat statt pd. verplattdeutschtes Hd. Vgl. Reime wie *juw: scher* (d. i. *ir : schier*), *tyt : hillicheit, kriege : bedregen*. Er schreibt *juw* statt *gy*. Nach hd. Muster trennt er zuweilen *dy* und *dick*, obwohl Calbe *dick* sagt.

[2] Betrachtet wurde „Salomon" Frkf. a. O. 1602 (Ex. Wolfenbüttel) und „Speculum puerorum" 1596 (Ex. in Berlin). In der „Susanna" übernimmt Pondo Heinrich Julius' nd.·ndl. Gemisch aus dem Urtext.

[3] Das Eislebener Werder- und Achtbuch, her. v. Gröstler, Eisleben 1890, das mir vorliegt, ist 1433 schon hd.

20

280 ff.) die heutige Mundart der Grafschaft Mansfeld. — *p* für *b* in *plöken*, *Porsten, Pörsten* (Pondo) erinnert an *poben* im Eisl. Werderbuch S. 33,35,60. — *b* für *f v* in *Abntmal, erlebe, schwebe* usw. kann hd. sein. Aber s. auch *ebge*, *ebicheit, dörbn* (: Eislebener hd. Werderbuch *dörffe* S. 48).

Spirantischen Lautwert des *g* erweisen Pondos Schreibungen *geganckt* (janken), *gide, gimmer* (vgl. im Ukdb. der Mansfelder Klöster S. 215 *iegeben*).

Im übrigen kann ich mich mit dem allgemeinen Hinweis des ostfälischen Dialektcharakters begnügen. Doch s. auch die Pronomina *desse, ehr, ehm*. Friderici braucht *mick* nur im Akk. und als ethischen Dativ, sonst *mi*. Auch in *juw* (Pondo *jück*) ist vielleicht ein mecklenburgisches Element zu spüren. —

Schon die Behandlung des Pd. erweist, daß die frühere Ansetzung Pondos als Dichter des „Berliner Weihnachtsspiels" falsch ist. Der Verfasser des Weihnachtsspiels kann noch weniger pd. als Pondo. Während aber Pondos pd. Formen aus seiner heimatlichen Umgebung stammen, ahmt der Weihnachtsspieldichter das Märkische nach, wobei die Zahl der falschen Umsetzungen (*tiken dicken* zeigen, *itt* ist, *gantten* ganzen usw.) erheblich ist. Mit Pondo trifft er nur im Übergang *nd* > *ng* zusammen, der aber auch im Märkischen lautlich ist. Gegenüber Ps. —*ehi*—, —*ohu*— hat er märk. *i, u*, Pronomina: *mi* und *mik* (P.: *mik*), *iu* (P.: *iuk*), *hā* (P.: *heih*), *dan* (P.: *den*). Wohl braucht er auch wie Pondo (erklärlich vielleicht aus der hd. Unsicherheit gegenüber dem nd. *d* und *t*) *t* für *d*, aber P. *trepe* : Weihn. *treppe* treffe. P. *schk* : Weihn. *sk* usw. —

Das Nordniedersächsische teile ich für unsere Betrachtungen 1. in die ostelbische Gruppe, die Pommern und Mecklenburger umfaßt, 2. die niederelbische Gruppe, 3. die lüneburgische Gruppe. Niederelbisch wie lüneburgisch gehören in der mnd. Grammatik, zum Nordalbingischen. Die Niederelbier treten später auf als Ostelbier und Ostfalen. An sich könnten sie Anregungen von beiden Seiten empfangen haben. Sie neigen aber stark nach Ostfalen. Die Lüneburger bilden den Übergang zwischen Ostfalen und Niederelbiern. Als lüneburgisch bezeichnen wir hier das lüneburgische *mi*-Gebiet.

Benutzt sind die folgenden nordnds. Texte:

I. Die Ostelbier: 1) Omichius (Ömeke), Eine newe Comoedia von Dionysii Syracusani vnd Damonis vnd Pythiae Bruderschafft. Rostock 1577 (Ex. in Wolfenbüttel). O. steht im allgemeinen noch stark auf mnd. Grundlage. Seine Technik ist altertümlich. Das Zwischenspiel gliedert sich deutlich in zwei Abschnitte, II_2 gegenüber IV_1, V_2, von denen der letzte stärker als der erste fremde Einflüsse[1] spiegelt. Einige Verse sind „Claus Bur" entnommen.

---

[1] Für den hd. Teil ist Chryseus' Hofteufel benutzt.

2) J. Schlu, Comedia Von dem frommen, Gottfruchtigen, vnd gehorsamen Isaac (Rostock) 1606[1]. Das Stück ist, wie Gaedertz, Gabriel Rollenhagen S. 44 ff. gezeigt hat, im wesentlichen eine Übersetzung von Georg Rollenhagens Abraham, Magdeburg 1569. Herangezogen sind hier namentlich die freieren, zugefügten Szenen, in denen aber auch Entlehnungen aus Omichius und Bütow festzustellen sind.

3) L a u r e m b e r g. Die hier als „Zwischenspiele" oder „Bauernszenen" bezeichneten Baur-Comoedien s. Nd. Jb. 3,91 ff.; 11,145 ff., gedruckt 1635, dann 1648. Den „Bauerntanz" s. Nd. Jb. 13,45 ff.[2].

4) J o h. B ü t o w aus Treptow. 1585 Pädagogium Stettin, 1586 Universität Frankfurt a. O., Prediger in Cörlin und Stettin. † 1626[3]. Comoedia De nuptiali contractu Isaaci, Stettin 1600 (Berlin). Die nicht sehr lebendigen Szenen zeigen noch typische Formen, die Mundart ist noch sehr zurückhaltend gebraucht.

5) E l i a s H e r l i c i u s (Herlitz) Cicensis, also wohl aus Zeitz wie der bekannte David Herlicius (A. D. B. 12,118). H. war Organist an der Nicolaikirche in Stralsund. Das 1601 in die Versbearbeitung von Heinrich Julius' „Vincentius Ladislaus" eingelegte Bauerngespräch (Neudruck Bibl. des Stuttg. Lit. Vereins 36,689 ff.) ist Fortsetzung der Szenen im „Musicomastix"[4] Stettin 1606 (Berlin), die nach Hs. Angaben in der Vorrede von 1605 schon vier Jahre liegen geblieben sind, so daß also wohl beide Teile gleichzeitig 1601 entstanden sein werden.

6) L u d w i g H o l l o n i u s, Somnium vitae humanae 1605 (Hall. Neudrucke Nr. 95). Falls Westfalen (Monatsblätter 3,53) wirklich sein Geburtsland ist, ist er jedenfalls früh in Pommern, studiert anscheinend in Greifswald, Rostock. 1596 Pastor in Braunsfort bei Stargard, 1591 in Pölitz. † 1621.

7) An diese schließt sich auch P a u l u s d e V i s e, Depositio Cornuti, 1621 (Berlin). Wenn Vise sich auch selbst Gedanensem nennt, so zeigt sein Dialekt doch keine Danziger Spuren, sondern fügt sich der vorliegenden Gruppe ein.

Vergleichsweise ziehe ich die Titel pommerscher Hochzeitsgedichte, Nd. Jb. 19,123—127, heran sowie Kohfeldt, Plattdeutsche mecklenburgische Hochzeitsgedichte aus dem 17. und 18. Jhd., Rostock 1908.

Barthol. Ringwalds pommerscher Edelmann (Speculum mundi) spricht in der Tat (ein nicht ganz reines) Märkisch[5].

---

[1] Neudruck durch Freybe, Norden u. Leipzig 1892.

[2] Zur Lokalisierung von Daniel Fridericis und Burmeisters in Rostock erschienenen Stücken s. S. 305, bzw. 334.

[3] Monatsblätter für pommersche Geschichte 6,103.

[4] Für die Entstehung und die Veröffentlichung von „Musicomastix" 1606 möchte ich auf die Monatsbl. 12,180 ff. veröffentlichten Tatsachen über die Kämpfe der Musiker in Stettin gegen die bevorzugten Fremden im Anfang des 17. Jhds. hinweisen, die 1606 zur Gründung der Zunft in Stettin führten.

[5] Ich habe allerdings nur die späte Ausgabe Königsberg 1645 benutzt.

2

II. Die Lüneburger. 1) Joachim Burmeister (Lehrer in Rostock), Der geoffenbarte Christus, Rostook 1605 (Göttingen).

2) 3) Vitulus und Scriba. Zur Bestimmung des Dialekts s. S. 334. Neudruck bei Bolte u. Seelmann, Nd. Schauspiele älterer Zeit S. 23 ff.

4) Nicol. Loccius (Locke) „Magister vnd der Schulen zu S. Johan in Luneburg Subconrector", später Prediger in Lüneburg, †1633. Schaw Spiel, der Freyen vnd vnbendigen Jugend Oder Comœdia vom ... Verlohrnen Sohn, Lüneburg 1619 (Hannover).

5) Friedr. Leseberg, Superintendent zu Lüne, Speculum juventutis, Lüneburg 1619 (Bonn).

III. Die Niederelbier: 1) Hanenreyerey 1618. Neudruck bei Bolte u. Seelmann, Niederdeutsche Schauspiele älterer Zeit S. 85 ff.

2) Joh. Rist, a) Irenaromachia (Hamburg 1630), b) Perseus Hamburg, (1634), c) Das friedejauchzende Teutschland, Nürnberg 1653, d) Depositio Cornuti, Lüneburg 1655. Die nd. Szenen aus Iren., Perseus, Fj. T. sind von Gaedertz Nd. Jb. 7,101 ff., wie ein Vergleich mit dem alten Druck von Iren. zeigte, sehr korrekt neu gedruckt, Dep. Corn. hat Gaedertz unter dem Titel „Gebrüder Stern und Ristens Depositionsspiel", Lüneburg 1886, neu herausgegeben. Die Vorrede behandelt ausführlich Rists Verhältnis zu seiner Vorlage, Vises Dep. Corn. (s. 1_7).

3) Hermann Heinrich Scheer, New- erbawte Schäferey Von der Liebe Daphnis vnd Chrysilla, Neben Einem anmutigen Auffzuge vom Schafe- Dieb, Hbg. 1638 (Berlin). Über Scheer und die ihm zugeschriebenen Gelegenheitsdichtungen vgl. S. 343 ff.

4) a) Teweschen Hochtit, b) Teweschen Kindelbeer, Hamburg 1640 (?), bzw. 1650 (?). Neudruck durch Jellinghaus, Bibl. des Stuttg. Lit. V. Bd. 147 nach dem Druck von 1661 bzw. 1662. Die späten Drucke mögen dem ersten Druck gegenüber manche jüngere Entwicklung zeigen, die diesem wohl noch fehlte[1].

Gelegentlich erwähnt wird

5) Pfeiffer, Pseudostratiotae 1631, vgl. S. 339 (Nd. Jb. 7,107 ff.).

Noch kein Beobachter konnte sich der Tatsache verschließen, daß diese Zwischenspiele zahlreiche Elemente enthalten, die dem Dialekt des Dichters fremd scheinen, zumal dies ganz besonders deutlich bei Lauremberg zutage trat[2], der — nicht zum wenigsten durch die Tätigkeit des Gelehrten, dem diese Festschrift gewidmet

---

[1] Doch gibt Jellinghaus an (S. 203), daß der Druck von 1661 dem von 1640 (1644) ziemlich sorgfältig folge.

[2] Bolte u. Seelmann, Nd. Schauspiele S. *5. Lasch, Z. f. d. Mundarten 1912 S. 168.

ist — bestbekannten Dichterpersönlichkeit des 17. Jhds. Während die Scherzgedichte im allgemeinen noch stark in der mnd. Schriftsprache wurzeln, zeigen die übrigen pd. Dichtungen durch Ausweichungen nach der Mundart sowie nach den Formen des Zwischenspielstils einen ganz verschiedenen Charakter. Nach Bolte und Seelmann, Niederdeutsche Schauspiele S. *5 wären sie „so mit linkselbischen Formen durchsetzt, daß, wenn die Autorschaft nicht gut bezeugt wäre, leicht jemand aus der Verschiedenheit der Sprache auf einen anderen Verfasser schließen könnte."

Dennoch, glaube ich, läßt die anscheinend wilde, regellose Sprache der Zwischenspiele sich auf bestimmte Formeln bringen:

Drei Elemente sind es, aus denen sich das Sprachbild aufbaut, 1) zugrunde liegt die ausklingende mnd. Schriftsprache, 2) neue dialektische Entwicklungen treten auf, 3) einige der Schriftsprache wie dem heimischen Dialekt fremde Bestandteile dringen ein, aber nicht etwa ungeregelt willkürlich, sondern sie bleiben beschränkt auf wenige ganz bestimmte Fälle, die der Sprache aufgepfropft werden und schließlich zum Sprachtyp, zum Stil dieser Gattung gehören. Es handelt sich in der nordnds. Gruppe im wesentlichen um die Pronomina *mik (mek)*, *dik*, *vse*, später *ek*, *juck*, *vsch*.

Vergleicht man etwa Laurembergs Zwischenszenen im Druck von 1635 mit dem Druck von 1648, so beobachtet man, daß der spätere Druck sich stärker an diesen Gattungsstil anschließt. Gehört dies nicht dem Drucker an, so muß man schließen, daß tatsächlich ein Bild von einer solchen Stilgattung, ein gewisses Stilideal vorhanden war, dem man bewußt zustrebte: *wedder* 1635 (Nd. Jb. 11,149): *weer* 1648 (Nd. Jb. 3,97), *brüden* : *brüen*, *goden* : *goien*; heimisches *my*, *Kindermedten* wird in allgemein gebrauchtes *mick*, *Kindermetken* umgesetzt usw.

Die Grundlage der Sprachform in den nordnds. Zwischenspielen bildet zweifellos trotz ihres bunten Aussehens nicht die Mundart, sondern die mnd. Schriftsprache in der Entwicklung, die sich im 16. Jhd. beobachten läßt (Mnd. Grm. § 18,23). Die bewußte Zurückdrängung der Mundart zeigt sich deutlich, wenn z. B. Burmeister im Anfang ein heimisches *jum* (ihnen) braucht, später stets (4mal) das schriftsprachliche *en*, oder wenn er mit dem heimischen *mi* (*uns*) einsetzt, um dann die Formen der Stilgattung *mik* (*us*)durchzuführen. Dies Festhalten am Überkommenen ist vielleicht auch dadurch stark bedingt, daß in dieser Dichtungsgattung beinahe jedes Stück die stärksten Beziehungen zu seinen Vorgängern hat, wodurch die ge-

meinsame Tradition gegenüber lokalen Neuerungen immer wieder
betont wird.

Zu den o r t h o g r a p h i s c h e n Gepflogenheiten des 16. Jhds.,
die unsere Drucke beibehalten, gehört der Gebrauch von *sch* vor
l, m, n, r, der, obwohl mit der Sprachentwicklung auf dem größeren
Teil des nd. Gebietes nicht im Einklang, im 17. Jhd. durchaus zur
üblichen Schreibung wird. — Schwierig ist die Entscheidung darüber,
wie weit das verbreitete *sk* (*schk, schck*) nur archaisierend geschrieben
wird, oder wie weit es einem noch nicht einheitlichen Laut entspricht.
Wenn Tew. Hocht. *asch*(*e*) für *ask* < *as ik* setzt, so kann dies *sch*
kaum *š* sein; denn *ask* ist keine feste Zusammenstellung. Man kann
in diesem *sch* rein orthographisch umgekehrte Schreibung für *sk*
sehen, wie auch oft *sk* für *sch* steht. Im Hinblick aber auf Richeys
Angabe (Idiot. Hamburgense S. 395), wonach die Bauern im Gegensatz zur städtischen Aussprache *sk* noch nicht überall aufgegeben
haben (s. Nd. Jb. 44,12), scheint mir doch eine Erklärung der Form,
auch wenn dieselbe übertreibend gebildet ist, auch in der Richtung
möglich, daß *sch* noch nicht im heutigen Umfange den Lautwert des
einheitlichen *š* hatte, noch auf einem weiteren Gebiete als heute
namentlich in der gröberen Bauernsprache als Doppellaut empfunden wurde. Die älteren Texte im 16. Jhd. (z. B. die älteren
Ostelbier) ziehen im Anschluß an die ausklingende mnd. Zeit (Mnd.
Grm. § 18,1) ebenso wie die grobe Sprache (im 17. Jhd.) *sk* vor.
Loccius z. B. schreibt vielfach *sk*, Rist braucht *sch* nur im ersten
Stück, Irenar., in den späteren Zwischenspielen *sk*, ebenso Lauremberg in den Bauernszenen[1]. — Zur orthographischen Tradition gehören Schreibungen wie *vmb* (Burmeister, Scheer, Vitulus), gehört
das Zeichen *é* für zerdehntes *e* bei Burmeister (*géven véle* usw.),
das im 16. und in der ersten Hälfte des 17. Jhd. in nordnds. Drucken
(Lübeck, Rostock, Hamburg) beobachtet wird, obwohl zu Bs. Zeit
schon Monophthong anzusetzen ist. — Rein orthographisch sind
wohl auch die Formen *stehen, gehen* (Schlu) zu bewerten. Über
die Bewahrung des *d* (*nd, ld*) allein in der Schreibung s. S. 323f.

Die konservative Orthographie verschließt sich natürlich
jüngeren L a u t ü b e r g ä n g e n, so daß wir diese z. T. nur aus

---

[1] Der Druck von Laurembergs Scherzgedichten ersetzt eine Anzahl der
handschriftlichen *sk* durch *sch*.

vereinzelten Fällen entnehmen können. Ich weise hier z. B. auf die noch fast völlige Unterdrückung der schon im 16. Jhd. entwickelten Diphthonge *ei, ou* < *ij, ûw* bei den Lüneburgern (S. 337), bei Rist und Scheer (S. 349). Anderes s. bei der Behandlung des betr. Dialektgebietes. Die mnd. Schriftsprache hatte lokale Formen vermieden, wie das lüneburger und ndelb. P r o n o m e n *jüm* (*jim*) „ihnen". Aber noch in der hier behandelten Periode, in diesen anscheinend so freien Stücken ist die gewöhnliche Form *em, en*. Auf Burmeisters Verhalten war oben hingewiesen, Rist setzt *ehnen* (!) — Auch in der V e r b a l - f l e x i o n ist die mnd. Vorliebe für die Endung —*en* im Plural das Präsens noch nicht gebrochen. Burmeister, Loccius, F. Leseborg, Pfeiffer verwenden —*en*. In Scriba und Vitulus ist —*en* in der 1. und 3. Person üblich, in der 2. Person unter deutlichem hd. Einfluß auch —*t*, namentlich im Scriba. Noch bei Scheer überwiegt —*en* in 1., 3. Person. Tew. Hocht braucht gewöhnlich —*en*, und der späte Druck von Tew. K. hat neben 7—*et* doch noch 9—*en*. Rist hat sich in diesem Falle am meisten freigemacht. In Irenar. ist das Verhältnis von —*en* : —*et* noch wie 1 : 2. Später nimmt —*t* zu, ohne daß —*en* je ganz aufhört. Auch in Hanr. mit stärker mundartlichen Tendenzen herrscht —*t*, *en* nur vereinzelt. — Die Ostelbier haben selbstverständlich —*en*; aber die Form der Scherzgedichte erklärt es, wenn Lauremberg dort auch ein paar *gy hebt, kont, wilt* (Handschrift *willen*), *sidt* (*sindt*), *drömet* einführt. —*t* gerade in der 2. Person (s. oben Vitulus, Scriba) läßt sich unter Anlehnung an die hd. Verteilung im 17. Jhd. mehrfach beobachten, namentlich auch im metrischen Bedarf; (auch *se könt* IV. 258). Die Zwischenspiele kennen nur mundartliches —*en*.

Aus der mnd. Schriftsprache ist auch die V o r s i l b e *ge—* im Part. Prät. übernommen, die Omichius noch ziemlich festhält, die auch bei Burmeister noch öfter steht als fehlt. Bei andern ist die Anwendung ziemlich regellos, Herlicius z. B.: *thogklappet* oder *dune schwolgen* und *dun geschwolgen*. In manchen Fällen wird man rhythmischen Einfluß nicht ganz bestreiten können. Es ist charakteristisch, daß Schlu in den übersetzten Teilen in Anlehnung an den ursprünglichen Rhythmus *ge—* stärker braucht als im übrigen Stück. Zu Laurembergs Scherzgedichten s. Nd. Jb. 25,66[1]. In seinen Zwischen-

---

[1] Der Gebrauch von Formen mit und ohne *ge—* weicht öfter zwischen Handschrift und Druck ab. *lyck, genoech* Hdschr. 251,781; *glyck, noech* an den entsprechenden Stellen des Druckes.

spielen fehlt *ge*—. So entspricht das Verhältnis beider Texte dem von Schriftsprache und Mundart auch hierin. Auch bei Rist zeigt das gereimte Depositionsspiel mit sechs *ge* und (abgesehen von *winnen löv* glaube) einer unpräfigierten Form ein anderes Verhältnis als die Prosastücke mit weit überwiegendem Gebrauch präfixloser Formen[1]. Bei Loccius, Vitulus, Scriba haben die Formen ohne *ge*— das Übergewicht; sie herrschen bei Scheer im Schafdieb (nicht so ausnahmslos im gereimten Hochzeitsgedicht), der aber in den hd. festen Verbindungen, d. i. besonders bei Nomina, *ge* kennt: *gewisse* und *wisse*, *genoech* und *noech*, entsprechend *gelöven* und *löven*, doch *Unlück*. — Bemerkenswert ist der Gebrauch der adverbialen Langform in Zusammensetzungen: *vthericht* (Hanr., im Präs. *vthricht*). *vthetagen*, *annehóret*, aber auch *angesehen*, *affstalen* (Schlu); analogisch danach auch *vnnesecht*. *vtheblasen*, *innestellet*, *affescheden* (Rist; auch *angelecht*) usw. Bei den Lüneburgern und Niederelbiern finden sich weitere Formen, die ganz ofäl. anmuten, z. B. Loccius: *goe noch, ute wast, krancke wesen* mit *e* am Ausgang des vorhergehenden Wortes; Scriba 64: *frischke noch* (Vitulus 250 mit doppelter Herstellung: *gode genoch*), Hanr.: *godde noech*, Rist: *vamcke hóret* („von mir gehört" Perseus; ebenda:) *inse lücket* einmal geglückt, Scheer: *rike noeg*[2]. —

Reimbindungen zwischen *v* und *g* kommen, wie schon im Mnd., in unseren Stücken (auch ofäl. und lüneburg.) vor, ebenso Reime mit und ohne *n* im Auslaut. Allgemein verbreitet sind die Reime *schal : wol* (hd. *sol : wol!*), *gahn : dohn*. Schlüsse aus den Reimen, die auch schon durch Umsetzung und Übernahme nicht immer rein sind, sind daher nicht in allen Fällen eindeutig. —

— Diese durch Tradition überkommene Grundlage erhält nun ihr besonderes Gepräge durch mundartliche Entwicklungen, die z. T. lokal begrenzt sind, z. T. über das ganze Gebiet verbreitet an der Ausbildung des Sprachstils mitwirken. Darunter sind nicht am wenigsten auffällig die dem Nordnds. fremden Pronominalformen. Zum Teil in ihrer Übernahme zu erfassen, werden sie allmählich ein

---

[1] Nomina und Verben mit *ge* im Infin. (*gerecht, gefallen,* doch auch *Sundtnisse*) bewahren in Irenar. *ge* stärker als im Perseus: *löue* (: Iren. *geloven*) *wisse, dien, selschop,* aber auch *gelegenheit, geschen* und *schen* usw.

[2] In Verbindung mit *noch* (genug) sind mir derartige Formen auch außerhalb des hier betrachteten Literaturkreises im Nordnds. bekannt: „nicht hoge noch unde brede noch" Hammerbröker Recht 1525. Vgl. die im 16. Jhd. auch nordnds. verbreitete Form *ennoch*.

reines Stilmittel dieser besonderen Gattung, das namentlich da stark angewandt wird, wo man die gröbere Mundart darstellen will. Es handelt sich um *ek, mik mek, use, us üsch, jük (juk gik)*. Die Formen *ek, mek, üsch, jük* sind bei den älteren Ostelbiern noch nicht zu finden. Später hat dann auch Vise *ek, mek*, Lauremberg ein vereinzeltes *juk*. *öme* braucht nur Rist in zwei Stücken. Da diese Pronomina es sind, die den Stücken den anscheinenden Mischdialekt verleihen, die falschen Lokalisierungen (S. 300 f.) hervorriefen, so muß ich auf sie etwas näher eingehen.

In mnd. Zeit waren diese Formen in Ostfalen zwar durch die Schriftsprache stark beeinträchtigt, aber nicht ganz verdrängt. In den ostfäl. Zwischenspielen treten sie im allgemeinen in die Erscheinung[1]. Die ostfäl. Entwicklung und vereinzelte Abweichungen kann ich hier nicht schildern; Tradition, fremde Vorlagen, ein allmählich entwickelter Mischstil, vielleicht bei *mi* und *mik* auch der hd. Wechsel von „mir" und „mich" haben ihren Anteil. Nur einen Fall möchte ich herausheben, weil er als ein interessantes Gegenstück zum Eindringen des *mik* in das *mi*-Gebiet erscheint:

Der Gebrauch von *mi* und *mik* nebeneinander in dem Zwischenspiel, mit dem Bechmann (Brschwg. 1604) Dedekinds „Miles Christianus" ergänzt, läßt sich, auch wenn man die Wirkung der Tradition nicht unterschätzt, nicht als Fortsetzung des alten Brauchs auffassen. Der erste Teil des Bauernspiels kennt wie *ek* nur *mek*. Es kann sich also bei *mi* im zweiten Teil neben *mek* nur um Beeinflussung durch die Vorlage handeln, da B. in allerstärkstem Maße aus der „Burenbedregerie"[2], aus Omichius und aus „Claus Bur" abschreibt[3]. Setzt er auch diese Entlehnungen im allgemeinen in seinen Dialekt[4] um, so dringt doch gelegentlich wie andere fremde Formen, die der zweite Teil stärker als die erste durchläßt, *mi, di* ein. Wo diese übernommen werden,

---

[1] Unger. Richter 1592: *eck meck ösck*. Heinr. Julius'1 „Susanna" (Hans): *eck meck ösck yöck*. Bechmann 1604: *eck (ick) meck (my) vns yuw em om*. Rollenhagen: *eck meck mick vns* und *vsck juck ju öhn*. Joach. Leseberg: *eck meck vnse vse iöck öhn* (im hannöv. Dialekt jetzt *üsch* und *vse*.). Pfeffer: *meck mick. wertsk < werl vsk, iück*. Schottel *ik ek meck ös(e)k osch juk öhme ohr*.

[2] Seelmann, Mnd. Fastnachtsspiele S. 21 ff. Vgl. Lowack a. a. O. 23 f., 33.

[3] „Claus Bur" (hr. v. A. Höfer, Greifswald 1850) ist selbständig benutzt. Die Übereinstimmung beschränkt sich nicht auf Stellen, die schon Omichius entlehnte.

[4] Claus Bur: *schepel, hebben, kame*, Bechmann: *scheppel, haffen, kome*, Omichius: *vnsem, weten, vagel, vor-, effte, idt*, Bechmann: *vsem, wetten, vogel, ver-, adder, edt* usw.

bleiben sie dann wohl noch in der nächsten Umgebung: „Vor *dy* bin ick noch vnvorfert, Ick bin dar wol ehr mit gewesen, Ick late *my* nicht trumpen vp der nesen" (IV, 8) ist aus Omichius V, 2 abgeschrieben[1]. Die Benutzung solcher Vorlagen, in denen *mi* herrscht, erklärt es dann auch, daß einige *mi* im Anschluß an derartige Entlehnungen gesetzt werden, auch wo die Quelle nicht selbst das entsprechende Pronomen hat: Cl. Bur 472 „lk mot eme en luttik leren Wo he sik mit den buren schal beweren" wird bei Bechmann zu: „Ick mot den Kröger ein lüttick leren, Wo he sick schall mit my beweren".

Wie im Ostfälischen die Dativformen, so müssen im Nordniedersächsischen die Akkusative erklärt werden.

Bei der Nähe der *mik—mi*—Grenze ist es verständlich, daß im L ü n e b u r g i s c h e n wie schon in mnd. Zeit Akkusative *mik, dik* sich finden. Burmeister braucht das heimische *mi* (wie *jüm* S. 309) nur im Anfang[2]. Ähnlich beginnt „Scriba" (65 *mick* unter 100 Beispielen) mit *mi*, braucht bis Vers 130 nur 1 *mik*. Wie die Arbeit vorschreitet, übernimmt man mehr die traditionellen Stilformen der ostfälischen Vorbilder, die auch durch ihre Anwendung im Ostelbischen (S. 315) schon als Stilelement dieser Gattung gefühlt wurden. Das zeigt sich deutlich, wenn Loccius *mik dik juk* bevorzugt, aber in festen Formeln (*my dunkt*) die heimische Form behält. Entsprechend steht im Vitulus ein großer Teil der *mi* (11) in festen Redensarten: *my dünkt, my is lede, help my, ik dy goden dach wünsche.* Dazu fügt sich die Beobachtung, daß sowohl Loccius wie Vitulus und Scriba die Akkusative namentlich brauchen, um die grobe Bauernsprache hervorzuheben. Der Beschwörer Gerd (Vitul.), der Schreiber (Scriba, nur 2 *dik*), Fürwitz (Loccius), der so gut hd. wie pd. spricht, gebrauchen gern *mi*[3]. Der Bauer soll übertrieben dargestellt werden. Das Ungewohnte gilt als gröber, das heimische als feineres

---

[1] So dringt das erste *ick* für *eck* im Anschluß an Cl. Bur 9 „na der Trummeten kan ick nicht springen" (IV, 8) ein und gleich danach „Ick haffe den Düvel in gelyker gestalt in vser Karcken sehn affgemalt" aus Omichius IV, 1. Bei dieser starken Anlehnung an beide erklärt sich, daß nun in IV, 8 *ick* vordringt.

[2] Ebenso ist das Verhältnis bei *vns : vs.* Nach Kück, Lüneburger Heimatbuch II, 277 reicht zwar *vns* heute nach Süden bis Tangendorf-Bardowik. Wahrscheinlich aber war es einmal im gesamten nordalbingischen Gebiet (s. zum Hbg. Nd. Jb. 44,48 ff.) bis zur Südgrenze heimisch. Für Vitulus und Scriba ist *vns* als heimisch wahrscheinlich. Für Burmeister spricht wohl die gleiche Behandlung, die *vns* mit *mi*, *jüm* teilt, für heimisches *vns.*

[3] F. Leseberg hat bis auf ein *deck* im Anfang stets *mi.*

Platt. Das gleiche Verhältnis zeigt Scriba in bezug auf *us* (Bauern), *uns* (Schreiber). Für die Auffassung des *uns* in diesem Sinne spricht es wohl, wenn mitten im *us*-Gebrauch im Liedvers *Godt de Vader wahn vns by*, auch *behod vns Godt de Vader* gewohnheitsmäßig *uns* erhalten ist. — Dagegen bleibt der Akkus. *üsk* auf die verbreiteten Imperative *la(t)sch, lask, beho(d)sk* beschränkt. (S. 337).

Die o s t e l b i s c h e n Texte haben *mik* und *dik* übernommen, bewahren dagegen *juw*. Dieser Unterschied erklärt sich aus der Art der Aufnahme von *mik* und *dik*, die hier namentlich durch Anlehnung an das Hd. gefördert wird. *mik* und *dik*, die aus ostfälischen Fastnachtsspielen bekannten Formen, sind dem hd. „mich" näher als *jük* dem „euch". Bei Übersetzungen oder Dichtungen bietet ferner *mik dik* wie „mich" „dich" leichten Reim, was bei *üsch, jük* fortfällt. Wo also die Vorlage *mik* begünstigt, wo es den Reim erleichtert, wird es nicht vermieden, sogar nicht einmal in den rein schriftsprachlich nd. Texten außerhalb unserer Gruppe: Der „Schlömer" 1584[1] verwirft die Form *glyk : mik* 545/6, —*lick : mick* 3213/4, 4643/4, *dick : —lick* 2597/8 im Reim nicht, und im Ndelb. reimt der ganz mnd. schriftsprachliche „Elias" von Joh. Kock[2] *ick : dick* (S. 37). Die Dichter der Zwischenspiele, die in erster Reihe hd. Dichter sind, sind alle an den Unterschied von „mir" und „mich" gewöhnt. So tritt *dik* denn auch schon bei Omichius dreimal ein, alle im zweiten Teil und alle Akkusative[3], die vielleicht dem hd. Dichter entschlüpfen, der die Formenmischung nicht beanstandet in diesen zweiten auf Fastnachtsspielmotiven aufgebauten Teil. In diesem Abschnitt überwiegen denn auch die westlichen *use* für *unse*.

Der zweite Weg für das Eindringen von *mik* — Übernahme aus dem Hd. — zeigt sich besonders deutlich, wenn Schlu bei der Übersetzung seiner hd. Vorlage im Reim wie manche andere hd. Erinnerung auch *mik* gelassen hat (*wunderlick : myck* S. 24). Bütow und Hollonius bleiben noch frei von fremdem Einfluß bei den heimischen Formen, aber der Hochdeutsche Herlicius braucht im Musicomastix 23 *mik* (19 *mi*), von denen 11 Akkusative sind, 7 ethische Dative und nur 5 gewöhnliche Dative. Im Vinc. Lad. ist das Verhältnis zu-

---

[1] Her. von Bolte, Norden u. Leipzig 1889.

[2] Hamburg 1633 (Ex. in Bremen). Vgl. S. 318.

[3] O Henninck ... Dat dick nu schal de schriuer Verteren" IV, 1. „Dar drull dick hennuth" V, 2 „Holdt wat an dick" V, 2.

gunsten der pommerschen *mi* verschoben[1]. Auffallend ist die Anwendung von *mik* im ethischen Dativ, in der Herlicius mit Friderici
zusammentrifft[2]. Der vorzugsweise Gebrauch von *mik* im Akkus.
verrät Anlehnung an die hd. Verteilung: mit hilfe von *mi* und *mik*,
die das Ofäl. bietet, kann der Hochdeutsche den ihm geläufigen
Unterschied festhalten. Aus Ostfalen stammt auch Herlicius' *us(e)*
gegenüber dem *uns(e)* seiner Umgebung. *us* erschien vielleicht dem
Hochdeutschen typischer nd., als das mit dem Hd. zusammenklin-
gende *uns*. Überhaupt ist das Eindringen von *us* der Anwendung
von *mik* parallel. *us* findet sich bei allen denen, die auch *mik* kennen;
ganz erklärlich, denn wenn ein Ostelbier *mik* braucht, so hat er sich
eben schon von der heimischen Form losgesagt und sucht nach
stärkerem Ausdruck. Bütow, Hollonius halten an *uns* wie an *mi*
fest. Dagegen bringt Schlu wie *mik* so einige *us* hinein. — Unterdessen
sind die Zwischenspiele immer beliebter geworden. Wie stark sie
sich auch lokal verbreiten, zeigen schon die gegenseitigen Entlehnungen. So wird, unterstützt durch die wohlbekannten ofäl. und die an
diese sich anlehnenden lüneburg. Dichtungen der Gebrauch von *mik*
und die Mischung mit *mi* allmählich zum Stilkennzeichen. Auch
Vise hat (1621) wie *us* den Akk. im Sing. durchgeführt. Die *e*-Formen
mek, *ek* erklären sich bei ihm wohl kaum als westpreußisch, sondern
durch die jüngere Verbreitung der ostfäl. Formen.

Die Stilform dringt fortwirkend weiter. Sie dringt zu den Niederelbiern, zu Rist, der eifrigste Nachahmung fand, und wir
stellen für das spätere Ostelbische die Frage nach dem Gebrauch
bei Rists Zeitgenossen L a u r e m b e r g. Die Scherzgedichte
fallen aus unserer Betrachtung heraus. Bei ihrem vorwiegend schriftsprachlichen Charakter ist von vornherein *mi* zu erwarten[3].

---

[1] Einige Unterschiede zwischen Musicomastix und Vincentius Ladislaus
mögen auch durch die verschiedenen Druckorte hervorgerufen sein.

[2] Vgl. ähnliches bei J. B r i n c k m a n s missingsch redender Kaspar-Möhme.

[3] Aber wie beim „Schlömer", bei Joh. Kock vereinzelt *mik* auftaucht,
so findet sich auch hier e i n e Ausnahme, die mir freilich, da sie nicht im
Reime steht, ziemlich rätselhaft ist. Es ist der aus andern Gründen vielbesprochene Vers I, 352 (Nd. Korr. 12,37, 13,3, Z.f.d. Phil. 21,256, Bezz.
Beitr. 19,227, Nd. Jb. 25,10 ff.) „und hest mik ock wol sehn de witte Flöh
afjagen", den Braune in den Anmerkungen zu seiner Ausgabe nicht befriedigend zu erklären vermag. Ebenso unbefriedigend sind aber die Versuche
der andern. Von der Ra. „hast du nicht gesehen" (Burchardi, Gering, Schlüter)

Der Bauerntanz, der den Sprachformen nach in der Mitte zwischen Scherzgedichten und Bauernszenen steht, hat bezeichnenderweise *mik* an einer entlehnten Stelle (S. auch S. 320): „Iß idt die Ernst und iß kein tand dat du mi willest habben, so giff mik etwas up de hand und pipe mick up de flabben[1] (s. Nd. Jb. 13,45, A. 1). Die Stelle zeigt gerade wieder, wie *mik* immer erneut eindringen konnte und, wo es eindrang, auch ruhig belassen wurde, weil es eben in dieser Dichtgattung Bürgerrecht hatte. Natürlich steht *mik* in den Bauernszenen, und die Sucht zu übertreiben läßt Sätze aufkommen wie (Nd. Jb. 11,147) „idt quam mick dick ock so

ist sicher nicht auszugehen. Diese ist wohl hd. Ursprungs und spät erst ins Nd. übernommen. Burchardi bringt sie sogar noch in hd. Form: „Und hast du nicht gesehen güng hei aff, dor geiht he hen as hast du nicht gesehn." Auszugehen ist von der Form mit Pronomen, wie sie Dähnert im Pomm. Wb. S. 420 anführt: „He deit as süstu mi ook wol", ungenau übersetzt: „Er ist keck und nimmt sich viel heraus." (Vgl. im modernen Hambg. von einem, der sich gern elegant kleidet, großartig auftritt: „ümmer as süst mi woll.") Ganz ebenso bei Reuter (Müller, Der meckl. Volksmund in F. Rs. Schriften S. 100): „Hei gung up de annern in as sühst mi woll", d. i. wie M. im Anschluß an Mi erklärt, 1) ostentativ „Hier bin ich (vgl. „dorbi deiht hei so upsternatsch, as sühst mi woll" in „Holthäger Geschichten" von C. D. Uthagen [Dahl] S. 12), 2) um etwas Erstaunliches zu bezeichnen = es ist kaum zu glauben. Die zweite Bedeutung ist wohl aus der ersten entwickelt. In dieser Richtung liegt auch die Erklärung der Laurembergstelle, die der Form nach nicht ganz identisch ist, insofern als das einleitende „als" fehlt, dagegen enthält sie auch das adverbiale „ook wol", das den oben zurückgewiesenen negativen Formen fehlt. Und zwar wäre der Sinn mit der abgeleiteten Bedeutung des ironischen Erstaunens, „denk an!" wohl am besten getroffen. Die ersten Erklärungen sind auch schon dadurch hinfällig, weil „afjagen" kein Partizip ist. Das Verb hat zwar starkes Prät., bewahrt aber, soweit es mir in Dialekten bekannt ist, schwaches Partizip. „afjagen" muß daher Infinitiv sein. M. E. ist hier eine Kontamination eingetreten. Durch das parenthetische „hest — gesehn" ist die Konstruktion verrückt. Nach „sehn" fährt der Dichter fort, als stände da („de" oder „dar heb ick") ock woll sehn d. w. F. a.", vgl. V. 345 „Offtmals heb ick gesehn". Oder aber es ist das zweite Hilfsverb unterdrückt (etwa „und warden de w. F. a."?). Zu übersetzen ist wohl: Sie beginnen, sieh an! das Ungeziefer abzusuchen. Wie aber an diese einzige Stelle *mick* kommt, ist mir unklar, da die Redensart mit *mi* gut belegt ist, also „mick" nicht als fremde Übernahme zu erklären ist. Vielleicht trat in der vorher erwähnten Kontamination mit *ik* statt *mi* : *mick* ein?

[1] Der Reim *habben* : *flabben* ist überaus häufig in dieser Gattung, ebenso die Zusammenstellung von *pipen* mit *flabbe*.

nötlecken vör". Hier, wo der vergröbernde Gebrauch des Akkusativs
mehr und mehr ausartet, dringt nun auch *juk* einmal ein. Ganz
entsprechend braucht Lauremberg *uns* in den Scherzgedichten und im
Bauerntanz, aber natürlich *us* in den Zwischenspielen.
Auf die starke Abhängigkeit der N i e d e r e l b i e r von den
Ostfalen auf dem Weg über das Lüneburgische war schon hingewiesen
und damit für dieses Gebiet der Weg für das Eindringen des Akkusativs gekennzeichnet. Selbst in Kocks mnd. „Elias" war er hier
in die (allerdings sehr wenig) lockerer gefügten Bauernszenen, die vom
Ton der Zwischenspiele noch unendlich weit entfernt sind, gedrungen. In den Zwischenspielen selbst aber gibt es keine Beschränkung mehr, namentlich je mehr die Zeit fortschreitet, je mehr man
die Neigung ausbildet, das feinere Platt durch die heimische Form,
das grobe Bauernplatt durch die fremde Form hervorzuheben, je
mehr man auch den Ton des ungezügelter gewordenen Bauern belustigend treffen will. Hier bleibt es dann nicht bei *mik*, auch *mek*,
üsch[1] wird aufgenommen. — Angesichts der Verbreitung der Form
la(t)sk < *lat usk* (Hanr. [*lasch* neben *laht(et) uns*], Rist, Pfeiffer
Scheer, Teweschen) muß man vielleicht für dieses Verb auf eine
entlehnte Sprechform schließen.

Immerhin gemäßigt erscheint unter den Ndelbiern R i s t ;
nur in Irenar. fällt in den Bauernszenen der starke Gebrauch von
mek (vereinzelt *mik*) auf. (Zurückhaltend, wie in allen Punkten ist
das Gespräch zwischen Irene und Rusticus, nur 1 *dik* im Akkus.,
7 *mi*). Die Übertreibung wird in den folgenden Stücken[2] zurück-
geschraubt. Im Perseus erhält *mi* das Übergewicht (etwa viermal
so oft wie *mik*, nur 1 *mek*, und die vorkommenden *mik* sind meist
enklitisch: *dat ismk leef, heffstmk*). Im Fj. T. 1653 fehlt *mek*,
mi und *mik* sind gleich häufig, und im Depos. überwiegt *mi* trotz
Vises Vorbild. Die beiden letztgenannten Stücke sind nicht in
Hamburg, sondern in Lüneburg zuerst bekannt geworden. Depos.
ist für die Gebrüder Stern in Lüneburg verfaßt, und Fj. T. ist
1652 in Lüneburg zuerst aufgeführt. In beiden zeigt sich noch ein anderes
Zugeständnis an das Ofäl.: Die Form *öhm* im Obliquus der 3. Pers.
des ungeschlechtigen Fürwortes ist zwar bei den Lüneburgern selbst

---

[1] Hanr.: *ek (ik), mek (mik mi), usch(k) us, use, juk gik. uschk*
auch bei Rist.

[2] Über eine Beteiligung Stapels an Irenar. s. S. 341 f.

nicht gebräuchlich, aber es sieht doch so aus, als hätte Rist hier im
Hinblick auf die Fremde geneuert. (Vgl. S. 342.) Hier gebraucht
Rist auch *jück.* — In allen andern ndelb. Stücken, selbst in der frühen
Hanr. sind die grob ofäl. *ek*[1] *mek* beliebt. Scheer bevorzugt *ek, mek* und
häufig *juk. juw* steht daneben hauptsächlich in festen Redensarten:
ek danke juw (7 mal), ferner in der (feierlicher offizieller Redeweise
in Anlehnung an die Bibelsprache nachgeahmten) Einführung des
Schafdiebs Wulfert als Schafmeister, und zwar im Anschluß an diese
in Wulferts Bericht darüber. Auffallend ist im ersten Teil
Scheers Verteilung *uns* aber *use,* nur im Gebet die gewöhnliche Form
unse vader. Diese Scheidung ist weder ofries. noch hbg. Im zweiten
Teil braucht er dann auch *us.* — Am stärksten artet in jeder Beziehung
„Teweschen Kindelbeer" aus. Die schon bei Rist beobachtete Neigung zu enklitischem —*mk* ist hier stark gesteigert. „Tew. Hocht."
hat neben 4 *mi,* 38 *meck* und *mick,* 58 —*mk,* —*nk.* Auch hier gehören sie wieder dem plumpen Bauern an, die Städterin Drüecke
setzt 5 *mi*: 1 *mek,* 1 *mik* gegenüber. In Tew. Kind. ist dann das
Verhältnis 5 *mi,* 29 *mek* (dabei 1 *mik*). Natürlich steht dementsprechend *us, use,* überwiegt auch *juk* vor *juw.*

So zeigt sich hier deutlich die aufsteigende Linie, in der die
fremden Formen mehr und mehr zur Charakterisierung der grob-
bäuerlichen Sprache vordringen. Der Zusammenhang von *use* mit
mik mek aber zeigt, daß die *us* bei Rist und Tew. nicht, wie Tümpel,
Nd. Stud. S. 99, will, für die Mundart in Anspruch zu nehmen sind.
Die Mundart hat und hatte (Nd. Jb. 44,48 f.) *uns,* und neben der
lückenlosen Überlieferung von *uns* seit alter Zeit ist *use* wie *mek*
aus dem Sprachcharakter der Komödie herzuleiten. —

— Der eigentlichen Darstellung der mundartlichen Entwicklung,
wie sie sich in den Zwischenspielen zeigt, stelle ich hier die Besprechung
zweier Erscheinungen voran, die zwar beide mundartlich berechtigt
sind, aber in ihrer auffallenden und zeitlich beschränkten Verwendung dem modernen Beobachter ebenfalls wie ein Stilkriterium
erscheinen, die Anwendung von *a* für *ĕ* (*habben*), sowie die Behandlung
des *d.* Daran schließe ich noch die über das ganze Gebiet fortreichen-
den Apokopierungserscheinungen.

---

[1] Daß es sich hier nicht etwa um Formen des nordnds. *ek*-Bezirks handelt,
zeigt die Zusammenstellung mit *mek.*

Der auffällige Gebrauch von *a* für *é* hat seinen lautlichen Hintergrund an zwei verschiedenen Stellen, in Ostfalen,
wo er (Mnd. Grm. § 78) schon im Mnd. zu belegen ist, wo ihn auch
neuere Dialekte noch zu kennen scheinen (Schambach: *baddel*[1]),
und wo er in den Zwischenspielen verbreitet ist, und zweitens im
Ostelbischen. Hier dringt *a* langsam vor.

Von den Pommern[2], die ich der geschichtlichen Entwicklung wegen voran-
stelle, zeigt Bütow *vaddern*, *jafjtein*[3]. Herlicius hat im Musicomastix
neben *habben* auch *stamm* und *stemmen* Stimme, *Hambde* und *Hembde*,
laffendich, *afft*, *laddr*, *waddr* und *vreddr*, *addr* und *eddr* (Vinc. Lad. nur 1
habben, 1 *afft*). Hollonius geht am konsequentesten vor in *habben*. Auch
malck (milchgebend), *halpen*, *basten* (und *best*), *wadder* (*edder*, *beddelstaff*),
Bandex[4]. Vise schließlich: *wadder*, *hajjst* und *habben*.

Aber auch die Mecklenburger zeigen dies *a*. Schon der zeitlich erste
unserer Dichter überhaupt, Omichius, braucht 1578 in seinem schon als kon-
servativer gekennzeichneten ersten Teil *hebben*, im zweiten vorzugsweise *habben*, sonst überall noch *e*. Bei Schlu kennen Abraham und die Seinen, auch
der Narr im feineren Platt nur *e*[5], aber im gröberen Nd. findet sich *habben*.
schattrig, *vaddern* Federn. Zu erwähnen sind auch die Endungen und Enklitika
weldach, *yrarch* eifrig, *Itlack* Iltis *frólack*, *mitnam*. Demgemäß dürfen
wir zwar in Lauremberg Scherzgedichten nur das schriftsprachliche *e* erwarten, müssen aber in den Bauernszenen *a* finden, das zum groben Sprachstil
der Ostelbier gehört. Hier ist *habben* ganz gewöhnlich, *vafjtein*[6], *Malleck* Milch:
radlecken (Burmeister *raleken*) 1635 ist allerdings 1648 in *redelicken* geändert,
vgl. aber dazu S. 309. Der Bauerntanz, der in seiner nd. Färbung den Scherzgedichten näher steht, bewahrt *e*, aber die entlehnten Schlußverse, die schon
zum Eindringen von *mik* herangezogen wurden, bringen auch ein *habben*
(im Text sonst *hebt*) im üblichen Reim auf *flabben* hinein. Noch 1676 zeigt
ein bei Kohfeldt Nr. 2 abgedrucktes Rostocker Hochzeitsgedicht die Form *habb*[7].

Bei diesem gut bezeugten Gebrauch des *a* für *é* haben wir es wohl,
wie namentlich die Verhältnisse bei Schlu, vielleicht auch die Verteilung bei Lauremberg, klar erweisen, mit einer breiteren Aussprache

---

[1] S. auch Nd. Korr. 10,83.

[2] *wadder*, *ladder* schreibt auch in der ersten Hälfte des 16. Jhd. der
Stralsunder Lambert Slaggert in der Ribnitzer Chronik (S. 152, 169 in
Techens Ausgabe der „Chroniken des Klosters Ribnitz").

[3] Vgl. Teweschen *jafftich*.

[4] Die Vorsilbe *var—* ist nicht hierherzustellen.

[5] In Betracht gezogen habe ich namentlich (s. o.) die nicht aus Rollenhagen entlehnten Szenen.

[6] Aber Nerger: *jöjtein*.

[7] Nicht damit zusammenzubringen sind die *ā* (*hā sähen dān*) im Berl.
Weihnachtsspiel.

der unteren Klassen, vor allem wohl auch der ländlichen Kreise zu tun[1]. Wir sehen *a* allmählich an Verbreitung gewinnen. Am frühesten und häufigsten wird es in *habben* überall angewandt. Es ist sicher kein Zufall, daß die hd. gebildeten Dichter gerade dies Wort vor andern mit *a* wiedergeben, da hier der Anklang an die hd. Form die Bezeichnung des breiten *ä* als *a* entschied[2]. Dagegen läßt sich eine besondere Bevorzugung in der Stellung vor *dd* wie in den Lübecker Mohnkopfdrucken nicht erweisen. Die *a* in den Mohnkopfdrucken sind wohl als ofäl. anzusprechen, wo die Entwicklung älter ist und weiteren Umfang hat, und sie sind den vielen ofäl. Eigenheiten dieser Drucke zuzurechnen[3].

Mittelpunkt des Lautübergangs im Osten scheint Pommern zu sein, nicht nur daß Bütow zuerst, 1600, *a* auch in den Wörtern *faddern, fafftein* setzt, dort läßt sich auch in der mehrmals belegten Form *Stattin*[4] dies *a* außerhalb unseres Kreises nachweisen, z. B. in einem pommerschen Text von 1661 (Nd. Jb. 19,125). Vgl. auch 1563 in einem hd. Liede vom Kriege Ernsts des Jüngeren von Braunschweig: „bies gegen stadtin er komen"[5]. Beachtenswert ist auch der frühe starke Gebrauch des *a* bei Herlicius und Hollonius. Zu Schlus *a* in den Endsilben möchte ich auf ein hinterpommersches Lied auf die Königin Luise von Preußen weisen, 1802,[6] das mit —*läck* in der Endung (*heimläck*) auch offenen Klang andeuten könnte.

Daß die offene Färbung auch in Mecklenburg lautlich war[7], möchte man wohl aus Omichius' Gebrauch ableiten, der schon 1578,

---

[1] Daß man wohl ein Ohr hatte für die Verschiedenheit der Sprache in den verschiedenen städtischen und in den ländlichen Kreisen, bezeugt z. B. N. Chyträus in der Vorrede seines „Nomenclator".

[2] Ungeübte Aufzeichner zum Hamburgischen Wörterbuch schreiben z. B. auch hät für het (hat), in Anlehnung an das Hd.

[3] Erwähnenswert ist aber, daß der Rostocker Drucker L. Dietz in seiner Ausgabe des Narrenschiff die Formen *laddich, ladder* behält. Waren sie ihm nicht fremd? Standen sie vielleicht im Rahmen jener lautlichen Bewegung, die die Zwischenspiele später durchklingen lassen, so daß D. zwar *a* nicht einführt, aber es zuläßt, wo es stand?

[4] Schriftsprachlich sind solche *a* nicht zu erwarten, daher können allein Namen zeugen.

[5] Altpreuß. Monatsschr. 28,73, auch Monatsbl. 5,62.

[6] Monatsbl 1917 S. 14.

[7] Vgl. auch Anm. 3.

21

am Anfang der gesamten Zwischenspielüberlieferung *habben* braucht. Nachahmung ostfälischer Fastnachtsspiele kommt damals wohl noch kaum in Betracht. Bei dem verhältnismäßig beschränkten Vorkommen des *a* für *e* im 16. Jhd. liegen hier die Verhältnisse doch anders als für die Pronomina. Os. nd. Vorbild Claus Bur hat derartige *a* nicht. Später wird anscheinend diese Färbung zurückgedrängt durch die städtisch-patrizischen e^1. Aber in den Zwischenspielen gehört dies *a* zum Sprachstil und wird dann wohl im 17. Jhd. vielleicht noch durch die damals immer häufiger werdenden *a* in den ofäl. Zwischenspielen gestützt, die man kennt und ausschreibt. So war ja bei Lauremberg *habben* in das Tanzlied eingedrungen.

Es sei gestattet, hier auf die modernen Lautverhältnisse in der Mecklenburg benachbarten Prignitz zu weisen, wo *e* > *á* vor gewissen Konsonantenverbindungen (Nd. Jb. 31 § 51. 54): vor *ft* : *fáfftein* (Bütow: *fafftein*), Nasalverbindung: *hám* (Herlicius *Hambd*, *stamm*), *r* < *dd* : *fára* (Bütow *fadder*). Auch *hást*, *hát* hast, hat. In unsern Texten kommt u. a. namentlich auch *l*-Verbindung hinzu: *halpen*, *malck*. Jedenfalls scheinen die prignitzischen Verhältnisse zum Verständnis der älteren Überlieferung beizutragen. Die pommerschen Dialektgrammatiken von Wolgast und Barth kennen nichts Entsprechendes. —

Wie die L ü n e b u r g e r viele Anregungen den Ostfalen danken, so dringt auch das ofäl. *a* hier vor, bei Burmeister (*habben*, *saggn*, *wadder*, *ladder*, *ralken*), in Vitulus und Scriba stehen eine Reihe *a*-Formen. In ganz ofäl. Weise schreibt F. Leseberg *haffen* haben. Loccius (*habben*, *Laddichgenger*, *war* < *wadder* < *wedder*) legt doch seinem Fürwitz, der weniger grobes Platt redet als die Bauern, *e*-Formen in den Mund.

Aber diese Welle reicht nicht bis ins N i e d e r e l b i s c h e. Ganz vereinzelt nur findet sich hier einmal a^2. Wie wenig es noch der Überlieferung dieser Gegend entspricht, zeigt sich deutlich in Tew. Hocht., das nur ausnahmsweise *a* braucht (*vaffte vafftich*, *attlick*, *hawe*), dagegen *a* sofort häuft in der aus Scriba mit *a* entlehnten

---

[1] Aus dem Westen führt Kolz, Das Lautsystem der hauptton. Silben des westmeckl. Dialekts (Dissertation, Rostock 1914 S. 41) die ratzeburg. Form *paric* < *peddik* an.

[2] Hanr.: vereinzelte *hat*, *hab*, *habt*. Rist kennt nur im Perseus gelegentlich *hafft*, *hatt*. Fraglich ist, ob *faldts wunien* neben *feldts wunien* (Veltens Wunden) hierher gehört. Im Depos. steht *e* sogar g e g e n Vises Vorbild. Scheer, hamburgische Gedichte des 17. Jhds. und am Ende der Periode „Der Tischeler Gesellen Fastelabendspiel", Hamburg 1696 (gedruckt 1714) kennen kein *a*.

Stelle. Hier wird dann sogar *Spack wadder* eingesetzt für Scriba *Speck wedder*. Tew. Kind., das in der Übertreibung stets am weitesten geht, übernimmt in dieser Vergröberungssucht *a* in *habben* mehrfach.—

Der zweite Punkt, der hier zu erwähnen ist, ist die Behandlung des *d*.

Intervokalisches *d* kann 1) als *d* bewahrt sein und in diesem Falle in gewissen Teilen, z. B. in Mecklenburg und Pommern (vgl. auch Nd. Jb. 31,73. 147), durch schlaffere Zungenartikulation $> r$ werden, oder 2) es fällt aus, und dann stellt sich hinter *ü a o*[1] nicht selten ein Übergangslaut ein, den die Schrift durch *i, j* bezeichnet[2]. Die Entwicklung mit oder ohne *d* braucht nicht immer dialektisch geschieden zu sein. Vielfach bewahrt das höhere Platt des gleichen Gebietes *d*, wo die gröbere Aussprache es ausstößt. Dadurch erklärt sich z. T. (neben analogischer Herstellung), wie später wieder *d* in Dialekten auftauchen kann, und wie heutiges *d* in einem Gebiete frühere Neigung zum Ausfall nicht ausschließt. Ich verweise hier auf meine Ausführungen Nd. Jb. 44,32. So wird bei diesem Konsonanten das Nebeneinander verschiedener Formen mit *d*, ohne *d*, mit *j* erklärlich. Die letzteren charakterisieren natürlich das grobe Platt.

Die Entwicklung $d > r$ in Mecklenburg und Pommern (auch für Hinterpommern, Kr. Stolp, bezeugt sie Knoop, Nd. Korr. 14,22 f.) spiegeln unsere Texte noch nicht wieder[3]. Sie setzt aber erhaltenes *d* voraus. Daher begreift es sich, auch abgesehen von der Tradition, daß die älteren ostelbischen Schriftsteller *d* bewahren. Erst bei Vise 1621 dringen Formen ohne *d* ein. Lauremberg hat natürlich *d* in den Scherzgedichten und im Bauerntanz, die Zwischenspiele übernehmen wieder die der Mundart fremden Formen ohne *d* (auch *weer* neben *wedder*, heute *vëra*) und dementsprechend auch den Übergangslaut in *goien*, einer überall besonders häufig gebrauchten Form. — Früher tritt der Übergangslaut *j* natürlich da auf, wo Ausfall von *d* allgemein ist. Zahlreich sind daher von Anfang an die ostfäl. Belege für den Übergangslaut, deren Einfluß sich wieder bei einigen Lüneburgern zeigt. Burmeister (*gojen, Broyr*), Scriba, Loccius (*Vaar, Raes, goe, see* ($<sede$) usw.). Bei Rist tritt *j* besonders im Perseus auf, der

---

[1] Für das seltene *u* fehlen mir Belege.

[2] Selten tritt nach hd. Muster *h* zwischen die Vokale: Irenar. *brühen, vöhen*.

[3] Erst um 1730 finde ich *upstär* Nd. Jb. 33,162.

21*

überhaupt, außer im Pronomen, das ausgesprochenste grobe Platt bietet, aber auch Fj. T.: *goien, Vaiern,* Depos.: *goien.* Tew. Hocht. hat *gojen* nur in der aus Scriba entlehnten Stelle. Sonst brauchen die Lüneburger und Niederelbier *d* oder Formen ohne *d* zwischen Vokalen. — Die Entwicklung von *dd* deckt sich nicht überall mit der von *d.* Hier hat die schlaffere Artikulation in weiterem Umfange zum Zitterlaut[1] aber auch zum Schwund geführt. In einer von beiden Richtungen ist Vises *hae* < *hadde* oder für *harre* zu deuten (vgl. Nd. Jb. 44,35). Auf den Unterschied zwischen Stadt und Land *Ledder: Leer* habe ich schon Nd. Jb. 44,32 gewiesen. Jellinghaus a. a. O. 284 macht darauf aufmerksam, daß wieder die Städterin Drüecke in Tew. H. S. 229 R. 3 nicht *weer* sagt, sondern g e g e n den Druck *wedder.* —

Die Assimilation von *d* an vorausgehenden Nasal oder Liquida, an *r,* namentlich aber an *n* (*nn* *ŋ*), *l,* die wenigstens für *n, l* schon in vormittelniederdeutsche Zeit reicht, deutete das Mnd. nur gelegentlich in der Schreibung an. Die älteren Zwischenspieldichter stehen auch hier in der mnd. Schreibtradition, obwohl die Mundart die Assimilation durchgeführt hat. Vereinzelt nur sind die Beispiele bei Schlu oder Hollonius, aber *schuldn* sollen (Herlicius[2]) in umgekehrter Schreibung (vgl. den Reim *scholden: wollen* Scriba 374) beweist, daß *ld, nd* trotz archaisierender Schreibung *nn, ll* usw. zu sprechen ist. Dies traditionelle *ld, nd* ist so fest, daß Lauremberg es sogar in den Bauernszenen (nur *würre*) anwendet.

Um diese Zeit aber entwickelt sich *nn* < *nd,* seltener *ll* < *ld,* in besonderer Weise lautlich weiter. Wir finden zuerst bei Rist für und neben *nn* < *nd* die Schreibung *ni: wunnien* und *wunnen* Wunden (Irenar.). Namentlich Perseus ist wieder besonders reich an diesen gröberen Formen, *Lanie, aniern, Lenien, Huniesfott,* ja sogar *vanier, inier* < *van der, in der.* Scheer braucht einmal *Elenie;* der von Rist abhängige „Ratio status" *Lanje, anjern.* Diese seit 1630 im niederelbischen Gebiet zunächst belegten Formen kommen später (auch *lj*) in den Gelegenheitsgedichten aller Teile Niederdeutschlands, aber immer

---

[1] *Fernenbusch* (Hans u. d. Soldaten), *Brern* (Loccius) könnten so gedeutet werden. Freilich steht hier *dd* vor *r,* wo auch Ausfall des *d* das gleiche Resultat haben müßte.

[2] Das bei Herlicius übliche *vnne* auch in pommerschen Gedichten 1656. 1667.

nur als mehr oder weniger häufige N e b e n f o r m e n , vor (Beispiele aus Ostfalen, Bremen, Mecklenburg Nd. Jb. 44,36 A.) und
bedeuten wohl keinen Übergang der Verbindung *nd* > *nn* > *nj*,
sondern eine Art Mouillierung, so schwach, daß sie schließlich wieder
aufgehoben werden konnte. *n* war wie die Palatalisierung in *tünne*,
sünne usw. zeigt, immer ein stark palataler Laut. Die alte Verbindung *nn* wirkt regressiv auf den vorhergehenden Vokal, die junge
Verbindung *nn* < *nd*, die nicht mit altem *nn* zusammenfällt, führt
zur Mouillierung (*nj*). Diese hat sich teilweise lange erhalten. Der
Mecklenburger Babst wendet sie Ende des 18. Jhd. an. Und noch
1841 gibt Höfer, Märkische Forschungen I, 150 für Pommern an,
daß ein „mit *n* verbundenes *d* in der breiten Aussprache den
Laut *ñj* annimmt".

Erwähnt sei hier neben *anner anier* noch die bei Loccius regelmäßig
in der Hanr. einmal (*ahren*) vorkommende Form *aer* (auch „Overysselsche
Boerenvryage" *aer*). — In *intem*, *int*(*e*)*r* „in dem, in der" auf lüneburgischem
und niederelbischem Gebiet ist dieselbe Verstärkung des Verschlußlautes vor
—*er*, —*em* eingetreten, wie z. B. in hd. hinter, unter. —

Nur hinweisend streifen kann ich schließlich die S y n k o p i e -
r u n g und A p o k o p i e r u n g , denn ihre Behandlung würde
eine eigene Monographie erfordern. Im Hamburgischen läßt sich die
Apokopierung jedenfalls im 17. Jhd. schon erkennen. Sie ist im
Ostelbischen schon bei dem Stralsunder Gentzkow[1] zu beobachten,
der nicht nur *vruw, wust, wurd*, sondern auch *Greth* schreibt. Aber
der Darstellung steht die Schriftsprache entgegen: N. Chyträus
braucht regellos —*inge* und —*ing*. Demgemäß sind auch in unseren
Dichtungen vereinzelte Beispiele zu erwarten, obwohl Versdichtungen
gerade zur Entscheidung in dieser Frage wenig geeignet sind. Aber
wenn Herlicius neben *Chelk* auch *Chelek* setzt, *Wöbbek*, die rhyth-
misch *Chelke*, *Wöbke* gleich sind, weist das neben *schwep*, *Möm*,
doch auf apokopierte Formen. Hollonius schreibt zwar *Kohard'*,
Paep', *bedd'* mit Apostroph. Aber Apostroph deutet durchaus nicht
immer auf g e l e g e n t l i c h e n Abfall! In Vitulus und Scriba
(lüneburgisch 1616) reimen Wörter mit und ohne *e*: : *Dert* : *Erd*,
Gesch(*e*) : *Flesch*.[2] Rists Depositionsspiel scheint der Opitzschen
Elisionsregel zu folgen, die nicht nur vor Vokal, sondern fakultativ

---

[1] Sein Tagebuch 1558 ff., her v. Zober.

[2] *bedören* : *vertörnen* ist *dörn* : *lörn*. *arm* : *vorwarmen* = *arm* : *vor-*
warm, *kregen* : *segnen* = *krēgŋ* : *sēyŋ* (Scriba).

auch vor *h* und über den Versschluß fort wirkt[1]: *löv Ick*; *Ick loep all*; *hallf stieg Ohrfiegen*: *Schwep | hau*; *Schnuht | Hört*; *by der Kann | Und*; *Laff | Ook.*

Viel wichtiger für den Stilcharakter unserer Gruppe sind aber die synkopierten und zusammengezogenen Formen. Beginnend mit Synkopierung im Versschluß in den Endungen —*en*, —*er* haben sie zunächst den Zweck, männliche Ausgänge herzustellen, folgen im Versinnern zuweilen dem Rhythmus. Daneben begegnet auch schon enklitisch *dr* < *dar*. Bald finden sich auch enklitische Pronomina im Versinnern gekürzt: *hastat* hast du das, *wanck* wenn ich, *motw* müssen wir (Vitulus). Loccius braucht schon mehrfach Zusammenziehungen wie *kilkr* < *ik wil dik dar*. Aber erst in den jungen Prosatexten werden diese Kürzungen in wildester Weise verwendet. So schon bei Rist, namentlich im Perseus: *vamk(e)* < *van mik, heffter, skullem* < *skull me(n)*. Auch Lauerembergs Bauernszenen halten derartige Formen fest: *wennker* < *wenn ik dar* usw. Die Folgenden gehen übertreibend weit über Perseus hinaus, so Scheer und am stärksten Teweschen, wo beinahe Wort für Wort Beispiele bietet. Beinahe jedes Pronomen wird unter Verlust seines Vokals an das vorausgehende Wort gezogen: *seggenck* < *segge mick, kweyk* < *ik wil dik* usw.

Verbreitet ist auch die Abschwächung von *du* in der Enklise: *geiste, woste, haste*, ähnlich *wette* weiß er. —

* * *

Es ist nun aber Zeit, die wichtigste Frage aufzuwerfen: Bietet diese Gattung, die mit archaischem und fremdem Gut überwuchert ist, für die Geschichte der Mundartenforschung irgend welche Möglichkeiten? Daß diese Frage zu bejahen ist, ging selbst aus dem Vorhergehenden schon einige Male hervor, so wenn beim Schwanken zwischen *us* und *uns* aus der Art des Gebrauchs *uns* sich als die heimische Form erwies. Natürlich ist von vornherein bei jeder Verwendung für Zwecke der Mundartenforschung das abzuziehen, was rein der Gattung als Stilmittel angehört, z. B. die fremden Pronomina, die in der Lokalisierung einzelner Texte so manche Verwirrung angerichtet haben. Dann heben sich aus der archaisierenden Grundlage der mnd. Schriftsprache doch eine Reihe von Neuent-

---

[1] Buch v. d. deutschen Poeterey, Hall. Neudrucke Nr. 1, S. 37 bis 39.

wicklungen ab. Man wird freilich nicht immer sicher entscheiden können, ob das städtische Platt einen Übergang voll mitgemacht hat (z. B. *goden goen* Nd. Jb. 44,32); aber manchmal wird dieser Mangel dadurch gebessert, daß in gewissen Fällen (s. z. B. S. 342 A.3 usw.) die konservativere Sprechweise gewählt ist, und immerhin sind wir doch wenigstens in die Lage gesetzt für die ländliche Sprache zu entscheiden. Es sind allerdings immer nur vereinzelte Fälle von Neuerscheinungen, die neben der alten Form auftauchen, aber diese sind besonders wertvoll in einer Zeit, als die offizielle Schriftsprache hd. oder mnd. war, als Gelegenheitsdichtungen, die uns Aufschluß geben könnten, noch fehlen [1], wir also für diese Übergangszeit ziemlich auf diese einzige Quelle angewiesen sind. Die Erkenntnis der Sprachentwicklung in der Zwischenzeit aber ist notwendig für das Verständnis des Werdens der neund. Formen, wie sie andrerseits auch für mnd. Zustände Aufklärung geben kann.

Ich stelle im folgenden einige Punkte zusammen, indem ich hoffe, den künftigen Darstellern der Mundarten Anregung zu geben, aus heimischen Archiven und Bibliotheken durch die Benutzung von lokalen Gelegenheitsdichtungen und bei genauer Kenntnis der einzelnen Mundarten, die bei dem Mangel an Dialektdarstellungen für den Außenstehenden kaum zu erreichen ist, diese Punkte zu vermehren und zu vertiefen.

I. Die o s t e l b i s c h e Gruppe, Pommern und Mecklenburger.

Ich fasse diese wie schon im Vorhergehenden zusammen, weil sich so die Entwicklung am besten erkennen läßt. Vor- und Mittelpommern und weiter Hinterpommern zu trennen, erlaubt das Material nicht.

1) Über *e > a*, das hier lautlich ist (*fafftich, faddern*), s. S. 320 ff.

2) —*er*— > —*ar*— ein Übergang, der schon in mnd. Zeit eingetreten war, wird durch die alte Tradition noch vielfach unterdrückt. Wie Chyträus nur —*er*— schreibt, so wechselt Lauremberg (*ar* in den Bauernszenen!) in den Scherzgedichten zwischen —*er*— und —*ar*—. Die Aussprache „Arnst, Harr, Barg, Arz, Marz" wird Nd. Jb. 20,124 von Dietz im Anfang des 19. Jhd. bezeugt. *ar* auch in den pommerschen Gedichten des 17. Jhd., Nd. Jb. 19,123 ff.

---

[1] Das älteste mir bekannte pd. Hochzeitsgedicht der neuen Zeit ist 1637 datiert zur Hochzeit von Hans Heinrichs und Anna Wik. Verfasser ist Nic. Boethius Dithm. (Stadtbibl. Hamburg). Sehr viel ältere wird es kaum geben.

3) Der Übergang des *âw* > *âg* (*âx âȝ âj*) *ouw* > *oug (oux)* usw. ist im 16. Jhd. schon nachweisbar: „dar na wordt idt *douch wedder*, (dat idt wedder up dogede)" heißt es in des Stralsunders F. Wessels Aufzeichnungen 1555 (her. von Zober im Anhang zu Gentzkows Tagebuch S. 519)[1]. Gentzkow nennt die „Pawelunes broderschop" a. a. O. S. 202 (1562): *pagellunshern*. Dementsprechend braucht in unsern Stücken der Treptower Bütow den Namen *Pagl*. Vgl. die Nachrichten über „Er Pagel Bocken Pastorn zu Tutzpach" (Monatsbl. f. pomm. Gesch. 15,115) 1604. Ebenso früh läßt sich der Übergang in Mecklenburg beobachten. N. Chyträus schreibt Sp. 90 seines Nomenclator (Ausgabe von 1585) „Cyanus mas *blaach* Saphyr, Cyanus fœmina wittlecht Saphyr". Doch sind alles dies nur Entgleisungen. Schriftsprachlich bleiben zunächst die Formen mit *w*, bei Chyträus *blaw*, *graw*. Ebenso bei Lauremberg in den Scherzgedichten, aber in den Zwischenspielen *klagen* „Klauen" Nd. Jb. 11,147, *blaeg* 3,97 in Übereinstimmung mit dem Namen *Clages* in Dobbertiner Klosterrechnungen 1666 (Meckl. Jb. 59.) Hierher gehört vielleicht *Clages* in *Wummen Clais* für *Gaies* bei Vise?

Wenngleich vereinzelte orthographische Ausweichungen uns den Übergang *ûw* > *ûg* schon für die mnd. Blütezeit verbürgen, so übernimmt ihn die Schreibung doch erst sehr spät. Noch 1650 *juw*, *truven* im Rost. Scherzgedicht, Nd. Korr. 11,50, *Fruwen* in pommerschen Hochzeitsgedichten 1656, 1670. 1664 finde ich das erste *betrugt* (Nd. Jb. 19,125) in der neueren Zeit, 1678 *juy*, aber *truen* (Kohfeldt Nr. 3). Die Zwischenspiele zeigen daher noch kein Beispiel. — Der orthographische Unterschied in beiden Gruppen wird beleuchtet durch die modernen Verhältnisse. Nach Höfer, Z. f. d. Wiss. d. Sprache 3,387 f. heißt es (1852) *blâch blâjel*, *grâch grâjen*, dagegen wechselt *bûjen*: *bûen*, *brûjen* mit *brûen*.

4) Wie weit läßt sich schon Diphthongierung von *ô* und *ê* beobachten? Die Diphthongierung ist bekanntlich in unserm Gebiet durchaus nicht gleichmäßig durchgedrungen. Für Mecklenburg vgl. man Seelmanns Zusammenstellungen Nd. Jb. 43,3 ff. 8 ff.[2], wo auch zugleich auf den Unterschied der Aussprache in den konservativbürgerlichen Kreisen von den stärker diphthongierenden unteren Klassen gewiesen ist, ein Unterschied, den auch Dietz 1816—19 in

---

[1] Hiernach ist Mnd. Gram. § 347, III zu verbessern.

[2] Für das Westmecklenburgische vgl. Kolz, a. a. O. §§ 74. 80. 85. 86.

Güstrow kennzeichnet (Nd. Jb. 20,126). Zweifellos geht die Diphthongierung im Ostelbischen nicht in so frühe Zeit zurück, wie im West- und Ostfälischen, setzt hier anscheinend erst nach Abschluß der mnd. Zeit ein. So ist es verständlich, daß es in unseren Texten an Belegen noch fast völlig mangelt und daß man die wenigen erst mißtrauisch betrachtet. Jedenfalls beweist *Beyr* bei Herlicius (8 mal im Musicomastix, aber *Beer* Vinc. Lad.) noch nicht für Diphthongierung dieses Wortes, das (vor *r*!) stets gern mit *ei* geschrieben wird[1], so in der Greifswalder Hochzeitsordnung 1592, bei Gentzkow, Kolberger Schmiederolle 1600 usw. Aber Hollonius braucht wie *unvaxeirt* auch *thow* zu; Vise: *Greit, sein, tou*; Lauremberg: *moyme* in den Bauernszenen (*koiken* Deminutiv zu *ko*, Scherzged. II, 440). Das sind freilich nur vereinzelte Spuren (überdies aus ganz verschiedenen Teilen), an die man nicht gar viele Schlüsse knüpfen kann, aber doch dürfen sie nicht übersehen werden, namentlich in einem Sprachgebiet, wo die konservativ-bürgerliche Richtung im allgemeinen sich der Aufzeichnung der Diphthonge widersetzt[2].

5) Analogischer Umlaut im Nomen dringt seit der mnd. Zeit vor[3]. Unsere Texte, Omichius, Herlicius, Hollonius, haben in Übereinstimmung mit den modernen Formen *Dörp*. Erwähnenswert ist bei Omichius die Nebenform *Darp* (s. S. 337). — In *Sünne* steht *ü* vor *nn*!

6) Übergang des *ê* > *î*, *ó* > *ú* vor *r* ist mir erst außerhalb unserer Texte im 18. Jhd. begegnet, z. B. Kohfeldt Nr. 27 (1741): *ihrbar, mihr, Ihren Dag, hührt, hürd.*

7) Auslautendes —*sk* > —*s*. Bütow: *friß, spöttes*; Herlicius: *hüppeß* (< *hüppesch* der gern hüpft); Vise: *hübs* (auch *falß*). Herkunftsbezeichnungen auf *s* < *sk* sind im Mnd. verbreitet[4]. Über diese hinaus finden sich nur vereinzelte Fälle. Bei der verhältnismäßigen Häufung der Belege in den Zwischenspielen pommerscher Herkunft muß es sich hier um eine in Pommern heimische Erscheinung handeln. Vgl. auch Nd. Jb. 44,12. *hübs* hat auch das hamburgische Tischlergesellenspiel (1696) 1714.

---

[1] Vgl. Dietz' Angaben Nd. Jb. 20,125.

[2] S. Nd. Jb. 44,18 ff.

[3] Zu der besonders frühen Bildung *söne* ist aber schon auf as. *sunies* zu weisen.

[4] Z. B. auch *schottes* schottisch, Greifswalder Gewandschneiderurkunde 1562, Pomm. Jb. 1.

8) Der Übergang von —*tk*— > —*tt*—, der sich im Mecklenburgischen seit Ende des 16. Jhds. nachweisen läßt[1], ist in Laurembergs Zwischenspielen zu belegen:*Annemeten* (Scherzged. *Annemeken*) < *Annemetken, beten, Pötten.* Aber da (S. 309) der spätere Text allgemein gebrauchte Formen herstellt, so wird —*medten* 1635 in —*metken* 1648 geändert.

9) Die schon im Mnd. beobachtete V o k a l i s i e r u n g des *r* zwischen Vokal und *st* ist bei Schlu durch den Reim *wǔrst* : *lust* zu belegen. Lauremberg *Wǔste.*

10) P r o n o m i n a. Über *mik, mi, us, uns* s. oben.

neen kein ist im allgemeinen noch bewahrt (auch bei Dähnert). Aber schon bei Omichius ist doch neben *nein* auch hd. *kein*[2] eingedrungen, und wenn Bütow ein volkstümliches Sprüchwort nennt: „Ein Wyff nemn ys kein Perdekop", so zeigt sich auch hier die hd. Form, die den Sieg davongetragen hat, im Vordringen. Sie findet sich auch bei Lauremberg in den Scherzged. und im Bauerntanz. — Das zusammengesetzte Demonstrativpronomen ist *disse.* S. Nerger § 157. 245. Die neben *disse* gebrauchte Form *dese* (Nerger 245) ist keine Fortsetzung, sondern junge Neubildung zu *de.* Omichius, auch Lauremberg (Bauerntanz) brauchen das mnd. schriftsprachliche *düsse,* Vise die im 17. Jhd. verbreitete Kontaminationsform *dye* (*dijer* in einem pommerschen Gedicht 1662), die der Entstehung nach mit der ndelb. Form *düe, düie* zusammenzustellen ist. Zur Erklärung s. Nd. Jb. 44,33. — Das nordnds. Fragepronomen *wol* ist durchgeführt, das jetzt durch *we, wen, wer* ersetzt ist. — Kürzung des enklitischen *du*: *menste* (Schlu), *heffste* (Lauremberg).

11) V e r b a l b i l d u n g. Für das Neund. läßt sich die alte Klasseneinteilung der starken Verben nicht mehr aufrecht erhalten. Die Einteilung des pd. st. Verbs in drei Gruppen nach dem Präteritalvokal, die ich Nd. Jb. 44,39 vom Standpunkte des Hamburgischen aus unternommen habe, wird nicht mechanisch in allen Teilen des Gebietes anzuwenden sein, oder wenigstens wird die Zuteilung der Verben verschieden sein. Denn während z. B. im Hamburgischen ein Teil der Verben der IV. und V. Klasse wie die reduplizierenden durch Labialisierung in die II. (ǒ-Gruppe) gehören, schließen sie sich in Dialekten, die diese Labialisierung nicht im gleichen Umfange

---

[1] Z. f. d. Mundarten 1912, 166 ff.

[2] *Keineswegs* Greifswalder Hochzeitsordn. 1592. Balt. Stud. 15,2,184 ff.

durchgeführt haben, der I. (*e*-Gruppe) an. Auch der Ausgleichsprozeß zwischen Singular und Plural ist verschieden weit vorgeschritten oder hat verschiedene Resultate ergeben.

Es fragt sich, wann die Umgestaltung des Verbs stattfand. Im Mnd. ist die Einsetzung des Optativ-*e* in den Ind. in IV. V. durchgeführt. Sing. und Plur. sind noch geschieden. Dagegen zeigen sich früh Ausgleichsformen zwischen Sing. und Plur. in III. Demgemäß kann Baetke Nd. Jb. 43,89 auch aus Kantzow die Formen „schwum, verbunt, gult, verdorff, sturff storff, worp" beibringen. Daran reiht sich bei Bütow *schuldt* schalt, bei Lauremberg *sprung. word* (auch schon im Mnd.) hat der Druck (Hdschr. *ward*) der Scherzgedichte I,37. In andern Klassen ist der Ausgleich im Ostelb. jung. Hollonius: *ick badt, quam, vorgath, was, sprack, sach,* usw., Herlicius : *ath, was,* (doch auch *stanck*). Ebenso die pommerschen und mecklenburgischen Hochzeitsgedichte des 17. Jhds. Höfers Angaben, Z. f. d. Wiss. d. Sprache I, 379 ff., III, 378 lassen in Vorpommern 1846 Doppelformen (lokal geschieden?) erkennen, *mat* und *mêt, nam nêm, kam kêm, gaf gêf*[1], und noch 1869 kennt Nerger den Unterschied von Sing. und Plur. in IV. und V. im östlichen Mecklenburg. Doch verzeichnet er § 201 daneben Ausgleich zugunsten des *ê,* der in einigen Landesteilen, namentlich in den Seestädten, durchgedrungen war. Vereinzeltes frühes *lech, queme* (Indik.?), das Baetke aus Kantzow beibringt, steht der gesamten Überlieferung entgegen und ist mit einem Fragezeichen zu versehen.

Die Übertragung des Optativumlauts auf den Plural des Indikativs dringt nun auch in andern Klassen vor. Herlicius : *se sópen,* Lauremberg (Zwischenspiele): *krópen* (Nd. Jb. 11,146). Wir können also das Vorkommen umgelauteter Pluralformen in II. schon um die Wende des 16. Jhds. in Vorpommern beobachten, und, wie Lauremberg zeigt, kaum später in Mecklenburg. Dann wird aber wohl der gleiche Zustand bei allen Verben mit gleichen Lautverhältnissen in dieser Zeit anzusetzen sein, d. i. neben II. auch VI. Baetke nennt freilich a. a. O. S. 99 aus den Stralsundischen Chroniken bis 1531 die Formen *vhóren, drógen, góten* (*würden*). Leider ist hier in Hamburg die Mohnike-Zobersche Ausgabe, der die Formen entnommen sind, nicht erhältlich, aber

---

[1] Die Formen mit *a,* die er (S. 388) aus heute nicht mehr stichhaltigen Erwägungen für die richtigen hält, mögen daher von ihm besonders in den Vordergrund gerückt sein.

zweifellos gehören derartige Formen keiner Handschrift aus der
ersten Hälfte des 16. Jhds. an, schon aus dem Grunde nicht, weil
Handschriften jener Zeit Umlaut kaum andeuten. Entweder sind
dies jüngere Überlieferungen oder es sind anders zu bewertende dia-
kritische Zeichen oder aber ungenaue Edition. Bei dem Stralsunder
Gentzkow 1558 ff. noch werden Umlautzeichen ganz selten gesetzt
gerade wie bei seinem Zeit- und Heimatsgenossen Franz Wessel im
Bericht über die stralsundischen Altäre. Demgemäß sind hier natürlich
Beispiele für umgelautete Verbformen noch nicht zu erkennen[1]. —
Auch *lópen* (Nerger § 213) braucht Lauremberg mit $ó < ê$ (vgl.
spröken < *spreken* 1715 Kohfeldt Nr. 16, 1746 Nr. 33) neben Labial,
eine Form, die anscheinend jetzt in Mecklenburg weniger gewöhnlich
ist als die Form mit e^2. Aus Höfers Darstellung a. a. O. (vgl. dazu
aber namentlich auch S. 387!) erschließe ich in Vorpommern für
seine Zeit *söp söpen (sop sopen), slóch* (389), *slóg'[3] slögen* und *slog
slogen.* Vgl. Nerger § 204, 207 *œ* und *o* in beiden Klassen. Bei
Hs. Auffassung des Verhältnisses stehen natürlich die *o*-Formen
an erster Stelle. Ferner *stôl stölen* und jünger *stol stolen*, ebenso
brök bröken (brok broken), wôgen und *wogen.* Und auch *löpen* und
lopen, röpen. stolen kann nicht < *stelen*, nur < *stölen* hergeleitet
werden. Es wird sich bei dem Wechsel zwischen $ó$ und o um den
Kampf zwischen Singular- und Pluralformen handeln, der nach
einer oder der andern Seite ausgeglichen werden konnte. Bei der
Grundlage $ê$ haben wir, wie die verwandten Gebiete zeigen (Hamburg *noimen < nômen, loipen < löpen*) den lautlichen Übergang
$ê > ó$ (vgl. zur Entwicklung Nd. Jb. 44,41 ff.) zugrunde zu
legen. Dann treten diese $ô(<ê)$-Präterita in die Analogie
der andern $ô(<ó)$-Präterita und zeigen den gleichen Kampf
$ó : ô$ wie diese, der dann im Meckl.-Vorpommerschen gern zugunsten des $ó$ entschieden wurde. — Der Umlaut im Präteritum
der III. Klasse scheint z. T. sehr jung zu sein. Dietz kennt ihn An-

---

[1] Nicht hierher gehört *drögen* in F. Wessels Bibel (her. von Zober im
Anhang zu Gentzkows Tagebuch) S. 513, wo wie *ü = u, v* (nicht Umlaut),
zweimal im Anfang auch $ó$: *drögen geschöreth* (!) steht. Umlaut von *o* wie von
u wird nicht bezeichnet, *ü* ist in diesem Text diakritisch und daran angelehnt die beiden $ó$.

[2] In einem Hochzeitsgedicht von 1742 *sópen* aber *lepen.*

[3] Neue Vermischung mit dem Konj. scheint Höfers *sloeg'*, *groev* ohne
Auslautsverhärtung neben *sloech* (l. *slöch*) *gef* usw. anzudeuten.

fang des 19. Jhds. (Nd. Jb. 20,127) nicht. Nach Nerger § 210 ist er „noch nicht überall vollzogen", bei Reuter *bunn, sprung, fung,* auch *stunn, gung* und *güng*[1]. Dagegen führt Höfer a. a. O. *drünk drünken, fünn fünnen* an[2] (freilich III, 379 *drunk, funt*), was wohl mit *drünken, hülp* (Kohfeldt Nr. 27) 1741 zusammengestellt werden muß. Es scheint demnach, daß diese Anlehnung in den einzelnen Teilen des Gebietes zeitlich verschieden eintrat. — Anschluß der redupl. Verben am III. zeigt schon bei Kantzow *geful.*

Zu erwähnen sind noch einige Formen des Verbum substantivum. 2. Pers. Präs. *büst* bei Herlicius und Lauremberg. *bün* ist in Mecklenburg seit dem 15. Jhd. nachweisbar. An diese Form hat sich *büst* angeschlossen. Dagegen wird *sind* und *syn* bewahrt. Hier sind es auffallenderweise gerade Laurembergs Scherzged., die das jüngere *sünd* überliefern, IV., 336, 342 (Handschrift *syn*). Das Part. Prät. lautet in den Scherzged. neben *gewest* (vereinzelt *west*): *gewesen.* Zwischenspiele: *west is, hadde* in Übereinstimmung mit dem Gebrauch, wie ihn z. B. die Wismarerin Agnes Dürjahr 1586 in ihren Briefen (Meckl. Jbb. 60) zeigt: Kohfeldt Nr. 2, 1676: *iß west.* Auch Dietz kennt nur *west* (S. 128). Nach Höfer ist *west* viel üblicher als *wesen,* Nerger führt § 208 neuerdings beide Formen an.

Vom Verbum *mõten* brauchen Schlu, Bütow *du must,* aber *mõth* (vgl. den besonderen Vokalismus in *wultu*), Herlicius *must, mõste* und *mõthen.* S. die hamburgische Entwicklung Nd. Jb. 44, 46. — Hinzuweisen ist noch auf die im 17. Jhd. gern gebrauchten Kurzformen *skomme* soll man (Herlicius), *wewe* (Vise).

Syntaktisch führe ich noch die Formen *en Veegen Hundt* aus Laurembergs Bauernszenen (aber *ein older Grys* Scherzgedichte I, 353, *myn schwacker Kop* Beschl. 75, *ein jedes nies Kleedt* I, 202 zeigen wieder den abweichenden Charakter der Scherzgedichte), ebenso *Mien truten Swager* Rostocker Scherzgedicht 1650, Nd. Korr. 11,50. —

Im Lüneburgischen, d. i. das lüneburg. *mi*-Gebiet (die Grenze s. auf der Karte, die Kück seiner Darstellung des Lüne-

---

[1] güng auch 1759 (Kohfeldt Nr. 34) neben fung, sung. Wirkt bei diesem Wort vielleicht die Nebenform ging ein?

[2] Auch Gilow, Leitfaden der pd. Sprache m. besonderer Berücksichtigung der sw.-vorpommerschen Mundart, 1868, führt meist Doppelformen an mit augenscheinlicher Begünstigung der Umlautsformen.

burgischen im „Lüneburger Heimatbuch II" beigegeben hat), sind Burmeister, Loccius, Fr. Leseberg beheimatet[1]. Auch Vitulus und Scriba, die in Hamburg verlegten und aufgeführten Stücke ziehe ich hierher[2]. Beide Stücke zeigen sprachlich gleichen Charakter, nur arbeitet Scriba[3] alle fremden Stilmittel der Gattung noch stärker heraus. Daß sie dem Hamburgischen fernstehen, erkannten schon Bolte und Seelmann, die an Beziehungen zu Mecklenburg dachten. Dazu führten wohl die Hamburg fremden Formen *Podt* (Vit., hbg. *Put*), *Wocken* (Scr., aber Vit. wie hbg. *Wucken*), *Anmeten, beten* (hbg. —*tk*, später —*tj*—), namentlich aber spricht entscheidend gegen Hamburg der Gebrauch von *a* für *e* (S. 322 f). Gegen Mecklenburg spricht ebenso entscheidend der Reim (Vit. 43/4) *kleyen* : *hyen*[4], l. *heyen* (*ij*— > *ei*—), der in eines der Nd. Jb. 44,15 für diesen Lautübergang abgegrenzten Gebiete führt, sowie der Gebrauch von *j* für *d* im Scriba, den das Meckl. um 1616 noch nicht kennt (S. 323), gerade wie ihm auch damals noch die starke Verbindung nordniedersächsischer Kriterien mit ostfäl. fremd ist. Von diesem Standpunkt aus darf man auf die Pronomina *juck jock* weisen, denen die Ostelbier *juw* vorziehen. Positiv gewandt finden wir aber alles dies im Lüneburgischen. Die folgende Darstellung wird den lüneburg. Charakter beider Stücke noch in weiteren Einzelheiten zeigen, der auch schon aus den vorhergehenden Erörterungen S. 342 f., 322 hervorging. Da wir oben S. 315 die Form *uns(e)* trotz des üblichen *us(e)* als die heimische ansahen, so gehören Vit. und Scriba, wie wohl auch Burmeister, in das lüneburg. *uns*-Gebiet.

Es war schon darauf hingewiesen, daß Burmeister lüneburgisch schreibt auch im fernen Rostock, daß er stärker heimisch (*mi, vns, jüm*) beginnt, um dann dem allgemeinen Gattungsstil Zugeständnisse zu machen. Loccius, der fremden Vorlagen gegenüber nicht spröde

---

[1] Über Pfeiffer s. S. 339.

[2] Diese Sachlage habe ich Nd. Jb. 44,6 noch nicht richtig erkannt.

[3] Daß Scriba Burmeisters Stück kennt, ergibt sich vielleicht aus der Übernahme des Namens Chim Klemkyl, den bei Burmeister die Jungen Chim Wöhlerd spottend nachrufen, wenn dies nicht nur ein verbreiteter Schimpfname ist. Scriba, zusammengefügt aus einer Reihe von Fastnachtsspielelementen, hat dann wieder für Teweschen Hocht. stark herhalten müssen.

[4] Nd. Jb. 44,16 ist durch Ausfall des Reimworts *hyen* der Sinn unverständlich.

ist, empfängt erklärlich auch fremde Formen[1], so die ostfäl. Verdoppelung der stimmlosen Konsonanten: *schweppen, schetten, greppen.* Andererseits tritt aber gerade bei ihm heimisches Gut besonders charakteristisch hervor:

1) Noch interessanter als die bei Burmeister begegnende Pronominalform *jüm* (S. 309, 311), die unsere Aufmerksamkeit doch nur erregt, weil sie uns in der Unterdrückung die Nachwirkung der mnd. Tradition erweist, ist die bei Loccius gebrauchte neu entwickelte Form des Pronomens der 2. Person, die mundartlich heute in einem größeren Gebiet zu belegen ist, die Anredeform *ju*, was bei ihm, da er Umlautzeichen spärlich setzt, als *jü* gelesen werden darf. Ich kenne die Form in älteren Texten noch in einem Hochzeitsgedicht für A. v. Sprekelsen und H. Busch, Hamburg 1656[2], im 18. Jhd. in der pd. Übersetzung von Holbergs „Politischem Kannengießer", Hamburg 1741. Von modernen Schriftstellern braucht Kehding *jü: wi* (De Franzosen-Krieg 1870/71[3]), ferner Ehlers (der als Tierarzt in Soltau lebt) in seinen „Vertellers in lünbörger Platt: De Kuckuck von Schülern" (Soltau 1913).

Es sind im Lüneburgischen und dem direkt angrenzenden ndelb. Gebiet zwei Bezirke zu unterscheiden, der eine mit *jü*, aber *wi*, der zweite mit *jü*, *wü*. *jü, wü* schreibt z. B. R. Garbe (Hohnstorff b. Lauenburg), so heißt es im Gebiete der Elbe von Finkenwärder über Artlenburg, Stöckte[4] bis nach Stiepelse und Witzetze, vergl. Rabeler, Z. f. d. Phil. 43, § 128,18 f, § 127,3, sowie § 128,23. Ursprünglicher ist, wie unsere Texte zeigen, die Verteilung im *jü-wi*-Gebiet[5]. In bezug auf dieses sind die mir gewordenen Auskünfte nicht ein-

---

[1] Hd. *t* in *mittag, wantags.* Hd. ist vielleicht auch *nit*, sicher der Reim *lopn* : *supn.*

[2] Stadtbibl. Hamburg. Auch abgedruckt in „Der Geist von Jan Trompetter". Das Gedicht interessiert literarisch dadurch, daß eine Reihe von Motiven wohl aus Tew. Hocht. entlehnt sind. Den Dialekt kennzeichnet *jü*, auch der Dativ *jüm.*

[3] Nach Seelmanns Angabe (Nd. Jb. 22,86) in Winsen a. Luhe erschienen 1871. Mir liegt nur eine Ausgabe ohne Titelblatt vor.

[4] Nach brieflicher Angabe von H. Prof. Kück. Im Lüneburg. Heimatbuch wird für Stöckte S. 305 *jü* „euch" angegeben. Ist dies ein Fehler für „ihr"? Kaum werden doch Rectus und Obliquus gleich lauten?

[5] Dem entspricht es, daß sich die gleiche Verteilung *jü* : *wi* auch sonst findet. H. Voigt-Diederichs braucht sie in ihrem holsteinischen Dialekt, ich finde sie bei Hermann Rieck, Delmenhorst (Niedersachsen V). Im Ofäl. steht *jü* : *wi* auch in L. Schulmanns Hildesheimer Geschichten (dort aber auch *lüen* < *liden*, *üwer*) usw.

heitlich. Herr Prof. Kück, der die Form in seiner Darstellung des Lüneburgischen nicht erwähnt (nur *jü* euch), gab mir freundlichst brieflich Bescheid. Er setzt *jü* nicht wie H. Tierarzt Ehlers in Soltau für den ganzen Kreis Soltau an, kennt die Form jedoch dort auch in Bispingen.

Jedenfalls zeigt sich die Form „*jü*", die Loccius 1619 schon durchgängig anwendet, als eine Neuschöpfung, die noch ins 16. Jhd. zu setzen ist. Wie ist sie zu erklären? Der übereinstimmende Gebrauch der drei obengenannten älteren Texte mit einem Teil des Gebietes auch noch heute (vgl. die Schriften von Kehding, Ehlers, sowie anscheinend auch die Verteilung im Kreise Bleckede, ferner briefliche Angaben Kücks) erweist, daß nicht *wü*, sondern *jü* die Ausgangsform ist[1]. *jü* läßt sich, soweit ich sehe, nur begreifen als eine Art Kontamination aus *ji* und dem Obliquus *juw*, und zwar so, daß *ji* durch das *u* des Obliquus zu *jü*[2] wird. Daraus aber ergibt sich der weitere chronologische Schluß: *jü* muß dann entstanden sein, ehe *juw* > *jo*[3] sich wandelte. In *jü* „euch" (Stadt Lüneburg und Winsen, Kück, a. a. O. S. 273) ist diese Form im Obliquus fest geworden. Vgl. auch die entsprechende jüngere Beeinflussung bei Friedr. Freudenthal, „De Freewarwer"[4] *jo* > *jō* oder *juw* + *ji* > *jūw* > *jō*? im Obliquus. —

Nordnds. ist das von Burmeister, Scriba, Vitulus angewandte Fragepronomen *wol*. Auch hier hat Loccius den interessanteren Standpunkt: *wol* sagen die Leute fern der Heimat des verlornen Sohnes. An seinem Geburtsort sagt man *wen*. L. kannte also zwei Formen, von denen ihm die eine geläufigere (die nicht mit der mnd. traditionellen Form übereinstimmt, also mundartlich sein muß!) die Sprache der Heimat darstellt, während *wol* die Fremde charakterisiert, ein Versuch, Dialektverschiedenheit darzustellen, freilich auch der einzige bei L.; denn ein *wi wilt* mit —*t*, das der Schweinehirt, Akolasts Herr, braucht, ist wohl nur hineingeraten wie an anderer Stelle *kont*. Leider läßt sich *wen* in Verbindung mit *jü* nicht zu näherer Lokalisierung benutzen, da die Mundarten alle gerade in

---

[1] So doch wohl für das ganze Gebiet, auch da wo heute *wü* an *jü* angeschlossen ist.

[2] Nicht umgekehrt, da *jüw* > *jō* geworden wäre.

[3] Zur Chronologie s. Nd. Jb. 44,15.

[4] Die Brüder Freudenthal, geboren in Fallingbostel, später in Fintel lebend, brauchen im Nom. *ji*.

bezug auf das Fragepronomen stark geneuert haben[1]. — Von weiteren Pronominalformen erwähne ich noch *disse* bei Burmeister (s. d. Ostelbier) als gewöhnliche Form, daneben mnd. *desse* und hd. *diesem.*

2) V e r b a l f l e x i o n. Im Lüneburg. und im Ndelb. (s. S. 346) findet sich im 17. Jhd. ein Präsens *begúnt (begunt)* beginnt: *ik begun* Scriba, *id begunt* Vitul., *begúnt* Burmeister. — Ausgleich des Präteritalvokals im Sing. und Plur. der III. Kl. zeigt Scriba: *schuldt, stunck* neben *fant.* Angleichung der ursprünglich redupliz. Verben ist noch nicht gewöhnlich: Burmeister *ghink*, Scriba: *gingen, fil,* Vit. *viln,* doch auch schon *gunck.* In der IV. und V. Klasse ist noch von Angleichung nichts zu spüren: *satt, sprack.* Hinzuweisen ist auf *vorlohr* mit Ausgleich des grammatischen Wechsels, während im Präsens *früst* (Scriba) wie überall die alte Form besser erhalten ist. — Mit dem Ndelb. (S. 318) teilt auch das Lüneburg., das hierin wohl für das Ndelb. Quelle ist, die imperativischen Formen *la(t)sch, lat usk* (Burmeister, Loccius). Burmeister braucht *vsk* nur in diesem Wort, das vielleicht aus dem Ostfäl. entlehnt ist, wie bei andern auch *Behosk,* etwa in der Redensart *Behosk Gott* (Loccius, vgl. Rist). — Gegenüber Burmeisters *synt* bietet Loccius zweimal die jüngere Entwicklung *sunt,* d. i. *sünt,* dagegen aber noch *bin bist* (Ehlers: *bün büst,* in Winsen *büs* Kück. S. 272). Vitul. und Scriba neben *byn* auch schon *bun.* — Die bekannten Sprechformen des 17. Jhds. *wien* „wollt ihr ihn", *hai* „habt ihr" verwendet auch Loccius.

3) Die Entwicklung von *îj > ei* läßt sich im Vitul. im Reim *kleyen : hyen (heyen),* bei Loccius im Reim *spien* (l. *speien*) : *dreien* belegen. Der Ostfale Pfeffer, der L. ausschreibt, kann diesen Reim seiner Mundart nach nicht brauchen und wandelt ihn in *spien: migen*! Den entsprechenden Übergang *ûw > ou* scheinen bei Loccius die Formen *frawen, by miner trauw* zu erweisen. *ouw > auw* in *schauwen.*

4) Burmeister und Loccius brauchen die Form *Darp* Dorf, die sich deckt mit Omichius' *Darp* (S. 329) und zusammengeht mit Scriba wie auch Tew. Hocht. *starten(d) süke < störtend.* Kück S. 260 nennt nur die Formen „(dorp) dörp derp". Und doch kann

---

[1] Ehlers braucht *wer,* das ja häufig *wen* ersetzt hat, aber doch nicht auf die frühere Form schließen läßt, A. und F. Freudenthal *wer, wokeen,* Garbe *(wo)keen.*

man bei dem Zusammengehen von Loccius, Burmeister, Omichius
nicht an eine gelegentliche Schreibung denken, zumal *starten(d)*
dieselben Lautverhältnisse hat[1]. Für *darp* könnte man von einem
sehr offenen *ϱa* ausgehen. Dann müßte man *startend* von *darp*
trennen. Vielleicht daß hier irgendeine Kontamination etwa mit
starven stattgefunden hat?

5) *datStroy* : *Koy* (aber auch *Stro* : *nu*) reimt Burmeister. Das kann
nicht Diphthongierung darstellen *(Strou)*, sondern Reimzwang.
Ähnlich ist *Schöye* : *Köye* (Schuhe : Kühe) Vitul., *Schöy* : *möy*
Scriba (neben *Scho* : *tho*) zu beurteilen. Aus Kücks Bezeichnung
der Diphthonge *e', o"* ist wohl zu entnehmen, daß der erste Komponent
noch jetzt sehr stark das Übergewicht hat, daß hier also eine ähnliche
junge Entwicklung vorliegt wie im Hamburgischen, die in unseren
Texten noch keinen Ausdruck findet.

6) —*er*— ist zu —*ar*— geworden. Nur *wert* „wird" hat oft *e*. Die Annahme, daß hier *wērd(e)t* vorlag, ist unwahrscheinlich gegenüber *warn* und
dem heutigen *ward*.

Über *e* > *a*, *d* > *j*, *ld*, *nd* s. S. 322 ff.

7) Schwund des *l* hat Loccius in *schostu* (neben *scholst schaltu*),
schok. Vgl. heute Ehlers *du sast*, Fr. Freudenthal *du schöst* solltest.
Auch *wost* braucht Loccius, und *wultu*. Bemerkenswert ist der
Nasal in *soncke* aus *solcke*.

8) Loccius *bettn* „bißchen" stimmt zur heutigen assimilierten
Form. Daneben mit Bewahrung des alten *k*: *betkn*, *lütk* in konser-
vativer Behandlung. (heute *lüdde lütte* Kück S. 271, 273, 302).

9) Schwund des *r* vor *st*: *bost* Bürste.

10) Die Form *juntn* dort (Loccius; Burmeister *genten*, in dem genannten
hamburg. Gedicht 1656 *günnen*) verglichen mit modernem *gunt hen* (A. Freudenthal) legt die Erwägung nahe, ob das Eintreten des Verschlußlautes *g* (Kück

---

[1] Anders ist bei gelängtem, bzw. zerdehntem *ō* Cunos *karn*, *verlarn* zu beurteilen. Der westfäl. Übergang *darp* (z. B. Osnabrück, Mitt. d. V. f. Gesch. u. Ldk.
von O. 17,174), den ich Mnd. Grm. § 85 ff. zu eng gefaßt habe, wie mir weitere
Materialsammlungen zeigen, oder der mnd. Übergang in Danzig und den
Ostseeprovinzen, der a. a. O. nicht erwähnt ist, haben hiermit natürlich nichts
zu tun. Ofäl. *a* für *o* im 17. Jhd. s. Nd. Jb. 18,123.

S. 255. 278) jünger ist als unsere Texte. Im Auslaut ist Spirant bewahrt. Vgl. auch bei L. die Schreibung *nigg en docht*[1]. Zu den Lüneburgern gehört der Heimat nach auch F. Leseberg. Aber der Charakter seines Nd. weicht von dem bisher betrachteten Lünebg. ab. Zwar *düsse* ist vielleicht mundartlich lünebg. *Sall* neben *scholln*, *schall* nimmt Kück 245, vgl. 308, für das von uns dem Ofäl. zugezählte *mik*-Gebiet in Anspruch. Es gehört aber (Kück 273) auch dem städtischen Platt von Winsen und Lüneburg an und ist auch in Soltau zu beobachten. Von den Ostfalen scheidet Leseberg die Schreibung *a* für zerdehntes *o, a*; der Plural des Verbs auf —*n* zeigt denselben Stand wie bei Loccius und Burmeister, und gegenüber Loccius' *Frauw* zeigt Lesebergs *Fruwe* eine ältere heimische Form (gesprochen wurde damals schon Diphthong ou), die sich dem oben angezogenen *spigen* an die Seite stellt. Aber das Präsens von „haben", *haffe*, gewöhnlich *heffe* mit *ff* stellt sich zum Ofäl. Abweichend von den Lüneburgern ist auch der überwiegende Gebrauch von —*er*—; *Scherffken* usw., nur *Schmart*. Das heimische *di* ist gewöhnlich, die ausweichende Form nicht *dik*, sondern *dek* (*dat deck de Sücke röhr*). Auch die Form *jöfftich* bleibt, nicht *jafftich*. So stellt der kurze Text eine Mischung dar von konservativ heimischen und ofäl. Kennzeichen. Zu diesen letzteren gehört auch wohl ein Reim *deid* : *weit* tut : weiß, *ai* : *e*[i]. —

Für die niederelbische Gruppe muß ich stärker auf meine Untersuchung Nd. Jb. 44,1 ff. verweisen, da dort in mehrfachen Hindeutungen auf die bäuerliche Sprache der Umgebung auch Tew. Hocht. und Kindelb. einige Male herangezogen sind.

Über die Stücke, die wir dieser Gruppe einreihen s. S. 308. Auch Pfeiffer ziehe ich mit seiner Reimbearbeitung von Rists Zwischenspiel aus Irenar. 1631 an, der nach Bolte Nd. Jb. 11,157, braunschweigischer Sekretär war und sein Werk dem Herzog von Braunschweig widmete. Sein Text ist stark hd. beeinflußt. Mit seinem konsequenten *e*, nicht *a* (*wedder*), andrerseits —*ar*— <

---

[1] Loccius ist von Pfeffer ausgeschrieben, der ganz ofäl. Sprachcharakter zeigt. Es ist daher interessant, einige von seinen Änderungen neben Ls. Formen zu stellen.

L. —*er*— > *ar*—	Pf. —*er*—
us	*usk* uns
monophth. *don* (tun)	diphth. *daun*
zerdehnt *o, a* : *a*	*o* geschrieben
ik mut	*mot*
spien : *dreien*, d. i.	*spigen* : *migen* (l. *spijen*.)
speien : *dreien*	
ju ihr	*gy*
Vorsilbe *ge*— fehlt gewöhn-	*e*—
lich, doch vgl. S. 312.	
van	*von.*

—er (harte), *frey* < *fri*, einer Form, die Rist noch meidet, *vns, mi mik* auch da, wo Rist *vs, mik mek* setzt, mutet er holsteinischer an als sein Vorbild.

Die „Hanenreyerey" ist uns zwar als Fastnachtsspiel ohne Namen oder Angaben überliefert, aber wie sie durch den Wortschatz[1] unzweifelhaft dem Ndelbischen verbunden ist, so zeigt auch eine grammatische Betrachtung das typische Bild der ndelb. Mundartendichtung: Der Dialekt tritt in einer Reihe von Eigenheiten sicher hervor, sobald wir die dem Stil der Gattung entsprechenden ofäl. Pronominalformen (*eck* [*ick*], *meck* [*mick mi*], *ôm or* [*em er*], *vschk vsch, juck gik*), die hier wie im Lünebg. zu bewußt grober Wirkung verwandt werden, loslösen. Neben diese gewöhnlichen Zwischenspielformen drängt sich aber die ndelb. und lünebg. charakteristische Form *jüm* ihnen. In dieselbe Gegend führt auch 1) der Übergang *îj* > *ei*, der hier zuerst in stärkerem Maße (*free* V. 781, *spei(t)* 152. 807, *neie* 177. 582 usw., auch in der Endung *ey)* hervortritt, während allerdings bei *ûw* der entsprechende Übergang noch nicht verzeichnet wird, 2) das Präsens *begundt* beginnt (S. 337,346), 3) der Imperativ *lasch* neben *lat(et vns)*. Unter den beiden Gebieten aber haben wir uns für das Ndelbische. zu entscheiden angesichts des Fehlens des Übergangs *a < e* (Vereinzelte Ausnahmen S. 322 A.2). Dorthin weist wie erwähnt auch der Wortschatz. Der Plural des Präsens wird gewöhnlich auf *—t* gebildet im Einklang mit der Mundart; die Lüneburger standen hier auf schriftsprachlich mnd. Boden, Vit., Vcriba mit wenigen *—t* in der 2. Person unter dem eindringenden hd. Einfluß.

Mit dem nächsten niederelbischen Stück kommen wir zu Rist, der anscheinend sehr einflußreich[2] auf diese Gattung wirkte. 1630[3]

---

[1] Ich verweise hier auf das von mir vorbereitete Idiotikon.

[2] Rists Einfluß war zweifellos bedeutender als der m. E. überschätzte Einfluß von Rollenhagens „Amantes amentes". Wie stark Pfeiffer von Rist abhängig ist, hat Gaedertz gezeigt. Oft hingewiesen ist auf Rose, der statt eines Zwischenspiels einfach Rist als Quelle angibt. Vgl. Begemann, M. Christian Roses geistl. Schauspiele, Progr. Neuruppin 1913 S. 48 f. Über Scheer siehe dagegen S. 343 A. 2.

[3] Die Jahreszahl 1630 steht auch vor A. O. Hoyers' Satyre „De denische Dörp-Pape" (abgedruckt durch Schütze in Z. d. Ges. f. Schl.-Holst. - L. Gesch. 15,278 ff.), deren Wirtshausszene im Charakter unserer Stücke ist, wenn ihr auch eine tiefere Bedeutung innewohnt. A. O. H. ruht noch völlig auf der mnd. Schriftsprache, und zwar in der jünger orthographischen Form (*schn—*). Traditionell ist sie in der Bildung des Prs. Plur. auf *—en*, in der Bewahrung

erschien die „Irenaromachia". Als Verfasser zeichnete Ernst Stapel
aus Lemgo, erst später hat Rist sich zur Verfasserschaft bekannt.
Ein bedeutungsvoller Schritt ist hier vollzogen, der Übergang von
der Versdichtung zur Prosa. Freilich hat schon Heinrich Julius in
Prosa gedichtet[1], aber doch noch ohne nachhaltige Wirkung. Pondo,
Herlicius u. a. setzten seine Prosastücke in die geläufige Versform
um. Dann kommen die englischen Komödianten. Irenar.[2] steht in
Norddeutschland am Anfang einer Reihe von Prosakomödien, die
auch innerlich z. T. von Rist abhängig sind[3]. R. hat in der „Alleredelsten Belustigung kunstliebender Gemüther" (Ausgabe von 1703
S. 129) die Wahl der Prosa mit dem großen Vorteil begründet, der
in der Befreiung vom Reim- oder Verszwang liegt: „Wer frey redet,
der achtet es nicht . ob er gleich zuzeiten einmahl fehlet oder anstosset.
er kan sich bald wieder begreiffen und solche Worte finden, welche
die Meynung des Spiels, deutlich genug entdecken . . ." Die Sprache
kann sich im Prosa natürlich freier entfalten. Welche Wirkung dies
hat, war schon S. 326 bei der Synkopierung erwähnt. Irenar. ist allerdings noch nicht ganz frei. Wie schon Gaedertz (Nd. Jb. 7,133)
bemerkte, scheint es, daß das Bauernspiel ursprünglich in Versen
abgefaßt war, die demnach Rist in bewußter Absicht erst in
Prosa auflöste. Die Dichtung enthält zwei ganz verschiedene
Bauernszenen, von denen das Gespräch zwischen Irene und Rusticus
zurückhaltender, stärker schriftsprachlich ist, gebundener und tradi-
tioneller. In vnse, im Präs. Plur. auf —et kommt der holsteinische
Dialekt zum Ausdruck. dick nur im Akkus. (S. 318), deck fehlt ganz,
keen dringt für neen ein. Löst sich etwa die Verfasserfrage in der
Weise, daß Stapel u n d Rist an der Irenar. gearbeitet haben,
und daß das Bauernspiel Rist-Stapel, das Gespräch nur Rist ange-

---

des d. Der wilde Wechsel im Pronomen ist ihr unbekannt: stets vnse, my,
juw. Im Reim findet sich anscheinend Diphthongierung mout : fout 26 f.:
gout 101 f., oder sind dies falsche Auflösungen? Apokope fordert das Versmaß einige Male. Aber der Sprache nach könnte das Stück 100 Jahre
älter sein.

[1] Vgl. Bolte, Z. f. d. Phil. 19,90.

[2] Siehe aber auch für dieses Stück Pfeiffers Versbearbeitung.

[3] In Versen bleibt Fridericis „Tobias" 1637, aber er gehört einem
andern Kreise an. Auch inhaltlich und formell ist sein Stück ganz auf
altem Standpunkt geblieben.

hört?[1] Das Spiel hat einen stärker ostfäl. Einschlag als irgendeines von Rists andern Stücken, namentlich im Gebrauch von *meck*[2], in stärkeren Spuren der Diphthongierung. Ostfäl. ist *dalli* (ndelb. *daljen, dalling*), *von, wel* neben *wil, pot.* Irenar.: kennt kein *ei < îj.* Dem Plural *Hende* steht im Perseus *Hanne* entgegen, was dem heutigen *hañ* im Gebiete entspricht. — Im Perseus 1634 ist das ostfälische *mek, dalli* aufgegeben. Im ganzen aber ist die Sprache vergröbert, sucht Anschluß an den Zwischenspielstil weiterer Bezirke. Doch gibt die vergröbernde Neigung Veranlassung, mundartliches Gut durchdringen zu lassen, so daß Perseus das meiste Material liefert[3]. — Fj. Teutschland, Nürnberg 1653, aufgeführt von den Lüneburger Gymnasiasten 1652, weniger grob als Perseus, bietet uns auch weniger Stoff. Hier wie in dem zweiten für Lüneburg bestimmten Stücke taucht das fremde *ōhm* „ihm" auf (S. 319). Die berechtigte Frage: Hat vielleicht bei fremden Formen auch sonst die Rücksicht auf ein bestimmtes Publikum mitgespielt? kann bestimmter bejaht werden, wenn man ein Hochzeitsgedicht Rists heranzieht, „Coridon und Phyllis", für J. Cramer aus Hamburg und Elis. Anna Spannhake aus Nienburg a. Weser (1639)[4], ein hd. Schäfergedicht, dessen Schauplatz die Heimat der Braut ist. In einem pd. Einschub finden sich hier nicht nur die auch sonst bei R. vorkommenden ostfäl. Formen *meck, juck, vßk*, sondern namentlich auch die ostfäl. Diphthonge *Meiken, leiff, foylen, Hoiner, groute.* Auch *dartig* ist ihm sonst fremd. — Das Depositionsspiel nimmt als Reimspiel eine besondere Stelle ein. Trotz allerstärkster Entlehnung aus Vise behält aber Rist eigene Formen bei, die mehrmals zu Vise im Gegensatz stehen.

---

[1] Eine handschriftliche Fortsetzung von Tratzigers Chronik (jetzt aus Walthers Bibliothek im Besitz des Deutschen Seminars in Hamburg) gibt zum Jahre 1630 an: In Ostmanß Hause in S. Johans straßen wahren schone comedien agiret, Insonderheit von Friede und Krieg. Authores waren Ristius und Stapel. (Walther hat die Stelle Nd. Korr. 8,66 veröffentlicht.)

[2] In und um Lemgo heißt es allerdings nach Angaben, die ich Herrn Prof. Borchlings Vermittelung danke, heute nicht *mek*, sondern *mui müi.* Wohl aber *ek*.

[3] Telsche spricht weniger grob als die Bauern: *my, inner* (: *inter, inier*), *d* ist bewahrt in *brüden, beden.* Plur. Präs. auf —*en* (nur 1 *wilt*).

[4] Stadtbibl. in Hamburg.

„Herrmann - Heinrich Scheren von Jever New erbawte Schäferey" interessiert uns wegen des „anmutigen" Aufzuges „vom Schafe-Dieb", 1638. „Jevera quem genuit, Musae rapuere, tenet nunc Gambrivium" meldet ein Widmungsgedicht, und wie er im Stück nicht Ostfriesland, sondern als einzige Lokalanspielung die Elbe anführt, so schließt er sich auch sprachlich im ganzen an die ndelb. Form dieser Gattung an. Zwar scheinen vereinzelte Besonderheiten an die ostfriesische Herkunft zu erinnern, so im Wortschatz (s. S. 303 f.) *Penn und Encket* (ndelb. *Black und Fedder*), *war* „wo", das gerade auch im Anfang mit dem ndelb. *wor* wechselt. *sünich* dagegen ist um jene Zeit auch im Ndelb. üblich gewesen. Dazu kommen einige grammatische Formen. Neben *sünt* „sind" (ndelb., doch nach Firmenich auch in Jever) braucht Sch. einmal *bint*, das in einigen Teilen Ostfrieslands lebt, früher vielleicht weiter verbreitet war. Aber diese Form ist auch dem Holsteinischen damals nicht fremd. Belege aus Itzehoe 1738 s. Nd. Korr. 13,67. Vgl. auch Richey S. 402. Ostfries. ist wohl aber der Plural des Deminutivs *myne Lámkes* (: *Schópkens*)[1]. Nicht ndelb. ist *ben* bin, das Sch. einige Male braucht, *worre* wurde (aber auch Irenar. *uordt*), *sölves* im Anfang für *sülfs*. Dem ostfäl. Einschlag gehört wohl wie die Pronomina namentlich *Böxe, met* an[2].

Scheer beabsichtigt nicht, Mundart zu schreiben, sondern eine darüberstehende allgemeine, z. T. traditionelle Form. Das zeigt die konservative Richtung in der Orthographie (*quamb, Broegamb, schlimb*; Längenbezeichnung durch *e*: *Schaep, doet, Bueck*) und den Lautformen. Konsequent wie kein anderer ist er namentlich in bezug auf die beinahe schematische Durchführung des *d*-Schwundes bzw. Ersetzung durch *j*, der Assimilation von *nn, ll* < *nd, ld*, während *nj* für *nn*, obwohl durch Richey S. 391 für die Bauernsprache gewährleistet, nur in 1 Beispiel vorkommt. Er übernimmt die Pronomina der Stil-

---

[1] Auch die Bedeutung von Sinn = Lust ?

[2] Gaedertz, Nd. Jb. 7,157, hält Rists Einfluß auf Scheer für bedeutend. Wenn nicht der Gebrauch der Prosa auf seine Anregung zurückgeht, so scheint mir dieselbe sachlich nicht erkennbar. Der Wortschatz ist natürlich durch die gleiche Gattung und die gleiche Gegend bedingt. Den Schlüssen, die Gaedertz S. 169 ff. aus „Hans Hohn" zieht, kann ich nicht folgen, da ich „Hans Hohn" Scheer abspreche.

gattung *meck, deck, juck*, denen er folgerichtig *eck* anschließt. Weiteres s. in der folgenden grammatischen Darstellung.

Lappenberg spricht Scheer (Bibl. d. Stuttg. Lit. Ver. 58,257) auch einige der dort abgedruckten Gedichte zu, und zwar „Nies vpstafferde Kösteoft Högevasken... van Dominus Vir forcipius" sowie „Corydons Klage över de itzige verkehrde Werrelt..." ibid. 119 ff. Gaedertz, Nd. Jb. 7,169, hält ihn auch für den Verfasser von „Hans Hohn" (Stuttgart. Lit. V. 58,136 ff.), ein Gedanke, den Lappenberg schon a. a. O. S. 258 zurückwies. Der Lautstand, ja sogar die Orthographie (*quamb, namb, brögamb*), stimmt in den „Köstevasken" im ganzen zu Scheers Schafdieb. (L. weist auch auf das durchsichtige Pseudonym hin.) Ich ziehe daher dies Hochzeitsgedicht in den Beispielen mit heran.

Dagegen kann ich weder „Hans Hohn" noch auch „Corydons Klage" grammatisch mit Scheer verbinden. Die Überlieferung von „Corydons Klage"[1] bzw. dem längeren „Kostgedight Lisabel"[1] erlaubt überdies nicht einmal eine sichere Entscheidung über die dem Dichter eigenen Formen. Noch viel zweifelhafter, m. E. ganz verfehlt, ist die Zusammenstellung mit „Hans Hohn". Ich muß aus Mangel an Raum für beide Behauptungen hier die Begründung schuldig bleiben, und meine Angabe bezweckt auch nur zu erklären, warum ich diese beiden Gedichte nicht wie das erste mit zur Charakterisierung benutze.

Um die gleiche Zeit, als Scheer und Rist dichteten, erschien „Teweschen Hochtit"[2], das sicher nach Hamburg (s. u.) zu setzen ist. Wenn ich trotzdem Nd. Jb. 44 das Stück nur beschränkt herangezogen habe, so war das, weil es bewußt übertreibend[3] stärker die Bauernsprache der Umgegend benutzt. Tew. ist eigentlich nur eine Aneinanderreihung von Fastnachts- und Zwischenspielmotiven[4]. Namentlich Scriba, aus dem wie Bolte und Seelmann a. a. O. *38 erkannten, der ganze Schluß übernommen ist, hat Motive geliefert. Mit Loccius

---

[1] Lappenberg druckt es aus J. P. de Memels „Lustige Gesellschaft" 1656 wieder ab. Eine längere Fassung liegt in dem „Kostgedight Lisabel" (Stadtbibl. Hamburg) vor, 1658. Das ältere Original, aus dem beide Drucke geflossen sind, ist mir nicht bekannt.

[2] Zur Datierung ist vielleicht die Anspielung auf „Mutske Tillen Volck" S. 270, falls sie nicht anderer Quelle entnommen ist, zu verwenden.

[3] Schon Jellinghaus hat die Zweifel darüber, ob das Stück aufgeführt wurde, zurückgewiesen. Ich kann hier einen anderen Beleg für die Beliebtheit, deren sich Tew. erfreute, geben: Ein Hbger. Hochzeitsgedicht von 1656 (Stadtbibl. Hbg.) benutzt einige Motive aus Tew.

[4] Der bäuerliche Freier, die Supplikation, der künstereiche Hahn, der Bauer in der Stadt, der von Städtern oder Hofherren gefoppte Bauer, der Bauer, der ein Gelehrter werden soll, Eheerfahrungen.

bestehen starke Berührungen im Wortschatz[1]. Damit wird die Tatsache berührt, die allen aufgefallen ist, die sich mit Tew. beschäftigt haben, daß nämlich Tew. mehr noch als andere aus dem Wortschatz anderer Dramen entnommen hat. Das erklärt sich nicht nur durch allgemeine Entlehnungen, sondern aus dem besonderen Charakter des Stückes: Die Liebesbeteuerungen des jungen Tewes S. 213—215. 218. 219 sind travestierend hd. Liebeserklärungen (man denke an die Schäferpoesie der Zeit) nachgebildet, daher die Mischung hochtönender Reden mit niedrigen Vergleichen: „eer söte Gestalt, er blouwe Rock, er wit Hembd, leevet my im Harten wol . . ick dencke se mach er Harte upschluten un my darin nehmen, de Leeve moth noch en selsen Dinck wesen (Scheer: „Wat ys de Leive man en dull Dinck".) Zur ironischen Verstärkung braucht er drollige Ausdrücke und nimmt sie überall her, gern natürlich auch aus dem Stücke, in dem die Liebe eine große Rolle spielt, „Amantes amentes": „och lath my Gnae (!) erlangen myn leueste Leef, myn Küeckelhoen, myn bruse muse" „kmoet starreven rechter reine halff doht wock dyne Hulle (!) nicht erlange. . ." Ich muß es mir versagen, hier mehr Beispiele zu geben, beinahe jeder Satz könnte genannt werden, vor allem die Beschreibung der Braut: „De Ogen lüchten er — asse twe Licht in user Kohlüchten, de Mund isser roet — assen tayel Steen" usw. jeder Körperteil. „asck dy man nömede süchtede se (die Braut) so deepe und wurtso fürich umt Antlathe, — asse wense vorm Auen backet hae". Die Situation, wie Tewes Wümmel den Verlobungskuß gibt (219), parodiert Amantes I, 6: „Holet den Kop nich so schaiff, kweycken Kragen nich kröckeln, seht so mutm de Deernß in den Arm nehmen . . un en dat Lippen honnich geuen." Doch ist eine Reihe von Ausdrücken, die Gaedertz als aus Amantes entlehnt für die Abhängigkeit von diesem Stücke bucht, allgemeiner verbreitet, so *Snoterlotken, Runge.* Anderes erklärt sich nach dem oben gegebenen Grundsatze, der wohl Entlehnung des Wortschatzes, aber keine stärkere Abhängigkeit bedingt. Deutlicher ist das Verhältnis z. B. zu Scriba. Auch zu Loccius bestehen Beziehungen. Tew. Kind. ergänzt sich aus

---

[1] Anderes geht wohl auf gemeinsame ältere Quellen zurück. Scheer „Wete gy wol wo düsse Juncker Aßmus van Kötelkaw het": Tew. 227 „köne gy wol raen wo myne Bruet Wummel heht" ist ein älterer Witz. „Hans unter den Soldaten", obwohl aus anderm Gebiete, teilt eine Reihe von Ausdrücken mit Tew.

Lukevent. Gaedertz' Zweifel (Gabriel Rollenhagen S. 76) an der Abfassung in Hamburg, der sich auf überschätzte Abhängigkeit von Amantes gründet, ist durch diese Erwägung schon zurückgewiesen. Grammatik, Wortschatz[1], Realien weisen Tew. durchaus nach Hamburg und machen auch Seelmanns Anregung, Z. f. d. Phil. 14,127, nach der der Verfasser in der Gegend von Magdeburg geboren sein könnte, hinfällig. Wenn Jellinghaus schließlich meint (Bibl. d. Stuttg. L. V. 147,206), der Verfasser müßte in Hamburg in Kreisen verkehrt haben, in denen viel gemischtes Platt gesprochen wurde, so zeigt die gesamte vorliegende Untersuchung, daß diese Ansicht irrig ist, daß das gleiche „Mischverhältnis" (in Wahrheit sind es doch die fremden Pronomina, die eben zum Stil der Gattung gehören) in allen derartigen Dichtungen vorliegt und kein individueller Zug des Dichters ist. Daß auch hd. Züge eindringen können, ist selbstverständlich in einer Zeit, wo die Schriftsprache hd. ist. Aber von der langen Reihe hd. Formen, die J. anführt, bleiben als fremde kaum einige wenige. Die meisten sind längst in die nd. Sprache aufgenommen.

Tew. Kind. geht in der Anwendung des Zwischenspielstils weiter als Tew. Hocht. Nur in der Wiedergabe des Übergangs $\hat{\imath}j > ei$ bleibt T. K. hinter T. H. zurück. Das auffallendste Kennzeichen des Stils, die starke Verwendung von *mick meck*, vor allem auch enklitischem $mk > nk$ (der labiale Nasal wird zum gutturalen neben k), ist verhältnismäßig stärker noch als Tew. Kind. Hier überwiegt auch *eck*, während T. H. vorzugsweise *ick* braucht, natürlich auch *us(e)*, während *usk* fehlt, nur in dem in allen niederelbischen Stücken belegten *lasche, latsche* (aber *geves, behoeß*) vertreten ist. Und so dringt auch ein *Pot*, ein *Böxen* neben *Büxen* hier ein.

Was lehren die niederelbischen Texte für die Mundart?

1) Verbalflexion. Über die Bildung des Präsens Plur. s. S. 311. Das *ü*-Präsens von „beginnen" (vgl. S. 337) findet sich wie in „Hanenreyerey" so auch in „Irenaromachia". Diese lüneburgisch-ndelbische Dialektform dankt ihr *ü* (*u*) wohl dem Anschluß an Part. Prät. und Prät. Sie ist wohl nur eine ländliche Form. Ich kenne in Hamburg kein Beispiel. Im 18. Jhd. erwähnt auch Richey sie in der Dialektologie nicht.

---

[1] Ich habe diesen mit den Sammlungen zum Hamburgischen Wörterbuch verglichen und die vollkommene Übereinstimmung festgestellt.

Umlaut im Plural der o-Präterita II. und VI. (vgl. das Ostelbische
S. 331 sowie das Hbg., Nd. Jb. 44,40) erweisen *schlóge gy* (Rist, Pers.)
und *sópen*[1] (Scheer). Labialisierung des *ê* in IV. (V.): *stöhlen*
(Scheer). Der Sing. bewahrt in IV. und V. noch den Vokal *a: kam
gaff.* Daß die Langform *sate* (Tew.) rein orthographisch ist, ist Nd.
Jb. 44,42 f. gezeigt. — Der Ausgleich zwischen Sing. und Plural ist
im starken Verb in Kl. III durchgeführt, wie Scheer *sprunk*, Tew. K.
funk fand ich (gewöhnlich traditionell *fant* T. H., *halb* T. K.) erweist im Verein mit *funk* (Hanr.) fing. Das ist früher als die stadt-
hambg. Belege erkennen lassen. Die letztgenannte Form zeigt zugleich den Anschluß der redupliz. Verben an III. und ebenso muß
hult hielt (Scheer und Tew. K.) erklärt werden, auch (Tew. Kind.)
gung neben *ging*. Im Plural. bietet Hanr. *funden*, aber *sprüngn*,
güngn mit *ü*. Wenn man dies als Ausgleich der Reimwörter *sprungn*:
gingn erklären könnte, so hat doch auch Irenar. *schüllen* schalten,
Pers. *drünken* tranken, mit analogischem Umlaut, der sich in Hamburg
nicht nachweisen läßt. Mit dem Hbg. stimmen Scheer und Tew. *gungen*,
aber auch Hanr. *funden*. Zu den auffallenden ü-Formen (in Hanr.[?]
und bei Rist) vgl. bei dem ostfül. Joachim Leseberg *süngen*.
Wären sie, was zweifelhaft ist, hier lautlich, so würden sie erweisen, daß die *ü* der Nachbarschaft nicht so jung sein können,
wie ich Nd. Jb. 44,42 annahm. Dann stände wieder die Stadt,
Altes bewahrend, der ländlichen Entwicklung gegenüber, die analogisch
nach andern Klassen Umlaut einführte. Sicherlich aber würde man
bei dieser Stellung der Stadt gegenüber dem Lande hier einen jungen
Vorgang erkennen, der erst nach dem Aufhören der mnd. Schriftsprache eintreten konnte. Die Stadt, die nun zweisprachig ist, bleibt
hinter der ländlichen Entwicklung zurück (vgl. z. B. auch die Entwicklung der Diphthonge). — *würden* Pers., Fj. T., *wurt* Tew. stimmt
mit den hbg. Verhältnissen; Irenar. *wordt* wie Scheer *worre*, das
vielleicht Scheers fremder Herkunft zuzuschreiben ist. Das Part.
Prt. *sturven* Tew. K. zeigt Angleichung an die Gruppe *hulpen*. —
Das schwachgebildete Prt. *se plöchten* pflegten (Rist), vgl. Scheer
plag plagte plechten plogte plöge schließt sich an die Singularform
plocht in Hamburger Texten 1652/53. Es ist wohl eine Kompromißform zwischen st. und schw. Bildung, wie das Verb. auch hd. schwach

---

[1] Daß der Sing. *ô* hat, zeigt, wie die hamb. Texte, auch „Hans Hohn":
soop sӧpen. Dort auch *verlӧren, krӧpen, slӧgen.*

geworden ist. — Tew. *gaht* „geht" Sing. steht wohl nur fehlerhaft
für *gayt*. — Angeführt seien auch noch die Formen *seye < sede he*,
dey < dede he (Scheer). *seye < seje < sede* oder *< se he* mit
Übergangslaut? — Die Bildung der Hilfsverben stimmt zu den hbg.
Verhältnissen. Ich habe Nd. Jb. 44,43 ff. Gelegenheit gehabt, die verschiedenen Formen nach ihrer Entstehung zu prüfen und kann, auf diese
Ausführungen verweisend, mich hier mit einer Aufzählung der Formen
begnügen. *Se hefft* Plur. mit *f* statt des zu erwartenden *b* nach
dem Sg. brauchen auch die Hbger Texte. *hae* als Prt. von *hebben*
(Hanr., Scheer, Tew., Rist. im Perseus neben *hadde* und *hade*). Später
hat Rist *hae* wieder zugunsten des überlieferten *hadde* aufgegeben:
Depos. *hadde* trotz Vises *hae*. Gesprochen wurde und wird *harr(e)*
(Nd. Jb. 44,35). *hae* soll wohl diese Form wiedergeben, vielleicht
unter Angleichung an die Schreibung in andern (oelb.) Teilen s. S. 324.
S. noch im Tew. die Kurzformen *hey, hewe, heuwe, hawe; haye hey*
Hanr. — Das Verbum *wesen* bildet in Irenar. den Plural mit *i*:
sint, im Fj. T. *sünd*, eine Form, die auch Hanr. schon neben *sindt*
benutzt, natürlich auch Scheer (s. aber S. 343) und Tew. Das *ü* in
der 1. Person *bün* kann ich vor dem Ende des Jhds. (1694 „Pyramus
u. Thisbe") nicht nachweisen. Dementsprechend bleibt natürlich
bist. sey suy „seid ihr", Hanr. Das Perfektum *is wesen* entspricht
der im 17. Jhd. bevorzugten Form. Beides, *wesen* und *west* (Nd.
Jb. 44,43 ff.), braucht Rist. Tew. K. *hestu gewesen*. — *muht* „muß"
mit langem Vokal im Anschluß an *môt*, mit *moht* und *mut* wechselnd
wie in hbg. Texten, bietet auch die hier betrachtete Gruppe. Der
Plural bewahrt *ó*. Im Prt.: *most(en)*, doch auch *muste* (T. K.). —
Metathese in *dröbm* „dürfen" ist im 17. Jhd. selten (Postel, Xerxes
1692, Nd. Jb. 8,119,120: *man dröf(t)*, *se dröft*). Aus Hamburg kenne
ich nur Beispiele im 18. Jhd. Aber Rist zeigt, daß die Entwicklung
älter ist: *du drafst, dröfe wy, wi drofet* neben *darf* in Fj. T. — Eine
Fülle von Formen bieten „sollen" und „wollen". Mit Schwund des
l: *schastu, schaste* (auch *schost* Irenar.); *wustu* Perseus, T. K., *wostu*
und *wultu* Hanr.; die Konjunktive *skul (sckol), wul, skullen, wullen,
wullie* wollt ihr, woraus die bei Richey S. 339 belegten Formen erwachsen sind: „Wollt ihr, klinget bey unserem Volcke: wüll jy, auch
wol wijjy, it. weyjy und noch Bäurischer, woyjy". Teweschen,
das ja derartige Formen besonders liebt, bietet *wey, wewe, weuwe,
weyk* (wil ik), *schowe*. Auch schon Hanr. *schóy gi, weye, wei gi*.

2) Zu den Pronomina s. o. S. 318, ferner (Rist) S. 341, (Scheer) 344, (Hanr.) 340. Während Rist die stark gefärbten *mek* seit Irenar. zurückstellt, nimmt er *jük* wie *ōm* in den beiden letzten Stücken auf. Daneben erscheint im Fj. T. die wohl durch hd. Anlehnung entstandene Form *uk* „euch". Ganz fest ist *usk* (uns) in dem schon erwähnten *la(t)sk*, das jedoch in seiner unverstandenen Entlehnung gekennzeichnet ist, wenn Scheer neben *lathsk, laßk, lath vns* auch *laßk vs* braucht. Vor den fremden treten die heimischen Pronomina zurück: *jüm* in vereinzelten Beispielen nur in Hanr. (1mal) und Tew. H. Auch aus Hbg. habe ich *jüm* erst später verzeichnet. — Das zusammengesetzte Demonstrativpronomen *disse (desse, düsse* Neutr. *dúit)*, hat eine Nebenform *düe* (so nur Tew.) > mit Übergangs-*i dúye, dúie* Hanr., Rist (Perseus), Scheer; Tew. daneben auch *dye* wie Vise. — Neben *neen* ist auch *keen* schon in Hanr. eingedrungen. Rist allerdings bleibt beim pd. *neen*, nur in dem Gespräch Irene—Rusticus findet sich die hd. beeinflußte Form, die auch Scheer neben *neen* braucht. — Als junge Form sei *nüms* (Hanr., Scheer) erwähnt. Enklitisches *du > de (—te); in der > intr,* s. o.

3) Die neue Entwicklung des *îj > ei*, die die Hanr. schon deutlich zeigt (S. 340) ist bei Rist zurückgedrängt bis auf ganz vereinzelte Fälle in Perseus *(free)* und Fj. T. *(speit)*. Auch Scheer beschränkt sich auf 1 *free*, Tew. K. im Gegensatz zu Tew. H., das eine große Zahl von Belegen liefert, auf 1 *vreyen*. Doch lassen die jüngeren Texte auch schon den Übergang *ûw > ou* erkennen, den Hanr. noch nicht schreibt, selbst Rist (Perseus) *grouwel*, Scheer *grouwet* und mit ganz deutlicher Schreibung Tew. K. *yauw < juw*. Dagegen kennzeichnet Hanr. die Lautentwicklung *ouw > auw : hawe, naw, Mawe* usw., Rist *hawen, klaweden, Hauer*, entsprechend *ei > ai : tway, dait* (Hanr., Tew. H.).

4) Lassen sich in Hamburg die Diphthonge seit Mitte des 18. Jhds. nachweisen (Nd. Jb. 44,20) so darf man mit Diphthongen in der ländlichen Umgebung früher rechnen. Eine Reihe derartiger Formen bietet Tew. K. *(daun, royren, kloive* ich glaube, *deupen, ouck, koup, kaupen, laup(t), te houpen* usw., sogar *haulen < holen < holden*. Wie man sieht, sind der heutigen Mundart entsprechend alle drei *ô* gleich behandelt. Die gewöhnlich vorangehende Form *daun*

auch Tew. H.[1] Danach wird man auch vereinzelte Spuren dieser Entwicklung in den andern Spielen der Gruppe als heimisch ansehen dürfen: Hanr. *daun, Floy* Flöhe. Sie zeigen sich bei Rist, am stärksten allerdings in Irenar., da wo auch das ostfäl. *mek* vorkam, hier wohl begünstigt durch Rists oder Stapels fremde Anregungen. Aber sie kommen auch im Gespräch Irene—Rusticus vor, und das ist bedeutungsvoll: *dau, preister, seidt, passeiret, Beir, Veih, weih, poilken, Boicken*[2]; Perseus: *Floie, Beir;* Fj. T.: *Foite, leive.* Etwas weiter geht Scheer und folgt wohl damit der Schriftsprache auf dem Lande. Jedenfalls dürfen wir in der ländlichen Aussprache im 17. Jhd. mit Diphthongen rechnen.

5) Neben dem nordndsächs. *—ar—* < *—er—* fehlen archaisierende *—er—*Formen (namentlich auch im Verbum *werden*) doch noch in keinem Text. — Zu *starten süke* Tew. H. s. S. 337.

6) Auffallend sind Rists unumgelautete Formen *Dorp(en) Dorrepen* Irenar. und Pers., *Worde* neben *Wörde*. (Scheer *Wör[d]e*.) Erst Fj. T. zeigt umgelautet *Dörpe*. Hier auch mit Palatalisierung *Stünde, Tünne* (Nd. Jb. 44,22). Die Palatalisierung muß wohl schon für Hanr. angesetzt werden, wenn auch noch *Tunne, stundt* geschrieben ist, angesichts der Reime *stundt: Kindt, sündt* 557/8. 789/90. 987/8. Bei Scheer auch *Borst* Brust.

7) Dehnung und Sproßvokal neben Liquiden (*Dorrepen* Rist) steigert sich in Tew. zur besonderen Übertreibung: *Hamborreger, hallefe, Karrecke, Torreff* usw. Zu erwähnen ist auch die Längung unter dem Ton: *datten weet ik noch wol* Perseus.

8) *—tk—* ist in Hanr. orthographisch noch bewahrt, obwohl der Übergang *tk > tj* schon damals anzusetzen ist. Bei Rist finden sich denn auch mundartliche Formen: *betien, Annemetien* (Perseus), *Höltien* (Depos.). Dagegen hat Scheer, dessen archaisierende orthographische Neigung erwähnt war, *tk*; nur, wie Hanr., *beeten* in verbreiteter Ausgleichsform. Tew. *beteken, beeten.*

9) *r* vor *s*-Verbindung: *dost, Busse* (:*Wurst*) Hanr., *Böste* Scheer, *Wust* Tew.

10) Schwund des *l* in *schastu, wustu* s. o. Ebenso *weck* „welche" Scheer, *as* „als" Tew. Den Übergang in *sonk sünk* beobachteten wir auch im Lüneburg.

---

[1] Für *schaive* schief, das so auffallend früh und häufig Diphthong hat, ist vielleicht als Grundform die in germ. Dialekten gut bezeugte Form mit *ai* (nicht *é > ie*) anzusetzen, die nach palatalem * š* (Mnd. Grm. § 123) *ei* bewahrt.

[2] *Speigel* (Depositio) hat aber sein *ei* neben *g* wie *Teyel* und ähnliche hamburgische Entwicklungen. Wörter mit *ei < é < ai* übergehe ich als zweideutig.

11) **S y n t a k t i s c h e s :** Schwaches Adj. hinter „ein" im Nominativ hat Rist: „Ein dummen Düvel", aber auch (Fj. T.) „ein braf Kerl" unflektiert. Ebenso Scheer „Eck arme Elenie Kindt, een schlimmen Schelm, een goet, en dull Kerl". — Eine besondere Konstruktion zeigt das Gespräch Irene—Rusticus in der beteuernden Wiederholung des Verbs: „Dat sindt jo keine Nahmens, ydt sindts". „Dat duchte my nicht, ydt deits". „So bistu vam Hemmel kommen, du bists" — „Du schost my wol eine wesen, du schosts" usw., wobei besonders das hd. *s* auffällt. Damit vergleicht sich doch wohl in volkstümlicher Konstruktion in Schimpf- und Liebesreden bei Scheer: „du . . . as du bist — asse is".

*　　*　　*

Wohl läßt sich auf den Zwischenspielen allein noch keine Grammatik der nd. Sprache des 17. Jhd. aufbauen, immerhin zeigt sich doch so viel, daß sie uns in den Stand setzen, manche grammatische Entwicklung der Zeit zwischen der mnd. und der nnd. Periode, für die das Material sonst ungenügend fließt, aufzuhellen. Die fremden Bestandteile sind so locker aufgelegt, daß sie sich leicht lösen lassen, die schriftsprachlichen Teile werden durch Vergleichung leicht zu erkennen sein. Was bleibt, ist die Mundart. Für ihre Ausschöpfung konnte ich hier nur einen ersten Hinweis geben. Aber lokale Forschung kann hierauf bauend und das Material aus den heimischen Archiven hinzuziehend weiter führen und dazu beitragen, die Übergangszeit, die für die Erkenntnis des Nnd. unentbehrlich ist, aufzuhellen.

Murmel.

Von Ernst Kuhn, München.

P. Kretschmer hat in seiner Wortgeogr. der hochdeutschen Umgangsspr. S. 344 ff. (vgl. 611 f.) eingehend über die Synonyma des berlinischen Wortes *murmel* gehandelt, das er in Kürze definiert: „Kleine Kugeln aus Stein, Ton oder Glas, mit denen die Kinder spielen, indem sie sie in eine kleine Grube rollen lassen." Ausführlichere Beschreibungen des Spiels findet man bei J. G. Krünitz, Ökon.-technol. Encyclopädie 149 (1828), 653 f. s. v. *schusser*; vgl. auch 147 (1827), 430 s. v. *schnellkugel*. H. Handelmann, Volks- und Kinderspiele aus Schleswig-Holstein[2], S. 93 ff., 112 ff. H. Meyer, Der Richtige Berliner in Wörtern und Redensarten[7], S. 181. A. de Cock en I. Teirlinck, Kinderspel en Kinderlust in Zuid-Nederland (Uitg. van de Koninkl. Vlaamsche Academie.) 8 Bde. Gent 1902—1908. 5, 6—139. Kretschmer kennt das Wort im niederdeutschen Gebiet nur aus Berlin und Posen und mit anderem Vokal (Meyer gibt übrigens aus Berlin auch die Aussprachen *mürmel* und *mermel*) aus Danzig, Lübeck, Hamburg. Auffallend ist dabei die Beschränkung auf größere Städte und die Seltenheit in den dortigen Volksmundarten[1].

Nun hat das Wort in Berlin einen Vorgänger gehabt, die Bezeichnung *kieler*[2], die sich in der Zusammensetzung *knippkieler*

---

[1] Von niederdeutschen Mundarten kennen es eigentlich nur die des nordwestlichen Küstengebietes von Ostfriesland bis Schleswig-Holstein: vgl. die Nachweise bei J. ten Doornkaat Koolman, Wörterb. der ostfries. Spr. 2, 579. 631. Handelmann a. a. O., dem H. Berghaus, Der Sprachschatz der Sassen 2, 507 zu folgen scheint (was letzterer ebd. S. 665 beibringt 7, beruht ja durchaus auf dem „Richtigen Berliner"). Hier dürfte wohl Einfluß des Niederländischen vorliegen, wo das Wort weit verbreitet ist. Daneben behauptet in Schleswig-Holstein und Hamburg (Berghaus 2, 182 s. v. *knikker*) das alte *lōper* seine Rechte.

[2] Von den Lexikographen belegt sie, soweit ich sehe, nur D. Sanders, Wörterbuch der deutschen Spr. 4, 350 s. v. *murmel* mit einem für die Wertung von *murmel* und *kieler* charakterischen Zitat aus H. Smidts Devrient-Novellen (2. Aufl. 1857): *Wir spielen hier nur mit murmeln, der will mit uns um kieler spielen. Lacht ihn aus.*

(nach Meyer auch *klippkieler*) bis in neuere Zeit erhalten hat[1]. Dies setzt, wie die von Kretschmer verzeichneten *knippkugeln* u. ä., eine jetzt veraltete Art des Spiels voraus, bei welcher die Kugeln nicht gerollt, sondern mit dem Zeigefinger geknipst oder geschnellt wurden. Dasselbe besagt das bei Kretschmer zu findende obersächsische *schnellkäulchen* (bei Krünitz a. a. O. Bd. 149 auch *knippkäulchen*), welches wohl das Vorbild zu dem schriftdeutschen *schnellkugel* abgegeben hat. *kiler* für *küler* ist natürlich die dem noch von Luther gebrauchten *käulchen* (A. Richter am nachher anzuführenden Orte, S. 38) entsprechende niederdeutsche Form. Verwandt ist wohl schwed. *kula* Kugel.

Marmel usw. ist in dieser Bedeutung (von *marmel* Marmor, *marmelstein* u. ä. sehe ich ab) ein spezifisch süd- und mitteldeutsches Wort, was in Kretschmers Darstellung nicht genügend hervortritt. Er gibt zwar Belege aus Elsaß, Thüringen, Württemberg. Aber wie weit *marmel* usw. verbreitet sind, ergibt sich erst aus H. Fischers Schwäb. Wörterb. 4, 1464 und dem Schweiz. Idiotikon 4, 387. 399. 418. wo sich zeigt, daß *marmel* im Wettbewerb mit *klucker, chlucker* lebendig geblieben ist[2]. Mitteldeutsch haben wir rheinpfälz. *marmel, merwelin* (aus Handschuchsheim, jetzt durch *klicker* ersetzt: Kretschmer, S. 344, Anm. 10). Aus Aschaffenburg wird mir *märwel* neben *klicker*, aus Bayreuth *mermel* angegeben. Zu den hennebergisch-thüringischen Beispielen leitet hinüber schmalkald. *merbel* (A. Vilmar, Idiotikon von Kurhessen, S. 269). G. Freytag, Soll und Haben (zitiert von Sanders 4, 239 s. v. *marbel*: *mit turmhohen felsblöcken märmel gespielt*) bezeugt das Wort auch für Schlesien. Wir sehen hier also einen weitgedehnten Grenzstreifen (merkwürdigerweise in Obersachsen ganz unterbrochen), von dem aus das Wort vereinzelt nach Norddeutschland vorgedrungen ist. Bestimmend war dafür der Handel. Man muß nämlich zwei Arten dieser Spielkugeln unterscheiden, die einen aus Ton gefertigt, die andern wirkliche, ursprünglich marmorne Steinkugeln: jenes sind die *kieler*, dieses

---

[1] Meyer gibt das Wort als direktes Synonym zu *murmel*, ich habe es nur in übertragener Bedeutung gehört (z. B. von kleinen schlechten Kirschen: *det sind ja die rēnen knippkiler*).

[2] Ob *marmel, marwel* in wirklich bayrischen Dialekten vorkommt, wird aus J. A. Schmellers Bayr. Wörterb. 4, 1653 nicht klar. Für diese gilt meistens *schusser*, das schon in Nürnberg einsetzt und vereinzelt auch im Schwäbischen erscheint. Über *arbel* siehe weiter unten.

23

die höher gewerteten *murmel*, welche wenigstens in Berlin die *kieler* als Wort wie als sachliche,j Objekt allmählich ganz verdrängt haben.

Eine derartige Steinindustrie konnte in dem steinarmen Norddeutschland früher kaum aufkommen, wohl aber in den südlicheren mehr oder weniger gebirgigen Gegenden. Die Krünitzische Encyclopädie, Bd. 149 a. a. O. nennt speziell zwei Orte: Thiersheim in Oberfranken, wo die Murmel aus ,,Schmerstein", d. h. Speckstein[1], und das noch heute durch seine Spielwarenindustrie bekannte Sonneberg, wo sie aus Kalk hergestellt wurden.

Für die Geschichte des Spiels im Mittelalter verweist Kretschmer auf Hugo von Trimbergs Renner 14 905, wo die Handschriften zwischen *trïbekugeln* einerseits, *kluckern* und *clickern* anderseits schwanken. Weiteres findet man bei E. L. Rochholz, Alemannisches Kinderlied und Kinderspiel aus der Schweiz, S. 420ff., A. Richter in dem Aufsatz ,,Zur Geschichte des deutschen Kinderspiels im Mittelalter" in Westermanns Ill. Deutsch. Monatsh. 29 (N. F. 13), 37—47 (namentlich 38 f., 43 f.). Johanna W. P. Drost, Het Nederlandsch Kinderspel voor de zeventiende Eeuw (Leidener Diss.). 's-Gravenhage 1914 in Kap. IV, S. 93 f.

Merkwürdig ist die große Veränderlichkeit, die Vokale[2] und Konsonanten des Wortes in den Dialekten aufweisen. Hierher gehören neben den leichteren Fällen wie *marwel* usw., die von engl. *marble*, franz. *marbre* schwerlich beeinflußt sein werden, nicht nur die von N. van Wijk in den Indogerm. Forschgn. 33, 370 f.[3] behandelten niederländischen Varianten, auf die schon Kretschmer verwiesen hat, sondern auch das von letzterem unerklärt gelassene *warfele* aus Baden-Baden, zu welchem Fischer a. a. O. zu vergleichen ist, und die gleichfalls von Kretschmer ohne weitere Bemerkung

---

[1] Dabei kam ein besonderes Härtungsverfahren im Feuer zur Anwendung, der Export erstreckte sich über ganz Deutschland. Vgl. J. H. Zedler, Großes vollständiges Universal-Lexikon 43 (1745), 1406 f. und C. Benner's Erlanger Doctordissertation ,,Über Specksteinbildung im Fichtelgebirge" (Nürnberg 1900) S. 33 f. (Ich verdanke diese und mehrere andere Hinweise Herrn Dr. G. Wolff, dem allezeit hilfsbereiten Direktor unserer Universitäts-Bibliothek).

[2] Teilweise auch in der Bedeutung Marmor, worüber für das Mittelhochdeutsche auf das Grimmsche Wörterbuch 6, 1659 s. v. *marmel* zu verweisen ist; schon im Althochdeutschen steht hier *murmul* neben *marmul*, was Kretschmer mit Recht hervorhebt.

[3] Andere meist weniger entstellte Formen bei de Cock und Teirlinck a. a. O.

aufgeführten *ārbel* aus Mähren und *irbel* aus Luxemburg, denen sich bei Schmeller 1, 137 *arbel* mit dem Verbum *arweln* aus dem Bayrischen Wald zur Seite stellt.

Zum Schlusse gebe ich, was mir Professor E. Damköhler in Blankenburg aus Mundarten des Harzes und seiner Umgebung mitgeteilt hat. Danach braucht man, wie in der Stadt Braunschweig und in Weende bei Göttingen, so auch in Blankenburg und Umgegend meistens *knupkugel* (*marmel* oder *murmel* ist nur in zugewanderten Familien bekannt) neben den Varianten *knupskugel*, *knipkugel* und *knipskugel*, in Halberstadt *kīleken* pl. (genau dem oben besprochenen *käulchen* entsprechend), in dem nordthüringischen Stiege *kullern* pl., *kullerschisse* pl., in den Städten Wolfenbüttel und Hannover *knikker* pl. (in letzterer auch *klikker*), im mitteldeutschen Heiligenstadt *knipper*, pl. *knippern*, in Oschersleben *fispeln* pl.

———————————◘———————————

Ruhe und Richtung
im Neuhochdeutschen.

Von Otto Behaghel, Gießen.

Im Jahr 1887 hat Sievers PBB XII, 188 seine grundlegenden
Erörterungen gegeben über den wichtigen Unterschied zwischen
Ruheverben und Richtungsverben oder „intralokalen" und „translokalen" Verben, wie ich sie in meiner Heliandsyntax bezeichnet habe,
sachlich wohl richtiger, aber leider mit neuem fremdem Wort. Seitdem ist eine Reihe von Einzeluntersuchungen über diesen Gegenstand erschienen; ich nenne Joh. Borrmann, Ruhe und Richtung in den gotischen Verbalbegriffen, Halle 1892, Wilh. Dening,
zur Lehre von den Ruhe- und Richtungskonstruktionen. Ein Beitrag zur westgermanischen Syntax, Leipzig 1912; Rich. Steit-
mann, über Raumanschauung im Heliand, Leipzig 1894; dazu
die Darstellung in meiner Heliandsyntax S. 94; Edm. Wießner,
über Ruhe- und Richtungskonstruktionen mittelhochdeutscher
Verba, PBB XXVI, 367; XXVII, 1. Diese Arbeiten gelten alle
der älteren Zeit; das Nhd. ist in ihnen kaum gestreift worden. So
ist der Aufmerksamkeit bis jetzt, so viel ich sehe, die bemerkenswerte
Tatsache entgangen, daß im Nhd. zusammengesetzte Verben unter
Umständen anders behandelt werden als die zugehörigen einfachen
Verben.

Das Verhältnis eines Vorgangs zum Raume kann sich verschieden
gestalten. Es kann das Verhältnis zu einem bestimmten Raume
stets das gleiche sein: der Vorgang bleibt während seiner
ganzen Dauer entweder innerhalb des Orts oder außerhalb des Orts
oder in Berührung mit dem Orte: *er liegt im Bett — er schwimmt
im See, die Linde steht vor dem Dorf, der Hut hängt an der Wand.*
Hier besteht rein intralokale Auffassung.

Das Verbum kann aber auch ein sich veränderndes Verhältnis
zu einem Ort zum Ausdruck bringen: die Annäherung an einen Ort,
die Entfernung von ihm: *er geht nach Hause, er kommt von Hause.*
Hier vereinigen sich jedesmal zwei Vorstellungen: einerseits der Ge-

danke an die Bewegung selbst und den dabei durchschrittenen Raum, anderseits der Gedanke an den Ort, an dem die bewegte Größe sich beim Beginn oder beim Abschluß der Bewegung befindet. Es ist also translokale und intralokale Anschauung verknüpft. In der Regel aber steht bei dem Sprechenden die eine der beiden Anschauungen im Vordergrund. Und zwar gibt es Verben, bei denen regelmäßig dieselbe Betrachtungsweise vorherrscht, die also in einer bestimmten Spracheinheit stets intralokal oder stets translokal behandelt werden, und andere, die bald so, bald so aufgefaßt werden.

Nun sollte man glauben, daß bei den zusammengesetzten Verben die gleiche Auffassung gälte wie bei den einfachen, und das ist auch bei zahlreichen Bildungen der Fall. Insbesondere sind die Verben, die als einfache intralokal sind, dies stets auch in der Zusammensetzung, z. B. *wir sehen einen Balken auf der Mauer liegen* oder *aufliegen, den Bahnzug auf freiem Felde halten* oder *anhalten*. Andere Verben gestatten in beiderlei Gestalt intralokale wie translokale Auffassung: *die Ware wird beim Krämer* oder *vom Krämer geholt* oder *abgeholt*.

Drittens gibt es Zusammensetzungen, die so gut wie ihre Simplicia regelmäßig translokal behandelt werden: *vom Wagen springen, steigen — vom Wagen abspringen, absteigen, der Fluß ist aus den Ufern getreten — aus den Ufern ausgetreten, aus dem Fenster springen — aus dem Gefängnis entspringen, aus den Knochen lösen — aus der Not erlösen*.

Aber die Fälle der Nichtübereinstimmung sind hier zahlreicher als die der Übereinstimmung. Es hat in der Zusammensetzung eine starke Verschiebung zugunsten der intralokalen Auffassung stattgefunden, und zwar in zweifacher Weise: entweder steht der rein translokalen Auffassung der einfachen Verben bei den zusammengesetzten das Nebeneinander der translokalen und der intralokalen Auffassung gegenüber, oder es tritt an die Stelle der translokalen die intralokale.

I. Es stehen die beiden Auffassungen nebeneinander[1]:

a) bei Zusammensetzungen mit *ab, an, auf, ein, unter* (trennbar), bei denen die Vorsilbe schon an sich auf die Bindung der Handlung an einen bestimmten Punkt hinweist:

---

[1] Inwieweit im einzelnen Fall besondere Gründe eine bestimmte Ausdrucksweise bevorzugen lassen, inwieweit etwa die Zeitform von Einfluß ist, soll hier nicht untersucht werden.

1. Es wird der Ausgangspunkt der Bewegung bezeichnet: *der Zug, der von Frankfurt nach Würzburg fährt, fährt vom Hauptbahnhof oder am Hauptbahnhof ab; das Boot stößt vom Ufer, es stößt vom Ufer oder am Ufer ab; das Laub fällt von den Bäumen, von den Bäumen oder an den Bäumen fallen die Blätter ab;* ebenso verhalten sich folgende Paare: *brechen — abbrechen, marschieren — abmarschieren, schneiden — abschneiden, springen — abspringen.*

2. Es wird das Ziel der Bewegung bezeichnet: Es stehen z. B. folgende Paare von einfachen und zusammengesetzten Verben nebeneinander: *backen — einbacken (im Brot, ins Brot), bauen — anbauen, einbauen, beißen — anbeißen, binden — anbinden (an der Stange, an die Stange), aufbinden (auf dem Tornister, auf den Tornister), einbinden (in schwarzem Leder, in schwarzes Leder), brennen — einbrennen (in der Haut, in die Haut), fallen — einfallen (im Lager, ins Lager), führen — einführen* (Schill. V. 2, 203, 1171. *Ihren Sohn im Tempel des Ruhmes einzuführen,* XIX, 46,806 *will ich sie einführen in die Hofburg meiner Väter), graben — eingraben, hängen — anhängen, aufhängen, heften — anheften, einheften, sich klammern — sich anklammern, kleben — ankleben, aufkleben, einkleben, klemmen — einklemmen, legen — anlegen, auflegen, einlegen, lehnen — sich anlehnen (an der Tür, an die Tür), marschieren — einmarschieren (in der Stadt, in die Stadt), mauern — einmauern, nageln — aufnageln, nähen — aufnähen, einnähen, nehmen — aufnehmen, pflanzen — einpflanzen, reiten — einreiten (zu Heidelberg im Hirschen), schlagen — einschlagen (einen Nagel in der Wand, in die Wand), schließen — einschließen (in meinem Gebet, in mein Gebet), schnüren — einschnüren, stellen — aufstellen, einstellen, tauchen — untertauchen (in den Wellen;* Keller, Züricher Novell. 2,80 *in dieses Bad). treten — eintreten, wickeln — aufwickeln, einwickeln.*

b) bei Zusammensetzungen, bei denen die Vorsilbe lediglich den Abschluß eines Vorgangs bezeichnet: *ablegen, absetzen, abstellen (auf dem Tisch, auf den Tisch), begraben, beschließen, verschließen, versenken, verstecken* (aber *verführen, verlegen, versetzen* nur translokal; hier hat *ver-* andere als bloß perfektive Bedeutung), *sich festklammern, zusammenbinden, zusammendrängen* (Schiller II, 49,14 *in seinem Geist sich zusammendrängen,* 71,23 *in die einzige Fingerspitze sich zusammendrängte), zusammenfassen, zusammenfließen, zusammenpacken, zusammenpferchen, zusammentreiben.*

II. Bei der Zusammensetzung gilt die intralokale Auffassung: *bringen — anbringen, unterbringen, gehen — untergehen (im Wasser), kommen — ankommen, unterkommen; festbinden, festlegen, festnageln, festschlagen, sich festsetzen, festschrauben, feststampfen.* Überall sind es also solche Zusammensetzungen, in denen die Vorsilbe deutlich auf den Eintritt in die Bewegung oder auf ihren Abschluß hindeutet. Es kommt aber noch ein weiteres hinzu. Bei den einfachen Verben bildet der präpositionale Ausdruck die notwendige Ergänzung des Verbums, die sich also aufs engste an dieses anschließt; es ist keine Zeit, keine Gelegenheit, von dem ursprünglichen Richtungsgedanken abgelenkt zu werden. Die zusammengesetzten Verben dagegen geben für sich allein eine abgeschlossene Vorstellung; die bestimmte Ortsangabe enthält nur eine Verdeutlichung, die ohne erheblichen Schaden fehlen könnte, und es kann eine Pause davor eintreten. So steht die Anschauung des Sprechenden nicht mehr im gleichen Maße unter dem Banne des einmal Begonnenen; sie kann über die ursprüngliche Richtungsvorstellung hinaus zu einem späteren Abschnitt des Vorgangs fortschreiten. Oder bildlich ausgedrückt: der geistige Exspirationsstrom, der im Bewegungsverbum sich betätigt, erfährt durch die adverbiale Bestimmung der Vorsilbe, durch *ab, an, ein* usw. eine Hemmung, wird durch diese zu einem guten Teil bereits erschöpft.

Wenn einzelne Zusammensetzungen nur intralokal sind, so ist daran zu erinnern, daß *bringen* und *kommen* schon ohne Vorsilbe viel mehr an das Ergebnis als an den Verlauf der Bewegung denken lassen, und der Zusatz von *fest* ist an sich dem Begriff der Bewegung widersprechend.

Unsere Erscheinung ist kaum in die ältere Zeit hinauf zu verfolgen. Im Mhd. fehlen *fest* und *zusammen* als perfektivierende Vorsilben noch überhaupt, und wenn einem Verbum der Bewegung eine präpositionale Ergänzung beigegeben wird, so pflegen eben im Mhd. nicht die Ortsadverbien *an, in* usw. vorauszugehen; umgekehrt: wo diese Adverbien als Ergänzung stehen, fehlen die präpositionalen Ausdrücke. Ein einziger Vorläufer der nhd. Verschiebung ist mir bei Frauenlob begegnet: Ms H 3,366[b], *wenn ir bizt an der spize an.*

Zur Mummenschanz-Szene in Goethes Faust.

Von J. Collin, Gießen.

Die erste Station in Fausts neuem Leben, darin er nach des Dichters Absicht aus der bisherigen kummervollen Sphäre durchaus erhoben und in höheren Regionen durch würdigere Verhältnisse hindurchgeführt werden soll, ist der kaiserliche Hof. Wenn aber auch die Welt, in die er hier eintritt, weiter und bedeutender ist, so zeigt sie sich dabei doch verworren und verkehrt genug. Dafür geht ihm hier zum zweiten Male, in noch hellerem Glanze als in der Hexenküche, jener symbolischen Szene, in der sich in noch höherem Grade die Torheiten und Albernheiten des Lebens abspiegeln, der Stern höchster Schönheit auf. Die Erinnerung an den Wust von Raserei, in den er zu Palermo im Palast des Prinzen Pallagonia hineingeblickt, noch mehr die Torheiten des römischen Karnevals (Februar 1788) haben dem Weltbild, das die Hexenküche verbirgt, manchen Zug geliefert. Sie ist denn auch nach dem Bericht vom 1. März 1788 nicht lange nach dem verwirrenden Trubel der Narrheit niedergeschrieben worden[1]. Alle menschliche Tollheit, Albernheit und Abgeschmacktheit schaut uns aus dem Spiegel dieser Szene entgegen, im denkbar größten Gegensatz zu dem Bild der Schönheit, das Faust mitten in dem häßlichen Unsinn der verkehrten Welt, auf deren Thron mit Recht der Teufel sich breit macht, erschaut. Als Goethe dann im Januar 1789 seine Beschreibung des römischen Karnevals zustande brachte, hob er zum Schlusse hervor, es bleibe das Leben im ganzen wie der römische Karneval unübersehlich, ungenießbar, ja bedenklich. Heiterer und schöner, zugleich als ein sinnreiches Gesamtbild des Lebens, darin jedoch Licht und Schatten miteinander wechseln, stellt er sich in dem Mummenschanz am Kaiserhof dar.

---

[1] Italienische Reise. III. Weimarische Ausgabe 32,288.

Die dritte Szene des zweiten Teils (Weitläufiger Saal mit Neben-
gemächern, verziert und aufgeputzt zur Mummenschanz) ist in
der Hauptsache in den drei letzten Monaten des Jahres 1827 entstanden. Am 1. Oktober las er Eckermann die zweite Szene (Saal
des Thrones) vor. Es ist anzunehmen, daß er nun, wenn auch schon
einzelnes bedacht oder ausgeführt war, ernsthaft an die dritte heran-
ging. Vom 11. August bis zum 9. Oktober hatte er die canti carnascialeschi, die ihm mannigfache Anregung und reiche Ausbeute
gewährten, aus der Weimarischen Bibliothek entliehen. Unter dem
10. Oktober vermerkt das Tagebuch: Abends Guzla gelesen und
betrachtet[1]. Es ist damit La Guzla, poésies illyriques (Paris 1827)
gemeint; Goethe hat in „Kunst und Altertum" (1828) über sie
kurz in der Weise berichtet, daß er dem Publikum verriet, Mérimée
sei ihr Verfasser[2]. Der kritische Schluß wurde damals weggelassen;
in ihm deutet er auf den gräßlichen Vampyrismus mit all seinem
Gefolge hin, woran dieser als ein wahrer Romantiker neben anderem
Gespensterhaften und Widerwärtigen seine Freude habe[3]. Goethes
Ausfall wider die Nacht- und Grabdichter, der den ersten Teil der
Mummenschanz-Szene abschließt, ist also nach dem 10. Oktober
niedergeschrieben worden. Am folgenden Tage wurde das Haupt-
geschäft bedeutend gefördert. Abends las er in dem neuen Taschen-
buche, Albert Dürers Reliquien betitelt. (Reliquien von Albrecht
Dürer, Taschenbuch, seinen Verehrern geweiht von Fr. Campe,
Nürnberg 1827.) Auf dem Blatt, darauf das älteste Schema der
dritten Szene steht, finden sich nach Erich Schmidts Angabe[4]
kleine ältere Tagebuchnotizen ohne Datum: Albrecht Dürers Reliquien Taschenb.[5] Danach ist es wahrscheinlich, daß dieses
Schema (102) nach dem 11. Oktober abgefaßt ist. Am 13. las er
Zelter, der am 12. in Weimar eingetroffen war, die Thronsaal-Szene
vor. Die dritte war also damals noch nicht soweit gediehen, daß
er davon hätte mitteilen können. Das Schema 104 steht auf der
Rückseite eines Briefentwurfs vom 8. November; 106 ist vom
16. Dezember datiert, und ein verstümmeltes, das in seinem er-

---

[1] Tagebücher von 1827. (W. A. 11; 123.)
[2] W. A. 41, II; 313 f.
[3] a. a. O. 42, II; 281 f.
[4] a. a. O. 15, II; 191.
[5] Es ist Dürers Reisetagebuch.

haltenen Teil mit diesem übereinstimmt, vom 22. Dezember. Im übrigen bezeugen kurze Bemerkungen des Tagebuchs die fortschreitende Arbeit am Faust. Am 1. Januar 1828 meldet es: Fausts dritte Szene abgeschlossen. Übergang zur vierten. Am 22. Januar benachrichtigt er die Cottasche Druckerei, daß mit dem nächsten Postwagen die ersten Szenen des zweiten Teils abgehen. Sie erschienen mit dem Eingange der vierten (bis V. 6036) zur Ostermesse 1828 in dem 12. Bande der neuen Ausgabe seiner Werke.

Wie Faust bei seinem ersten Erscheinen am kaiserlichen Hofe gleich einem florentinischen Festkünstler der Medicäerzeit in einem Maskenzuge auftritt und ihn durch seine Erfindungen ausschmückt, so hat Goethe gleich nach seinem Eintritt in Weimar seine Kunst in den Dienst höfischer Fastnachtsvergnügungen gestellt. „Schon seit beinahe vierzig Jahren", schreibt er am 27. Februar 1815 an W. C. L. Gerhard, der ihm Stanzen zu einem Maskenzug gesendet hatte, „als so lang ich mich in Weimar aufhalte, suchen wir die Maskenbälle, welche gar bald in ein wildes, geistloses Wesen ausarten, durch dichterische Darstellungen zu veredeln, und es ist uns bis auf die letzte Zeit mehr oder minder geglückt". — „Lassen Sie nicht ab", rät er, „sich auch in der Folge um solche Dinge zu bemühen; sie sind in manchem Sinne belohnend, und wo bedarf es mehr einer geistreichen Freude, als zu einer Zeit, wo die herzliche nicht immer zu finden ist."[1] Als er 1807 daran ging, das, was er für diese Feste, in die dazu der Geburtstag der Herzogin (30. Januar) mitten hineinfiel, gedichtet hatte, zu sammeln, um sie in seinen Werken unterzubringen, waren die meisten Programme und die zu den Aufzügen bestimmten und sie erklärenden Gedichte nicht mehr aufzufinden; nur weniges konnte damals mitgeteilt werden. Was sich überhaupt erhalten hat, sind die Maskenzüge zum 30. Januar 1781, vom 16. Februar 1781, zum 30. Januar 1782, vom 12. Februar 1782, vom 30. Januar 1784, zum 30. Januar 1798, zum 30. Januar 1802, zum 30. Januar 1806, zum 30. Januar 1809, zum 30. Januar 1810, zum 16. Februar 1810, zum 18. Dezember 1818[2]. Die Dichtung „Die ersten Erzeugnisse der Stotternheimer Saline, überreicht zum 30. Januar 1828", ist ein später Nachklang

---

[1] Briefe 25; 209, 1—18.
[2] W. A. 16; 187 ff. und 438 ff. — Gräf, Goethe über seine Dichtungen, II. T. 3. Bd. S. 354 ff.

dieser Maskenzüge und mag gerade durch die Einwirkung der kurz vorher beendeten Mummenschanz-Szene ihre Form erhalten haben[1]. Die Zeit, die er darauf verwendete, die Aufzüge der Torheit zu schmücken, war nach seiner Meinung nicht ganz verloren. Denn er traktierte, wie er am 19. Februar 1781 Lavater mitteilt, diese Sachen als Künstler, und er fand es billig, daß auch die Torheit ihre Hofpoeten habe[2].

Als er dann, zuerst 1787, den Karneval in Rom als Volksfest kennen lernte, fühlte er sich von dem tollen Treiben eher abgestoßen. Er bezeichnet es in einem Brief vom 13. Februar als abgeschmackten Spaß; man müsse den Karneval gesehen haben, um den Wunsch völlig los zu werden, es wiederzusehen. „Beschreiben kann und mag ich nichts davon, mündlich wird es einmal ein tolles Bild geben."[3] Ähnlich wie Frau von Stein äußerte er sich am 17. Februar Herder gegenüber[4]. Als er dann im nächsten Jahre doch noch einmal den Karneval mitmachte, verhielt er sich nicht gerade anders: es sei eine entsetzliche Seccatur, andere toll zu sehen, wenn man nicht selbst angesteckt sei, und Mittwochs dankte er Gott und der Kirche für die Fasten. Trotz dieser absprechenden Äußerungen muß er schon damals entschlossen gewesen sein, den Karneval zu beschreiben. Der Februarbericht des zweiten römischen Aufenthalts, der allerdings erst 1829 seine Form erhielt, begründet sein Unternehmen damit, daß er sich mit dem Getümmel versöhnt habe, da er erkannt habe, dieses Volksfest hätte wie ein anderes wiederkehrendes Leben und Weben seinen entschiedenen Verlauf, und er habe es so als ein anderes bedeutendes Naturerzeugnis und Nationalereignis angesehen. Dazu mußte er sich denn mehr, als sonst geschehen wäre, unter die verkappte Menge hinunterdrängen, welche denn trotz aller künstlerischen Ansicht oft einen widerwärtigen unheimlichen Eindruck machte[5].

Im Januar 1789 brachte er die Beschreibung zustande. Am 17. April 1789 schrieb er der Herzogin Amalia: „Mit dem Carneval, hör ich, sind Sie weniger zufrieden gewesen; ich wünsche, daß Sie

---

[1] W. A. 4; 284 ff.
[2] Br. 5; 56.
[3] Br. 8; 183, 13—20.
[4] Br. 8; 188, 10—15 — Italienische Reise III. (32; 274, 6—17).
[5] a. a. O. 32; 279, 3—280, 8.

es mehr mit der Beschreibung des römischen
Carnevals sein mögen, welche diese Ostermesse herauskömmt.
Wenn es mir gelingt, wie ich hoffe, durch diesen kleinen Aufsatz
etwas Ungenießbares genießbar zu machen, so wird es mich sehr
freuen."[1] Das Werk erschien Ostern 1789 mit zwanzig Tafeln,
gezeichnet von Georg Schütz, radiert und mit der Hand koloriert
von Georg Melchior Kraus[2]. Was ihn an den Torheiten im ganzen
fesselte, war die Erkenntnis, daß man mitten in dem Unsinn auf
die wichtigsten Szenen unseres Lebens aufmerksam gemacht wurde.
Noch mehr gemahnte ihn die schmale, lange, gedrängt volle Straße
an die Wege des Weltlebens, und zum Schlusse stellte er die un-
bekümmerte Maskengesellschaft, da das Leben im ganzen wie der
römische Karneval unübersehlich, ungenießbar, ja bedenklich bleibe,
als eine Mahnung an die Wichtigkeit jedes augenblicklichen, oft
gering scheinenden Lebensgenusses hin. Der Karneval war ihm
also zu einem Symbol des Lebens geworden.

Freundlicheren Anteil nahm er später an dem deutschen Karneval. Als sich nach den Kriegsjahren (1823) in Cöln das närrische
Leben wieder regte, hielt er es für wert, seiner nach einer Besprechung
von Boisserées Domwerk in „Kunst und Altertum" (1824) zu gedenken: „Warum man aber doch von beiden zugleich reden darf,
ist, daß jedes, sich selbst gleich, sich in seinem Charakter organisch
abschließt, ungeheuer und winzig, wenn man will; wie Elephant
und Ameise, beide lebendige Wesen und in diesem Sinne nebeneinander zu betrachten, als Masse sich in die Luft erhebend, als
Beweglichkeit an dem Fuße wimmelnd." Er spricht dann weiterhin
von dem sittlich-ästhetischen Wert eines Symptoms dieser Art
und wünscht schließlich dem Fürsten Glück, unter dessen Schutz
und Schirm sich etwas der Art ereignen konnte. Auch hoffte er
damals zu guter Stunde ausführliche Darstellung zu geben[3]. Die
Cölner Karnevalgesellschaft lud ihn daraufhin zu dem Feste ein
(1825). Er dankte ihr durch das Gedicht „Der Cölner Mummenschanz"[4]. (Gedichtet am 2. und 3. Februar 1825.) Am 12. März er-
stattete ihm nach dem Tagebuche Nees von Esenbeck Bericht über

[1] Br. 9; 105, 13—20.
[2] Neudruck im Inselverlag (1905).
[3] W. A. 49, II; 187, 6—189, 16.
[4] a. a. O. 3; 165, 166 und 417 ff.

den Cölner Karneval, und am 8. Mai brachte ihm der Cölner Kaufmann Zanoli, Prinz Karneval für 1824, die Karnevalsschriften und ‑bilder, am 23. teilte er Serenissimo davon mit und am 23. Oktober erhielt er noch ein Heft über den Cölner Karneval[1]. Dann wurde er aber wieder an den römischen Aufenthalt erinnert, als am 9. Februar 1826 „des Italieners Valenti Carneval von Rom" ankam[2]. Gemeint ist der Professor Francesco Valentini aus Rom und seine „Abhandlungen über die Comödie aus dem Stegreif und die Italienischen Masken; nebst einigen Scenen des Römischen Carnevals. Mit zwanzig colorierten Tafeln." Sie erschienen (1826) italienisch und deutsch bei C. W. Wittig in Berlin. Das Werk wurde für seine Familie ein lebhaft benutzter Hausschatz, der jederzeit im Anfang des Jahres Zinsen tragen mußte. Am 19. April 1830 stellt er es Marianne von Willemer zu heiterer Unterhaltung zur Verfügung[3]. Durch den Antiquar Johann Wilhelm Brewer, Herausgeber der „Vaterländischen Chronik der Rheinprovinzen", gingen ihm dann wieder gedruckte Nachrichten über den letzten Cölner Karneval zu (am 23. Februar 1826). Am 14. März weist er der Großherzogin das neue Berliner Maskenwerk vor, worunter Valentinis Buch zu verstehen ist; auch der ältere römische Karneval von dem schwedischen Kavalier[4]. Das ist der „Römische Carneval" von dem Grafen Morner (zwanzig Blätter in qu. fol.). Es ist als Geschenk gebucht in der Büchervermehrungsliste unter dem 2. Mai 1821; und unter dem 4. Mai bemerkt das Tagebuch: Des Grafen Morner römischer Carneval betrachtet[5]. Schuchardt verzeichnet es denn auch als goethischen Besitz; ebenso ein einzelnes Blatt: Il Carnevale in Roma. Wilh. Gail f. Rom den 7. Febr. 1826[6]. Das ist wohl das in dem Tagebuche zum 23. Oktober 1826 erwähnte neue Blatt zum römischen Karneval. Am 27. Februar 1827 las ihm Heinrich Meyer den Prachtzug des Ptolemaeus Philometer aus dem Athenaeus vor, und am 11. August sah er nach langer Zeit wieder die Canti

---

[1] Tagebücher 10; 28, 21. 22. — 52, 27—53, 1. — 59, 6 f. — 118,4.

[2] a. a. O. 10; 159, 19 f.

[3] Briefe 47; 24, 28; 25, 1—5.

[4] T. 10; 164,22 — 171, 21—24.

[5] T. 8; 311. und 50; 2,3.

[6] Goethes Kunstsammlungen, beschrieben von Chr. Schuchardt. I. Teil, S. 218; 26 und 128; 201.

carnascialeschi an[1]. „Herrlichstes Denkmal der florentinischen
Epoche und Lorenz Medicis" fügt er diesem Eintrag hinzu; am
13. August fuhr er fort in den florentinischen Gedichten zu lesen,
am 9. Oktober gab er sie wieder zurück. Der volle Titel der Sammlung lautet: Tutti i trionfi, carri, mascherate o canti carnascialeschi
andati per Firenze dal tempo del Magnifico Lorenzo de' Medici fino al
anno1559. In Cosmopoli [Lucca] 1750. Zum erstenmal erschien sie 1559.
Sie enthält Lieder von der Zeit des Magnifico (1449—1492) an
bis zum Jahre der Herausgabe; gesammelt hat sie der florentinische
Apotheker und Dichter Anton-Francesco Grazzini nach seinem
Akademie-Beinamen il Lasca (Barbe) genannt (1503—1583). Er
ist der Verfasser eines burlesken Epos, bedeutender auf dem Gebiete
des Lustspiels, der Lyrik und der Novelle, Mitbegründer der Acca-
demia della Crusca[2], ausgezeichnet durch die Reinheit und die
Anmut seiner Sprache. In der Vorrede seiner Sammlung, die
Francesco de' Medici gewidmet ist, stellt er die Maskenzüge über
die Waffenspiele. „Das Wort des Dichters, die heitere Musik, der
wohlklingende Gesang, die reiche Kleidung, die meisterhaft gemachte Ausrüstung des Zuges, die schönen und wohl aufgezäumten
Rosse, die Nacht mit dem ungeheuren Aufgebot von Fackeln:
man kann nichts Angenehmeres noch Erfreulicheres hören und
sehen." Diese Art zu feiern wurde, wie er behauptet, von Lorenzo
il Magnifico aufgebracht. Vorher feierte man den Karneval, indem
man die Frauen nachmachte, die gewohnt waren, in den Maien
zu gehen; als Frauen und Mädchen verkleidet, sangen sie Tanzlieder. Da nun Lorenzo sah, daß diese Art zu singen immer dieselbe
blieb, gedachte er Abwechslung zu bringen, nicht nur in den Gesang, sondern auch in die Erfindungen, in den Versbau. Das erste
Lied, das in dieser Weise gesungen wurde, war das von den Leuten,
die Pfeffer- und Lebkuchen verkaufen[3]. Es war dreistimmig, dann
kam man zu vierstimmigen und immer weiter bis zu dem gegen-
wärtigen Stand. In der Vorrede der zweiten, verbesserten, ver-
mehrten und kritischen Ausgabe wird Lorenzo als Freund der Volks-

---

[1] T. 11; 96, 8—11. — 335.

[2] Die Nachtmähler (Cene) und andere Novellen zum ersten Mal vollständig ins Deutsche übertragen von Hanns Floerke; München und Leipzig,
Georg Müller (1912).

[3] Grazzini S. 8 f. (Canto de'bericuocolaj; von Lorenzo verfaßt.)

dichtung gefeiert: er stellte sie nicht allein mit Hilfe des großen Polizian in der Zier und dem Glanze, die sie seit des unvergleichlichen Petrarca Tod fast ganz eingebüßt hatte, wieder her, sondern er wurde auch zum Schöpfer einer neuen Art, der er den Namen „Carnevalslieder" (canti carnascialeschi) gab. Der Herausgeber berührt dann noch Vasaris Angaben im Leben des Pietro di Cosimo, des Francesco Granacci und des Jacopo da Puntormo und besonders ein noch ungedrucktes Tagebuch des Antonio da San Gallo: Nachmittags zog man aus; und die Züge dauerten manchmal bis drei und vier Uhr die Nacht. Eine zahlreiche Schar maskierter Menschen zu Roß, manchmal über dreihundert, ebensoviele zu Fuß, mit weißen brennenden Fackeln, schritten singend durch die Straßen. Die Lieder, von wohlklingender Musik begleitet, waren vier-, acht-, zwölf- schließlich fünfzehnstimmig; jeder Art Canzonen, Madrigale, Balladen, Scherzlieder; die im Karneval gesungen wurden, nannte man Canti carnascialeschi. Diese bilden in Grazzinis Sammlung die Überzahl. (310.) Trionfi sind es 23, carri 3, mascherate 2. Die Sänger der canti stellen sich zumeist als Vertreter der verschiedensten Berufstände und Gewerbe vor: Handwerker jeglicher Art, Verkäufer und Händler mit mancherlei Waren, dazu Fischer und Jäger, Landsknechte, Holzhauer und Bergarbeiter, Studenten, Maler und Dichter, Ärzte und Astrologen, Marktschreier und Possenreißer, Spieler, Wahrsager und Zigeuner, Betbrüder und Schürzenjäger, Mönche und Nonnen, Einsiedler und Pilger, Ritter, Pagen und Hofleute; daneben Frauen, die einen Beruf ausüben, wie Gärtnerinnen, Obsthändlerinnen, Goldspinnerinnen und Putzmacherinnen, Verkäuferinnen und Wäscherinnen, auch Fischerinnen und Fechtmeisterinnen, Ammen und Dirnen. Auch im römischen Karneval dienten die Kleidungen aller Stände als Masken. Goethe hebt besonders Landmädchen, Fischer, neapolitanische Schiffer, Sbirren und Griechen hervor, Valentini Gärtner und Gärtnerinnen. Die meist betrunkenen deutschen Landsknechte der canti hatten ihre würdigen Nachfolger in den deutschen Bäckerknechten gefunden, die sich ebenfalls stets mit der Flasche in der Hand darstellten. Eine kleinere Zahl von Liedern behandelt das Verhältnis der beiden Geschlechter. Junge Frauen und alte Männer treten gegeneinander auf, Lebemänner, Witwen, Mädchen, die im Hause gehalten werden, Jünglinge, die durch Dirnen verarmt sind, künden mehr von den Leiden als den

Freuden der Liebe. Seltener bildet eine Eigenschaft oder ein Zustand, eine Tugend oder ein Laster das Thema; noch minder häufig ist hier Mythologisches. In der ersten, größeren Gruppe kehren bestimmte Züge stets wieder: Die angebotene Ware wird gepriesen, die Art ihrer Zubereitung geschildert, die Weise, wie eine Tätigkeit ausgeübt wird, vorgeführt. Die meisten Lieder wenden sich an die Frauen; es fehlt nicht an Zweideutigkeiten; oft genug wird „die Sittlichkeit verletzt"[1]. Es gibt aber auch moralisierende canti. Ein goethisches Gedicht, das ganz das Gepräge der ersteren trägt, ist: „Wer kauft Liebesgötter?", zuerst in Voß' Musenalmanach auf 1796 gedruckt unter dem Titel „Die Liebesgötter auf dem Markte"; nach Eckermann 1795 gedichtet[2]; in „der Zauberflöte zweitem Teil" singen es Papageno und Papagena (zuerst gedruckt in dem Taschenbuch auf das Jahr 1802)[3]. Die beiden Gesänge der Käfigmacher (maestri di gabbie und di far gabbie) bei Grazzini konnten im ganzen als Vorbild dienen[4]; für einzelne, sich immer wiederholende Wendungen zahlreiche andere. „Wird keine mehr behagen."—La dovizia alle donne molto piace, Anzi quant'è maggior, tanto più piace[5]. — „Aus fremden Ländern." — Di stran paesi; di lontan paesi[6]. — „Sie stehen zu allen Proben." — Ad ogni paragone — al paragone chiavi di tutta prova[7]. — „O höret, was wir singen!" — Donne, se 'l cantar nostro ascolterete, Gustando quello appieno; — Udite il cantar nostro. — [8] „Es steht hier zum Verkauf." — Comperate — compri[9]. Goethe besaß übrigens einen schönen Abdruck nach Canovas „Verkauf von Liebesgöttern."

Vor allem aber gewährten ihm die canti und trionfi Anregung und Stoff für den Mummenschanz im Faust, diesen farbenprächtigen, gestalten- und sinnreichen Lebensreigen, ein südlich-heiteres Gegen-

---

[1] Burckhardt, Die Kultur der Renaissance in Italien II[10] S. 150.
[2] W. A. 1; 41.
[3] a. a. O. 12; 209 ff.
[4] S. 108 f. und 494 f.
[5] S. 84.
[6] S. 73. 86. 173. 185. 221. 241.
[7] 225. 494 und sehr oft.
[8] S. 259. 443 u. öfters.
[9] 368. 376 und öfters.

bild zu den finsteren Totentänzen des Nordens[1]. Denn im ganzen genommen ist die Szene nichts anderes als ein Trionfo della Vita, mit dem zunächst die kleinen Freuden und Genüsse, die mannigfachen Beschäftigungen des Lebens, dann die Mächte, die es verschönern, erhalten, verwirren und verderben, zuletzt die Großmächte erfolgreicher Tätigkeit, des Reichtums und der Herrschergewalt an unserem Auge vorüberziehen.

Den Zug eröffnen Gärtnerinnen — „junge Florentinerinnen" —, die — allerdings künstliche — Blumen auf den Markt bringen, und Gärtner, die Früchte feil bieten. Verkäufer von Blumen und Früchten finden sich bei Grazzini oft genug. Ein canto d' uomini, che vendono fiori beginnt mit den Versen:

> Ben posson qui star lieti gli amadori,
> Poichè ci è tutto l' anno
> Rose, rosellin, frasche, ed altri fiori[2].

Goethes Gärtnerinnen rühmen:

> Unsere Blumen, glänzend künstlich
> Blühen fort das ganze Jahr.

Auch Nymphen bringen einmal, dem Fürsten huldigend, Blumen, Zweige und Früchte, als würdigeren und schöneren Lohn denn Gold (Come premio più degno e più decoro; zu V. 5127). Ceres hat ihre goldgelben Ähren gesandt (zu V. 5128), Rosen und die Myrte leiht Venus, Minerva den Ölzweig[3]. (Zu V. 2150.) — Sonst tritt das Mythologische hinter der derben Alltäglichkeit durchaus zurück. Bäuerinnen preisen ihre Gurken, Melonen und Schoten an[4], Landleute bieten in großen Körben Früchte jeder Art: Sù, Donne, a queste frutte aprite il grembo[5]; eine Wendung, die Goethe sich weiterhin aneignet, da die Mutter die Tochter mahnt:

> Liebchen, öffne deinen Schoß,
> Bleibt wohl einer hangen.

---

[1] Auf die canti als Quelle für den Faust wies zuerst hin J. Bayer in der Neuen Fr. Presse von 29. August 1884 und dann in seinem Buche „Aus Italien" (1885). S. 177. Vergl. die Ausgaben von Schröer (Reisland) n. E. Schmidt (Cotta).

[2] S. 346 f.

[3] Canto delle Ninfe; S. 560.

[4] C. delle foresi di Narcetri; S. 5.

[5] C. di contadini, che vendono frutti d'ogni ratione; S. 84.

24

Andere haben Pfirsiche[1], Melonen[2] oder die verschiedensten Früchte[3] zu verkaufen. Frauen preisen Trauben[4] oder köstliche Äpfel an[5]. Gärtner (Del Fiorentin siam tutti contadini) empfehlen sich in der Kunst des Gartenbaus[6].

Nachdem Gärtner und Gärtnerinnen unter Wechselsang ihre Waren aufgebaut, kommt eine Mutter zu Wort, die ihre Tochter auf den Markt bringt. In dem canto di vedove, che menano le figliuole a mostra per trovar loro marito[7] haben wir einen ähnlichen Handel; zum Schlusse wenden sie sich sehr ehrbar an die Väter, ihre Söhne ihren Töchtern in die Ehe zu geben. Das älteste Schema (102), das sich noch enger an die Überlieferung hält, hat noch die Mehrzahl: „Mütter und Töchter". Jugendliche Dienerinnen werden in dem canto degli acconciatori di fante angeboten[8], sich selbst bieten junge Witwen an in dem canto di vedove[9]. — Im weiteren macht es sich der Dichter bequem; er begnügt sich mit szenarischen Bemerkungen und läßt die Lieder unausgeführt, obwohl ihm auch hier die canti manchen Zug hätten beisteuern können. Denn die Fischer und Vogelsteller, die mit Netzen, Angeln und Leimruten, auch sonstigem Gerät auftreten — im Schema 102: Vogelsteller mit Leimruten, Schlingen und Netzwänden [parete]. Fischer mit Netzen, Reusen, Angeln — sind besonders beliebte Masken. Als Fischer der Liebe erscheinen sie mit Köder und Hamen in dem canto del pescar coll' esca e l' amo[10]. Wer jedoch heutzutage, spotten sie, nicht Gold als Lockspeise hat, dem faßt der Angelhaken nichts. Als Fischer mit der Schnur, ohne Netze, stellen sich andere den Damen vor und berichten von ihrer Kunst, Frösche zu fangen[11]. Nichts Schöneres als mit der Angel fischen, behauptet der canto

---

[1] C. delle pesche; S. 70.
[2] C. de' poponi; S. 164.
[3] C. de' fruttajuoli; S. 227.
[4] C. di donne, che vendono agresto in grappoli; S. 261.
[5] C. di donne, che vendono mele; S. 278.
[6] C. di giardinieri; S. 536.
[7] S. 323.
[8] S. 230.
[9] S. 102.
[10] S. 145.
[11] C. de' pescatori, che pigliano i ranochi; S. 248.

di pescatori a lenza[1]. Krebsfischer rühmen unter Scherzen mit
den Frauen ihr Gewerbe[2]. Vielseitiger sind die venezianischen
Fischer, die reiche Beute aus ihrer Heimat in Körben heranschleppen;
sie sind gern bereit, die Damen ihre Künste zu lehren und zu ge-
meinsamem Fange mit ihnen auszuziehen[3]. Mit sehr zweideutigen
Galanterien wartet der canto de' pescatori[4] auf. Frauen, die in der
Kunst des Fischens nichts mehr zu lernen nötig haben, stellen sich
in dem nicht weniger anstößigen canto di donne pescatrici vor[5].
Mit ihrem guten Willen entschuldigen sich vom Glück minder be-
günstigte in dem canto de' pescatori[6]. Ebenso groß und in ihrer
Tätigkeit ebenfalls unterschieden ist die Schar der Vogelsteller
und Jäger. Die einen stellen Rebhühnern nach[7], andere sind Falken-
jäger[8]. Der canto delle parete unterrichtet die Damen in der Kunst
des Fanges mit Netzen[9]; bedenkliche Anweisungen über den
Gebrauch des Blasrohrs[10], über die nächtliche Jagd mit der Laterne
werden gegeben[11]; der canto d' uccellatori alla civetta (Käuzchen)
belehrt auch über die Bereitung der Leimrute[12]: Zur Krähenjagd
mit der Eule lädt sie ein der canto d' uccellatori col gufo[13], die Damen
damit neckend, daß er sie mit der Eule vergleicht, die Liebhaber
mit den Vögeln, die um jene kreisen. Scherzhaft spielt mit dem Worte
passeroti, das Sperlinge und Schnitzer bedeutet, der canto d' uccellatori di passeroti[14].

Nach den Gesprächen zwischen Fischern und Vogelstellern mit
den schönen Gespielinnen der von der besorgten Mutter auf den
Markt gebrachten Tochter, denen, wären sie ausgeführt worden,

---

[1] S. 333.
[2] C. de' p. di granchi; S. 370.
[3] C. di p. Veneziani; S. 474.
[4] S. 521.
[5] S. 88.
[6] S. 519.
[7] C. d'uccellatori alle starne; S. 154.
[8] C. degli strozzieri; S. 182.
[9] S. 259.
[10] C. delle cerbotane; S. 318.
[11] C. del frugnolo; S. 277.
[12] S. 326
[13] S. 484.
[14] S. 486.

24*

die wechselseitigen Versuche zu gewinnen, zu fangen, zu entgehen
und festzuhalten, den schönsten Inhalt gegeben hätten, brechen
ungestüm und ungeschlacht Holzhauer ein. Als rozzi (ungeschliffen)
führen sie sich auch in dem canto di tagliatori di boschi ein und
prahlen gegenüber den artigen Damen von ihrer Kraft: in zwei
Schlägen leisten sie, was andere mit zwanzig[1]. Goethe läßt sie,
wie in den canti üblich, belehrend, den Nutzen ihrer derben Arbeit
auseinandersetzen. Darauf hüpfen leichtfüßig die Pulcinelle herein,
im Gegensatz zu jenen, die ihnen ob ihres schweren Berufs Toren
scheinen, stets bequem und immer müßig. Dafür schmeicheln
ihnen als denen, die Holz und Kohle zu erwünschtem Mahle schaffen,
die Parasiten. Die Quelle ist hier der canto di buffoni e parasite[2].
In dem Schema 102 lesen wir darum auch noch: Buffone und Parasiten. Das Lied beginnt mit der herkömmlichen Vorstellung: Buffon
noi siam, quest' altri parassiti. Was Goethe sie vorbringen läßt,
beweist, wie er auch hier eigenen Wein in alte Schläuche füllt. Den
Buffone hat der Pulcinell verdrängt, der ihm durch den römischen
Karneval vertrauter war; dieser hat dabei noch einzelne Eigenheiten der Quacqueri übernommen. Sie waren dem Buffo caricato
der komischen Oper verwandt, der meistenteils einen läppischen,
verliebten, betrogenen Toren darstellte. Als abgeschmackte Stutzer
hüpften sie mit großer Leichtigkeit auf den Zehen hin und her oder
sprangen mehrmals mit gleichen Füßen gerade in die Höhe und
gaben einen hellen, durchdringenden Laut von sich. Oft gaben
sie sich durch diesen Ton das Zeichen, und die nächsten erwiderten
das Signal, so daß in kurzer Zeit dies Geschrille den ganzen Corso
hin und wieder lief[3]. Valentini erwähnt das Krähen der Arlekine.
(Zu Vers 5228.)

Den schmarotzenden Schlemmern folgt der Trinker[4]. Was er
singt, ist zwar durchaus selbständig gestaltet, aber angeregt durch
die zahlreichen canti durstiger Landsknechte, die deutsche Brocken
in ihr nach deutscher Art gesprochenes Italienisch mischen. Da
beginnt der canto de lanzi stracchi[5] mit der flehentlichen Bitte

---

[1] S. 50.
[2] S. 450.
[3] W. A. 32; 235, 236, 1—6.
[4] S. 30
[5] S. 281.

der müden Gesellen: Lifer trinche a pofer lanzi, und jede Strophe endet: Trinche, trinche a pofer lanzi. Dies Trinke, Trinke wiederholt Goethes Trunkener im Reim auf sein kauderwelsches Tinke, Tinke in jeder der drei Strophen. Der canto di lanzi imbriachi fängt an und schließt mit: Lanze trinche, trinche lanze[1]. Um die Melancholie zu verscheuchen, hat der fröhliche Landsknecht stets die Flasche in der Hand, und um frisch und froh zu leben, trinkt er und saugt er allerwegen. (trinche e bomber tuttevie.)[2] Die Verse Nubbriache tutte quante, Star più ritte non potere mögen auf den Schluß des goethischen Liedes: „Denn ich mag nicht länger stehen" eingewirkt haben, vielleicht auch das tuffe, taff, tuffe, taff in dem durch seine Mischsprache fast unverständlichen canto di lanzi scoppieteri (Büchsenschützen) auf das Tinke, Tinke[3].

Im Schema 102 fehlt der Trunkene; dafür sind hier „Musikanten" vorgemerkt, denen sich dann passend die „Poeten" anschließen. Die ersteren treffen wir bei Lasca häufig, und zwar sind es wieder die Landsknechte, die sich nun auch als Spieler der verschiedensten Instrumente vorstellen; so in dem canto di lanzi, sonatori di varj instrumenti[4]; oder als Maultrommelspieler[5], dann als Posaunenbläser[6].

Sehr schnell werden die Dichter abgetan; wieder stoßen wir auf einen Szenenteil, der Bruchstück geblieben ist. Nur der Satiriker kommt in ein paar Versen zu Wort. Entgegen der so oft sich wiederholenden Aufforderung der canti, aufzumerken und geneigtes Gehör zu schenken, hätte er seine Freude daran, zu singen und zu reden, was niemand hören wollte. In dem canto de' poeti kommt gerade der Satiriker sehr kurz weg (e Satiri son questi), während die Dichter von Komödien, Tragödien und Elegien wenigstens als heiter oder grimmigen Gesichts, oder als mager und düster gekennzeichnet werden[7]. In dem trionfo de' pazzi (auch la gabbia de' pazzi) sind in dem von einem Sängerquartett vorgeführten Narrenkäfig auch Dichter eingesperrt[8]. — Das Schema 102 beschränkt sich auf die

---

[1] S. 302.
[2] C. di lanzi allegri; S. 308.
[3] S. 569.
[4] S. 279.
[5] C. di l. sonatori di ribecchini; S. 304.
[6] C. di l., che suonono tromboni.
[7] S. 466.
[8] S. 426.

Angabe: Poeten, Hofpoet, Italiener Mythologie. Sollte ursprünglich von diesem aus, der ja berufsmäßig mit der Renaissance-Mythologie, „der griechischen Mythologie in moderner Maske" zu tun hatte, der Übergang gefunden werden zu den Gestalten der antiken Götterwelt, statt wie später nach dem Gesetze des Gegensatzes von den Nacht- und Grabdichtern? Seltsamerweise folgen den Furien und Parzen in dem ältesten Schema „Mütter und Töchter"; danach lesen wir „Juwelier", wozu wohl die beiden canti di mercatanti di gioje[1] Anlaß gegeben haben; dann „Klatschen". Das Schema 105 gibt nach des Plutus Auftreten an: „W[eiber] Geklatsch gegen den Geiz — W[eiber]. Gegenklatsch Angriff", was der späteren Ausführung (V. 5640 ff. und 5666 ff.) entspricht. Bei Grazzini haben wir einen canto delle pancacce, darin sich die Jünglinge gegen den Lug und Trug der Alten auf den Klatschbänken ereifern[2]. Darauf erwidern diese in dem canto in risposta delle pancacce und halten der Jugend ihre Sünden vor[3].

Das närrische Treiben der Dichter schließt den ersten Teil der Mummenschanz ab; daß aber alle Menschen an der Narrheit teilhaben, hat der Herold schon in seiner Einleitung betont:

> Es bleibt doch endlich nach wie vor
> Mit ihren hunderttausend Possen
> Die Welt ein einziger großer Tor.

Eine Ansicht, die noch berechtigter scheint als das Totus mundus histrio. Dasselbe meint auch der canto della pazzia, der der ganzen Welt dartun will, jeder habe einen Sparren (un ramo di pazzìa)[4].

Der mythologische Teil der Szene wird eröffnet durch das Erscheinen der drei Grazien. Sie fehlen im ältesten Schema ebenso wie bei Grazzini. Ihnen reihen sich die Parzen und Furien an (in Sch. 102: Furien, Parzen). Mit dem Auftreten der Gottheiten nehmen die Szenenbilder den Charakter der t r i o n f i an. Im römischen Karneval fehlte es zu Goethes Zeit ganz an Prachtwagen mit mythologischen und allegorischen Vorstellungen[5]. Volkmann bemerkt in seiner Schilderung: Sonst sah man oft ganze Triumphwagen,

---

[1] S. 73 u. 271.
[2] S. 358.
[3] S. 361.
[4] S. 159.
[5] W. A. 32; 241, 19—26.

382

und alle Bedienten waren als asiatische Sklaven oder als Bacchanten gekleidet; weil solche Aufzüge aber viel Geld kosten, so kommen sie nach und nach ab[1]. Valentini dagegen erwähnt triumphalische Wagen und Quadrigen des Adels, der Mythologisches als Maskenzug darstellt[2]. Auch bei Grazzini steht die Zahl der bei den Triumphzügen gesungenen Lieder weit hinter der der canti zurück. Von dem festlichen Glanz dieser Veranstaltungen soll weiterhin die Rede sein. Der trionfo delle tre Parche[3] und der delle Furie[4] brachten Goethe auf den Gedanken, Parzen und Furien einzuführen. Ihr Inhalt bot ihm nicht viel. Der Einfall, die Rollen der ersteren zu vertauschen, und die Furien ,,hübsch, wohlgestaltet, freundlich, jung von Jahren" darzustellen, ist ganz sein Eigentum. Der trionfo delle tre Parche, ,,in cui la Puerizia, La Gioventù, la Senettù riluce", gipfelt in einer besonderen Ehrung der Klotho, während Goethe entsprechend der von ihm vorgenommenen Veränderung Lachesis den Preis gönnt. Das Wort führen die drei dort nicht selbst, sondern die Begleiter des Zuges. Dagegen künden sich die Furien selbst an; als aus der Hölle aufgestiegen, drohen sie den Sündern, sie dorthin zu treiben. Eine Parodie dieses grimmen trionfo macht den Schluß der Sammlung: der canto in risposta delle Furie. Die Furien von heutzutage sind die Gläubiger, die Häscher die Teufel, das Schuldgefängnis die Hölle[5]. Mit dem ganz allegorischen trionfo della Calunnia[6] hat Goethes Alekto nur das gemein, daß sie eben der Dämon der Verläumdung ist. Auch bei ihm kommt darauf die Allegorie zur Geltung. Das Schema 102 gibt an: Klugheit auf dem Elefanten führt gefangen Hoffnung und Furcht. Von der Victoria und ihrem teuflischen Widerpart ist hier keine Spur zu finden. So lehnt sich Goethe auch diesmal zunächst enger an die Überlieferung an. Denn der trionfo della Prudenza lieferte ihm nur Klugheit, Furcht und Hoffnung[7]. Der florentinische Dichter stellt sie mit dem üblichen Hinweis vor.

---

[1] Historisch-kritische Nachrichten von Italien (1777) II; 775.
[2] S. 32.
[3] S. 29.
[4] S. 254.
[5] S. 581.
[6] S. 140.
[7] S. 35.

Wo Goethe diese Art der Einführung anwendet, bedient er sich des Herolds. Ein Vergleich mit den trionfi beweist gerade, wie er dadurch, daß er die Selbstdarstellung bevorzugt, die Allegorien mit ganz persönlichem Leben erfüllt hat. Die übertreibenden Bezeichnungen, mit denen die Klugheit, allerdings die angesehenste der vier weltlichen Kardinaltugenden, bedacht wird, mögen ihn mitbestimmt haben, über sie Frau Victoria, die er zur Göttin aller Tätigkeiten erhebt, zu erhöhen. Der Vers: Questa è colei, che 'n terra e 'n ciel risplende wird auf sie bezogen:

> Die andre droben stehend herrlich hehr
> Umgibt ein Glanz, der blendet mich zu sehr.

Die folgenden Verse dagegen, die die Prudenza rühmen und ihren Sieg über die beiden großen Feinde unseres Lebens, Furcht und Hoffnung, feiern, hat er für die Klugheit verwertet:

> Questa leggiadra e trionfante Donna,
> Che tutto il mondo regge,
> Unico refrigerio, alta colonna
> Di chi ama sua legge;
> Per liberare il suo famoso gregge
> Da tanti strazj e si lunghe fatiche,
> Contr' a due gran nimiche
> Di nostra vita, oggi per noi contendo.
> L' un è Speranza; e l' altra, che ad un laccio
> Medesmo il collo piega,
> Paura e detta.

Sie allein kann von der Todesfurcht befreien und jeden selig machen, wenn er sich nur mit ihrem Schilde deckt und verteidigt. Anders Goethes „Furcht":

> Ach wie gern in jeder Richtung
> Flöh ich zu der Welt hinaus;
> Doch von drüben droht Vernichtung,
> Hält mich zwischen Dunst und Graus.

Von der Hoffnung weiß der trionfo nichts zu melden, so daß sie der deutsche Dichter durchaus selbständig ausgestalten konnte. E. Schmidt hat darauf aufmerksam gemacht, daß Lucian in der Geschichte des Schwindlers Alexander sagt, es brauchte keine große Anstrengung des Verstandes, um zu entdecken, daß Furcht und Hoffnung die zwei großen Tyrannen sind, die das menschliche Leben beherrschen[1]. Im Leben des Demonax begegnen wir einem ähnlichen Gedanken: glücklich und frei sei nur der, der weder fürchte noch hoffe[2], und in dem ,,Charon" erschaut dieser, der einmal für einen Tag einen Ausflug in das Leben gemacht hat, von Hermes belehrt, von hoher Bergeswarte aus das bunte Menschentreiben; unsichtbar schweben darüber die Hoffnungen, die Ängste (δείματα) und die Torheiten, Geldgier, Zorn und Haß u. a. Von ihnen leben die meisten mit und unter den Menschen, die Furcht und die Hoffnungen jedoch flattern über ihren Häuptern; kommt jene einmal herab, dann verwirrt sie die Menschen, diese aber fliegen sofort auf, wenn sie einer zu haschen glaubt[3]. — Die Doppelzwerggestalt des Zoilo—Thersites mag eine Erinnerung sein an die Maske mit den zwei Gesichtern, deren Goethe im ,,Römischen Carneval" gedenkt[4]. In dem trionfo della Fama e della Gloria wendet sich der verbrecherische Neid vergebens gegen den siegreichen Camillus[5]; und im trionfo della Calunnia ist die Invidia im Gefolge der Verleumdung, hexenhaft, ungegürtet und zerlumpt, sich nur an dem Schlechten freuend, das sie sieht und hört[6].

Das Schema 102 bricht ab mit dem Hinweis auf das Erscheinen des Plutus und seiner Begleiter: Triumph des Plutus. Verschwendung vor ihm wirft aus Gefieder Grillen Farfarellen. Geiz hinter ihm Eisenkasten mit Drachenschlössern. Wie stets in diesem ersten Entwurfe hält sich Goethe auch hier näher an die überlieferten Formen derartiger Aufzüge. Eine Allegorie pflegt von andern begleitet zu sein, auch von gegensätzlichen. Erst weiterhin hat er der dürftigen Renaissance-Allegorie dadurch Mannigfaltigkeit und Leben verliehen, daß er die Verschwendung als die sich allen mitteilende Poesie gefaßt und ihr in des Knaben Lenkers Gestalt, Fleisch und Blut, Persönlichkeit und den Reiz der Erscheinung gegeben hat. Ein Triumph des Reichtums begegnet uns bei Grazzini allerdings

[1] Lucians sämtl. W. übersetzt von Wieland (1788). 3; 173. (C. 8). Übersetzt von M. Weber (1910) 1; 139.

[2] W. 3; 243. (c.20).

[3] W. 2; 183. Weber 1; 29. (C. 15. 16.)

[4] W. A. 32; 238.

[5] S. 136.

[6] S. 141.

nicht; aber da das Cinquecento die ganze Götterwelt zu seinen glänzenden Festen aufbot, hat es sich auch ihn, wie wir sehen werden, nicht entgehen lassen. Der trionfo in dispregio (Verachtung) dell' oro, dell' avarizia e del guadagno ist eine Moralpredigt ohne allegorisches Beiwerk und eifert wider Gold und Geiz und Gewinn, während Mephistopheles in der Maske des Geizes diesen verteidigt; sein Wort: „Das sollte wohl gar ein Laster sein" (V. 5653) klingt wie eine Entgegnung auf des italienischen Dichters Klage, daß die Tugend daniederliege und das Laster samt dem Reichtum auf die Höhe erhoben sei (E 'l vizio col tesoro è posto in cima)[1]. Der ebenfalls moralisierende canto della Virtù beklagt, daß statt ihrer heute Dünkel, Unwissenheit und Geiz herrschen[2]. In Dantes Inferno ist Pluto, „il gran nimico" (Streckfuß: Plutus[3]), Vorsteher des vierten Höllenkreises, darin Geizige und Verschwender bestraft werden. Pluton galt schon im Altertum auch als Gott des Reichtums, da er, wie Plutus selbst in Lucians „Timon" hervorhebt, ebenfalls ihn spendet und freigebig schenkt, wie es auch sein Name schon bezeuge[4]. Reichtum und Geiz sind bei dem modernen Dichter keine leeren Masken, sondern dadurch lebendig gemacht, daß Faust und der Teufel in ihnen stecken. Die Magerkeit bezeichnet diesen wie die Eifersucht in dem trionfo dell' Amore e Gelosia[5]. Ein Zankgespräch zwischen Nymphen und ihren alten Männern enthält der einen Klagen, der andern Schmähungen wider die ausgemergelten Männer (magri, secchi e dentro vani) und ihr Verlangen nach liebreizenden Jünglingen[6]. Kräftiger noch drückt sich der Männer Unmut in dem canto degli ammogliati, che si dolgono delle mogli aus: wer sich ihren Wünschen bequemt, richtet sich zugrunde; jeglichen Besitz haben sie verschwendet, dafür leben ihre Männer in Qual, Kummer und Schmerzen; unersättlich gieren jene nach mannigfachem Schmuck und Tand. Die Strophen reichen kaum aus, die Liste ihrer Bedürfnisse aufzustellen[7]. Mit ähnlichen Vor-

---

[1] S. 39.
[2] 5. 414.
[3] Übersetzung der „Hölle" (1824) S. 95 f.
[4] Wieland; I; 73. (C. 21.) Weber I; 176.
[5] S. 25.
[6] C. di vecchj e di Ninfe. 5. 109.
[7] S. 151.

würfen wehrt Mephistopheles, indem er sich zugleich als Geiz zu erkennen gibt, den Angriff klatschender Weiber ab. Jünglinge, die durch Dirnen arm geworden sind, schildern in dem canto di giovani, impoveriti per le meretrici, wie sie gezwungen waren, täglich deren grundlose Gurgel mit Speise und Trank zu sättigen, sie und das Heer (brigata) ihrer Angehörigen zu ernähren[1]. Wenn Mephistopheles schließlich den Weibern gegenüber den Anstand verletzt, so erlaubt er sich das nach des Pulcinells Muster im römischen Karneval, der, indem er sich mit den Frauen unterhält, die Gestalt des alten Gottes der Gärten kecklich nachzuahmen weiß[2]. Schuchardt nennt als Goethes Eigentum eine antike Bronzefigur, die einen Priap darstellt: mit gebogenen Knien gehend, wendet er sich rückwärts; die rechte ausgestreckte Hand macht eine unanständige, zugleich Verachtung ausdrückende Bewegung (fare la fica)[3].

Je weiter die Szene vorschreitet, um so selbständiger und freier ergeht sich des Dichters Phantasie. Es bedurfte nicht des reizenden trionfo di Bacco e d'Arianna, den Lorenzo gedichtet, um den Satyr und den Nymphenchor einzuführen[4]. Allerdings ist es herkömmlich, daß Bacchus inmitten dieses Gefolges auftritt. Goethe ersetzte ihn durch Pan; den arkadischen Hirtengott hat das spätere Altertum durch Mißdeutung seines Namens zum Gott des Alls gemacht[5]. So konnte er hier als eine für den Kaiser, den Herrn der Welt, geeignete Maske verwendet werden. Im übrigen blieb er denn doch der alte rohe Naturgott, ganz dazu angetan, eine Herrschermacht zu bezeichnen, die nicht imstande ist, sich selbst zu zügeln, „vernünftig wie allmächtig zu wirken" (V. 5961), die es darum nicht vermag den Naturstaat durch den sittlichen Staat zu ersetzen. Ursprünglich war es geplant, wie sämtliche Entwürfe (103—106) zeigen, den Kaiser als Faun unter Faunen ohne jedes weitere Geleite einzuführen. Die reiche Ausgestaltung des letzten Szenenteils ist demnach erst kurz vor dem Abschlusse

[1] 468.

[2] W. A. 32; 233, 19—25.

[3] II; 14, 34.

[4] S. 1. Eine schöne, aber freie Übertragung bei I. Kurz, Die Stadt des Lebens. S. 82—84.

[5] Hederich, Lexicon Mythologicum; Creuzer, Symbolik und Mythologie der alten Völker besonders der Griechen; 2. Auflage (1819—21.); 3, 258.

der Arbeit erfolgt. An die Stelle der Goldkiste des Plutus — sie sollte hier aufspringen, aufflammen, und nachdem sie des Kaisers M a s k e , die in sie gefallen, in Brand gesetzt, ihn und die andern Faunen entzünden, dann zuschlagen und davonfliegen; so das letzte Schema (106) — die älteren (104, 105) wissen von diesem Flammenspiel noch nichts; — ist damals erst die Feuerquelle getreten. Den Faunen hat er Satyr und Nymphen zugesellt, mit der antiken die deutsche Mythologie vermischt. Gnomen werden als Bergarbeiter, Riesen als wilde Männer angekündigt. Noch einmal mag hier Grazzinis Sammlung etwas gegeben haben. Deutsche und italienische Bergarbeiter prahlen in dem canto della miniera (oder di cavatori d' oro), sie hätten die wahre Kunst, Gold und Silber aus den Bergen zutage zu fördern. Glücklich der, der reiche und starke Adern findet[1]! Wilde Männer (Waldmenschen) benehmen sich sehr galant in dem canto d' uomini salvatichi; als Geleiter der Vernunft bringen sie diese seltsamerweise in die Stadt zurück in dem canto d' uomini selvaggi, che conducono la ragione alla citta; von jedem Lande in Bann getan, hat sie nämlich in den Wäldern Zuflucht gesucht[2].

Ein Vorläufer der Mummenschanz-Szene sind die Maskenzüge, die Goethe als Hofpoet für den weimarischen Karneval gedichtet hat[3]. Hat er für sie schon die Trionfi benutzt? Man darf es wenigstens vermuten. So würde es sich zum Beispiel erklären, daß in dem Aufzuge des Winters (zum 16. Februar 1781) unvermittelt genug die vier Temperamente auftreten. Wie sie mit dem trionfo delle quattro Complessioni[4], so könnte der Planetentanz (zum 30. Januar 1784) mit dem trionfo de i sette pianeti[5] in Verbindung gebracht werden. Auch die Maskenzüge zum 30. Januar 1798 und 1802 vereinen Allegorien mit Göttern; in jenem unter andern die Hoffnung, in diesem werden vier Dichtarten zur Huldigung für die Herzogin bemüht. Es fehlt nicht die Satire, geleitet von Momus und einem Satyr; zum Schlusse kommen die an, die von wildem Schwarm umgeben, die Phantasie in ihrem Reiche hegt; die „Ruhmverkünderin" der ersten Zeile könnte auf den trionfo della Fama e della Gloria

[1] S. 241.
[2] S. 445.
[3] W. A. 16; 185—307.
[4] S. 27.
[5] S. 24.

zurückgehen[1]. Im Maskenzug zum 30. Januar 1809 ziehen die
vier Elemente auf wie in dem trionfo de' quattro elementi[2]. Ge-
haltvoller sind der Aufzug zum 30. Januar 1810 und der Festzug
zum 18. Dezember 1818. Der eine läßt die romantische Poesie
teils in individuellen, teils allegorischen Gestalten vorüberziehen.
Minnesänger und Heldendichter, von einem Herold eingeführt,
spielen hier eine würdigere Rolle als die im Mummenschanz ange-
kündigten Poeten. Die vier Jahreszeiten reihen sich ihnen an (trionfo
de i quattro Tempi dell' anno)[3]. Der große Maskenzug, der am Abend
des 13. März 1783 unter Mitwirkung von 139 Personen und 89
Pferden sich durch Weimars Straßen bewegte, in dem Goethe als
Ritter in altdeutscher Tracht erschien, begleitet von fackeltragenden
Knaben in derselben Tracht[4], erinnert in seiner Aufmachung an
die Art der nächtlichen Aufzüge, wie sie Vasari im Leben des Piero
di Cosimo und der Herausgeber der canti schildert. Als er im
Jahre 1804 seinen Götz für das Theater bearbeitete, hat er darin
ein Stück von einer Mummenschanz-Szene angebracht[5]. Adelheid, die Torheit darstellend, die Zwillingsschwester der Liebe,
führt an Blumenketten Kindheit, Jugend, Mannheit, Greisenalter,
die alle vier Fackeln tragen. „Der Kaiser selbst hat diese Mummerei
erfunden. Es gehören wohl hundert Figuren dazu, er wird auch
selbst darunter sein; denn er gibt seinen Augsburgern gar zu gern
solche Feste mit Bedeutungen und Anspielungen, und weiß sie
recht gut auszuführen." Auch die Verse, die Adelheid vorträgt,
hat der Kaiser gemacht. Ein trionfo dell' Età bei Grazzini fordert
unter Vorführung der verschiedenen Lebensalter zum Genusse der
Jugendzeit auf[6]. Goethe wollte übrigens die „Torheit" im Maskenzug für 1818 nach den „Träumen" unterbringen, und nach diesen
„die vier Temperamente", und zwar „wie sie in der neuen Ausgabe
des Götz von Berlichingen bezeichnet sind", wo man diese allerdings vergeblich suchen wird[7]. Fünf Wochen und darüber kostete

---

[1] S. 136.
[2] S. 150.
[3] S. 31.
[4] Gräf; II. 3, 355, Anmerkung 1.
[5] W. A. 13. I; 303, 11—304, 21.
[6] S. 148.
[7] Gräf a. a. O. S. 436; A. 1.

es ihn, das Fest für 1818 zur Feier der Anwesenheit der russischen
Kaiserin-Mutter herzurichten[1]. Es war aber auch schöner und
glänzender als eines, das er seit vierzig Jahren veranstaltetc[2],
und er sah voraus, daß er schwerlich je wieder sich einem solchen
Auftrag unterziehen und ein ähnliches Unternehmen wagen würde[3];
die Epoche dieser Späße sei vorbei[4]. Genau neun Jahre später war
er an der Arbeit, sie für sein Hauptwerk zu verwerten, boten sie
doch dem Auge ein farbenreiches, ziervolles Bild, Sinn und Bedeutung dem Geiste. ,,Eine Mummerei ist schal, wenn nicht ein
bedeutendes Geheimnis dahinter steckt."[5] — Als Goethe im
Jahre 1788 die Arbeit an seinem Faust wieder aufnahm, da muß
es ihm schon klar gewesen sein, daß er es sich nicht genügen lassen
dürfe, das beschränkte Dasein eines einzelnen Menschen, sondern
daß es seine Aufgabe sei, das Leben in seiner Ganzheit und Allheit
zu schildern. Um aber den poetischen Reif für eine so hoch auf-
quellende Masse zu finden, konnte er der Hilfe der Symbolik und
auch der Allegorie nicht entbehren. So schuf er die ,,Hexenküche"
und die ,,Walpurgisnacht", beide Szenen Bilder des Lebens, eines
verkehrten, abgeschmackten, widersinnigen, unsittlichen Lebens.
Was für den ersten Teil nur in diesen nachträglich eingefügten
Szenen möglich war, das war für den zweiten Teil der Dichtung
von Anfang an gefordert und geboten. Faust mitten im Strome
eines großen, reichen, umfassenden, durch Ort und Zeit nicht gebundenen Lebens: das war hier das gewaltige Thema; und ihm
dient auch die Mummenschanz-Szene. Die viel verlästerte, und
doch unentbehrliche Allegorie ist hier lebensvoll genug behandelt.
Das zeigt ein Vergleich mit den frühesten und den späteren Versuchen auf diesem Gebiet. Ein Ahne allegorischer Lebensdarstellung
ist die ,,Tafel des Cebes", ein spätantikes Werk, lange als Schul-
buch gebraucht, auch Goethe wohl vertraut. Eine ganze Schar
von Tugenden und Lastern drängt sich hier in den drei konzen-
trischen Kreisen, die das Leben bedeuten und dabei wie ein Gemälde abgeschildert sind[6]. Goethe besaß eine bildliche Darstellung

---

[1] Briefe 31; 43, 25.
[2] Br. 31; 113, 16—18.
[3] Gräf S. 489; 24, 25.
[4] Br. 31; 189, 21.
[5] W. A. 31, I; 304, 26. 27.
[6] Cebetis Tabula recensuit C. Prechter.

davon, von Mathaeus Merian: Tabula Cebetis, continens totius vitae humanae descriptionem[1]. Nach einem vorgefundenen Stücke des Planes zur „Reise der Söhne des Megaprazon", an der er seit dem Ausbruche der Revolution arbeitete, gedachte er, sie darin zu verwerten[2]); und als er beim Sankt-Rochus-Feste zu Bingen (1814) mit vielen Hunderten den steilen, zickzack über Felsen springenden Stieg erklomm, erblickte er die Tafel des Cebes im eigentlichsten Sinne, bewegt, lebendig; nur daß hier nicht so viele ableitende Nebenwege stattfanden[3]. In dem Aufsatz über Dante, den er im September 1826 an Zelter zur Weiterbeförderung an Streckfuß sandte, vergleicht er das von Orcagna gemalte „Höllenlokal" Dantes mit einer umgekehrten Tafel des Kebes[4]. Selbst einen so geschmacklosen Schriftsteller wie den Spätlateiner Martianus Capella, den Verfasser der „Hochzeit der Philologie und des Merkur" (de nuptiis Philologiae et Mercurii) — Burckhardt nennt ihn den Ahnherrn der allegorischen Dichtung[5] —, hat er für den „Triumph der Empfindsamkeit" (zum 30. Januar 1778) auszubeuten sich nicht gescheut[6].

Daß nun aber Goethes Lebensreigen den Charakter eines Triumphzugs erhielt, das ist nicht allein durch die Literatur, sondern auch durch die bildende Kunst bedingt. Es tut sich da ein Ausblick auf eine mehr als zweitausendjährige Entwicklung auf, ein ungeheuerer Hintergrund der Mummenschanz-Szene. Schon Apelles hat für Alexander Bilder gemalt, auf denen der König neben der Victoria und den Dioscuren erschien oder auf einem Wagen als Triumphator, daneben der Krieg mit gefesselten Händen. Sie können als Vorläufer der römischen Triumphalgemälde gelten, die in den Zügen mitgetragen wurden, und diese wieder als Vorbilder der Triumphalreliefe[7], die dann auf die Kunst der italienischen Renaissance eingewirkt haben. Die Siegesstimmung, das Gefühl der Überlegenheit, die sich mit der Wiedererweckung des Alter-

---

[1] Schuchardt I; 132, 282.

[2] W. A. 18; 503, 4.

[3] W. A. 34. I; 16, 1—4.

[4] W. A. 42. II; 71, 11.

[5] Der Cicerone II. 2; 540 c. (5. Auflage.)

[6] E. Maass, Goethe und die Antike; S. 560 f.

[7] Adolf Philippi. Über die römischen Triumphalreliefe; in den Abhandl. der phil.-hist. Classe d. Kgl. Sächs. Ges. der Wissenschaft. Bd. VI., 264.

tums verbreiteten, fanden einen gemäßen Ausdruck in der Darstellung des Triumphes. Vordem war es die Kirche gewesen, die sich als streitende, überwindende und jubilierende Macht gefühlt. Nun zog auch in Wissenschaft und Kunst dieser Geist, genährt auch durch den Stolz auf die wiedererstandene große Vergangenheit, ein. Geschichtliche, mythologische, allegorische, auch religiöse Triumphzüge malte man; daneben veranstaltete man Festzüge in der Art von Triumphen am Karneval und zu andern Feiertagen, errichtete Triumphbogen für Empfänge und Einzüge, oder gebrauchte sie als Beiwerk auf Gemälden, auch auf solchen, die mit dem Altertum nicht das geringste zu tun haben. Immerhin scheint die Poesie hierbei vorangegangen zu sein. Der erste Trionfo in der Dichtung — er weist noch deutlich die Mischung geistlicher und weltlicher, antiker und christlicher Weise, auf: Prozession und Triumphzug zugleich — ist der der Beatrice in Dantes Purgatorio (Gesang 29) mit den vierundzwanzig Ältesten der Offenbarung, den vier mystischen Tieren, den drei geistlichen und den vier weltlichen Tugenden, von denen die K l u g h e i t die Bewegung der übrigen lenkt, und den Aposteln. Der Wagen, carro trionfale, ist von einem Greifen gezogen und er übertrifft an Pracht den Siegeswagen des Scipio und des August. Burckhardts Frage, ob etwa der Wagen von Dante als wesentliches Symbol des Triumphierens betrachtet oder vollends erst sein Gedicht die Anregung zu solchen Zügen geworden sei, deren Form von dem Triumph römischer Imperatoren entlehnt war, muß wohl bejaht werden[1]. Unzweifelhaft hat dieser Gesang den Anstoß gegeben zu Petrarcas Trionfi, seinem letzten größeren Gedicht, das er 1357, fast vierzig Jahre nach der Vollendung der Commedia, begonnen hat[2]. In Form und Anlage seines Werkes wetteifert er in diesem klassischen Beispiel der Triumphdichtung mit dem großen Nebenbuhler. Auf einer Wiese bei Vaucluse eingeschlummert, erschaut er im Traum den Triumphzug der die Menschheit bezwingenden Liebe. (Triumphus Cupidinis.) Amor fährt als siegreicher, hoher Feldherr dahin, ganz wie einer von denen, die der triumphal carro ruhmreich zum Kapitol führte. Vier Rosse, weißer als Schnee, ziehen ihn; ihm folgen als Gefangene die Opfer der Liebe, voran der Weltbezwinger Caesar; er bringt

---

[1] J. Burckhardt, Die Kultur der Renaissance in Italien. II[10]; 141.

[2] Herausgegeben von Carl Appel. (Halle 1901).

sie nach Cythere, zum Tempel der Venus. In dem Triumphus
Pudicitiae trägt die Schamhaftigkeit in der Person von Petrarcas
Laura den Sieg über den Liebesgott davon. Sittsame Frauen und
Jünglinge bringen den Gefesselten zum Heiligtum der Scham in
Rom. Der heimkehrenden Siegerin begegnet dann an der Spitze
einer düsteren Frauenschar ein Weib in schwärzestem Gewande,
und ihm unterliegt sie. (Triumphus Mortis.) Dann aber zieht in
leuchtendem Glanze der Ruhm auf. der den Tod zu überwältigen
die Kraft hat. (Triumphus Famae.) Ihn umgeben die berühmten
Männer und Frauen aller Zeiten. Der Ruhm vergeht aber vor der
Zeit (Triumphus Temporis) und diese vor der Ewigkeit (Triumphus
Aeternitatis) oder der Gottheit. Mit dem Mythologischen verbindet
sich also hier das Allegorische, mit dem Heidnischen das Christliche; wie denn überhaupt die Allegorie ein Seitentrieb der antiken
und der christlichen Religion ist und mit der Zeit sich die Grenze
zwischen Mythologie und Allegorie verschiebt. Bemerkenswert für
den geschichtlichen Zusammenhang ist, was Lactantius in den
Institutiones divinae I; 11,1 zu Anfang des vierten nachchristlichen
Jahrhunderts von einem unbekannten Dichter eines Triumphus Cupidinis weiß. Der Gott der Liebe war darin nicht nur zum mächtigsten
aller Götter gemacht, sondern auch zu ihrem Besieger; in einer pompa
wurden Juppiter und die übrigen Götter vor des Triumphierenden
Wagen gefesselt dahingeführt. Petrarcas Trionfi wurden ein beliebter Gegenstand für die Malerei der folgenden Jahrhunderte;
besonders auf den Truhenbildern. So finden sich solche Cassoni
mit vier von Petrarcas Triumphen in der florentinischen Galerie,
nach Lanzi von Paolo Uccello (1397—1475) gemalt[1]. Reizvoller
sind des Francesco Pesellino Darstellungen sämtlicher Trionfi, zu
denen Justi bemerkt: Die Gedanken stammen aus Petrarca, die
Form lehnt sich anscheinend an Festzüge jener Zeit an[2]. Andrea
Mantegna, der Meister des Caesartriumphes (1431—1506), malte
ebenfalls die sechs Trionfi, für den Theatersaal des Castello di Corte
in Mantua; die in der Münchener Pinakothek aufbewahrten sechs
Holztafelbilder mögen vielleicht entfernte Beziehungen zu ihnen

---

[1] Vasari, Leben der ausgezeichneten Maler, Bildhauer und Baumeister;
Aus dem Italienischen von L. Schorn. II. 1; 93. Anm. 16.

[2] L. Justi, Die italienische Malerei des XV. Jahrh. S. 35 und Tafel 47.
W. Weisbach, Fr. Pesellino.

haben[1]. Vier Allegorien auf getrennten Tafeln, die Triumphe der
Liebe, Schamhaftigkeit, Zeit und Göttlichkeit in der Manier Botti-
cellis (1446—1510) und seiner Schule darstellend, bewahrt das
Oratorio di Ansano zu Florenz[2]. Tizian zugeschrieben wurde seinerzeit der im Weimarischen Museum befindliche „Triumph der Zeit"
(gestochen von S. Pomarede, 1770). In dem Hauptsaal des Palazzo
Rospigliosi, dessen Decke Guido Renis Aurora schmückt, sind von
Antonio Tempesta (1637—1701), der Triumph des Ruhmes und
der Liebe an den Schmalseiten gemalt — Fama auf Elefantenwagen. Bartsch führt in dem Peintre graveur unter den Kupfern
von unbekannten Meistern sechs an, denen das Gedicht Petrarcas
zugrundeliegt[3]. Auch der Nürnberger Georg Penz (1510—1550)
hat sich, wenn auch mit Freiheit, an dieselbe Quelle gehalten. (In
Nadlers Künstlerlexikon XI; 75,118—123.) Eine Anregung ging
von Petrarca auch auf Raffaels Schule von Athen (tr. della fama,
c. 3) und Parnaß (tr. dell' amore, c. 4) aus, wo freilich der bewegte
Zug durch die ruhigere Gruppe ersetzt und der allegorische Apparat
weggefallen ist[4]. Daneben gibt es zahlreiche Darstellungen von
Triumphen anderer Allegorien, bei denen zum Teil der Charakter
des antiken Triumphzugs mehr gewahrt ist. Ein Beispiel dafür
bietet des Piero della Francesca (um 1406—1492) Darstellung des
Herzogs und der Herzogin von Urbino in den Uffizien[5]. Herzog
Friedrich sitzt auf einem Feldstuhl, als Feldherr angetan; hinter
ihm steht die geflügelte Victoria; den Wagen ziehen zwei weiße
Rosse, Knabe Lenker ist ein kleiner Amor; auf dem Vorderteil
des Wagens sitzen die vier weltlichen Tugenden: Gerechtigkeit,
K l u g h e i t (janusköpfig), Tapferkeit, Mäßigkeit. Battista Sforza
ist von den christlichen Kardinaltugenden begleitet; ihr Wagen
wird von zwei Einhörnern gezogen und ebenfalls von einem Flügel-

---

[1] A. Mantegna, Des Meisters Gemälde u. Kupferstiche hgg. v. Fr. Knapp
(Klassiker der Kunst XVI); S. 166—168 u. 180.

[2] Crowe u. Cavalcaselle, Geschichte der ital. Malerei; deutsche Ausgabe v. M. Jordan. III; 171.

[3] T. XIII; 116.

[4] Schorns Vasari III. 1; 195. Anm. 58. — Springer, Raffael und Michel
Angelo I; 213 (1883). — Borinski, Über poetische Vision und Imagination.
S. 4. Anm. 1.

[5] Schorn-Försters Vasari. VI. XXXII. Crowe u. Cavalcaselle. III. 315
— Justi. 5; 86 u. Tafel 114.

knäblein gelenkt. Einen Triumph der Geduld (in sechs Blättern) erwähnt Vasari, angeblich von Hieronymus Cock, der aber wahrscheinlich der Verleger der Kupferstiche ist, aus der Mitte des sechszehnten Jahrhunderts. Der Wagen des zweiten Blattes ist von der Hoffnung und dem Begehren gezogen, und als Gefangene folgt das Glück; das sechste Blatt zeigt Stephanus, auf einem Elefanten thronend, als Gefangene führt er seine Verfolger mit sich[1]. Lorenzo Costa (1460—1535) malte für die Bentivogli in Bologna zwei für sehr schön angesehene Triumphe, den des Lebens und den des Todes; den Wagen des ersteren zogen Elefanten, den andern Büffel[2]. Von religiösen Triumphen sei des Triumphes des Glaubens von Tizian (1477—1576) gedacht, nach Vasari 1508 als Holzschnittfolge herausgegeben; er ist in der Art Mantegnas, aber als ein gewolltes Gegenstück zu dessen berühmtem Caesarzuge geschaffen. Christus als Triumphator. Sein Wagen, von den vier Tieren der Evangelisten gezogen, an den Rädern die vier Doktoren der Kirche; dazu ein großes Gefolge christlicher Helden[3]. Eine Nachbildung (in Öl) findet sich im Weimarischen Museum (N. 173). Rubens (1577—1640), der in seiner Jugend bei seinem Aufenthalt in Mantua das Hauptstück von Mantegnas Triumphe teils kopiert, teils aus eigenem umgestaltet hat, hat u. a. einen Triumph der göttlichen Liebe (um 1626—1628) gemalt: der Wagen von Löwen gezogen, auf dem vorderen als Lenker ein Putto[4].

Götterfestzüge sind seit dem Cinquecento nach antikem Vorbild ebenfalls oft genug gemalt worden; so des Bacchus, der Venus, des Neptun und anderer Meergottheiten (besonders der Galatea). In Goethes Besitz waren von Eustache le Sueur (1617—1655) Le triomphe d'Amphitrite und le triomphe de Neptun; gravé par Duflos; ein Triumph Amors über die vier Elemente (Moyreau sculp.)[5].

---

[1] Vasari, Die Lebensbeschreibungen der berühmtesten Architekten, Bildhauer u. Maler, deutsch hgg. v. A. Gottschewski u. G. Gronau. IV. (1910.) 5. 583.

[2] Schorns Vasari, II; 118 u. Anm. 12. — Bei Gronau, V; 282. — Crowe u. Cavalcaselle V; 577.

[3] Dieselben: Tizian (Deutsch v. M. Jordan.) S. 110 f. — Knackfuß, Tizian in Künstler-Monographien (29) Abb. 16—22; S. 21.

[4] Rubens, Des Meisters Gemälde hgg. u. eingel. v. A. Rosenberg (Klassiker der Kunst. V.) S. 8 u. 285.

[5] Schuchardt. I; 210, 157 u. 211, 169.

25*

Mehr allegorisch als mythologisch sind Holbeins des Jüngeren (1497—1543) nach dem Muster des von ihm so hochgeschätzten Mantegna für die Haupthalle des Stahlhofs in London geschaffenen Triumphe des Plutus und der Penia. Anregung gab ihm dabei die Auffassung der beiden in Lucians „Timon". In einer Vorstudie zu dem Triumphe des Reichtums, die in einem Kupferstiche von 1561 nach Holbeins Zeichnung erhalten ist, sitzt Plutus als gebückter Greis auf dem Wagen; über ihm ein Schild mit seinem Namen; vor ihm Geldsäcke; die Rosse werden teils von nebenherschreitenden, teils daraufsitzenden Frauen gelenkt. Allegorisch ist alles: Menschen, Pferde, selbst die Zügel; die Namen sind beigeschrieben: eines der Pferde ist als Avaritia bezeichnet, die Zügel als Notitia und Voluntas, der Kutscher als Ratio. Auf dem Wagen sitzt außerdem noch Fortuna auf einem Geldsack und wirft Gold aus. Im Gefolge schreiten die berühmten Reichen wie Crösus und Crassus; darüber in den Wolken Nemesis. Der Triumph der Armut, in einer Kopie von Bischop erhalten, von einer fast Raimundisch anmutenden Phantasie eingegeben, zeigt die Penia, alt, halbnackt, auf zum Teil mit Stroh gedecktem Wagen, der von Eseln und Büffeln gezogen wird. Die Zügel hält Spes. Moderatio, Sollicitudo, Diligentia, Labor, lauter kraftvolle Frauengestalten, lenken oder treiben die Tiere an; diese sind als Stupiditas, Ignavia, Neglegentia, Pigritia bezeichnet. Im Wagen vorn sitzen drei Frauen: Industria, Usus, Memoria, hinten Infortunium. Die beiden Gemälde (seit 1666 verschollen) wurden einst ob ihrer monumentalen Schönheit Raffaels Wandgemälden gleichgestellt[1].

Petrarca hat nun nicht bloß allegorisch-mythologische Trionfi gedichtet; er hat auch das Beispiel eines geschichtlichen Triumphzugs gegeben: in dem letzten Gesange seines lateinischen Epos „Africa" (1339), in dem er als nationalen Helden den älteren Scipio verherrlicht. Römische und griechische Schriftsteller und die Triumphalreliefe haben ihm und späterhin den bildenden Künstlern, die sich diesen Stoff ebenfalls nicht entgehen ließen, Anleitung gegeben; weniger des Livius knappe Schilderungen von den Zügen des Cincinnatus (3,29), des Camillus (5,23), des Flamininus (34,52) oder die nur zum Teil erhaltene von dem dreitägigen Prachtzuge

---

[1] Des Meisters Gemälde hgg. von Paul Ganz (Klassiker der Kunst. 20; 175 ff. u. 247 f.)

des Aemilius Paulus (45,40) als des Plutarch ausführliche Beschreibung des letzteren (c. 32 ff.). Von Pompeius berichtet Plinius, er habe bei seinem Triumphzuge über Afrika die Absicht gehabt, auf einem Viergespanne von Elefanten einzuziehen, aber die zu enge porta triumphalis hätte es nicht gestattet[1]. Suetonius schildert (c. 37) den glänzenden fünffachen Triumph Caesars; der prunkvollste war der gallische: vierzig Elefanten zur Rechten und zur Linken trugen Leuchter. Auch des Josephus eindrucksvoller Bericht über den Triumph des Vespasian blieb nicht unbeachtet[2]. Vor allen andern bemerkenswert ist aber der Appians über des jüngeren Scipio festlichen Einzug. Denn hier haben wir einen Hinweis auf den karnevalistischen Teil dieser Siegesfeiern. Unmittelbar vor dem Wagen schreiten die Liktoren und ein Chor von Zitherspielern und Schalmeibläsern; ähnlich wie bei einer etruskischen pompa bewegten sie sich unter Gesang und im Tanzschritt; mitten unter ihnen einer, der durch mannigfache Gebärden Lachen zu erregen versuchte, gleichwie wenn er die Feinde verhöhne. Den Soldaten dagegen war volle Freiheit gewährt, den eigenen Feldherrn zu verspotten. Scipio selbst fuhr auf einem bunt bemalten Wagen[3]. Nach den Tag- und Jahresheften von 1821 studierte Goethe damals Plutarch und Appian „diesmal um der Triumphzüge willen, in Absicht Mantegnas Blätter, deren Darstellungen er offenbar aus den Alten geschöpft, besser würdigen zu können."[4] Das Tagebuch vom Oktober 1821 bestätigt dies: Nach Tisch las ich über römische Triumphe; auch den Triumph Aemilius Paulus über Perseus im Plutarch (am 2. Oktober); bis zum 16. Oktober bleibt dann Plutarch seine abendliche Lektüre[5]. Im Mai 1822 kehrt er darauf, ebenfalls durch seine Arbeit an dem Mantegna-Aufsatze veranlaßt, zu diesem Studium zurück. Am 24. abends mit Riemer: Lateinische und griechische Autoren wegen der verschiedenen Triumphzüge, am nächsten Mittag: an Appians Geschichte, und am Abend las Meyer vor: im Velleius Paterculus[6]. Unter dem

---

[1] Drumann, Geschichte Roms; IV[2]; 345. Anm. 5.
[2] de bello Judaico VII; 5.
[3] de rebus Punicis c. 66.
[4] W. A. 36; 191, 19—21.
[5] T. 8; 119, 19—21. 121,26. 122,6. 123,14. 124,4. 125,8.
[6] T. 8; 199,28. 200,1. 200,5,6. 9. 10.

26. Februar 1827 ist eingetragen: Abends Hofrat Meyer. Den Prachtzug des Ptolemaeus Philometer aus dem Athenaeus vorlesend[1].
Diese Angabe ist zu berichtigen. Nicht um diesen Ptolemaeus
handelt es sich, sondern entweder um Antiochus Epiphanes oder
um Ptolemaeus Philadelphus. Der Irrtum ist entstanden durch
eine ganz nebensächliche Erwähnung des Philometor am Ende
der Schilderung von jenes verschwenderischen Prunkfesten. Ihn
ließ des Aemilius Paulus Ruhm, der glänzende Wettspiele in Mace-
donien veranstaltet hatte, nicht ruhen. Ihn zu überbieten, lud
er zu einem großen Fest ein. Den Anfang machte eine prächtige
pompa. Zehntausende von verschwenderisch ausgerüsteten Kriegern
aus verschiedenen Völkern, zu Fuß, zu Roß und Wagen, zum Teil
mit silbernen Waffen und goldenem Geschirr, bildeten die Spitze.
Unter den Gespannen war auch ein Elefantenwagen. Die Bilder
von allen Göttern, Dämonen und Heroen wurden mitgeführt: teils
von Gold, teils mit goldgewirkten Gewändern bekleidet. Eine
außerordentliche Fülle von Silber- und Goldgerät wurde von zahlreichen Sklaven einhergetragen; den Schluß machten köstlich
geschmückte Frauen in gold- und silberfüßigen Sänften[2]. Einen
noch überschwänglicheren Prunk entfaltete des Philadelphus pompa.
Es war eine Prozession in riesenhaftem Ausmaß. Voranschritten
diesem Dionysoszuge, die Menge zurückhaltend, Silenen; ihnen
folgten Satyrn, dann Niken mit goldenen Flügeln, das Jahr, das
Lustrum, die vier Jahreszeiten; auf einem Wagen das Kolossalbild
des Dionysos aus Gold, geleitet von 180 Männern; danach die Schar
der Priester, Priesterinnen, Bacchantinnen. Von zahlreichem Gefolge wurden die Werkzeuge und Gefäße der Weinbereitung und
des Weingenusses getragen oder gefahren. Noch besonders war
der Zug des Dionysos aus Indien dargestellt. Er saß, purpurgekleidet
und goldbekränzt, auf einem Elefanten; vor ihm auf dem Nacken
des Tieres ein junger Satyr. Eine Unmenge in Gold und Purpur
gekleidete Sklavinnen und Satyren gab ihm das Geleite. Ganze
Geschwader verschiedenster Tiere, Esel, Strauße, Hirsche, Büffel u.a.,

---

[1] T. 11; 26, 1—3. Vielleicht wurde er durch Creuzers „Symbolik u.
Mythologie" darauf aufmerksam, die der pompa des Philadelphus im 3. Bd.
öfters gedenkt. (S. 188. 202. 231. 447 f. 465).

[2] Deipnosophistarum libri rec. G. Kaibel V; 194 c—195c. (Bd. I;
431—435; c. 22—25.)

schlossen sich an; auch vierundzwanzig Elefantenwagen. Auf allen diesen Gespannen standen Knaben mit Lenkergewändern und Hüten. Diese L e n k e r k n a b e n waren mit Fichtenkränzen geschmückt; neben ihnen standen Mägdlein, mit kleinen Schilden und Thyrsoslanzen bewehrt und mit Efeu bekränzt. Dann kam eine ganze Menagerie seltenen Getiers. Noch einmal auf vierräderigem Wagen Dionysos, neben ihm Priapus; weiter die goldenen Bildsäulen Alexanders und des Ptolemaeus; neben diesem erhoben sich das Bild der Jugend mit einem goldenen Ölkranz; dazu noch Priapus und die Stadt Korinth. Reichgeschmückte Frauen folgten als Allegorien kleinasiatischer Städte und Inseln. Ein goldener Thyrsos und ein riesiger Phallos wurden gefahren; ebenso zahlreiche Bildsäulen von Königen und Göttern zwischen einem Gedränge von Menschen und Tieren. Dann reihte sich die pompa des Zeus und sehr vieler anderer Götter an, vor allem Alexanders, der auf einem Elefantenwagen stand, zu seiner Seite Nike und Athena. Zum Schluß eine verwirrende Fülle von Gerät, Schmuck, Rüstungen, zum Teil aus Gold und Elfenbein, und endlich Myriaden prächtig gewappneter Krieger zu Fuß und zu Roß[1].

Die italienische Kunst bemächtigte sich dieses Stoffes seit dem Ende des Trecento. Damals beginnt sie geschichtliche Triumphe darzustellen. Vasari nennt in dem Leben des Carpaccio zwei wunderschöne Triumphzüge in Fresco, von Avanzi in Verona gemalt. Mantegna soll sie als auserlesene Malerei gerühmt haben[2]. Es ist dies derselbe Avanzi, der gemeinsam mit Aldigieri da Zevio das edelste malerische Denkmal Norditaliens im 14. Jahrhundert zu Padua (in der Cappella S. Felice im Santo)geschaffen hat[3]. Das größte auf diesem Gebiete leistete aber Mantegna selbst, in dem besten Werke, das er je ausgeführt hat, dem Triumphzuge Caesars, den er 1492 beendete. Es fand zunächst seinen Platz in dem Theatersaale des Castello di Corte zu Mantua. Im Jahre 1627 wurde es an Karl I. von England verkauft und befindet sich jetzt im Schlosse Hamptoncourt bei London in sehr schlechtem Zustande (alte Kopien in Wien und in Schleißheim)[4].

---

[1] V; 197 d—203.b. (Kaibel I; 438—450.)

[2] Übersetzung von Gronau (1908.) 5; 46.

[3] Crowe u. Cavalcaselle 2; 398.

[4] Fr. Knapp; XXIX ff. u. 50—58. 173.— Henry Thode, Mantegna (Künstlermonographien 27.) S. 90 ff.

Ein genauer Kenner des antiken Lebens, ein eifriger Sammler seiner Überreste, ein kraftvoller Meister klarer und strenger Form hat hier auf Grund der Denkmäler und der Schilderungen des Sueton, des Plutarch, des Josephus und des Appian ein in den Formen wuchtiges, an Gedanken reiches Bild des geschichtlichen Vorgangs hervorgebracht und darin den eigentlichsten Höhepunkt römischen Daseins wiedergegeben. Goethe hat sich, von des Meisters völliger Versenkung in das Altertum und von der unmittelbaren Natürlichkeit seiner Kunst gepackt, eingehend mit dem Werk in den Jahren 1820 bis 1822 beschäftigt. Daraus erwuchs die Abhandlung „Triumphzug von Mantegna", zuerst veröffentlicht in „Kunst und Altertum" (1823)[1]. Er besaß das Werk in den Holzschnitten des Andrea Andreani (vom Ende des 16. Jahrhunderts) und eine Kopie Schwerdgeburths nach dem von Mantegna selbst gestochenen Blatt, auf dem der römische Senat dargestellt ist[2]; außerdem drei einzelne Blätter: „der römische Senat begleitet einen Triumphzug" und „die Elefanten, welche Fackeln tragen" (in zwei Exemplaren)[3]. Als er im Jahre 1827 die Mummenschanz-Szene schrieb, verband sich in seiner Einbildungskraft der Trionfo della Prudenza mit dem Triumphus Caesaris zu dem Triumphus Victoriae. Mantegnas Elefanten, die leitenden Jünglinge, die Gold schleppenden Träger, die Gefangenen, die Possenreißer, Nike mit „behenden, breiten Flügeln" hinter dem sitzenden Caesar, das lebensgefährliche Gedränge um den Siegeswagen haben ihm bei seiner Tätigkeit des Gestaltens und Umgestaltens besonders vor Augen gestanden. Er nahm an, daß Mantegna sich hauptsächlich an Plutarchs Aemilius Paulus gehalten habe; daher fügte er der Vorarbeit eine Übersetzung der betreffenden Stelle bei, die vielleicht Riemer angefertigt hat[4]. Der sogenannte Triumph Scipios, den Mantegna kurz vor seinem Tode (1506) beendet hat, hat mit einem solchen nichts zu tun[5]. — Mantegna fand zahlreiche Nachfolger. Polidoro da Caravaggio (angeblich 1543 gestorben) und Maturino aus Florenz malten ge-

---

[1] 4; 111ff. (1. Heft.) u. 51 ff. (2. Heft.) W. A. 49, I; 255 ff. u. 49, II; 295 ff u. 227 f.

[2] Schuchardt. I; 44, 406.

[3] a. a. O. 44,399—401.

[4] W. A 49, II; 235.

[5] Bei Knapp. S. 119—121.

meinschaftlich auf einer Wand in Rom den Triumph des Camillus
und auf einer andern Außenmauer den Triumph des Aemilius
Paulus und eine Menge anderer Begebenheiten aus der römischen
Geschichte. Nach Schuchardt waren in Goethes Besitz acht Blätter:
Friese mit Zurüstung zu Auszügen, Wanderungen, Seetreffen usw.
Von Polydor und Maturino gemeinschaftlich an der Fassade eines
Palastes gemalt[1]. Der Raffaelschüler Perino del Vaga (1501—1574)
schuf in Fresco einen Triumphzug des Scipio in Piacenza[2]; unter
Mantegnas Einfluß Francesco Bonsignori (gest. 1509) sechs kleine
Darstellungen des Triumphes des Scipio[3]; Francia Bigio (1482—1525)
den Ciceros für das mediceische Lustschloß Poggio a Cajano bei
Florenz[4]; Battista Franco, ein Zeitgenosse Vasaris (1493—1574),
den der beiden Scipionen für eine Festdekoration beim Einzug
Karls V. in Rom (1536)[5]. Auf des Salviati (1510—1563) Triumph
des Camillus in dem Audienzsaale des Palazzo vecchio in Florenz
sieht man den Helden auf einem von vier Pferden gezogenen
Wagen, oben die Ruhmesgöttin, die ihn krönt, um ihn zahllose
Gefangene, ein Werk, das nach Burckhardts Urteil bei aller öden
Manier noch einen gewissen Schönheitssinn verrät[6]. Vasari selbst
stellte den Zug Caesars dar im Erdgeschosse des Medici-Palastes um
1517 (nicht erhalten) und 1565 Triumphe im großen Saale des Palazzo
vecchio[7]. Während der Schweizerreise (1797) erhielt Goethe durch
Meyer, der aus Italien heimgekehrt war: Sigismundi Augusti Man-
tuam adeuntis profectio ac triumphus; Fries, nach der Erfindung
des Julio Romano von Primaticcio in Relief ausgeführt, im Palast
del Te zu Mantua (in 26 Blatt; gestochen von P. S. Bartolus)[8].
Die „Reise in die Schweiz 1797", bearbeitet von J. P. Eckermann,
erwähnt denn auch, ebenso wie die Tagebücher, die „Friese des Julius
Roman"[9] und in dem dritten Faszikel zu dieser Reise, der in den

---

[1] Vasari (Gronau). 4; 275 ff. — Schuchardt I; 54,508.
[2] Vasari (Schorn-Förster) III. 2; 465. Anm. 28.
[3] Crowe u. Cavalcaselle. 5,509.
[4] a. a. O. 4; 518.
[5] Vasari (Gronau) 5; 126.
[6] a. o. O. 6; 286 — Cicerone. 800. i.
[7] Vasari (Gronau) 6; 346 u. 396.
[8] Schuchardt. I; 221,68. — Vasari (Gronau) 4; 306.
[9] W. A. 34, I; 412. T. 2; 187,6,7. 21. 22.

„Lesarten" der weimarischen Ausgabe abgedruckt ist, steht eine
eingehende Inhaltsangabe der Friese (vom 15. Oktober)[1]. Während
er diese Blätter studierte, hielt ihm Meyer Vorlesungen über florentinische Kunstgeschichte, denen er Vasari zugrundelegte[2]. In
dem erwähnten Faszikel befindet sich von seiner Hand (bezeichnet:
Stäfe, den 15. Oktober) ein Verzeichnis der italienischen Maler,
das nach Vasaris Anordnung angelegt ist[3]. Goethe hatte allerdings damals schon den Plan einer zweiten Reise nach Italien,
für die er umfangreiche Vorarbeiten gemacht hatte, aufgegeben;
damit auch den großen Gedanken, eine ausführliche, alle Gebiete
umfassende Geschichte des italienischen Lebens zu schreiben. Von
bildlichen Darstellungen antiker Triumphzüge sind in Goethes
Sammlungen außer den Basreliefs vom Constantinbogen[4]: von
Giovanni Lanfranco Triumph eines römischen Kaisers (in zwei
Abdrücken), von Guilio Romano Triumph des Titus und Vespasian;
von demselben: gefangene Weiber und Kinder im Triumph aufgeführt[5]. Von Albrecht Dürer besaß er den „Triumphwagen Kaiser
Maximilians", von Heinrich Ulrich gestochen[6]. Mit diesem Werke
beteiligte sich der größte Meister deutscher Kunst im Dienste des
Kaisers an der Triumphdarstellung. Was er an diesem aus hundert
Holzschnitten zusammengesetzten Festzuge geleistet hat, hat er
(1522) in acht Holzschnitten noch einmal besonders herausgegeben[7].
Unter den italienischen Medaillen, die Schuchardt verzeichnet,
kommen ebenfalls einzelne in Betracht: so in II; 58,90 (Triumphwagen, umgeben von Kriegern, die Feldzeichen tragen), auf S. 60,
102 (Weibliche Figur, in der Rechten eine Blume, auf vierräderigem
Wagen stehend, der von einem Adler und einem Drachen gezogen
wird); auf S. 68,156 (Römischer Triumphzug). In Bronze hatte
Goethe eine Victoria (antik), auf einer Kugel schwebend, beide Arme
hoch über den Kopf erhoben; große Fittiche überragen ihn weit; —

---

[1] 34. II; 116 ff.
[2] T. 2; 187,7,11,15,21.
[3] 34. II; 114 f. — Aufzeichnungen Goethes nach Vasari in der Vorbereitung zur Reise nach Italien a. a. O. 200—212.
[4] S. 221,72.
[5] S. 41,378 u. 379. — 78,747. 79,755.
[6] 120, 171.
[7] A. Springer, Handbuch der Kunstgeschichte. IV[4] 130—133. —
Wölflin, Die Kunst A. Dürers, S. 236 ff.

und einen Triumphator auf einer Biga (in zwei Exemplaren)[1]. Für seinen Plutus-Triumph hat ihm aber sicherlich Anregung gegeben eine italienische Medaille, ein Werk des Florentiners Bertoldo. Hier erblicken wir auf der einen Seite ein Brustbild des Sultans Mahomet, einen Turban um das Haupt, auf der Brust ein Medaillon mit dem Halbmond; auf der Rückseite: „ein vierräderiger Triumphwagen von zwei Pferden gezogen, denen der Lenker vorangeht. Auf dem Wagen steht der Sultan, mit einem fliegenden Mantel bekleidet, in der Linken eine kleine Victoria, in der Rechten eine Schnur, an die drei weibliche, hinten auf dem Wagen stehende Figuren gebunden sind, neben welchen Gretie [Creta], Trapesunty, Asie geschrieben ist."[2] Dieses Bild hat veranlaßt, daß Plutus so sultanhaft geraten ist.

Die Kunst erwies sich jedoch auch vergänglichen Veranstaltungen gefällig und schmückte geistliche und weltliche Feste — in der Form von Triumphzügen — prunkhaft aus. So überliefert Vasari im Leben des Malers Granacci (1747—1543), dieser sei wegen seiner Liebenswürdigkeit und Gewandtheit vielfach zu Karnevalsfesten gebraucht worden. Auch Lorenzo habe sich stets seiner Hilfe bedient, besonders bei einer Maskerade, die den Triumph des Aemilius Paulus darstellte, was allerdings zu dem Alter des Künstlers nicht stimmen will. Als Leo X. (1515) in Florenz empfangen ward, war es seine geschickte Hand, die den Triumph des Camillus ausstattete[3]. Dabei ging die Gelehrsamkeit der Kunst zur Hand; sie gab den Grundgedanken an, den die andere ausführte. Das verschmähte jene auch nicht zum Karneval 1513, da ganz Florenz ob der Wahl Leos X. in Festesfreude schwamm. Eine Gesellschaft von Edelleuten beauftragte den Professor Dazzi, der an der Universität griechische und römische Literatur las, an die Erfindung eines Triumphzugs zu denken, und er rüstete einen in der Art zu, wie die Römer solche Aufzüge machten. Eine ganze Schar von Künstlern nahm an der Ausführung teil. Pontormo malte die Bilder an den drei Wagen; sie waren in der Weise angebracht, wie man es an dem Wagen Caesars bei Mantegna sieht, und stellten

---

[1] II; 14,36. 26,65,66.
[2] II; 44,32.
[3] Vasari (Gronau.) 6; 150 f. — Das Lied bei Grazzini S. 136.

zahlreiche Verwandlungen von Göttern vor[1]. Es war der Triumph
der drei Lebensalter, dessen Lied bei Grazzini steht[2]. Eine andere
vornehme Gesellschaft suchte nun jene zu überbieten, und mit
Hilfe des gelehrten Schöngeistes Nardi, des Geschichtschreibers
von Florenz, kamen sechs Wagen zustande. Auch hierbei übernahm
Pontormo den malerischen Teil. Die Wagen trugen Saturn und
Janus als Vertreter des goldenen Zeitalters, Numa, Manlius Tor-
quatus, Julius Caesar als Triumphator über Cleopatra — seinen
Wagen zogen vier Büffel, die man wie Elefanten angetan hatte —
Augustus, umgeben von zwölf lorbeergekrönten Dichtern, Trajan,
alle mit zahlreichem Gefolge. Diesen sechs Wagen folgte noch
der Triumphzug der Zeit und des goldenen Jahrhunderts. Unter
den Maskenzügen Goethes stellt einer den Aufzug der vier Weltalter dar (zum 12. Februar 1782)[3]. Auch bei ihm tritt die Zeit
neben den vier Weltaltern besonders auf; sie verkündet zum Schlusse
die Rückkehr des goldenen Alters, während dort der Wagen der
Zeit das Ende des eisernen und die Auferstehung des goldenen
Zeitalters allegorisch andeutete. Das eherne Alter ist bei Goethe
von dem Geiz geleitet, der nach dem erhaltenen Programm Geld
und goldene Ketten austeilt. Für einen Karnevalszug seltsam
genug war des Piero di Cosimo (1462—1521) Einfall, mit dem er
jedoch nach Vasari starken Eindruck machte[4]. An Fastnacht 1511
zog ein trionfo della Morte durch die Straßen von Florenz: ein
mächtiger Triumphwagen, mit Knochengerippen und weißen Kreuzen
bemalt, von schwarzen Büffeln gezogen; oben der Tod mit der
Sense (wie in der mantegnaschen Darstellung von Petrarcas trionfo
della Morte in München), um ihn her Gräber mit Deckeln. Hielt
der Zug, um einen Gesang anzustimmen[5], so öffneten sie sich, es
entstiegen ihnen Gestalten in schwarzen Gewändern, auf die das
ganze Gerippe mit weißer Farbe gemalt war. Vor und hinter dem
Wagen ritten auf elenden Pferden zahlreiche „Tote". Fackel-
beleuchtung, Trauerfahnen, dumpfer Gesang sorgten dafür, das

---

[1] Vasari (Gronau) 6; 203 ff. im Leben des Pontormo.
[2] S. 148.
[3] W. A. 16; 195 f. u. 441.
[4] Vasari (Jaeschke) 2. 186 f. — Über diese Feste vergl. Burckhardt
a. a. O. 2; 145 ff.
[5] Bei Grazzini S. 146.

Bild des Schreckens zu vervollständigen. Piero erntete großes
Lob und ward die Ursache, daß man fortfuhr, solche sinnreiche
Maskeraden zu veranstalten, so daß Florenz auf diesem Gebiet
ohnegleichen dastand[1].

Es war in der Renaissancezeit durchaus der Brauch, daß selbst
die bedeutendsten Künstler bei öffentlichen Festen, Maskeraden
und andern Schauspielen in Anspruch genommen wurden. Vasari
bezeugt es von Filippino Lippi (1484—1504)[2], von Rosso (1494
bis 1541)[3], der seit 1531 für Franz I. Zeichnungen für alles, was
zu Pferdeschmuck, Maskeraden, Triumphzügen gehörte, mit so
seltener und eigenartiger Phantasie entwarf, daß man es unmöglich
besser machen konnte. Bartolomeo Genga (1515—1558) wird als
vorzüglich in Erfindung von Theaterdekorationen und Maskeraden
gepriesen[4]. Aristotile da Sangallo, Vasaris Zeitgenosse, schuf mit
Andrea del Sarto (1487—1531) eine Theaterdekoration für die
Mandragola[5]. Vasari selbst hat zahlreiche Maskenaufzüge und
andere Feste zugerüstet[6]. Da Leo X. als echter Medici den Karneval
von Florenz nach Rom verpflanzt hatte, mußte auch Raffael ihm
dabei behilflich sein: er malte die Dekorationen für Ariosts Komödie
,,I Suppositi"; ja der Papst, dessen Pontifikat für Rom ein ewiges
Fest bedeutete, von dessen Taumel der Karneval sich nur wenig
abhob, mutete ihm zu, den Elefanten, den der Hanswurst und
Dichter Baraballo bei seinem grotesken Festzug durch die Straßen
Roms getragen hatte, lebensgroß an einer Mauer des Vatikans
abzuschildern[7]. — Mitgewirkt haben die besten Künstler auch bei
der Errichtung und Ausschmückung von Triumphbogen, die in
großer Zahl bei Empfängen erbaut und mit Bildern, Reliefs und
Freifiguren auf das schönste ausgestattet wurden, so daß sie auch
in unvergänglichem Material nicht hätten besser wirken können
und man oft bedauerte, daß sie nicht erhalten bleiben konnten.

---

[1] Nach Vasari: Wackenroder, Herzensergießungen eines kunstliebenden
Klosterbruders (hgg. v. Fr. v. d. Leyen) I; 70—78.

[2] Vasari (Jaeschke) 2; 142.

[3] Vasari (Gronau) 6; 135.

[4] a. a. O. 4; 301.

[5] a. a. O. 4; 367.

[6] a. a. O. 6. 406.

[7] Burckhardt I;[10] 171. — Springer II; 9. — E. Diez: ,,Der historische
Carneval in Italien". (Westermanns Monatshefte 1911. März.)

Auch diese Art des Festschmucks soll Lorenzo angeregt haben[1].
Bei Leos X. Empfang in Florenz wurden im Jahre 1515 zwölf Bogen
errichtet, und die auserlesensten Meister haben dafür gearbeitet,
allen voran del Sarto und Sansovino[2]. Vasari bringt so viele Beispiele dieser Tätigkeit bei, daß man sie unmöglich im einzelnen
aufzählen kann. — Wohl das glänzendste Fest des Cinquecento
war die Hochzeitsfeier des Francesco von Medici, des späteren
zweiten Großherzogs, und der Johanna von Österreich (1566). Die
Beschreibung rührt nicht von Vasari her; aber sie ist, um den
Künstlern ein lehrreiches Musterbeispiel zu geben, in die zweite
Ausgabe seiner Vite aufgenommen worden und füllt den größten
Teil des letzten Bandes (1568). Zu der prachtvollen Ausschmückung
der Stadt, dem Glanz der Aufführungen und Spiele gesellte sich
das seit Menschengedenken prunkvollste Maskenfest. Boccaccios
weitschichtige Compilation, die er selbst für sein bestes Werk hielt,
„de genealogia deorum“, hat noch nach zweihundert Jahren den
überreichen Stoff geliefert. Einundzwanzig, mit verschwenderischer
Pracht, aber bereits nicht mehr mit dem besten Geschmack aus-
gestattete Götterwagen, sich in barocker Mischung des Mythologischen mit dem Allegorischen gefallend, waren aufgeboten worden;
darunter ein carro di Cerere, von zwei D r a c h e n gezogen; ein
carro di Pan, der hier durchaus als Gott der Wälder und Hirten
gefaßt ist; mit ihm Faunen und Silvanen. Ein Blatt Claude Gillots:
„Feste du Dieu Pan, célébrée par des Sylvains et des Nymphes“
befand sich in Goethes Besitz; außerdem ein „Feste de Faune, Dieu
des Forests“[3]. In dem trionfo de’ Sogni, der bei dieser Hochzeitsfeier ebenfalls veranstaltet wurde, trat Pluton als Gott des Reichtums auf, zwischen der Avarizia und der Rapacità; und neben dem
anmutigen Amor die grüne Hoffnung und die bleiche Furcht. —
Das Genie des Rubens (1577—1640) hat dann den Einzug des Kar-
dinal-Infanten Ferdinand in Antwerpen (1635) zu dem großartigsten
und am reichsten ausgeschmückten Fest des nächsten Jahrhunderts

[1] Vasari (Gronau) 6; 77 ff.
[2] ebenda.
[3] Schuchardt. I; 200,59. Auch besaß Goethe in 21 Blatt des Annibale
Carracci Frescomalereien in der Galerie des Palastes Farnese zu Rom (a. a. O.
26; 229.) mit einer Darstellung des Triumphes des Bacchus und der Ariadne
mit Faunen und Satyren; auf einem Seitengemälde Pan.

gemacht. Mit ihm war die ganze Künstlerschaft der Stadt beschäftigt, die Straßen mit Triumphbogen zu besetzen und mit
mythologisch-allegorischen Darstellungen pomphaft zu zieren. Die
Skizzen und auch ein Teil der ausgeführten Gemälde dieses Introitus
Ferdinandi haben sich erhalten[1]. Besonders glanzvoll waren auch
die Festlichkeiten, die Ludwig XIV. im Mai 1664 zu Versailles
veranstaltete[2]. Der König hatte die Rolle Rüdigers aus Ariosts
„Rasendem Roland" übernommen. Die bekannten Allegorien
schlossen sich auf farbenprächtigen Wagen an: die vier Weltalter,
die vier Jahreszeiten; auch die mythologischen Gestalten fehlten
nicht: Pan (Molière) und Diana; am zweiten Tage der Festwoche
wurde zum erstenmal Molières „La princesse d'Elide", und am
sechsten Tage der „Tartuffe" gespielt. Ein ähnliches Fest wurde
1668 gefeiert. Dabei brach das Feuerwerk mit so überraschender
Wucht aus, daß sich die bestürzten Gäste im Dickicht des Gehölzes
bargen oder sich auf die Erde warfen. Gegen Ende des Jahrhunderts
hat dann noch die barocke Phantasie Lohensteins im „Arminius"
mythologisch-allegorische Feste geschaffen, die durch die Fülle
der Gestalten, die Häufung seltsamster Vorgänge und durch die
Gesuchtheit der Beziehungen alles überbieten[3]. Bei der Vermählung
des Helden mit Thusnelda ziehen die Elefanten nicht nur, Götter
und Allegorien auf ihren Rücken tragend, auf, sondern sie führen
auch einen Tanz auf; auch hier erscheinen die vier Jahreszeiten
auf Prunkwagen, aber geleitet von „männlichen" und „weiblichen"
Blumen, als deren Vertreter Gottheiten, Helden und Heldenfrauen
erscheinen. Wettstreit und Tanz der Blumen schließen sich an.
Bei der Friedensfeier des Tiberius treten die sieben freien Künste
auf, Götter, Städte, auch die mit Schlangen gekränzte Mißgunst[4]. —
Man sieht daraus, welche große Rolle diese festliche Welt einmal
gespielt hat. Im letzten Grunde gehen diese Maskenzüge zurück
auf den ältesten Gottesdienst. Der Oberpriester stellte selbst den

---

[1] Klassiker der Kunst. V; XXXIX. u. 345—358. 483. — Burckhardt,
Erinnerungen aus Rubens. S. 35.

[2] F. Lotheissen, Molière. S. 165 ff und die Festbeschreibungen in den
Molière-Ausgaben.

[3] Cholevius, Die bedeutendsten deutschen Romane des siebzehnten
Jahrhunderts. S 382 f.

[4] Ebenfalls herkömmlich: Vasari malte den Neid, wie er Ottern
verschlingt und vor Gift zu bersten scheint. (6. 372.)

Gott in dessen Maske vor, und auch der römische Triumphator trug noch den Ornat des kapitolinischen Jupiter. Humanismus und Renaissance, Wissenschaft und Kunst, die neue Liebe zum Alten und die Künstlerfreude an festlichem Schaugepränge erweckten die Götter- und Menschentriumphe zu neuem Leben. Die auserlesensten Geister haben in Wort und Bild sie gestaltet oder zu vergänglichen Feiern ausgestattet. Gab es ein erhabeneres Thema neben den rein religiösen? Lebt es nicht in Raffaels Wandgemälden im Vatikan und in der Farnesina? Und Michel Angelo? „Sein Papstdenkmal für Julius II., bestimmt für St. Peter — was ist es anders als das Triumphgepränge des neuerweckten Altertums, inspiriert von Motiven altkaiserlicher Triumphbogen?"[1] War es nicht der stärkste und gemäßeste Ausdruck der Zeit? „Es gab bisher keine entscheidendere Fragestellung als die der Renaissance; — meine Frage ist ihre Frage. — Sondern das Leben! Sondern der Triumph des Lebens!", ruft Nietzsche aus. Einen Triumphus Vitae aus dem Geiste der Renaissance heraus hat Goethe in der Mummenschanz-Szene geschaffen; und wenn sein Faust hier als Veranstalter eines Festzugs auftritt, an dem er selbst triumphierend teilnimmt, und der das Leben bedeutet, so steht er damit, wenn auch symbolisch, auf einer Höhe des menschlichen Daseins und atmet zum erstenmal freiere und reinere Luft, die der Renaissance, bevor er die Antike selbst in ihrer ursprünglichen Kraft und Schönheit erlebt.

---

[1] E. Maas, Goethe und die Antike. S. 584.

Cupa.

Von Georg Baesecke, Königsberg.

In der Vita Sti. Columbani des Jonas (Mon. Germ. hist., Script. rer. Merov. III) steht (S. 102) zu lesen: Ad destinatum deinde perveniunt locum. (Nämlich Columban und die Seinen nach Bregenz.) Quem peragrans vir Dei non suis placere amicis aiet, sed tamen ob fidem in gentibus serendam inibi paulisper moraturum se spondit. Sunt etenim inibi vicinae nationes Suaevorum. Quo cum moraretur et inter habitatores loci illius progrederetur, repperit eos sacrificium profanum litare velle, vasque magnum, quem vulgo cupam vocant, qui XX modia amplius minusve capiebat, tervisa plenum in medio positum. Ad quem vir Dei accessit sciscicaturque, quid de illo fieri vellint. Illi aiunt se Deo suo Vodano nomine, quem Mercurium, ut alii aiunt, autumant, velle litare.

Die Wodansverehrer nennen das Opfergefäß cupa, also die Alemannen, nicht die (vgl. Behaghel, Geschichte der deutschen Sprache [4] S. 13) zu jener Zeit bei Bregenz noch vorhandenen Romanen. So wird man natürlicherweise verstehen, nicht mit schwerbegreiflichem Subjektwechsel, daß 'man' jenes Gefäß etwa 'vulgärlateinisch' cupa nenne. (Wogegen schon sprechen würde, daß cupa seit Cicero und Caesar hochlateinisch belegt ist.)

Daß für das Alemannische in der Tat ein voralthochdeutsches, seinerseits freilich dem Lateinischen entlehntes kupa angesetzt werden darf, bestätigt Notker, indem er in seiner Boetiusübersetzung (bei Piper I, 62,10 ff.) schreibt: Nonne adolescentulus didicisti iacere in limine iouis.

duis	pithus	ton	men	ena	kakon
duo	dolia	articulus	quidem	unum	malum
	ton	de	eteron	elon[1]	
	articulus	autem	alterum	bonum.	

---

[1] Lies δύο τοὺς πίθους, τὸν μὲν ἕνα κακῶν, τὸν δὲ ἕτερον καλῶν.

26

Nelfrnetôst tû na chínt uuésentêr. dáz pacubius poeta scréib.
Zuô c h û f á᷄ lígen fólle. únder iouis túrôn. éina gûotes. únde
ándera úbeles ?

Wie sich Kufe < kuofa < *kōpa zu diesem Worte chûfa
(> *Kaufe) verhält (das ich im Schwäbischen und Schweizerischen
Wörterbuch nicht mehr finde), das ist eine Frage für sich[1].

Somit enthält unsere Stelle außer dem oft benutzten Zeugnis
für Wodan ein kraft seiner guten örtlichen und zeitlichen Datierung
nicht minder wichtiges für die hochdeutsche Lautverschiebung:
d in Vodano ist noch nicht zu t, k in cupa noch nicht zu ch, p noch
nicht zu ff geworden. Das erste und zweite ist selbstverständlich,
wenn das dritte gilt; denn $p > ff$ ist der älteste Akt der Verschiebung (Einführung in das Althochdeutsche § 55,3), und einer, dessen
Ergebnis auch im Lateinischen wohl darstellbar war, was für die
Affrikate nicht ohne weiteres behauptet werden kann. Die Vita
Columbani ist nach dem Herausgeber Krusch (S. 31) etwa 642
geschrieben, in Bregenz war der Heilige 610—612 (a. a. O. S. 9—11),
d. h. die hochdeutsche Tenuisverschiebung hatte nicht nur im 6. Jahrhundert (vgl. Einführung § 55,5), sondern bei Bregenz auch anno
610 noch nicht begonnen. Sie schreitet von Süden nach Norden.
Wir müssen sie also — in Weißenburg ist sie 695 bereits beendet —
ins 7. Jahrhundert setzen. Sie geht so der Medienverschiebung,
die sich dann bis in die Zeit der literarischen Überlieferung erstreckt
(a. a. O. § 59,6), unmittelbar voraus, und das erscheint natürlich.

---

[1] Cōpa fehlt nach dem Thesaurus linguae Latinae IV. 1410 in der ge-
samten lateinischen Überlieferung und ist nur auf Grund einer verkehrten
Etymologie von einem alten Grammatiker angesetzt. Vgl. Meyer-Lübke, Wiener
Studien 25,97 f., Kluges Etymologisches Wörterbuch unter Kufe und das
Verhältnis der Vokale von Kruke und Krug.

Inhalt.

Druck:
Customized Business Services GmbH
im Auftrag der KNV-Gruppe
Ferdinand-Jühlke-Str. 7
99095 Erfurt